# Une
# NAISSANCE HEUREUSE

Bien vivre sa grossesse et son accouchement

Catalogage avant publication de la Bibliothèque nationale du Canada

Brabant, Isabelle

    Une naissance heureuse
    Éd. rev. et mise à jour
    Comprend des références bibliogr.

    ISBN 2-89035-340-0

    1. Grossesse. 2. Accouchement. 3. Nourrissons – Soins. I. Titre.

RG525.B72 2000       618.2       C00-941570-X

*Les Éditions Saint-Martin bénéficient de l'aide de la SODEC pour l'ensemble de leur programme de publication et de promotion.*
*Les Éditions Saint-Martin sont reconnaissantes de l'aide financière qu'elles reçoivent du gouvernement du Canada qui, par l'entremise de son Programme d'aide au développement de l'industrie de l'édition, soutient l'ensemble de ses activités d'édition.*

L'auteure et l'éditeur ont cherché à s'assurer, au moment de la publication de cet ouvrage, que les indications soient conformes aux recommandations et à la pratique en vigueur en obstétrique. Cependant, étant donné l'évolution constante des recherches et les données toujours nouvelles dans ce domaine, ils recommandent aux lecteurs de se renseigner auprès des autorités responsables en cas de doute. Le présent ouvrage ne les engage ni personnellement ni professionnellement.

Édition : Vivianne Moreau
Graphisme : Michel Bérard pour Coutu communications Inc.
En couverture : Isabelle Queval, Jean-Marc Miller et Elliot Queval-Miller (Photo : Isabelle Brabant)

Imprimé au Québec (Canada)
Dépot légal : Bibliothèque nationale du Québec, 2ᵉ trimestre 2001
Troisième réimpression, 3ᵉ trimestre 2006

**ÉDITIONS
SAINT-MARTIN**

©2001 Les Éditions Saint-Martin
5000, rue Iberville, bureau 203
Montréal (Québec) H2H 2S6
Tél. : 514-529-0920
Téléc. : 514-529-8384
st-martin@qc.aira.com
www.editions-saintmartin.com
Membre de Coopsco

Isabelle
# Brabant

Une
# NAISSANCE HEUREUSE

Bien vivre sa grossesse et son accouchement

ÉDITIONS
SAINT-MARTIN

# Table des matières

# *Avant-propos*

J'ai décidé, il y a presque vingt ans, de m'adresser aux parents qui préparent l'arrivée de leur bébé, alors qu'il existait déjà de nombreux livres sur ce sujet, mais aucun qui me semblait aborder la naissance dans toute sa richesse, sa profondeur, sa réalité. Depuis la parution d'*Une naissance heureuse*, j'ai été plus que comblée par les témoignages de femmes et d'hommes qui m'ont dit comment ce livre les avait guidés dans ce moment si particulier de leur vie, les avait nourris dans leur réflexion et stimulés à se préparer eux-mêmes à vivre «une naissance heureuse». Les années ont passé, et j'ai continué à réfléchir, à observer et à m'enrichir d'expériences extraordinaires. Ma profession de sage-femme m'offre une position privilégiée au cœur même de la naissance, me donnant ainsi accès à un véritable trésor de connaissances et de sagesse. C'est ce qui m'a procuré l'énergie, l'inspiration et instillé un sentiment de responsabilité de remettre le livre en chantier afin qu'il continue de répondre à vos besoins et à vos questionnements. J'ai donc fait les modifications et les ajouts qui me semblaient s'imposer pour plusieurs raisons.

Tout d'abord, quand j'ai terminé la première version de mon livre, en 1991, j'avais décidé de ne pas aborder la physiologie de l'accouchement, les informations là-dessus existant en abondance dans de nombreux livres. Mais j'ai constaté combien les explications trouvées ailleurs sont souvent incomplètes, simplifiées jusqu'à dénaturer les délicats mécanismes du processus de la naissance et, surtout, basées sur une vision extrêmement passive et statique de la mère. Je me suis rendue compte que, sous bien des aspects, il existe des différences fondamentales entre ce que les sages-femmes comprennent des phénomènes physiologiques du travail et de l'accouchement et la vision médicale des mêmes phénomènes. Et surtout, je vois combien ces différences ont un impact extrêmement important sur la façon dont les accouchements sont «conduits» à l'hôpital, sur la nécessité apparente de recourir à un nombre élevé d'interventions et sur le besoin de soulager la douleur par des interventions médicales. Cette différence de vision est donc à la source de conséquences importantes sur ce que les femmes vivent, sur ce que *vous* vivrez pendant votre accouchement.

J'ai eu le privilège d'observer des centaines de femmes dans la liberté de leur maison ou de la Maison de naissance. Mes lectures et mes contacts avec des sages-femmes et des médecins, qui poursuivent les mêmes recherches que moi, m'ont donné accès à des connaissances extrêmement utiles pour faciliter le travail et l'accouchement et en protéger la normalité. Non pas en tant qu'objectif idéologique, mais parce qu'en plus d'avoir un impact positif sur la santé de la mère et de son bébé, un accouchement qui se déroule bien est une source de fierté, de confiance en soi, de bonheur. Les parents ont alors beaucoup plus d'énergie, physiquement et affectivement, pour accueillir leur bébé, découvrir et apprécier les réalités du quotidien avec lui. Pour le reste de la vie, quoi!

J'ai donc inclus cet aspect de l'accouchement dans la version révisée. Non pas qu'il faille être «calée» en biologie et en physiologie pour «mieux» accoucher. Mais parce que c'est en ouvrant et leur corps et leur cœur que les femmes accouchent. Elles le font dans l'intimité de leur être, en communion de corps et d'âme avec leur petit. Et s'il faut parfois un guide pour se retrouver dans les méandres des émotions qui se bousculent, il en faut aussi un pour faciliter le passage, découvrir les mouvements qui ouvrent des chemins plus faciles au petit qui travaille à sa naissance en quittant le corps de sa mère. J'espère que, au moment de votre accouchement, mes suggestions auront stimulé votre imagination, votre créativité, et vous donneront envie de bouger, de sentir, d'explorer votre propre manière de mettre votre bébé au monde.

Par ailleurs, le paysage de la périnatalité a changé ces dernières années! Certains des messages lancés par les femmes ont été entendus. Quelques politiques hospitalières se sont assouplies. L'obstétrique a amorcé une réflexion sur sa pratique, alimentée par des recherches de plus en plus nombreuses sur l'impact des interventions sur la santé, sur l'expérience des parents, et parfois même tout simplement sur leur efficacité. Mais tout n'est pas gagné, loin de là! Bien des couples continuent de se heurter à la rigidité d'un milieu médical encore peu enclin à bousculer ses habitudes, à renouveler sa pratique et à respecter leurs choix. Un milieu, disons-le, affligé d'un manque chronique de confiance dans les parents, dans les femmes en particulier et dans le processus de la naissance. J'ai donc remis à jour la discussion si importante sur les interventions proposées en cours de grossesse et d'accouchement, en me basant sur les recherches et recommandations les plus récentes.

Autre bouleversement: la profession de sage-femme a enfin été reconnue dans notre pays récemment et intégrée dans le système de santé, après des années de travail, de concert avec les femmes rassemblées dans le mouvement d'humanisation de la naissance. Des Maisons de naissance se sont implantées, proposant un autre lieu, mais surtout une autre façon de voir la naissance et de l'entourer. Bientôt, les sages-femmes pourront exercer là où les femmes veulent accoucher, c'est-à-dire à la maison et à l'hôpital, en plus de la Maison de naissance. J'ai inclus ces trois lieux de naissance comme s'ils faisaient déjà partie des choix offerts aux parents, puisque ce sera bientôt le cas!

Enfin, ma pratique aussi a changé depuis la première parution de *Une naissance heureuse*. Et parce que je continue d'observer, de réfléchir, d'apprendre, elle continuera à évoluer. Mes observations me font maintenant modifier des propos que j'ai tenus et auxquels je croyais, des gestes que je posais, des conseils que je donnais. En les transformant complètement, parfois. En les replaçant dans une autre perspective, souvent. J'ai inséré un peu partout les changements que m'ont inspiré ces découvertes.

Cela fait maintenant plus de vingt ans que je suis sage-femme. Ma volonté de soutenir les femmes qui veulent se réapproprier leur accouchement est intacte. Ma croyance profonde dans l'importance de l'accouchement et de la naissance dans la vie des femmes, des enfants et des pères demeure inaltérée. Ma conviction que les sages-femmes ont un rôle à jouer, avec les femmes, dans la redéfinition de la naissance en tant qu'événement profondément humain et si intensément féminin continue de m'inspirer quotidiennement.

Chaque étape de ce labeur, de cette entreprise universelle et magnifique de la naissance continue de m'émerveiller. J'espère qu'il en sera de même pour vous, et que les ajouts et les changements que j'ai faits au texte initial, pour y inclure le fruit de mon expérience et de mes réflexions des dernières années, vous serviront à préparer l'arrivée de votre bébé et à l'accueillir dans votre vie avec le respect de vos besoins et des siens, avec le sentiment de votre propre force, de votre capacité à créer la vie, entourée de solidarité et de tendresse.

Isabelle Brabant
Avril 2001

# Remerciements

Ce livre est né d'une très longue gestation. Je remercie de tout cœur celles et ceux qui, au fil des années, m'ont encouragée et supportée et qui ont directement contribué à son écriture par leurs commentaires, leurs propres recherches et leurs témoignages.

Merci à toutes les sages-femmes que j'ai côtoyées pendant ces années et qui, comme moi, ont choisi cet extraordinaire travail d'aider les femmes à mettre leur bébé au monde. Leurs connaissances et leurs intuitions se retrouvent à toutes les pages de ce livre. Merci à Naissance-Renaissance et à toutes celles et ceux qui ont fait progresser l'humanisation des naissances au Québec. Merci à Dhyane Iezzi, collaboratrice de la première heure, et à ma partenaire, Kerstin Martin, pour m'avoir si fidèlement épaulée. Un merci tout particulier à Hélène Valentini, qui a inlassablement lu et relu les versions successives du livre et qui m'a généreusement communiqué ses commentaires éclairés et ses réactions de femme et de mère.

Merci aux femmes et aux hommes qui m'ont donné le privilège de partager leur expérience de grossesse, d'accouchement et d'accueil de leur bébé et qui ont été mes sources d'inspiration. Merci à ceux d'entre eux qui nous ont fait entrer dans leur intimité en nous prêtant leurs photos de famille. Merci, enfin, à mes enfants, Zoé et Gaspar, pour m'avoir, par leur naissance, plongée dans l'extraordinaire transformation de ma vie comme mère d'abord, puis comme sage-femme. Et merci d'avoir patiemment partagé ma vie, pendant les années où j'ai travaillé à mettre ce bébé-ci au monde.

\* \* \*

J'ai pensé bien naïvement que réviser ce livre serait facile, un peu comme on imagine l'accouchement d'un deuxième bébé... Il n'en fut rien. Le travail a été moins long, les étapes un peu plus prévisibles, mais encore m'a-t-il fallu replonger dans chaque sujet, chaque page, et accepter de laisser naître ce qui devait en venir. J'ai eu mille fois besoin du soutien de mes proches et je tiens à les remercier.

Merci à mes collègues de la Maison de naissance Côte-des-Neiges, qui m'ont remplacée auprès des femmes pendant les absences nécessaires pour compléter ce projet. Merci à mes amies et collègues sages-femmes qui ont relu pour moi certaines sections du livre, en particulier Dominique Porret. Merci surtout à Hélène Valentini qui, près de dix ans plus tard, a une seconde fois lu et commenté chaque page avec une patience infinie. Elle m'a aidée, parmi les informations à transmettre et les corrections à apporter, à rester fidèle à l'esprit qui m'anime et à trouver les mots qui viennent du cœur.

Merci à Richard Vézina, à Vivianne Moreau et à toute l'équipe des Éditions Saint-Martin pour leur patience et leur confiance. Merci à mes enfants, maintenant jeunes adultes, qui demeurent toujours pour moi une source d'inspiration. Et, enfin, merci à Nicole pour son soutien de tous les instants.

Comme quoi les auteures ont aussi besoin de sages-femmes!

# Chapitre 1

# Le voyage intérieur

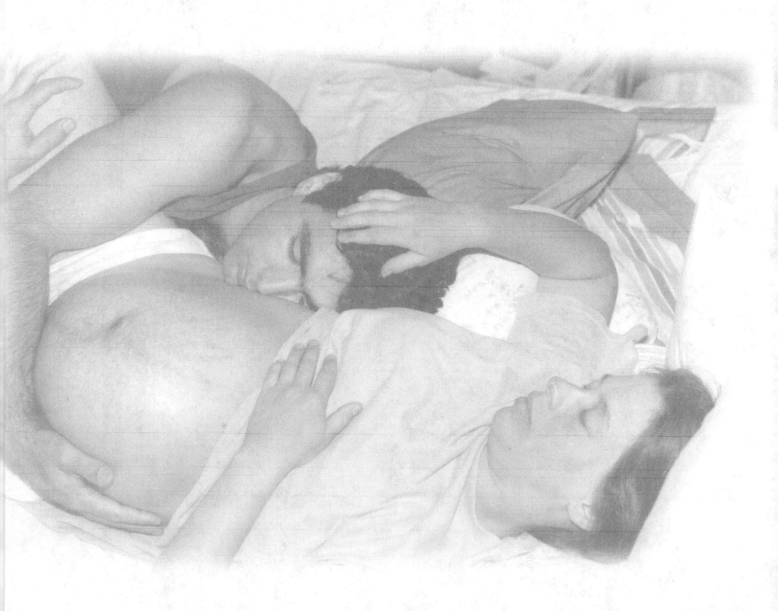

# Être enceinte: les premières réactions

Le début d'une grossesse marque un point tournant dans la vie d'une femme et d'un homme. Une famille va naître, ou s'agrandir. Toutes les facettes de la vie s'en trouveront transformées: l'organisation pratique de la maisonnée, le travail, les conditions financières, la relation de couple, le regard des autres, la place de ce petit enfant et de ses parents dans la famille élargie. Comme futurs parents, on entend abondamment parler de l'équipement qu'il faut se procurer, des tests médicaux, des congés de maternité. On entend moins parler des transformations intérieures, des bouleversements du cœur enclenchés par l'annonce de l'arrivée d'un enfant. Or, pour chaque petit œuf fécondé qui fait son chemin vers sa naissance, bien à l'abri dans le ventre de sa mère, deux personnes vivent un processus fait de multiples ajustements... qui les transformera en parents. Cette mutation s'effectuera, qu'on y accorde ou non du temps et de la place. S'y ouvrir en toute conscience est sans doute le premier et le plus beau des cadeaux à faire à l'enfant qui nous vient.

Que l'arrivée de cet enfant soit désirée, que ce soit une surprise ou que vous ayez déjà deviné sa présence, voici le fait accompli: vous êtes enceinte. Cette nouvelle peut vous réjouir ou vous déconcerter. Rien ne sera plus comme avant! Lorsque j'ai appris que j'attendais un bébé, je me rappelle avoir répété: «Je suis enceinte» à plusieurs reprises, afin d'en comprendre un peu mieux le sens. «Je suis enceinte! Je suis enceinte et je sens que ça va changer ma vie.» Je désirais ce bébé avec ferveur mais, tout d'un coup, j'ai eu peur.

En fait, pour bien des femmes, la première réaction est souvent l'incrédulité: cela ne se peut pas vraiment! Surtout si aucun changement physique n'est venu confirmer ce nouvel état, la nouvelle paraît bien abstraite. Parfois, c'est un flot d'émotions qui accueille la nouvelle: l'excitation, le triomphe, le doute, l'appréhension, la joie, l'impression de porter en soi un grand mystère. Plusieurs femmes ont le sentiment d'être prises au piège, sans pouvoir reculer, ou qu'il est beaucoup trop tôt, qu'elles ne sont pas prêtes... Pourraient-elles se reprendre dans quelques mois? Vous pouvez penser que vous n'y connaissez rien et que vous ne saurez jamais être mère, encore moins une «bonne mère». Le plus curieux, sans doute, c'est de voguer d'un état à l'autre, du grand bonheur à l'inquiétude, puis au bonheur encore, et de ressentir en même temps des émotions si contradictoires.

Les émotions humaines sont infiniment complexes et nuancées et «le cœur a des raisons que la raison ne connaît pas». Une grossesse suscite généralement toutes sortes d'émotions. C'est probablement ce qui vous permet de vous ouvrir à ce qui s'en vient et d'en accepter peu à peu les implications. Si un conjoint partage cette aventure avec vous, lui aussi aura sa part de réactions: fierté, joie, préoccupations financières, peur de la responsabilité qui s'en vient ou, peut-être, indifférence ou rejet. Vous aurez besoin d'en parler ensemble, de vous sentir l'un l'autre, d'apprendre à mieux vous connaître.

L'accessibilité aux moyens de contraception nous donne parfois l'impression que toutes les naissances ou presque sont planifiées.

Il n'en est rien! Si le désir d'enfant fait parfois l'objet d'un projet à deux, d'un grand rêve, il peut aussi s'immiscer dans l'espace laissé à découvert par une décision avec laquelle la tête est d'accord, mais qui n'est pas secondée par le cœur. Et puis, la contraception n'est ni techniquement ni humainement infaillible. Les oublis, les calculs fautifs, les erreurs pratiques et une bonne part d'inconscient se mêlent parfois de faire basculer la décision de ne pas devenir enceinte, ou d'en devancer le projet!

On peut en vouloir au compagnon qui n'a pas assez fait attention ou se blâmer soi-même. On peut se sentir envahie, et même agressée, par une grossesse qui nous est venue sans être invitée. Certaines se demanderont si elles désirent garder ce bébé ou non, alors que d'autres ne se poseront même pas cette question. Les femmes qui décident de poursuivre leur grossesse, malgré un premier mouvement de refus, ont souvent passé de longs moments à peser le pour et le contre, à tenter de concilier leurs sentiments avec la réaction de leur conjoint, qui n'est pas toujours identique à la leur, à essayer, de tout leur cœur, de prendre la bonne décision. Une fois le grand «oui» prononcé, plusieurs craignent que leur bébé ne se soit pas senti le bienvenu et qu'il porte cette première réaction de rejet (ou même la pensée du rejet) comme une blessure qui l'accompagnera toute sa vie. Personne ne peut répondre à la place des bébés. Peut-être comprennent-ils que cette hésitation est déjà la preuve de votre amour pour lui, alors que vous avez douté avoir, à ce moment-ci de votre vie, tout ce qui vous semblait essentiel pour bien l'accueillir.

De toute manière, choisir de vivre une grossesse fournit toujours une occasion exceptionnelle de se transformer au contact de la vie, même quand elle nous bouscule. Rien ne sera plus comme avant, c'est sûr. Cela fait peur. Voici la possibilité d'en faire une belle aventure où vous devrez vous adapter, aller puiser dans vos ressources, tirer parti de ce qui arrive, y trouver du plaisir, apprendre et grandir. Absolument toutes les réactions à l'annonce d'une grossesse sont normales: elles sont là, elles existent, et les naissances les plus heureuses n'ont pas toujours commencé par l'extase! L'important est plutôt ce que vous ferez de ces émotions. Partagez-les, laissez-vous surprendre par des petits bouts de vous-même qui vous étaient inconnus. Acceptez-les. C'est la façon la plus simple de les laisser faire leur chemin et de faire place à la prochaine étape.

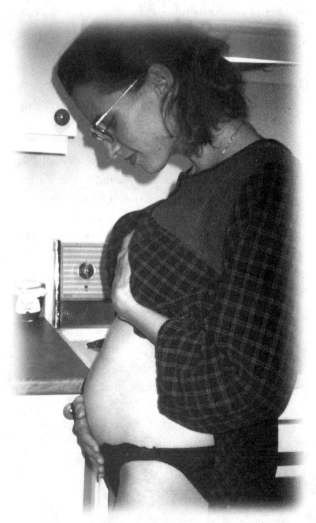

# Les changements émotionnels

## Chez la femme

La grossesse est un temps de stress normal, sain et naturel. On a tendance à comparer le stress à un état néfaste dont il faut se débarrasser. C'est lorsqu'il y en a trop qu'il devient nocif, ce qui est bien différent. En fait, le stress est la réponse de l'organisme à des facteurs qui demandent une adaptation. La grossesse correspond certainement à cette définition. C'est un temps de croissance et de changements physiques et psychologiques, une préparation à la maternité et à ses exigences nouvelles.

Enceinte, on peut se sentir très sensuelle, tous les sens en éveil, un peu comme quand on est amoureux. On peut ressentir un débordement d'énergie sexuelle, une sensation de liberté par rapport à notre pudeur habituelle ou aux contraintes de la contraception, et connaître un merveilleux sentiment de plénitude, de fertilité. J'aime à penser que c'est l'utérus qui est content: il accomplit ce pourquoi il a été créé! On peut se sentir excitée, impatiente, indifférente au monde extérieur, plutôt attentive à son univers intérieur maintenant habité, chargé de ce qu'il y a de plus précieux au monde.

Certains symptômes moins agréables, comme la fatigue et la nausée, peuvent venir ombrager le début de votre grossesse. Déjà, vous «nagez» dans la vague d'hormones déclenchées par la grossesse pour mener à bien tout le travail d'adaptation qu'elle réclame. Ceci peut vous rendre d'humeur changeante, la larme facile. Plus de la moitié des femmes ont des périodes d'insomnie ou de sommeil difficile, et même des moments temporaires de déprime. On peut se sentir incommodée par notre corps qui change: les seins qui s'alourdissent (sujet de fierté pour d'autres), les mamelons qui changent de couleur et de texture et, plus tard dans la grossesse, la lourdeur et la lenteur générales. Physiquement, la grossesse n'affecte pas toutes les femmes de la même manière, et cela peut même changer d'un bébé à l'autre. Si certaines femmes «portent bien», comme disaient nos grands-mères, et se sentent magnifiquement en forme, plusieurs se sentent essoufflées, encombrées, vraiment moins mobiles, presque handicapées. Certains désagréments peuvent se corriger ou s'améliorer par des exercices, des postures, des remèdes naturels, une consultation auprès de certains professionnels... mais pour le reste, vous aurez besoin d'un peu de philosophie, d'une bonne dose d'humour et de patience.

Avoir peur d'accoucher d'un bébé handicapé ou mort et en rêver est universel et probablement aussi vieux que le monde. La nature semble avoir pourvu les femmes enceintes d'une immense capacité d'inquiétude. «Mon bébé sera-t-il en santé?» Il est non seulement normal d'y penser, mais nécessaire, puisque cela arrive, quoique rarement, et qu'il faut se préparer à cette éventualité comme aux plus heureuses. Cela nous rappelle aussi comment la vie, toute généreuse qu'elle soit, est imprévisible et obéit à des lois qui nous échappent. Elle ne nous doit rien. Nos enfants nous sont prêtés et non pas donnés. Ces peurs normales sont probablement essentielles pour assurer la survie de nos petits. L'inquiétude devient une force positive et créatrice, qui nous pousse à faire des changements bénéfiques dans nos vies et dans notre environnement.

Enceinte ou non, la vie a ses bons et mauvais jours. Plusieurs femmes entretiennent toutefois une attente irréaliste d'être toujours heureuses, épanouies et paisibles, comme dans les images romantiques de «bonheur obligatoire» souvent véhiculées autour de la grossesse. Les connaissances sur le fœtus et sa conscience du monde extérieur, en particulier de sa mère, démontrent clairement qu'il ressent ses états d'âme et peut même en souffrir. De là à conclure qu'il ne faudrait avoir que des émotions positives, il n'y a qu'un pas, que la plupart d'entre nous franchissons allégrement tant la tentation de se sentir coupable de tout est grande. Mais les mères absolument détendues en tout temps, jamais tristes, jamais bouleversées ou en colère n'existent pas. Les émotions font partie de la vie, comme la pluie, le vent et le beau temps. Votre bébé les apprendra de vous et s'y adaptera. Mais les émotions longtemps refoulées, par peur, honte ou culpabilité, celles que vous ou votre entourage percevez comme négatives peuvent devenir destructrices. Elles sapent l'énergie, la vitalité et la liberté lorsqu'elles n'ont pas de place pour s'exprimer librement.

Des situations particulières peuvent ajouter un stress significatif et parfois même considérable. Les nouvelles immigrantes, isolées par la différence de langue et de culture et les femmes dont la situation économique est précaire, par exemple, font face à des conditions de vie, de santé qui peuvent compromettre le bon déroulement ou, en tout cas, la sérénité d'une grossesse.

D'autres doivent affronter des préjugés, comme les très jeunes femmes, par exemple, ou les lesbiennes. Travaillons, chacune dans notre milieu, à créer un climat de tolérance et une plus grande solidarité, pour resserrer le réseau de soutien dont nous avons toutes besoin.

La grossesse et le bébé qui s'en vient exigent tellement de nous qu'on ne peut pas attendre passivement que le hasard réponde à nos besoins accrus. Il faut trouver des façons de les combler nous-même: prendre du temps pour soi, pour connaître ses propres ressources et limites, aller chercher sa dose quotidienne de contact chaleureux avec des gens pour qui on est unique, cultiver une estime de soi inconditionnelle, se préparer un soutien affectif et concret pour l'après-naissance.

Faites-vous la grâce, enceinte, de vous aimer telle que vous êtes. C'est essentiel pour vous et pour votre bébé. Vous aurez besoin de vous entourer, de trouver quelqu'un à qui dire: «J'ai besoin de toi». Ce n'est pas facile à faire pour bon nombre d'entre nous: on a appris à être des grandes filles, à se débrouiller seules. On peut facilement ressentir cette dépendance comme une menace à l'autonomie qu'on a peut-être gagnée au prix de longs efforts. Être autonome ne veut pas dire se passer des autres; cela signifie plutôt savoir répondre à nos propres besoins sans attendre que quelqu'un d'autre le fasse à notre place. Cela veut dire demander, et à plus d'une personne. Attendre de notre conjoint qu'il réponde à tous nos besoins est irréaliste et ne peut mener qu'à la déception. Il ne peut pas être toujours disponible, écouter sans jugement, appuyer sans réserve. Il est lui-même pris émotionnellement dans cette grossesse et il a ses limites. Tournez-vous vers vos proches: laissez-les pénétrer dans l'intimité de ce miracle, laissez-vous gâter. Donnez-vous du temps pour vous-même. Aimez-vous! Vous êtes la mieux placée pour le faire!

## Chez l'homme

À son tour, votre conjoint apprend un jour qu'il sera père. Cet événement aussi vieux que le monde n'a pas toujours eu le même sens pour eux. L'idée même du lien avec le père est assez récente dans l'histoire de l'humanité. Pendant longtemps, on n'a pas même su qu'il avait quelque chose à y voir. Les trente dernières années, à elles seules, ont vu le rôle paternel passer de pourvoyeur à celui de parent à part entière, impliqué de plus en plus tôt dans la grossesse. Très souvent, les nouveaux pères ont des souvenirs de leur propre père dans un tout autre rôle, moins impliqué dans le quotidien des enfants. Ils devront donc improviser un modèle personnel sans l'avoir vécu eux-mêmes en tant qu'enfant. Voici une perspective excitante... et peut-être un peu inquiétante aussi! Heureusement, les pères-à-la-poussette, les papas-experts en changement de couches, en pleurs consolés et en fous rires partagés se multiplient autour de nous... et c'est tant mieux pour tout le monde.

Les futurs pères devront d'abord, eux aussi, intégrer la nouvelle même de la grossesse: la fierté, le bonheur de voir leur amour se concrétiser en un enfant, l'excitation à l'idée de devenir père. Eux aussi connaîtront la peur des responsabilités à venir, humaines autant que financières, le sentiment d'être tenu un peu à l'écart, l'inquié-

tude de se retrouver à trois (ou quatre ou cinq) et de voir s'évanouir la relation amoureuse dans tout cela. Parfois, aussi, ils ressentent une ambivalence inconfortable: l'impression de désirer et de craindre à la fois.

Certains hommes réagissent avec enthousiasme à l'annonce de cette grossesse. C'est une occasion pour eux de se rapprocher de leur compagne et de développer cette partie d'eux-mêmes qui nourrit, qui prend soin. Plusieurs se sentiront plutôt bousculés et parfois même incapables de s'adapter rapidement à cette nouvelle situation. Ils peuvent même sembler se désintéresser de la question, sinon carrément fuir dans le travail, les sorties, ou n'importe quoi d'autre, laissant leur compagne se débrouiller seule avec ce qu'elle vit. Certains opteront pour la voie de l'action, prenant les initiatives, arrivant chaque semaine avec une nouvelle théorie sur l'accouchement ou l'éducation des enfants, surveillant avec fermeté ce que leur compagne boit, mange, fume et la quantité d'exercices quotidiens qu'elle fait, au point de lui donner l'impression qu'elle n'est pas vraiment habilitée à prendre soin d'elle-même. Le contrôle de l'événement les sécurise. D'autres essaieront de s'approprier la grossesse au point de se proclamer «enceint», de penser «accoucher» avec leur femme, en confondant empathie et fusion totale.

La plupart des hommes ont besoin, eux aussi, d'un certain temps pour «retomber sur leurs pattes» et trouver la façon dont ils veulent s'impliquer. Cela ne veut justement pas dire faire quelque chose à tout prix mais plutôt être avec ce qui se passe. Pour les hommes dont on a surtout valorisé les actions, ce peut être difficile à apprendre et à vivre. Les femmes ont le droit, en début de grossesse, aux débordements de manifestations émotives qu'on leur pardonne, «vu leur état». Les hommes, eux, ont rarement l'occasion d'exprimer ce qu'ils vivent à ce moment-là, en dehors de la fierté paternelle conventionnelle. Ce manque d'espace pour parler de ce qui se vit à l'intérieur peut créer des tensions, des incompréhensions, voire des conflits inutiles.

Je me rappelle certaines rencontres prénatales où les hommes s'en allaient ensemble discuter de ce qui leur arrivait avec un père qui avait l'expérience de ce genre d'échange. Un peu sceptiques au début et mi-intéressés, ils embarquaient rapidement, au point où à la fin de la soirée, il fallait les arracher à leur discussion. Ils étaient quelques hommes ensemble à parler simplement de la façon dont ils avaient réagi à l'annonce de «leur» grossesse, ou comment ils répondaient aux humeurs changeantes de leur compagne et aux transformations de son corps. Ils disaient comment la grossesse avait changé leur vie sexuelle et s'ils se sentaient prêts à devenir pères, au-delà de la classique chambre du bébé qu'il reste à peindre. C'étaient des hommes sans femmes-témoins et sans sensibilité à ménager. Les yeux étaient souvent brillants en fin de soirée et tout le monde repartait, curieux de savoir ce qui s'était dit dans le groupe de l'autre sexe. J'aurais bien voulu être un petit oiseau pour écouter aux portes! J'y ai appris, en tout cas, que les hommes en ont long à dire et qu'ils feraient bien de commencer à parler.

## Les changements dans la vie de couple

La venue d'un enfant change la perspective dans laquelle se place l'engagement d'un couple. Le sens du mot «toujours» prend soudain une profondeur tout autre. Un arrangement un peu temporaire, du style «tant que ça va durer», fait peut-être très bien l'affaire quand on n'a que soi à qui penser. Mais maintenant? Une femme qui assume déjà la fonction de parent-à-la-maison et qui voit son mandat se prolonger de quelques années encore regrette peut-être son retour au travail? Qui, au juste, voulait cet enfant? Elle, lui ou les deux? D'ailleurs, pourquoi sont-ils ensemble? Pour élever une famille, pour partager certains moments, pour s'épauler mutuellement dans la vie?

Je n'invente pas ces questions. Elles se posent, et beaucoup d'autres encore, parmi les couples que je côtoie durant cette période de leur vie. C'est un questionnement fécond. Se préparer à la naissance d'un enfant ne veut pas simplement dire faire des exercices, se procurer de l'équipement et attendre le grand jour. C'est surtout un processus par lequel deux personnes vont grandir en tant qu'êtres humains, se préparant ensemble à accueillir un enfant dont ils seront responsables pour des années à venir.

*Robert attendait son premier bébé avec Anne-Marie, sa compagne depuis sept ans, et vivait avec elle un chambardement profond. «La grossesse, nous disait-il, c'est la 'loupe du couple'».*

J'aime bien son image, qui exprime combien tout ce qui est imparfait, imprécis ou insatisfaisant dans une vie de couple, combien tous ces détails dont on avait pris son parti prennent soudain des proportions nouvelles, énormes, dramatiques parfois. On devient plus conscients et plus exigeants face à la qualité de la relation amoureuse. Il existe peu d'autres moments dans la vie qui génèrent le besoin et surtout l'envie de changer des choses à l'intérieur d'un couple autant que la grossesse.

La grossesse est une occasion pour la femme de découvrir en elle sa force, son pouvoir de donner la vie. Cela peut être menaçant pour le couple, surtout si son conjoint croit qu'elle ne peut développer

cette force qu'à son détriment à lui, que si lui devient faible ou perd sa place. Ou si cela ébranle l'idée qu'ils se font habituellement du partage des rôles entre eux. C'est aussi le temps d'une grande vulnérabilité. Enceinte, la femme a besoin de plus d'attention et de tendresse, si bien que les besoins de l'homme risquent parfois de passer inaperçus. Chacun peut être inquiet de perdre sa liberté, d'avoir à changer ses plans, d'avoir à insérer une responsabilité de plus dans le reste de la vie qui n'est déjà pas si simple. «Il ne me comprend pas», «Il n'a jamais le temps», «Je ne sais plus quoi faire avec toutes ses émotions, elle attend trop de moi» ou «Il n'est plus question que de ça» sont des pensées plus que communes. Si la communication n'est pas ouverte, on se retrouve de part et d'autre avec des sentiments de frustration. Mais qui dit communication n'a pas tout dit! Nos façons respectives, hommes et femmes, de fonctionner dans le monde ne nous sont pas toujours transparentes l'un pour l'autre.

Tous les couples passent par des transformations, et c'est bon de savoir que les crises de croissance sont partagées par d'autres. Chaque couple trouvera finalement sa propre façon de vivre la grossesse. La communication, une fois de plus, aidera les deux partenaires à opérer cette transition ensemble, sans trop de tiraillements. Même lorsque l'enfant n'était pas attendu, que les obligations de travail ou d'études écourtent les moments d'intimité disponibles, ou que les attentes de l'un envers l'autre ne sont pas claires, s'ouvrir le cœur simplement est toujours un bon départ.

Déjà pleine d'émotions de toutes sortes, la grossesse peut être une période particulièrement difficile si elle arrive à un moment où l'on se débattait déjà avec des problèmes importants. Je pense en particulier aux femmes qui vivent des conflits graves ou une rupture avec leur conjoint pendant cette période, ou qui sont seules. Certains couples ne sont pas prêts, émotionnellement, à affronter ce processus de maturation. Il peut exposer au grand jour d'importants problèmes de fond. Une situation délicate dans un couple ne doit pas nécessairement résulter en une grossesse triste et déchirée. En cessant de vouloir trouver des torts et des coupables, il devient plus facile de trouver des solutions à des problèmes qui paraissaient insolubles, de changer en soi-même certaines attitudes, de s'ouvrir.

Certaines femmes doivent faire face à la possibilité ou même à la réalité d'une rupture. La fin d'une relation est toujours difficile à vivre, mais quand on est enceinte, cela peut être encore plus douloureux et désespérant. Chaque jour vient rappeler une absence qui n'aurait pas dû être. Il n'y a personne, au quotidien, pour partager les petits détails au sujet du bébé, sa croissance, ses mouvements. Les préoccupations financières, le fardeau de la responsabilité, l'absence de contact sexuel et sensuel régulier, l'impression de ne plus être «aimable», sont des réalités qui peuvent aussi préoccuper une femme qui a un partenaire, mais qui se vivent avec encore plus d'acuité chez une femme seule. Certains jours, la solitude peut être insupportable. C'est le temps ou jamais de sortir de son isolement et d'aller chercher du soutien dans son entourage ou auprès de femmes qui vivent une situation semblable. Non seulement pour partager ce qu'on vit, mais aussi pour apprendre à transformer nos sources d'angoisse en acquis positifs.

Ces neuf mois sont donc bien loin d'être un temps d'attente passive. Ils peuvent sembler bien longs quand on a hâte «de lui voir la binette», mais ce n'est pas trop pour se préparer à être parents ensemble en respectant les besoins et capacités de chacun, y compris ceux du bébé qui s'en vient!

# Une grossesse qui n'est pas la première

La plus grande surprise, quand on attend un deuxième bébé, est sans doute de se rendre compte à quel point c'est différent de la première fois. L'émerveillement face au ventre qui change de forme, aux mouvements du bébé, aux plans d'avenir qu'on chuchote et à la chambre qu'on prépare amoureusement, fait un peu place à la routine. Ce n'est pas parce que vous n'avez pas envie de cet enfant-là, mais le travail, l'enfant plus vieux et l'expérience, ma foi, font que ces petits moments se perdent un peu dans un quotidien déjà trop chargé. Le conjoint est peut-être, lui aussi, moins excité, moins attentif. Il peut être préoccupé du poids des responsabilités familiales qui s'alourdit et dont il comprend les implications mieux que la première fois. On peut se sentir déçue, un peu abandonnée. Comme si après avoir déjà «produit» un bébé une fois, la suite était sans intérêt. Cette différence peut être ressenti comme un deuil, comme la perte de cette première grossesse émerveillée qu'on ne vivra plus. Chaque étape est comparée avec l'autre. On finit par perdre le plaisir de vivre le moment présent. Sans compter qu'il est souvent plus difficile de trouver du temps pour soi.

Chaque grossesse apporte un trésor à découvrir. Chaque bébé est complètement différent du précédent. Si on choisit de ne regarder que superficiellement les ressemblances, on peut avoir l'impression de refaire le même parcours. Si on s'attarde à des observations sensibles, à des perceptions plus subtiles, si on s'ouvre à des niveaux plus profonds, nous voilà dans une aventure unique, où les voyages précédents servent de

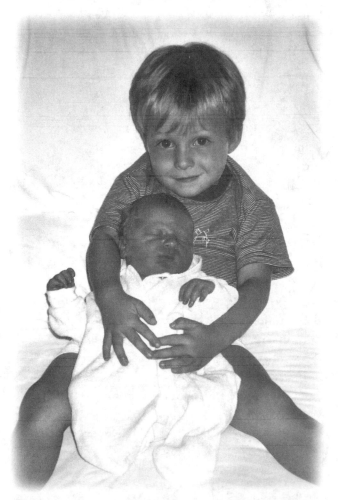

guide et d'inspiration, non pas de modèle. Les deuxièmes, troisièmes, quatrièmes bébés et les autres sont des êtres tout aussi uniques que leurs aînés. Ces grossesses sont libérées des préoccupations plus primaires (et bien normales, nous y passons toutes!) que connaissent celles pour qui c'est le premier enfant. Elles sont des occasions de s'enrichir humainement et spirituellement, de grandir au contact de ce qui reste toujours un mystère, peu importe combien on a de bébés.

Une deuxième grossesse soulève assez souvent une vague de tristesse chez la mère. Comme s'il lui fallait abandonner l'enfant plus vieux pour pouvoir s'occuper de celui qu'elle porte. Elle peut avoir l'impression qu'elle ne réussira jamais à en aimer un autre avec autant d'intensité et que le premier souffrira de l'abandon et de la rivalité inévitables. Il est vrai qu'on passe parfois par une certaine période de repli sur soi ou d'éloignement de l'enfant plus vieux soudain devenu trop lourd ou, au contraire, on se colle davantage, comme avant un départ, une longue séparation. Tout cela fait partie des étapes nécessaires de croissance qui implique aussi une sorte de deuil. La famille que vous composiez n'existera plus, elle sera remplacée par une autre, plus grande, plus riche. Car un nouveau bébé dans la famille est un cadeau, un enrichissement pour tous, y compris le premier enfant. Il gagnera un petit frère, une petite sœur... pour la vie! Il apprendra à partager et à considérer les besoins d'un autre que lui. Cette naissance l'invitera à se tourner plus fréquemment vers son père, un grand-parent, vers d'autres personnes de son entourage, pour y trouver attention et affection et élargir ainsi son champ de relations humaines. Lui aussi va grandir. Cela fait partie de l'attachement/détachement qu'on vit avec nos enfants dès le début, où chacun évolue vers une plus grande autonomie. Cela n'empêche pas l'amour d'être toujours disponible et abondant.

*Hélène disait, après son deuxième bébé: «L'amour, ça ne se divise pas, ça se multiplie». L'impossible va finalement se réaliser: le cœur, que l'on croyait rempli à pleine capacité, s'agrandira pour faire place à chaque nouvel enfant.*

# Regard vers l'intérieur

## La conscience de l'enfant

Quand on devient enceinte, on ne sait pas encore «qui» on va avoir. On va avoir un bébé, c'est sûr, mais qui sera cette petite personne? C'est encore un mystère, et cela, même si de plus en plus de couples choisissent de connaître le sexe de l'enfant avant la naissance. Jusqu'à tout récemment, on croyait (on, je devrais dire: le monde scientifique, parce que les mères, elles, en avaient l'intuition depuis longtemps) que les bébés naissaient sans aucune personnalité, vierges, vides, et que tout commençait à s'imprimer après la naissance. En fait, nos bébés tètent, sentent, goûtent, entendent et réagissent à nos émotions et au monde extérieur pendant qu'ils sont encore à l'intérieur de nous et ce, à leur façon à eux. Les dernières recherches sur le comportement des fœtus continuent de confirmer la diversité de leurs réactions.

Comment percevez-vous ce bébé qui est déjà une personne? Comme une partie de vous-même, encore vaguement indifférenciée? Comme un étranger, avec des horaires toujours différents du vôtre? Comme un complice, déjà très proche? Avez-vous l'impression de comprendre ses signaux, ou êtes-vous plutôt déroutée par ses réactions? Il est bien possible que votre sentiment varie d'une journée à l'autre, comme d'ailleurs son niveau d'éveil.

Cela prend un certain temps pour connaître le bébé qu'on porte. Pour percevoir ses cycles de sommeil et d'éveil, ou de se rendre compte qu'ils varient. Pour reconnaître lesquelles de nos positions il préfère, ce qui le fait sursauter, ce qui le calme. Au jour le jour, une précieuse cueillette d'informations se réalise, qu'aucune machine ne pourrait faire à la place d'une mère. Pourtant, les seules données considérées valables, souvent même par notre entourage, sont celles qui sont fournies par un professionnel, ou une machine. Plus les techniques employées sont complexes et donnent l'impression de voir à travers l'utérus (l'échographie, par exemple), plus on les croit capables de nous donner la «vraie» information concernant le bébé, au détriment de tout autre. Ce que vous connaissez de votre bébé, personne d'autre ne le sait. Ne laissez personne vous faire croire que ce sont des renseignements de second ordre. C'est à nous de valoriser la connaissance que nous avons de notre bébé. Le monde extérieur, lui, ne le fera pas et dira plutôt que ce que nous ressentons n'est pas vraiment sérieux ni même vérifiable.

Il existe aussi un niveau d'échanges plus profond, très riche, entre vous et votre bébé, en plus de cette connaissance intime de ses réactions et mouvements. Une communication d'humeurs et d'émotions qu'on a parfois de la peine à croire, au début, tant on craint que ce ne soit le fruit de notre imagination. Quand je touche un bébé à travers le ventre de sa mère, je reçois parfois des petits coups que je sens joyeux, stimulés par l'activité. D'autres fois, j'ai l'impression très nette qu'il n'a pas envie de se faire toucher. Cette sorte de message, qui tient presque de la télépathie, est très courant entre une mère et son bébé. Il ne dépend pas d'une opération mentale ou d'une habileté particulière, mais plutôt d'une disponibilité de votre part, d'une ouverture à communiquer avec lui par des moyens inhabituels. La communication se fait le plus souvent spontanément et ne demande qu'un peu d'espace et de temps pour s'épanouir. Frans Veldmann a développé une approche toute en douceur appelée l'haptonomie, qu'il qualifie lui-même de «science de l'affectivité» et qui explore la communication par le toucher entre les parents et leur bébé. Si cela vous est accessible, vous pourriez découvrir (avec l'aide d'une personne qui a été formée) que l'on peut approfondir et développer cette relation encore plus finement.

Un lien précieux se tisse pendant la grossesse. On ne commence pas à aimer nos enfants le jour de leur naissance! On commence bien avant. Au début, on est habitée par un enfant imaginaire, un être encore imprécis, idéalisé. Avec le temps, l'enfant réel que vous portez se fait connaître, il entre en relation avec vous, il émerge du néant pour devenir une personne avec sa façon d'être, ses besoins, ses possibilités. Autour de la naissance, cet enfant imaginaire et l'enfant réel vont se fondre l'un dans l'autre. La grossesse aura été un temps d'apprivoisement graduel pour vous permettre d'accueillir votre bébé comme un être entier, avec son corps, son cœur, son esprit, son âme.

## La conscience de soi et la maternité

La grossesse, l'accouchement et le fait de devenir parent s'inscrivent dans le récit d'une vie, dans l'histoire et les valeurs d'une famille, d'une société. On arrive à la maternité chargée de toutes les leçons qu'on a tirées de notre existence: celles qui sont justes et qui nous aident à comprendre et à faire des choix, et les autres, qui ne sont pas toujours appropriées et qui peuvent limiter nos options.

On s'imagine souvent qu'on prend nos décisions importantes en se basant sur des données rationnelles et défendables. En fait, cela se passe rarement ainsi. Chaque être humain emmagasine toute sa vie des sensations, des impressions reliées aux expériences qu'il vit. Il en tire des conclusions qui s'organisent tranquillement en un système de croyances qui sert à modeler sa perception de la réalité. L'idée que chaque être humain se fait du monde est donc le résultat d'un nombre incroyable de souvenirs, de choix, d'interprétations et d'événements dont l'effet se fait ressentir tout au long de la vie. Plus les souvenirs remontent à loin, plus les croyances qui en découlent sont inconscientes. Des milliers d'événements, certains banals en apparence, ont ainsi façonné notre perception des choses. La liste des conclusions qu'on traîne avec nous est interminable. Certaines d'entre elles, fort utiles au moment où elles se sont imposées, pourraient maintenant s'avérer inefficaces et même nuisibles alors qu'on s'apprête à vivre cette expérience toute nouvelle qu'est la maternité. Il n'y a rien de dramatique dans tout cela, au contraire: la grossesse représente probablement l'une des motivations les plus puissantes de changement dans nos vies, si on veut bien s'y ouvrir.

Prenez le temps de regarder ce que vous apportez avec vous dans l'expérience de la grossesse et de l'accouchement. Avoir un enfant vient toucher de très près notre expérience de l'amour, de la mort, de l'argent, de la sexualité, de la sécurité, qui sont des questions très émotives. C'est un bon temps pour repasser cela en revue, pour devenir plus consciente de ce qui s'est accumulé au long des années. Certaines expériences appuient l'idée que l'accouchement est un événement naturel et normal et que vous avez toutes les ressources pour passer à travers. D'autres peuvent contenir des émotions pénibles ou des peurs qui pourraient vous freiner. En devenir consciente vous permettra de vous en libérer au besoin.

Toutes vos expériences passées ont un effet sur votre perception de la santé, du bien-être physique, de la «forme». Elles aident parfois à expliquer des phénomènes qu'on pourrait croire exclusivement physiques comme les problèmes de poids, les infections vaginales à répétition, la pénétration douloureuse ou les menstruations difficiles. Elles teintent les rapports que vous avez eus à ce sujet avec des professionnels de la santé, parfois respectueux de votre intimité, parfois uniquement centrés sur l'organe à soigner, pas toujours sensibles dans leurs commentaires, pas toujours délicats dans leur toucher... Autant d'expériences du corps qui parlent de victime ou de pouvoir de guérison, de complicité ou d'inquiétude.

Nos expériences de fausse couche, d'avortement, de curetage et d'accouchement contiennent souvent beaucoup d'émotions qu'on n'a pas eu la chance ou le temps d'intégrer, parce qu'on a été surprise par l'événement, envahie par sa réalité physique, occupée à le vivre dans l'instant. Nos souvenirs ont des trous! Et tant qu'on ne les aura pas comblés à notre satisfaction, on aura tendance inconsciemment à y retourner en recréant des situations similaires. Vous avez peut-être déjà vécu cela: par exemple, rompre une relation amoureuse insatisfaisante pour en commencer une autre semblable!

Plusieurs femmes amorcent une grossesse avec, au cœur, le souvenir, parfois difficile, de l'avortement qu'elles ont choisi lors d'une grossesse précédente. L'amour des femmes pour leurs enfants et leur sens de la responsabilité font qu'elles veulent pour eux les meilleures conditions possibles: leur donner un bon père, les ressources économiques et affectives propices à leur épanouissement, leur disponibilité complète à sa venue dans leur vie... On ne donne pas le cadeau de la vie à moitié. En l'absence de ces conditions, je crois que c'est sa conscience qui incite une femme à se conduire en mère aimante et responsable et à choisir l'avortement[1]. Cette histoire d'amour qu'il lui est impossible de vivre en ce moment ne change en rien sa capacité à devenir mère avec bonheur à un autre moment de sa vie. Au contraire, elle est une occasion de grandir, de ressentir profondément l'importance de la maternité dans sa vie et de s'y préparer encore mieux.

Certaines femmes ont gardé d'un accouchement précédent un souvenir amer, triste ou confus. Avant de se préparer à une nouvelle naissance, il est parfois indispensable de bien comprendre ce qui s'est passé la première fois. Revoir ainsi une expérience d'accouchement qui n'aurait pas été tout à fait heureuse pourrait ouvrir la porte à bien des sentiments de culpabilité. Ne vous y laissez pas prendre. Voyez plutôt ce que vous pourriez en apprendre. Parfois, dans les jours et semaines qui ont suivi un accouchement difficile, un mécanisme de protection nous fait reporter la responsabilité sur quelqu'un d'autre: le médecin qui n'a pas tenu parole, la sage-femme qui ne nous a pas suffisamment soutenue, l'infirmière plus préoccupée par l'efficacité que par la sensibilité, ou même le conjoint qui n'a pas su tenir bon, qu'importe. L'idée n'est pas d'absoudre quiconque de ce qui a peut-être été, en effet, un manque de leur part. Peut-être serait-il plus fructueux de voir comment vous pourriez y changer quelque chose si une situation semblable se représentait. Pas pour vous blâmer, mais pour vous préparer différemment cette fois-ci.

En vous rappelant le déroulement des événements, ayez de la tendresse pour vous-même, pour cette femme qui accouche et qui fait absolument de son mieux. Observez-la avec indulgence et soufflez-lui à l'oreille ce que vous auriez aimé qu'on vous chuchote à

ce moment-là. «N'aie pas peur de demander ce que tu veux clairement. Fais-toi confiance, donne-toi la chance d'aller au bout des choses plutôt que de renoncer maintenant» ou «Tu sens le désarroi de ton conjoint et n'oses rien lui demander. Parle-lui, dis-lui maintenant combien tu as besoin de lui». N'ayons pas honte de nos points faibles, apprenons seulement à les reconnaître et à les travailler avec l'aide de ceux qui nous aiment.

Pour vous aider à comprendre ce qui s'est passé, vous pourriez choisir de faire venir les dossiers médicaux relatifs à ces interventions. Faites-vous aider dans cette lecture par quelqu'un qui comprend le langage médical et qui respecte aussi votre version des choses, parce que c'est celle-là que vous avez vécue. C'est à vous seule de refaire le lien entre les deux.

Être en paix avec notre passé, se pardonner à soi-même et aux autres nos propres blessures ainsi que celles subies par nos enfants et notre compagnon nous aide à

nous ouvrir à l'énergie de la naissance. Il sera nécessaire, sans doute, de laisser aller les soupirs, les larmes, les déceptions, les rancœurs, les colères, les sentiments d'impuissance qu'on avait gardés enfermés. Il est nécessaire aussi de se regarder lucidement et de s'aimer avec nos forces, nos faiblesses et nos espoirs.

Il n'existe pas de recettes-miracles pour y arriver. Certaines vont longuement raconter à une oreille amie ce qui les a blessées et ce qu'il en reste. D'autres vont écrire ce qu'elles ont vécu, quitte parfois à adresser la lettre à la personne à qui elle est destinée, afin de vraiment compléter leur geste. Le but de ces lettres et de ces conversations n'est pas de blâmer ou de se venger, mais de laisser aller des émotions devenues encombrantes et nuisibles. Laissez aller les émotions et pensées qui grignotent votre énergie jour après jour, même quand vous n'y pensez pas. Écoutez-vous sans jugement, entourez-vous de compassion, soyez créative dans votre démarche.

Appréciez la richesse de ces expériences de vie. La grossesse est souvent un moment privilégié pour entamer une démarche, rencontrer une professionnelle, psychologue ou thérapeute, parfois sur une courte période seulement. S'offrir cette écoute, ce temps de réflexion (dans les deux sens du mot: réfléchir, oui, mais aussi recevoir le reflet renvoyé par l'autre) peut contribuer à vous donner des ailes pendant cette grossesse.

La grossesse est un bon temps pour faire le tour de notre vie, jeter le vieux, retrouver des richesses oubliées, faire place au neuf. On n'a pas deux fois la chance de vivre une grossesse; on n'a que la possibilité d'en vivre une autre, ce qui est différent. Le but de cette recherche intérieure n'est pas de ressortir les vieilles blessures et de s'apitoyer sans fin. C'est de les reconnaître et de se donner le pouvoir de les transformer en énergie créatrice.

L'important n'est pas d'être complètement guérie avant l'accouchement, mais d'avoir entamé un processus de guérison. En soi, c'est suffisant pour changer la direction des énergies qui nous entourent. C'est incroyable comment l'amorce d'une guérison vient nous chercher loin dans nous-même, dans l'ouverture que cela demande, dans le pardon. C'est un processus qui demande amour et courage. La paix intérieure qui en résulte en vaut cent fois la peine.

Photo: Martin Girard

# Les rêves pendant la grossesse

Souvent, enceinte, on rêve plus qu'à l'habitude. Ce sont des rêves curieux, parfois inexplicables, des rêves d'accouchement ou des rêves où notre bébé nous apparaît. Les rêves nous apprennent beaucoup sur nous-même, à condition de s'y attarder et de les laisser nous parler dans leur langage particulier.

Pour avoir accès à ce monde, écrivez vos rêves le plus tôt possible, le matin, parce que les détails s'évaporent assez rapidement. Racontez-les. Souvent le pouvoir d'un rêve revient quand on essaie de l'évoquer pour une autre personne. Rappelez-vous non seulement du déroulement mais, si possible, des odeurs, des sensations, de la chaleur, des sons et de la clarté des couleurs. Si les mots ne semblent pas rendre justice à votre rêve, dessinez-le.

Quelquefois, on y trouve des éléments dont la présence nous intrigue et qui semblent détenir la clé de la signification du rêve. C'est dans votre propre imagerie qu'il faut regarder en premier: à quoi vous fait penser cet objet ou cet endroit? Cherchez à découvrir ce que ces éléments signifient pour vous habituellement, sans avoir peur d'une image saugrenue qui vous viendrait à l'esprit: si elle est venue, c'est qu'elle a un rapport même lointain avec le sens de ce rêve et qu'elle peut vous y conduire. Notre inconscient se nourrit aussi d'images collectives: un dictionnaire de symboles pourra vous suggérer des pistes intéressantes, mais ne les prenez pas au mot, pas plus que les petits manuels d'interprétation. Utilisez-les surtout pour alimenter votre recherche, mais c'est vous seule qui saurez quand vous aurez trouvé. Certains rêves laissent perplexes, peu importe la façon dont on les regarde. D'autres, à force d'en faire le tour, se présentent soudain d'un point de vue où tout s'éclaire et on a soudain la certitude qu'on vient de trouver ce qu'il veut dire pour nous. Faites confiance à votre perception des choses. Les personnages d'un rêve représentent parfois différentes facettes de nous-même. Imaginez-vous dans chaque personnage, reprenez à votre compte les paroles prononcées et voyez ce que cela raconte.

Le geste de donner la vie touche des symboles très profonds et probablement universels. Le travail de création est tellement immense que certaines parties nous échappent. Rêver qu'on accouche d'un animal est souvent le signe qu'on reconnaît cette force en soi. On peut aussi rêver avoir accouché, mais sans se souvenir du déroulement ou rêver à son enfant nouveau-né ou plus vieux, quelquefois capable de parole. On reprend contact avec son corps, sa force instinctive, et aussi avec les forces contraires qui travaillent à faire la paix dans notre espace psychique. Par exemple, il n'est pas rare de rêver qu'on a abandonné son bébé, ou encore d'avoir éprouvé à son égard de la colère, et même une certaine violence. Rassurez-vous, cela ne représente pas ce dont vous seriez capable dans la réalité. C'est plutôt la façon dont votre inconscient cherche à régler la bataille qui l'habite: l'arrivée d'un bébé dans votre vie représente une perte réelle de liberté, pour un temps, et une partie de vous-même se rebelle même si le bonheur que vous en attendez compense amplement cette limite temporaire. Ces rêves sont une manière très saine de ventiler ces émotions, qui n'auraient pas leur place dans vos pensées éveillées.

Les rêves à répétition viennent parfois nous parler d'une situation qui demande à être réglée. Parlez-en à quelqu'un. Laissez-vous suggérer des pistes d'interprétation, mais ne gardez que celles qui ont un sens pour vous et laissez les autres flotter: elles s'élimineront d'elles-mêmes, s'il est bien vrai qu'elles ne vous concernent pas. Ces rêves ne font souvent que jouer et rejouer une crainte qu'on porte en nous-même, et la meilleure chose à faire est encore de suivre le message qu'on y trouve intuitivement.

Vous passerez sans doute une partie de votre grossesse à lire, à ramasser de l'information qui vous aidera le temps venu à prendre des décisions. Le monde des rêves se sert d'un tout autre langage, fait d'images et de symboles, pour s'adresser à vous en provenance de votre propre monde intérieur. Écoutez cette voix. Laissez-la vous guider. Vos rêves vous appartiennent!

# D'où vient la vie?

Inévitablement, la grossesse soulève cette question primordiale. L'histoire des religions et des grandes philosophies côtoie de très près ce questionnement éternel des êtres humains, qui se pose avec une acuité nouvelle quand on s'apprête à mettre au monde une nouvelle version de la conscience humaine. On a beau connaître les diagrammes des organes génitaux internes et de la rencontre entre l'ovule et le spermatozoïde, cela ne résout pas vraiment la question. Il n'y a pas de réponse toute faite. Ni dans ce livre ni dans aucun autre. Cette rencontre prochaine avec un petit être qui habitait il n'y a pas si longtemps les noirceurs du néant (ou les clartés, ou une autre vie, je l'ignore) suscite pour beaucoup de parents une réflexion personnelle, tout comme la mort peut le faire. Beaucoup de femmes enceintes, à leur grande surprise et peut-être à l'encontre de leurs croyances premières, se sentent habitées par un esprit. Déjà le mot suggère un je-ne-sais-quoi d'ésotérique ou de religieux qui fait un peu peur. C'est pourtant le mot dont on dispose, à moins qu'on ne lui préfère le mot âme, pour parler de ce qui n'est pas l'enveloppe charnelle de cet enfant, mais son être même.

Les nouveaux développements de la technologie de reproduction nous donnent parfois à penser qu'un bébé n'est qu'une mécanique extrêmement complexe, dont il faut s'assurer de la qualité à l'aide de tests de plus en plus perfectionnés. Si le but de la grossesse était de fabriquer un petit paquet de chair et d'os en bonne santé, il suffirait probablement d'ingérer le bon nombre de protéines et vitamines de toutes sortes.

La grossesse n'est pas un simple mécanisme de fabrication. C'est un processus de création qui comprend, et comprendra toujours, une part d'imprévu et d'inexplicable. La naissance permet le passage d'un état que nous ne pouvons qu'imaginer à celui d'être vivant sur cette planète. C'est encore un mystère. C'est sur la pointe des pieds que je m'approche de ce qui se passe dans le corps de chaque femme enceinte. On peut mesurer, «échographier», contrôler, analyser. On peut organiser artificiellement la rencontre d'un ovule et d'un spermatozoïde loin des profondeurs qui les protègent habituellement des regards. Mais on n'a pas encore créé la vie de toutes pièces! Et c'est ce qui se passe dans votre ventre.

> *Alice disait: «Je me revois, enceinte, participant à la vie de tous les jours, aux discussions entre amis. Tout à coup, un mouvement du bébé, une vague, un instant de buée sur l'écran de mes idées, me distrayait de tout cela et me renvoyait à 'ma bulle'. Tout me paraissait soudain tellement futile: les mots, les opinions, les choses à faire, le monde extérieur. J'avais l'impression de porter l'univers entier dans mon ventre et je l'encerclais de mes bras comme pour lui faire savoir que je connaissais parfaitement l'importance d'une telle mission. Une fois*

> *cette vague passée, elle m'apparaissait bien poétique, bien 'décrochée', mais je sentais aussi qu'elle m'approchait du sens réel des choses, et qu'au fond, c'était bien vrai que je portais l'univers entier! J'avais l'impression de m'engager à bien petits pas dans une aventure remplie de questions sans réponse.»*

Chaque être humain a droit à ses propres croyances par rapport à ces questions et nul ne peut imposer les siennes à son voisin. Occasionnellement, mes propres croyances vont transparaître dans ce que j'écris, mais en aucun cas je n'oserai prétendre qu'elles sont les bonnes. Elles sont celles que mon éducation, mon intuition et mon expérience ont graduellement fait émerger en moi, et elles me guident et m'inspirent quotidiennement, tout comme les vôtres! Utilisez donc, dans ce livre, les concepts et les valeurs qui conviennent à ce en quoi vous croyez. Si vous le voulez bien, permettez-vous aussi de laisser votre grossesse les ébranler, les renouveler, les confirmer ou les transformer.

**Notes**   [1] Voir le livre de Ginette PARIS: *L'Enfant, l'amour, la mort*, Québec, Nuit Blanche Éditeur, 1990.

### Un nouveau regard sur notre histoire

- *Quelle image avait-on des femmes dans votre famille? Dans celle de votre conjoint? De leurs capacités, de leur rôle, de leur importance?*

C'est avec nos parents qu'on vit notre première relation amoureuse. Elle imprègne l'idée qu'on se fait de soi et façonne toutes les relations qu'on aura par la suite.

- *Quels ont été, lorsque vous étiez toute petite, vos rapports avec vos parents?*

Nos premières expériences reliées à la sexualité laissent un message très puissant et forgent l'idée que nous en aurons. Même le silence sur ce sujet en dit long!

- *Comment s'est passée votre éducation sexuelle?*
- *Quel était le message qui se transmettait dans votre famille au sujet du corps et de la sexualité?*

Les menstruations et les seins qui se développent sont parmi les premières expériences qu'on a de notre corps en tant que femme.

- *Comment avez-vous vécu vos premières menstruations? Dans l'ignorance? Coincée dans une information factuelle qui ne laissait pas de place à l'échange? Mal préparée pour la douleur, dans une atmosphère de dégoût, de gêne... ou de fête à l'idée de devenir femme?*
- *Aimez-vous vos seins, votre ventre, votre vagin, dans leur apparence, dans leur fonction biologique, dans le plaisir?*

Découvrir sa sexualité avec un partenaire est une telle expérience de vulnérabilité. On peut avoir le goût d'explorer cette partie de nous avec un être aimé, comme on peut en ressortir déçue ou suffisamment blessée pour renoncer à s'ouvrir à nouveau.

- *Dans quelles circonstances avez-vous vécu (ou subi) vos premiers rapports sexuels? Aussi amoureuse et maladroite que votre partenaire? Ou brusquée, emportée malgré vous dans une relation sans tendresse?*
- *Comment se sont passées vos relations amoureuses?*
- *Est-ce que votre vie sexuelle a été un lieu d'apprentissage à deux, où la tendresse et l'expression de chacun avaient une place? Ou un lieu de tiraillements, de silences et de solitude?*

La contraception et la peur d'être enceinte ont peut-être pesé très lourd sur votre capacité d'expression en amour. Si, en plus, un échec est venu vous mettre devant la réalité d'une grossesse non désirée, vous avez peut-être gardé le sentiment d'avoir été trahie par votre corps ou votre désir.

- *Quelle est votre expérience de la contraception? Un fardeau à assumer seule? Un privilège qui vous a coûté cher en efforts ou en santé? Une occasion de connaître votre fertilité et de partager cette responsabilité?*

Le corps conserve le souvenir de certaines blessures, qui n'en sont pas moins profondes parce qu'elles sont cachées. On peut certainement guérir, mais on ne peut pas effacer ces traumatismes. Toute situation humiliante, menaçante ou honteuse qui touche la sexualité laisse un arrière-goût amer, même si, légalement parlant, cela ne pourrait pas s'appeler un viol ou du harcèlement. Surtout si on se sent, à tort ou à raison, partiellement responsable.

- *Avez-vous eu des expériences de violence sexuelle: harcèlement, viol, inceste?*
- *Quels moyens vous êtes-vous donnés pour vous aider à en guérir?*

# Chapitre 2

*Prendre soin de soi*

# L'évaluation de ses propres besoins

Dès les premiers jours, la grossesse exige de l'organisme des changements importants. Caché dans le secret des profondeurs, l'embryon encore minuscule se nourrit directement de sa mère. Il est nourrit au sens physique, par la circulation sanguine, mais aussi affectivement et psychiquement. Un bébé qui grandit, même s'il est encore dans le ventre de sa mère, réclame temps et énergie. Pour en donner, sa mère doit d'abord en avoir! Les êtres vivants fonctionnent en suivant ce double mouvement: donner-recevoir. Ni l'un ni l'autre n'a une valeur positive ou négative. Les deux sont essentiels à la poursuite de la vie: la plante prend, par ses racines et ses feuilles, et donne par ses fruits. On inspire et on expire. On ne peut pas «donner» au bébé sans recevoir en abondance nourriture et énergie.

Plusieurs changements s'effectueront pendant la grossesse. Vous pouvez choisir de les vivre guidée par le sens du devoir, l'obligation d'être une bonne mère, ou encore par un vrai sens du plaisir et de bien-être. Le bien-être de la mère devrait être le but premier de la grossesse tellement il influence à long terme le bien-être physique et psychologique de toute la famille. Il est à peu près temps que les femmes deviennent sainement égoïstes et qu'on reconnaisse la beauté, le pouvoir et la créativité de leur rôle. Ne passez pas neuf mois avec des obligations telles que manger plus, manger moins, manger des aliments que vous n'aimez pas. Optez pour le plaisir! Choisissez d'être attentive à vous-même et à vos besoins.

La grossesse aiguise nos sensations et nos émotions, ce qui nous laisse beaucoup moins le choix de les ignorer, comme on est tentée de le faire habituellement. Nos besoins augmentent, tout comme le sentiment d'urgence à y répondre. À quel autre moment de notre vie s'accorderait-on la permission de faire une sieste en plein jour quand on est fatiguée? Pourtant, il arrive aussi qu'on se sente fatiguée sans être enceinte, mais on ne se permet pas de s'arrêter. La grossesse est donc une magnifique occasion de s'écouter enfin, de se faire plaisir, de manger lorsqu'on a faim et de manger ce dont on a vraiment envie, de se reposer quand on en ressent le besoin, de prendre le temps de nager, de marcher, de s'étirer de tout son saoul, de prendre de longs bains qui détendent. Ce qu'on devrait toujours se permettre, au fond.

Le bien-être réside dans la capacité spontanée du corps à s'adapter et à guérir. On a parfois un peu de travail à faire pour se libérer des pressions extérieures ou intérieures qui freinent cette tendance naturelle. Lorsqu'une femme parle de fatigue ou de maux de dos ou d'insomnie, la plupart du temps, elle sait déjà comment y remédier. Il suffit de le lui demander. Au début, elle dira: «Ah, je ne sais pas vraiment», puis elle ajoutera enfin qu'elle trouve difficile de cumuler le travail au bureau et les tâches de la maison, ou qu'elle se couche trop tard ou autres choses encore. Ce genre de questionnement, on peut le faire soi-même ou avec l'aide d'un proche qui peut nous aider à objectiver un peu. Il faut apprendre comment réorganiser ses ressources afin de ne pas se retrouver à court d'énergie.

venir des images sans lien apparent, peut-être sans raison. Peu à peu, s'il y a lieu, les images se placeront d'elles-mêmes pour vous livrer un message. Vous pourrez alors en parler, vous «vider le cœur», aller chercher le soutien nécessaire... tout en continuant à grignoter les biscuits secs du matin, le gingembre ou les médicaments s'il le faut!

Le besoin irrésistible de sommeil, qu'on ressent souvent au tout début de la grossesse, est un exemple de signal que le corps envoie pour qu'on lui donne le plus tôt possible ce dont il a besoin. Dans ce cas-ci, il a besoin de repos pour lui permettre de faire la transition vers son nouvel état, pour mettre en branle les changements circulatoires, hormonaux et métaboliques que la grossesse exige. Le message est clair: il doit y avoir des moments de la journée où être enceinte est la seule activité en cours, où toute l'énergie physique et psychique doit y être consacrée. On est déjà mère, quand on est enceinte! La fatigue n'est pas un signe de faiblesse ou une diminution de capacité, mais une manifestation de l'énorme travail du corps, qui demande une grande force et un abandon à la vie.

Il ne sera pas toujours facile d'écouter ces messages intérieurs et de les intégrer au reste de la journée: le travail, les tâches de la maison et l'énergie que vous consacrez normalement aux autres s'en ressentiront. Dans une société axée sur la production et la performance, on a bien peu de succès quand on s'emploie à créer une œuvre qui ne se manifeste vraiment, pour les autres, qu'au bout de neuf longs mois! Plusieurs femmes se

Plusieurs malaises de grossesse gagnent à être explorés plus loin que dans leur manifestation physique. Se donner accès à leurs aspects émotifs est parfois un exercice très fécond de prise de conscience. Nous sommes des êtres capables d'émotions complexes et celles qui sont plus difficiles à accepter doivent quelquefois se manifester par le corps. Sans vouloir nier ses composantes strictement physiques (et encore mal comprises d'ailleurs), la nausée de grossesse en est un exemple. Parfois, il y a des aspects de cette grossesse qu'on ne peut pas «digérer», qu'on voudrait rejeter. C'est l'estomac qui se charge de nous transmettre le message à travers ces nausées. Si vous voulez, allez voir pour vous-même ce qu'il y a dans ce «mal de cœur» (même le nom est très suggestif, ne trouvez-vous pas?). Profitez d'une pause, d'une relaxation pour laisser monter en vous, sans jugement ni analyse rationnelle, les images associées à la nausée, et pensez à ce que vous aimeriez changer de cette grossesse, si vous en aviez le pouvoir. Laissez

retrouvent dans la situation curieuse et difficile d'être entourées de femmes qui n'ont pas d'enfant. Elles ont parfois la surprise d'être plus facilement comprises et soutenues par leurs collègues masculins (dont la conjointe a déjà eu des enfants, par exemple) que par leurs collègues féminines.

*«Les seules femmes qui me comprennent et qui m'aident au travail par mille petits gestes quotidiens sont les secrétaires», dit Louise, professeure à l'université. «Mes collègues, non. Je suis la première femme à être enceinte dans mon département».*

Les valeurs sociales concernant la maternité nous affectent quotidiennement pendant notre grossesse. Or, ces valeurs ont grandement changé dans les dernières décennies. Nous avons gagné le droit et la liberté de choisir pour nous-mêmes ce que nous ferons de nos vies, incluant d'y laisser ou non de la place pour des enfants. Nous avons aussi développé d'autres valeurs et objectifs: la réussite dans le travail, la recherche d'un certain confort, la poursuite de buts personnels autres que la maternité. C'est certainement un progrès par rapport à la destinée tracée d'avance de nos grands-mères. Mais la société n'a pas encore fait tous les changements nécessaires pour s'adapter à ces nouvelles réalités des femmes. Qu'on pense seulement aux problèmes de garderie, aux congés parentaux insuffisants ou inexistants pour certains... la liste est longue. Entre-temps, les femmes absorbent comme elles le peuvent la tension entre les nouveaux objectifs à atteindre et leur réalité de tous les jours, où elles sont souvent isolées, avec très peu d'appui concret et un surplus de préoccupations matérielles, financières et bureaucratiques.

*«T'as décidé de prendre des vacances?» disait-on à Monique, qui venait tout juste d'arrêter de travailler à huit mois de grossesse! Comme si porter un enfant à terme, se préparer à sa naissance imminente, émotionnellement, matériellement, ce n'était rien!*

Souvent, on adhère inconsciemment à cette idée: on organise nos semaines, comme si rien n'avait changé. À la fin de la grossesse, on travaille à l'extérieur le plus longtemps possible, pour bénéficier de plus de temps après, parce que les congés de maternité (quand on en a) sont faits comme cela. Souvent, on doit conclure certains dossiers ou terminer des tâches avant son départ, en plus d'entraîner une remplaçante. On prend soin des enfants plus vieux en essayant de ne pas les priver d'attention à la veille de l'arrivée d'un autre. On met les bouchées doubles pour repeindre la chambre qui deviendra celle du petit. On prend de l'avance dans la cuisine. On se dépense, sans penser que faire un bébé est déjà un travail à temps plein! On agit parfois comme si la grossesse parfaite était celle qui nous permet de ne rien changer à nos habitudes. Trop souvent, cela permet aussi de «ne pas embêter les autres avec ça», mais le poids véritable de la charge en plus, on le porte seule et en silence. Le prix à payer en vaut-il la peine?

La tendance sociale vers le succès exerce beaucoup de pression sur les femmes enceintes. Qu'on en soit consciente ou non, il existe un modèle de la femme enceinte moderne: elle est en forme jusqu'à la fin de la grossese et suit plusieurs cours d'exercices par semaine. Elle est informée et a lu tout ce qu'il fallait. Elle devra avoir un «bel» accouchement, mais aussi se plier à tous les tests prénatals possibles et inimaginables. Son mari assistera obligatoirement à l'accouchement.

Elle est heureuse de sa grossesse. Elle ne boit jamais et ne fume pas. On s'attend à un niveau de perfection des femmes enceintes qui n'est exigé de personne d'autre. Toute l'emphase est mise sur le bébé et l'accouchement: faire ses exercices pour l'accouchement, bien manger pour le bébé, etc. Mais on mange pour soi-même, pour le plaisir, pour la vie, et c'est de cela dont le bébé se nourrit!

Avec un ventre rond, on dirait que toute femme devient une «p'tite madame»! Maintenant qu'elle est enceinte, chacun pourra commenter librement sa façon de mener sa vie ainsi que les changements dans son corps. «Tu es donc petite... ou grosse... tu portes haut... ou pointu...» feront désormais partie des échanges quotidiens, même de la part de gens qu'on ne connaît pas, au magasin, dans l'ascenseur, n'importe où. Vous êtes maintenant d'intérêt public!

Chacun semble avoir le droit de veiller à ce que les femmes enceintes suivent à la lettre les règles de vie saine qui vont de pair avec leur état. Prenons par exemple l'usage du tabac et de l'alcool. La preuve des conséquences de leur abus sur le fœtus a porté les autorités médicales à faire campagne pour informer les femmes enceintes de leur danger et les exhorter à en arrêter l'usage. La plupart des femmes enceintes essaient d'arrêter de fumer et de consommer de l'alcool pendant leur grossesse. Mais leur usage modéré, qui ne constitue pas un danger pour le fœtus, suscite des réactions parfois virulentes de l'entourage. C'est presque du harcèlement, de l'ingérence dans la vie privée.

Une femme enceinte qui allume une cigarette a parfois droit à des sermons, des remontrances, même si cette cigarette est l'une des 5 qu'elle fume désormais en une journée, comparativement à 25 auparavant. Les femmes enceintes sont seules obligées à être parfaites (leur mari peut continuer à fumer, lui!). Il semblerait bien qu' «à l'impossible, nul n'est tenu»... à moins d'être enceinte!

*«Plus on me disait d'arrêter de fumer, plus je fumais!» disait Francine qui, à chaque fois, sentait monter sa culpabilité en même temps que sa colère.*

Rien de tout cela n'est fait avec méchanceté, évidemment. La sollicitude générale pour les femmes enceintes vient probablement d'une sorte d'instinct de protection envers celles qui portent l'avenir. Bien des femmes aimeraient plutôt que ce souci pour leur grossesse leur fasse gagner un peu plus souvent une place assise dans l'autobus ou une réponse positive quant à leur retrait préventif, ou à tout le moins des aménagements de leurs conditions de travail. Malheureusement, on commente plus aisément qu'on ne soutient. Les femmes dont les besoins primaires sont remplis adéquatement, qui sont entourées, qui reçoivent une information appropriée, font pour elles-mêmes des choix sensés et judicieux. On pourrait leur faire un peu plus confiance et diminuer la pression qu'on leur inflige avec nos commentaires peu subtils.

Nous avons une responsabilité sociale de soutien envers toutes les femmes enceintes et elle est encore plus urgente vis-à-vis de celles qui vivent leur grossesse dans la pauvreté, la solitude ou la misère psychologique. Ce sont des conditions de vie difficiles, des contextes qui les obligent à s'occuper de survie avant de s'occuper d'elles-mêmes et de leurs bébés. Comme société, nous nous devons de tout faire en notre pouvoir pour améliorer leurs conditions, leur donner des moyens, non pas leur dire quoi faire.

La grossesse entraîne une mobilisation extraordinaire en vue des changements qui vous permettront de devenir mère et d'accueillir votre enfant dans un milieu de vie où il aura sa place. C'est donc un temps tout indiqué pour développer vos ressources, ce qui influencera aussi d'autres domaines de votre vie. La préparation se fera autant au plan physique qu'affectif et spirituel. Au bout du compte, il vous revient de déterminer ce que vous ferez pour vous-même. Ouvrez les yeux et les oreilles à ce qui se passe à l'intérieur de vous pour comprendre les signaux que votre corps ne manquera pas d'envoyer. Évaluez lucidement vos forces, vos besoins, vos limites, en apprenant à les respecter et à demander de l'aide quand il le faut. Ce ne sera pas toujours facile! Laissez-vous guider par le plaisir d'être enceinte, de donner la vie.

## L'exercice, la relaxation, le repos et le travail

Pour avoir confiance en son corps, il faut être familière avec lui et sentir qu'on peut compter sur lui. Bouger, s'étirer, sentir nos muscles travailler nous garde en contact avec nous-même, avec notre corps. Le choix des exercices est matière de goût et d'accessibilité, en autant que tout le corps y participe et que les exercices soient axés sur le mouvement et le plaisir plutôt que sur la performance et l'effort. Quand on parle d'être en forme pour l'accouchement, on doit en avoir une vision plus large que celle de la force musculaire ou des capacités de performance. Une vision mécanique du corps, où les muscles font séparément leur travail, est erronée et détourne notre attention et nos efforts du véritable bien-être, qui, lui, forme un tout.

### L'exercice

Le but premier des exercices est d'augmenter la vitalité du corps, de le rendre plus «vivant» et plus proche de soi. Des années d'école, de travail en position statique, nous ont confinées dans des espaces et des mouvements restreints. Rares sont ceux ou celles qui utilisent encore ne serait-ce que la moitié du très large éventail de mouvements dont ils étaient capables à deux ans. Quand, pour la dernière fois, avez-vous fait une culbute par en arrière? Ou un saut en hauteur ou en largeur, digne de ce nom? Nous sommes devenues tellement préoccupées par les tâches mentales, qu'on a perdu contact avec notre corps. Or ce contact est primordial, la vie durant, et plus particulièrement pendant la grossesse: voici que le corps s'occupe de mener à bien un processus normal, certes, mais d'une infinie complexité. Si les ponts sont coupés entre nous et notre corps, comment pourrons-nous réagir consciemment lorsque cela s'avérera nécessaire? Quand il faudra, par exemple, changer volontairement une posture qui gêne ou qui endommage certains muscles?

L'exercice n'est pas un devoir à faire, mais l'expression d'un corps «bien dans sa

pour faire place au bébé, les organes se déplacent. L'exercice régulier prévient les maux de dos, la fatigue et même la déprime! Beaucoup de femmes souffrent de maux de dos, qu'elles soient enceintes ou pas: elles passent tellement de temps penchées sur leur bureau, au-dessus du lavabo et du comptoir de cuisine, penchées vers les enfants et penchées encore pour ramasser les «traîneries»! L'exercice est essentiel pour rééquilibrer tout cela. Si l'exercice et le repos quotidiens ne suffisent pas, consultez à temps! Ne laissez pas un mal de dos s'installer et devenir problématique. Plusieurs femmes ont pu ainsi régler ou soulager des douleurs gênantes en consultant un ostéopathe, un massothérapeute, un physiothérapeute, un chiropraticien ou un médecin.

La forme d'exercice que vous adopterez pour atteindre cet objectif demeure votre choix. Plusieurs auteurs dont c'est la spécialité ont écrit d'excellents livres sur les exercices pré et postnatals qui pourraient aussi vous orienter. Allez vers ce que vous aimez déjà ou vers ce que vous avez envie d'essayer. Comme dans la vie, cherchez à développer votre souplesse autant que votre force, à vous détendre autant qu'à bouger.

Les exercices d'étirement sont particulièrement bénéfiques pour aider à préparer

peau». Les exercices prénatals ne servent pas uniquement à préparer l'accouchement: ils sont indispensables pour assurer le bon fonctionnement du corps (et de l'esprit!) pendant la grossesse. Longtemps avant l'accouchement, le corps s'ajuste pour répondre aux changements: les muscles s'étirent, les ligaments et les articulations s'assouplissent

---

**Un programme d'activités physiques prénatales peut comprendre:**

- des mouvements d'étirement qui visent à relâcher les muscles (comme en yoga et en gymnastique douce);
- des exercices cardiorespiratoires doux, pour améliorer le rendement du cœur et des poumons (comme la natation et la bicyclette);
- de la relaxation;
- des exercices pour améliorer la posture et préparer le corps à porter un bébé de plus en plus lourd[1].

l'accouchement, parce qu'ils offrent une bonne occasion de confronter la douleur et la résistance. Des positions ou des mouvements inhabituels nous font ressentir distinctement la résistance du corps et l'inconfort qui en résulte. En étirant un muscle jusqu'à sa limite (c'est-à-dire jusqu'à ce que cela soit inconfortable) et en gardant cette position, vous pourrez évaluer votre réponse spontanée à la douleur. Vous découvrirez probablement que la douleur est reliée à la peur que vous en avez et que plus vous l'acceptez, plus elle diminue. Vous pourrez ainsi explorer des réponses nouvelles au défi du dépassement physique. Tout travail du corps dans ce sens suscite une ouverture mentale équivalente.

Intégrer des exercices dans sa vie quotidienne est probablement plus facile que vous ne le pensez. Simplement marcher une

demi-heure par jour est déjà excellent! Prenez le temps de savourer le mouvement, l'air frais, le temps qu'il fait. Si vous êtes assise toute la journée, arrêtez plusieurs fois pour faire des étirements du dos vers le haut, comme si un fil au-dessus de votre tête vous tirait vers le plafond. Faites des rotations des épaules, du bassin, du cou, des chevilles. Enlevez vos souliers et roulez une balle de tennis avec un pied puis l'autre, en exerçant une certaine pression. Faites-en chaque jour, fréquemment plutôt que longuement, jamais jusqu'à la fatigue. Il n'y a pas d'habiletés particulières requises pour faire des exercices prénatals, seulement de la bonne volonté et le goût d'en faire. L'intégration d'exercices quotidiens dans sa routine est un signe très sain de respect et d'appréciation de son corps.

## La relaxation

Un muscle en santé est capable de se contracter et de se détendre. Si la nécessité de faire des exercices prénatals semble presque une évidence, l'importance de faire régulièrement de la relaxation est encore malheureusement à intégrer dans les mentalités. Nos muscles sont bien plus souvent trop tendus que trop mous! Il faut souvent poser la question deux et trois fois pour savoir si quelqu'un fait régulièrement de la relaxation. Chacun aime à penser qu'il «relaxe» régulièrement devant la télévision ou avec des amis, par exemple. Bien sûr, il est important d'entrecouper son travail, quel qu'il soit, par des temps de détente et de loisirs. La relaxation est cependant plus que cela: c'est le relâchement complet de toute tension musculaire, mentale ou émotive. L'esprit ralentit momentanément ses pensées de toutes sortes, le corps arrête tout effort. C'est le silence, le calme, la plénitude de l'instant présent, sans aucun désir que ce moment passe plus rapidement ou soit différent.

La relaxation est un état très personnel et donc non comparable d'une personne à l'autre. La compétition, le jugement et l'impatience devant les résultats sont incompatibles avec elle. Il est aussi difficile de s'acharner à atteindre un état de relaxation que de s'acharner à vouloir s'endormir. Plus on veut quelque chose et plus on s'éloigne du but. Par contre, on peut viser à réunir toutes les conditions dans lesquelles la relaxation apparaît habituellement: le relâchement des muscles, l'immobilité, l'abandon des préoccupations, le silence. Le fait de s'intéresser aux préliminaires plutôt qu'à la performance dégage déjà d'une source de tension.

Dès qu'on relaxe, on peut sentir passer un courant d'énergie à travers tout le corps, l'énergie même qui était fixée dans les muscles tendus et qui peut enfin circuler. Cette faculté de laisser couler librement l'énergie se cultive. Il suffit d'un peu d'attention, de motivation, de temps et de soutien. Les moyens d'y parvenir sont très variés. Des techniques simples, qui visent à relâcher un à un certains groupes de muscles, peuvent se pratiquer facilement, seule ou à plusieurs. L'imagerie mentale, où l'on se crée un endroit imaginaire paisible et protégé, invite à laisser aller les tensions qui nous «protègent» habituellement. La méditation et le yoga sont de très anciens moyens de faire taire les préoccupations mentales et de recentrer son énergie.

Les gens tendus ont une respiration restreinte qui diminue leur vitalité. À tout instant, on peut devenir conscient de sa respiration, ce qui en fait un extraordinaire baromètre de nos états intérieurs. Le contrôle de la respiration va à l'encontre de la relaxation. Essayez de contrôler chacune de vos respirations pour quelques minutes seulement. Vous serez surprise de constater l'effort que cela représente! Les laisser couler librement, au contraire, dissout la résistance. Votre respiration change spontanément selon les activités et les émotions. Quand vous vous appliquez à être consciente de votre respiration, laissez venir toutes les émotions et les pensées qui surgissent (il en surgit toujours!). N'essayez pas de les freiner ou de les contrôler. Concentrez-vous sur votre respiration et, peu à peu, pensées, émotions et corps se calmeront. Une belle façon de reprendre contact avec notre respiration par le biais de notre voix est de chanter à tous les jours. Votre bébé appréciera!

## Le rythme travail-repos

À moins d'habiter un coin idyllique à la campagne, loin du bruit et de l'agitation, il y a de fortes chances pour que votre rythme de vie soit rapide, voire essoufflant. Le monde bouge autour de vous, il y a plein de choses à faire et les moments de silence et de tranquillité sont rares. Pendant la grossesse, il vous faudra trouver un nouveau rythme, le vôtre, qui changera selon les périodes, les saisons et la sensation du moment. C'est d'ailleurs une excellente préparation pour la vie avec un tout jeune bébé: lui aussi aura son rythme, qui ne sera pas nécessairement compatible avec votre emploi du temps habituel.

Vous pourriez vous permettre davantage de petites pauses pendant la journée, de soirées libres où vous ne faites rien d'autre qu'être enceinte, de randonnées pédestres dans la nature, de siestes quand vous en ressentez le besoin, de soirées qui se terminent tôt au lit, avec un bon livre, sous les couvertures! Tout cela demande un réaménagement que vous seule pouvez faire. Pas toujours facilement d'ailleurs: pour certaines, les exigences du travail se font pressantes; pour d'autres, ce sont les enfants encore jeunes (ou moins jeunes, ceux-ci demandent encore bien de l'énergie!), le fait de cumuler le travail extérieur et les tâches reliées aux enfants et à la maison, ou encore la peur de se trouver ennuyante vis-à-vis du conjoint. Pour pouvoir laisser entrer le «nouveau» de la grossesse et des activités qui gravitent autour, il va falloir accepter de laisser aller du «vieux». Ce n'est pas nécessairement un sacrifice. C'est plutôt comme donner le vieux sofa de tante Claire au moment où l'on s'en procure un neuf! On l'aimait bien, le vieux sofa, mais il faut maintenant qu'il laisse sa place.

Le travail et les études peuvent affecter la femme enceinte de bien des façons: le stress, les longues heures de travail et de transport, les repas du midi pas toujours satisfaisants, l'immobilité et les contraintes de positions (assises ou debout) ainsi que l'exposition à des situations dangereuses ou à des produits toxiques. Dans certains cas, des mesures de retrait préventif pourraient s'appliquer à votre type d'emploi. Votre médecin pourra vous guider vers la ressource adéquate pour vous. Beaucoup de travailleuses ou d'étudiantes n'auront pas droit à ce genre de mesures et devront compter sur elles-mêmes pour protéger leur santé et celle de leur bébé. Idéalement, les femmes enceintes devraient pouvoir choisir de travailler ou non, et selon leur propre rythme, sans conséquences financières. Mais on est encore assez loin de cet idéal!

Évidemment, il vaut toujours mieux arriver reposée à l'accouchement, non seulement parce que vous y aurez besoin de toute votre énergie, mais surtout parce que ce n'est pas une fin, mais un commencement! La vie avec votre bébé sera d'autant facilitée que vous aurez eu le temps de vous reposer pleinement dans les dernières semaines de votre grossesse. Il est souvent difficile de déterminer tôt dans la grossesse quels seront nos besoins de repos juste avant l'accouchement. Si votre emploi vous le permet, retardez cette décision autant que possible, pour mieux évaluer vos besoins en fin de grossesse. Beaucoup de femmes qui se croyaient assez reposées ont passé les deux premières semaines d'arrêt de travail terrassées par la fatigue accumulée, quand ce n'est pas par la grippe qui a lâchement profité de leur vulnérabilité nouvelle pour les mettre au lit.

Lorsque c'est possible, il est bon de prévoir au moins un mois d'arrêt avant la

date prévue pour l'accouchement, ce qui ne donne qu'une ou deux semaines à celles qui accoucheront un peu à l'avance. Il est vrai que dans le cadre actuel des congés de maternité accordés aux travailleuses (qui diffèrent d'un pays à l'autre), les semaines de repos prises avant l'accouchement raccourcissent d'autant le congé après la naissance. Il est aussi vrai qu'un grand nombre de travailleuses (ou d'étudiantes) n'ont pas droit à ces congés payés. Prenez quand même la peine de voir ce que vous pouvez raisonnablement aménager. Plus votre travail réclame une performance physique, sociale ou intellectuelle, plus vous aurez besoin de temps pour recentrer votre énergie vers vous-même et votre bébé. Passer directement d'un travail extérieur exigeant au travail beaucoup plus intérieur, émotif et instinctif du début de la maternité, cause souvent plus de tiraillements et de sentiments dépressifs que nécessaires. Une période de transition permet de passer plus doucement de l'un à l'autre, d'intégrer peu à peu les changements de rythme et d'intérêts, d'éviter une cassure.

Les femmes qui n'ont pas de travail à l'extérieur mais qui s'occupent de leurs enfants travaillent tout de même. Elles ont aussi besoin de se ménager du temps à elles. Ces moments, il faut les trouver partout où l'on peut: pendant la sieste ou lorsque les enfants sont à la garderie ou à l'école. Si possible, il est bon de se ménager une fin de semaine complète de vacances pour se ressourcer avant qu'un autre petit vienne demander quotidiennement sa part d'amour et de soins. L'enfant qui n'a pratiquement jamais été gardé gagnera à aller régulièrement chez ses grands-parents ou chez des amis. Il a besoin d'apprendre que d'autres personnes peuvent lui apporter l'attention et l'affection dont il a besoin et qu'il peut aussi, à l'occasion, s'occuper tout seul. Ces nouvelles acquisitions lui seront précieuses quand il vivra l'arrivée de son petit frère ou de sa petite sœur et qu'il devra s'adapter à la disponibilité réduite de sa mère.

# L'alimentation

La grossesse est un bon moment pour améliorer son alimentation, à condition de le faire dans une perspective de plaisir et de satisfaction par rapport à la nourriture. Plusieurs documents donnent la liste des besoins nutritifs des femmes enceintes et de celles qui allaitent. Ces informations peuvent servir de référence, mais non pas d'obligation. Se forcer à boire du lait quand on déteste cela, à manger d'énormes portions de viande qu'on digère mal ou s'astreindre au foie et aux épinards hebdomadaires, par devoir, ne serviront qu'à faire de vos repas des activités alimentaires sans plaisir. Je ne veux pas dire ici que tout effort est exclu. Si vous voulez augmenter la quantité de crudités que vous mangez, par exemple, vous devrez sans doute en faire l'effort. Commencez alors par les légumes que vous aimez, essayez des recettes qui les rendront savoureux, ajoutez aux salades des ingrédients-vedettes qui réjouiront tout le plat. Faites preuve d'ingéniosité et de gourmandise! Le changement doit surtout résider dans la qualité de ce que l'on mange.

Le désir de bien s'alimenter pendant la grossesse pousse certaines femmes à chercher des réponses dans des théories sur l'alimentation et à vouloir faire des changements fondamentaux. Toutefois, aucune de ces théories ne devrait être prise à la lettre. Vous êtes la mieux placée pour savoir ce qui vous convient, selon vos goûts, votre appétit, votre réaction (et celle de votre famille) à certains aliments, vos possibilités de cuisiner, votre aisance à digérer, etc. Il faut apprécier pleinement sa nourriture pour en profiter vraiment. Bien des menus gagneraient à être révisés selon ce critère!

Bien que l'analyse fine des besoins alimentaires des femmes enceintes soit intéressante du point de vue scientifique, je ne crois pas que vous devriez passer votre grossesse à additionner des grammes de protéines, des unités de vitamines et des microgrammes de minéraux mystérieux. Si la grossesse est une étape normale et naturelle de la vie, ce que je crois fermement, une alimentation saine, abondante et variée devrait suffire à tous vos besoins. L'ajout routinier de suppléments alimentaires, quels qu'ils soient, ne m'apparaît pas comme une pratique saine et raisonnable. Même le classique supplément de fer est souvent une source de problèmes beaucoup plus qu'une solution, puisqu'il cause notamment des brûlures d'estomac et de la constipation... rien qui n'améliore vraiment votre alimentation! Une certaine baisse du taux d'hémoglobine pendant la grossesse est une réaction physiologique normale, vu l'augmentation du volume sanguin. Seule une anémie véritable, démontrée par des tests sanguins plus poussés, devrait être traitée.

---

### Améliorer son alimentation

Une bonne façon d'évaluer la qualité de votre alimentation est de noter, pendant au moins trois jours, tout ce que vous buvez et mangez. Les verres d'eau, les biscottes, le chocolat, le pain, le beurre à table, tout. Trois jours incluant, si possible, un samedi ou un dimanche parce que votre alimentation y est parfois différente (plus de restaurant, de gâteries). Il est préférable de faire cette liste à rebours (c'est-à-dire, aujourd'hui, hier et avant-hier), parce que le seul fait de faire une liste au jour le jour risque d'influencer le choix de ce que vous mangez. Les contraintes de notre rythme de vie, quelques mauvaises habitudes alimentaires, un peu de paresse, l'attrait des aliments transformés et généralement un manque d'attention à ce sujet nous éloignent parfois de la qualité d'alimentation qu'on voudrait pour soi. J'ai souvent constaté que les femmes elles-mêmes sont bien capables de voir ce qui peut être amélioré dans leur alimentation, du seul fait de voir sur papier ce qu'elles mangent habituellement.

Avec une sage-femme, cette évaluation se fait, conjointement avec la femme, dans les premières visites prénatales. Si vous n'avez pas accès à ce soutien et que vous ayez l'impression que vous avez besoin d'ajustements importants, ou si vous vivez une situation particulière (vous êtes adolescente, vous allaitez ou vous vivez une deuxième grossesse très rapprochée de la première), consultez une diététicienne qui pourra vous faire bénéficier de ses connaissances et vous aider à apporter les modifications nécessaires à votre situation.

De nombreuses femmes végétariennes reçoivent de leur entourage ou de leur médecin des commentaires inquiets et souvent mal informés sur leur type d'alimentation et les carences qu'elles pourraient faire subir à leur bébé. De fait, les régimes très stricts sont difficilement compatibles avec la souplesse et l'attention aux demandes spécifiques du corps pendant la grossesse. Si votre diète est saine, flexible et variée, ne vous inquiétez pas. Vous devrez peut-être faire un effort particulier pour absorber une part suffisante de protéines, mais vous ne manquerez certainement pas de céréales, légumes et fruits frais qui font parfois défaut ailleurs! Il se peut, surtout si vous êtes une végétarienne de fraîche date, que vous ayez des envies pressantes de manger de la viande. Votre corps vous fait ainsi part de son besoin de protéines. Il semble sage de répondre à cette demande, quitte à vous limiter à la volaille de grain ou à augmenter votre consommation de poisson. Si vous ne consommez aucun aliment d'origine animale, consultez un professionnel qui vous conseillera quant à la façon de vous procurer les quelques vitamines nécessaires au bébé qui ne sont pas présentes en quantité suffisante dans les végétaux, en particulier la vitamine B12. Enfin, le lait n'est pas l'aliment irremplaçable que l'on prétend. Les femmes qui n'aiment pas ou ne tolèrent pas le lait peuvent le remplacer par d'autres sources alimentaires de calcium et peuvent consulter un professionnel ou des ouvrages de référence pour trouver une solution de rechange qui leur convient.

Chose certaine, et vous le saviez déjà, il faudra arrêter ou diminuer autant que possible l'alcool, la caféine, et tout ce qui entre dans la catégorie *junk food*: les tablettes de chocolat, les croustilles, les liqueurs douces, tout ce qui contient additifs, colorants, sucre en excès, tout ce qui est préparé à la chaîne, à mille kilomètres des champs qui l'ont vu pousser! Pas seulement pour votre bébé: pour vous-même! Tout aliment perd un peu de sa vitalité à chaque étape de transformation. Si l'envie vous ronge, choisissez parmi les produits les moins transformés, faits d'ingrédients de qualité, et savourez sans remords! Quand il est généralement bien alimenté, le corps humain peut se débrouiller avec les exceptions.

Les cigarettes, le café et l'alcool font partie de ces plaisirs qu'on partage socialement, mais leur consommation abusive est néfaste pour le développement du bébé: caféine, alcool et nicotine passent dans sa circulation sanguine et, chacun à sa manière, limitent son accès à l'oxygène, aux vitamines et aux éléments nutritifs que vous lui fournissez habituellement. Ils surchargent son organisme de produits qu'il a peine à éliminer, d'autant plus que la concentration dans son sang à lui est parfois bien plus élevée que dans le vôtre! Même chose pour les médicaments: moins on en prend, mieux c'est. Dans les cas où l'usage d'un médicament est inévitable, consultez le pharmacien, voyez à ce qu'on vous donne des réponses précises quant aux risques courus. Vous pourriez trouver des alternatives aux remèdes contre les maux de tête ou la grippe, ce qui, en soi, est une bonne chose. Consultez au besoin une sage-femme ou une herboriste qualifiée. Attention, certaines herbes sont déconseillées pendant la grossesse ou l'allaitement tout autant que certains médicaments.

Le café est peut-être le plus facile à remplacer: il existe maintenant d'excellents cafés décaféinés «à la vapeur». L'effet de stimulation n'y est pas, mais un peu d'exercice peut le remplacer à moindre frais. Pour ce qui est des cigarettes et de l'alcool, on ne peut qu'arrêter, ou réduire le plus possible. Pour la santé du bébé, certes, mais pour celle de la mère aussi! Mais il y a loin entre usage occasionnel et abus. Les fumeuses qui se limitent à trois ou quatre cigarettes par jour font peut-être mieux que celles qui arrêtent complètement sans y être prêtes et qui en sont extrêmement stressées. Un verre de vin à l'occasion d'un repas d'amis apporte une détente appréciable sans mettre le fœtus en danger. Tout est une question de jugement.

## Le poids!

Évidemment, en parlant d'alimentation, la question de la prise de poids se pose. Chacun a son chiffre idéal ou «normal»: huit kilos, ou douze, ou pas plus que quinze... Certains de ces chiffres sont des reliquats des années 60 alors que des théories reliaient, à tort d'ailleurs, certains problèmes de grossesse avec une prise de poids excessive. On a même décomposé la prise de poids idéale en kilos pour le placenta, pour l'augmentation de volume de l'utérus, pour le fœtus, le liquide amniotique, etc. Cette opération nous donne une idée de «qui pèse quoi», mais ne peut pas servir de règle à suivre. D'abord, beaucoup

---

### Plantes contre-indiquées pendant la grossesse

- Absinthe*
- Achillée millefeuille*
- Actée à grappes bleues (R)
- Actée à grappes noires*
- Alchémille
- Aloès noire*
- Angélique*
- Armoise*
- Aunée
- Belle angélique*
- Bourdaine (R)
- Buchu*
- Busserole (R)
- Carotte sauvage (graine)*
- Cascara sagrada* (R)
- Chapparal*
- Consoude*
- Dong quai*
- Éleuthéro (R)

- Éphédra* (R)
- Épine vinette (R)
- Eucalyptus (R)
- Fausse-licorne (R)
- Genévrier (R)
- Ginseng (R)
- Grande camomille (R)
- Griffe du diable
- Gui
- Hydraste
- Kava kava*
- Lobélie
- Marrube
- Maté
- Menthe pouliot*
- Myrrhe (R)
- Osha
- Patience
- Pau d'Arco

- Phytolaque*
- Prêle (R)
- Raisin des montagnes (R)
- Réglisse (R)
- Rhubarbe chinoise
- Ricin (huile de)*
- Rue*
- Sabal
- Salsepareille (R)
- Safran (R)
- Sassafras
- Sauge*
- Savoyane
- Séné* (R)
- Tanaisie*
- Thuja*
- Tussilage*
- Verveine officinale
- Vitex

Note: nous parlons ici de l'usage régulier de ces plantes. Si vous vous rendez compte que vous avez pris, sans le savoir, une dose minime d'une plante contre-indiquée, dans un mélange par exemple, vous n'avez probablement pas à vous inquiéter. Certaines des plantes à usage restreint sont parfois utilisées en prévention dans les menaces de fausse couche.

(*=aussi contre-indiquée pendant l'allaitement, R=usage restreint avec supervision)

Référence: liste préparée par Marie Provost, herboriste et membre de la Guilde des herboristes du Québec

de femmes prennent plusieurs kilos dès les premières semaines de grossesse, parfois même avant de savoir qu'elles sont enceintes. Comme si leur corps, comprenant soudain le travail qu'il aura à faire, s'empressait de se faire des réserves. Je ne suis pas sûre qu'une diète sévère réussirait à empêcher ce processus: elle ne servirait probablement qu'à renforcer la sensation que la nourriture se fait de plus en plus rare et qu'il est préférable d'en emmagasiner encore plus.

Pendant la grossesse, on ne peut pas assujettir l'alimentation au contrôle du poids. C'est inversement qu'il faut procéder: d'abord bien manger, puis réajuster la diète selon qu'il y a excès ou manque véritables. Les femmes qui pèsent plusieurs kilos de moins que leur poids-santé avant leur grossesse commencent souvent par reprendre ce poids. Ne vous en inquiétez pas: c'est justement un signe de santé! Bien manger est important pour elles, mais aussi, ralentir, se reposer, se donner du temps pour bien percevoir les changements dans le corps et se sentir bien avec eux. Elles auront besoin de se sentir appréciées dans leur nouvelle rondeur!

Celles qui commencent avec plusieurs kilos en trop ne doivent pas vivre leur grossesse de façon à se restreindre: elles ont besoin de fruits et de légumes, de protéines, de céréales et de produits laitiers. Le seul endroit où elles pourraient couper, c'est en gardant au minimum les fameuses «calories vides»: les desserts riches, les portions trop généreuses de pain ou de féculents, le beurre, les huiles et les fritures, histoire de ne pas en demander trop à leur système à la fin des neuf mois. Nourri généreusement, avec des aliments variés, de qualité, le corps saura bien quoi choisir pour se garder en forme, plein de vitalité.

## Et la tendresse...

Ce qu'une mère donne à son bébé dépasse de loin l'oxygène et les protéines. Elle est son premier lien avec le monde, elle le berce de ses mouvements, de son toucher, elle le fait vibrer de ses émotions, de sa voix. Elle lui fait goûter à la vie. Dès le tout début, son père, s'il veut bien s'approcher de corps et de cœur, vient aussi lui faire connaître sa présence, sa différence, son amour. Cette circulation de tendresse ne peut exister que s'il y a, autour de cette femme et de cet homme, suffisamment d'amour pour qu'ils en aient à donner. Qui se préoccupe de l'alimentation en amour des femmes enceintes? Pourtant, c'est une composante indispensable de la santé physique et mentale, à tout âge, et à plus forte raison quand tant d'énergie est consacrée à nourrir une nouvelle vie! Malgré un régime impeccable, les bons exercices prénatals, etc., une femme enceinte peut se sentir absolument vide et incapable d'alimenter son bébé si elle ne se sent pas aimée, si elle n'est pas remplie d'une énergie intérieure positive.

Ce besoin d'amour est sans doute le besoin le plus ignoré de toute la grossesse. Le regard médical ayant isolé l'aspect bio-physique de la grossesse du reste de la personne, l'obstétrique n'a pas vraiment de place pour en parler dans ses manuels ou dans sa pratique. Le pas suivant est d'aller chercher soi-même l'amour qu'on mérite, dans nos relations amoureuses, auprès de nos amis et, quand c'est possible, au travail et dans notre famille. Certaines femmes vivent leur grossesse dans l'amour et l'affection de leurs proches. Mais beaucoup d'autres devront aller chercher une large part de tendresse qui ne se trouve pas spontanément dans leur vie. Bien sûr, certaines réalités resteront les mêmes, mais une part importante de la transformation possible peut venir d'un changement dans notre façon de percevoir notre besoin d'amour et d'y répondre.

D'abord, ce n'est pas toujours facile de reconnaître ce besoin accru d'amour. On a surtout appris que nos besoins passaient après ceux des autres. Dans les ateliers qu'elle donne à des femmes enceintes dont plusieurs sont déjà mères, Claudia Panuthos, une auteure américaine, a l'habitude de demander quelles sont celles qui vont uriner dans les deux minutes après que l'envie s'en soit fait sentir. Presque personne ne lève la main! Par contre, celles qui attendent d'avoir désespérément envie pour y aller sont légion! Comment, demande-t-elle alors, des femmes «élevées» à n'aller uriner qu'à la dernière limite peuvent-elles parler de leurs besoins pendant la grossesse? Il nous faut d'abord reconquérir l'idée que nous en valons la peine.

Plusieurs d'entre nous avons eu, enfant, une expérience de l'amour reliée à notre performance. «Si tu es gentille, tu feras plaisir à maman!» On a peut-être gardé l'impression qu'on doit faire quelque chose de spécial ou être quelqu'un de bien pour mériter l'amour des autres. On n'est pas aimée tout court, sans condition, juste pour qui on est. Beaucoup d'entre nous ont continué à agir comme des «bonnes filles» pour conserver l'amour des autres. Au bout de quelques années, on se rend compte que cela nous éloigne considérablement de qui nous sommes en réalité, et cette distance devient de plus en plus douloureuse et impossible à assumer. Un jour, il nous faut reprendre notre droit d'être aimée pour qui nous sommes! Si nous n'avons pas reçu cet héritage dès les premières années de la vie, nous devons apprendre, au fil des jours, à nous bâtir une image positive de nous-même. Il est essentiel de s'aimer soi-même avant d'aimer les autres et d'être aimée en retour.

Les chansons populaires continuent de véhiculer une image romantique mais fausse de l'amour. «Je ne suis rien sans toi» et «Pourquoi m'as-tu laissée?» forment l'essentiel de cette vision très passive: on attend l'amour, on en reçoit ou pas, on est parmi les chanceuses ou parmi les victimes! Pourtant, tous les couples heureux témoignent du patient travail quotidien, essentiel pour nourrir un amour qui dure, même à travers les moments difficiles. Se créer un contexte d'amour dans sa vie est une démarche active de notre part, qui demande de s'ouvrir, de se rendre vulnérable, de communiquer, de se laisser connaître... C'est accepter de prendre un risque: celui d'être heureuse!

## L'autonomie

Nous avons appris, parfois au prix d'une longue démarche, la valeur de l'autonomie. Souvent, cette acquisition assez nouvelle bouscule notre façon de voir la vie.

Nous devons lui trouver des assises, voir avec quoi elle pourra ou ne pourra pas cohabiter: peut-on être autonome et avoir besoin d'amour en même temps? Doit-on sacrifier ce besoin d'affection sur l'autel de l'indépendance? Le besoin d'être entourée... et même, disons-le, protégée, est-il un recul? Chaque femme répond pour elle-même, bien sûr. Mais il est peut-être bon de se dire entre nous que ce besoin de protection amoureuse (attention, pas de «surprotection») est tout à fait approprié pour cette période particulière qu'est le début d'une maternité. Si le besoin s'en fait sentir, ce serait fou de le nier afin de se prouver quelque chose! C'est un état temporaire, réel, et c'est un geste parfaitement autonome que de le reconnaître et d'y répondre. Non par des attentes excessives ou irréalistes, mais plutôt par des gestes tout simples d'expression de nos besoins à ceux qui nous entourent et qui nous aiment. Plus d'une femme s'est retenue d'aborder cette question franchement avec son partenaire, de peur de perdre des acquis précieux. Ces acquis ne disparaîtront pas avec la grossesse: ils se transformeront avec vous. L'autonomie, quand on est forte et capable, se vit encore assez facilement. L'apprentissage d'une nouvelle forme d'autonomie, dans une période de vulnérabilité, vous donnera une force et une clarté intérieures qui demeureront une fois cette période passée.

## Sensualité et sexualité

Il ne suffit pas de savoir qu'on est aimée: on a besoin de le ressentir quotidiennement dans son corps. Les caresses, les touchers doux, les petits massages d'épaules ou de dos, les gros câlins et les plaisirs sensuels et sexuels partagés font tous partie de l'expression physique d'une relation amoureuse.

Plusieurs couples font l'amour pendant toute la grossesse, même si la fatigue ou la nausée du début ont pu imposer une trêve temporaire. D'autres sont inconfortables avec leur sexualité pendant certaines périodes de la grossesse. Les raisons (qui sont souvent des sentiments et des croyances plutôt que des raisons) viennent de l'un ou l'autre des partenaires et varient beaucoup. La difficulté de concilier les images de maternité et de sexualité, de s'adapter à des nouvelles

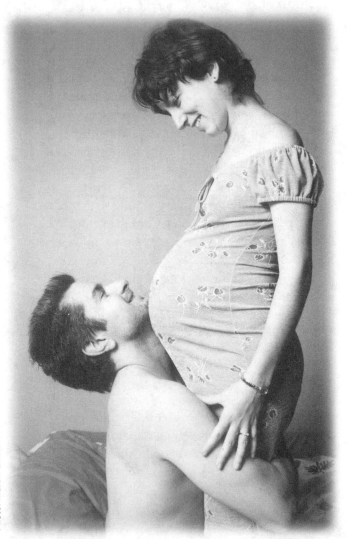

Photo: Martin Girard

positions, de parler de la transformation du désir qui fait que ce qui «marchait» avant ne fait plus le même effet, la peur de déclencher le travail ou de faire mal au bébé en sont quelques-unes. Très peu de parents osent aborder ce sujet lors de leur visite prénatale mensuelle ou aux cours prénatals. Une discussion ouverte avec votre sage-femme ou votre médecin pourrait vous aider à clarifier et apaiser des appréhensions normales qui freinent inutilement votre besoin de rapprochement physique pendant la grossesse.

Le désir sexuel varie beaucoup d'une femme à l'autre pendant la grossesse. Parfois, la femme se sent plus ouverte qu'à l'habitude face à sa sexualité. Elle peut avoir le sentiment de former un tout avec ce qui vit dans son ventre à elle, une sensation à la fois érotique et spirituelle bien particulière. Elle se sentira souvent plus sélective dans la qualité de l'énergie qu'elle veut autour d'elle, une façon de protéger son petit. Voici un temps privilégié pour s'approcher de soi-même encore plus, pour développer une nouvelle sensibilité du vagin et du périnée, de l'utérus, ces parties du corps tellement sollicitées par la grossesse. À mesure que le ventre grossit, les positions confortables changent: graduellement, vous préférerez sans doute celles où la femme est au-dessus de son partenaire ou celles où la pénétration se fait sur le côté ou par derrière. La pénétration peut s'avérer inconfortable pour vous. L'important est de sentir que vous pouvez vous donner du plaisir l'un l'autre sans danger pour votre bébé: il demeure bien en sécurité pendant une relation sexuelle. Les mouvements occasionnés s'additionnent à tout ce qu'il ressent dans une journée, protégé comme il l'est par le liquide amniotique,

les parois de l'utérus et le col. L'orgasme de la femme déclenche toujours, même en dehors d'une grossesse, une vague de contractions de l'utérus. Il est tout à fait normal de la ressentir pour quelques minutes après un orgasme et pour certaines, dès le début de la grossesse. N'ayez crainte, ces vagues de contractions ne déclenchent pas le travail avant que vous ne soyez absolument prête. Seule une indication médicale précise, discutée avec votre médecin ou votre sage-femme (comme le travail qui menace de commencer bien avant son temps ou la rupture des membranes) peut justifier de suspendre les rapports sexuels. Dans les toutes dernières semaines, un début de dilatation du col ne doit pas vous empêcher d'avoir des rapports sexuels s'ils vous sont encore plaisants et confortables.

Le besoin de tendresse dépasse souvent ce qu'il est réaliste d'espérer à l'intérieur de la relation de couple. Tout attendre de son conjoint le place dans une position extrêmement inconfortable, qui ne lui donne aucun espace pour ses propres besoins, ses insécurités, ses moments de fatigue. C'est se condamner, tôt ou tard, à ne pas en recevoir assez. La grossesse change la composition du cercle d'amis: à mesure que les préoccupations se centrent autour du bébé qui s'en vient, certains amis ne trouveront ni leur place ni leur intérêt dans votre voisinage. D'autres, par contre, se rapprocheront, par amitié ou par une sorte de fascination pour cette étape de la vie. Gâtez-les et laissez-vous gâter! Faites-leur savoir combien vous appréciez leurs petites attentions, faites-leur connaître celles qui vous feraient plaisir. Offrez-vous une douceur dont vous avez toujours rêvé.

La tendresse envers soi-même, c'est aussi se pardonner les moins bons jours, ne pas se juger. C'est se permettre les émotions qu'on dit négatives comme la tristesse, la colère, en sachant que si elles vous soulagent, vous, elles en font autant pour votre bébé. Une saine colère, qui ouvre la porte à tout ce que vous aviez à dire et laisse le champ libre pour passer à autre chose, fait beaucoup plus de bien à votre bébé qu'un régime de retenue qui voudrait lui éviter les sensations fortes. Il sent l'état de contrainte dans lequel vous êtes et toute l'énergie qui y est bloquée! C'est bon de pleurer et il n'est pas mauvais qu'il l'apprenne aussi tôt!

Au soir de certaines journées moches, de celles dont on se passerait, endormez-vous en imaginant une personne aimée (ou vous-même), caressant doucement vos cheveux et vos épaules, vous disant: «Dors, chère amie. Dors et ne t'en fais pas, tu as fait de ton mieux toute la journée, demain est un autre jour. Dors, tu as bien mérité ce repos...» Et laissez-vous bercer, sans regret, avec votre bébé, vers un doux sommeil.

**Notes**   [1] Voir le livre de Bernadette DE GASQUET. *Bien-être et maternité*, Bois-le-Roi (France), Implexe, 1996.

# Chapitre 3

# Les choix à faire pour l'accouchement

# Autonomie et responsabilité

Comment voulez-vous vivre votre accouchement? C'est l'une des premières questions que je pose au début des rencontres prénatales. Une question toute banale! Mais, à chaque fois, elle surprend un peu: on veut que le bébé soit en santé et que l'accouchement se passe bien, mais quoi demander d'autre? Certains ont parfois une longue liste de ce qu'ils ne veulent pas, mais très peu d'idées de ce qu'ils veulent vraiment. D'autres n'osent pas se faire des idées. On dirait que, devant l'ampleur de cet événement, on s'interdit presque de rêver. C'est pourtant de ce rêve, du désir d'amour, d'intimité, de respect, pour soi, pour l'autre et pour l'enfant à naître, que viendront les actions concrètes qui rassembleront, en temps voulu, les conditions propices à leur réalisation.

Bien sûr, au début, on pense à l'accouchement en se disant que c'est encore bien loin. Puis vient un jour où l'on se dit: «Oh mon Dieu! Ça s'en vient!» Neuf mois, c'est vite passé! Il y a tant de choses à prévoir et à préparer. C'est bien plus tôt dans la grossesse qu'il faut choisir l'endroit où l'on donnera naissance, choisir si c'est un médecin ou une sage-femme qui nous accompagnera, trouver quelques bons livres et décider si on veut suivre des cours prénatals. Une suite de choix, en somme, pour lesquels on n'a pas toujours l'impression d'être préparée. Pourquoi à l'hôpital, dans une Maison de naissance ou à la maison? Pourquoi un médecin ou une sage-femme? Mais surtout: à quoi se prépare-t-on au juste? Comment se prépare-t-on à accoucher? Le corps ne connaît-il pas déjà le processus puisqu'il sait mener le bébé à terme? Que faut-il apprendre exactement? Dans notre culture, beaucoup de femmes enceintes abordent la maternité comme s'il fallait recommencer à la case zéro, sans vraiment bénéficier de l'expérience de leur mère, de leurs sœurs.

La préparation d'un accouchement dépend de l'idée qu'on s'en fait. C'est un peu simplet comme raisonnement, mais il n'en est pas moins vrai. Si on pense que l'accouchement est un événement athlétique, on se prépare en faisant des exercices de musculation et d'endurance. Si on pense qu'il faut contrôler l'accouchement, on cherche à maîtriser des techniques pour y parvenir. Si on pense que c'est un événement spirituel, on s'y prépare en méditant. Aucune forme de préparation n'est tout à fait neutre. Chacune découle de nos croyances.

J'ai, moi aussi, des croyances sur ce qu'est un accouchement, basées sur mes propres expériences de la maternité et sur ma présence auprès de femmes qui accouchent. Je les partage avec des centaines, des milliers de sages-femmes qui se sont approchées de la naissance en suivant une trajectoire semblable à la mienne: ancrées dans leurs expériences de femmes et de mères et guidées dans leur apprentissage par une curiosité et un respect infinis à l'égard de ce processus presque miraculeux. Nous croyons profondément que l'accouchement est un processus naturel et instinctif, à la fois un aboutissement et un début, qui affecte la femme en entier, dans sa réalité intime, physique, sexuelle, psychique, spirituelle, familiale et sociale. C'est un grand saut dans l'inconnu, un passage, une transformation. Un événement très personnel, mais aussi hautement social, puisqu'il vient changer la vie du conjoint, de la famille et, finalement, de toute la collectivité.

Ma façon d'aborder la question de la préparation à l'accouchement découle directement de cette vision de la naissance. Se préparer veut dire s'ouvrir le cœur, le corps et l'esprit à une grande transforma-tion, à une étape importante de sa vie. Une préparation globale tient compte de notre désir de savoir et de comprendre, reconnaît les besoins et réalités de chacun, prend soin du corps dans sa recherche de force et de souplesse, écoute la voix du cœur et de l'âme, qui parlent d'amour et du sens de la vie. Il n'existe pas une seule manière de se préparer; il en existe autant qu'il y a de femmes enceintes et de bébés à naître.

## Chaque naissance est la toute première

Je crois que, tout au long de notre vie, nous avons au plus profond de nous un guide qui nous aide à choisir ce qui est bon pour nous. On n'y a pas toujours accès: nous sommes parfois distraits de cette source intérieure de sagesse par l'opinion des autres, ou par l'envie d'avoir raison (quitte à être malheureux), par les obligations, la pression sociale, bref, par toutes sortes de contraintes. On fait parfois des choix de «raison» qui ne sont pas toujours les meilleurs. Pendant ce temps, le guide intérieur reste là, patient et conscient, prêt à être entendu dès qu'on lui prêtera l'oreille et le cœur. Vous connaissez sans doute déjà ce guide intérieur: il est présent lorsqu'on prend les décisions les plus importantes de notre vie, celles dont on se dit pendant longtemps: «Voilà une décision que je ne regretterai jamais!»

Ouvrir sa vie à l'arrivée d'un enfant nous expose à une série de transformations et donc d'ajustements et de choix à faire. Chaque fois, c'est nous qui devrons vivre avec les conséquences de nos décisions, en porter la responsabilité. Or, la médecine, telle qu'elle s'est développée en Occident, nous a éloignés de cette responsabilité en se donnant trop souvent la place d'autorité, le droit de décider de ce qui est bon ou mau-vais, de donner des réponses médicales à des questions fondamentales relevant plutôt de l'humain. Nous avons trop souvent assimilé le rôle passif du patient dans son propre processus de santé.

Même pour la naissance, cette façon de voir est très présente: quand une femme vit un bel accouchement, simple et normal, quelle est l'explication la plus courante? «J'ai été chanceuse», dira-t-elle le plus souvent, ou encore «Mon médecin a été extraordinaire». Qu'elle-même ait quelque chose à voir avec le bon déroulement de son propre accouche-ment ne semble pas lui effleurer l'esprit!

Cette idée de l'accouchement comme un problème médical à régler s'est imposée dans nos esprits beaucoup plus qu'on ne voudrait le croire. Il ne suffit pas d'affirmer que la grossesse n'est pas une maladie pour s'en libérer complètement. Le «au cas où» règne en maître sur notre façon de voir les choses. On pense qu'on gère le déroulement de la grossesse aussi longtemps que tout va bien, mais au premier soupçon, on s'en remet totalement au médecin. Puisqu'il est question de la santé, de l'intégrité et de la vie de nos enfants, nous ne sommes pas difficiles à convaincre qu'il ne faut surtout rien négliger. Nous ferions n'importe quoi pour nos enfants! Les relations que nous avons avec la médecine se sont développées dans le contexte d'un engagement total envers le bien-être de nos enfants tout à fait normal et souhaitable, mais qui s'est insidieusement doublé d'une peur de la culpabilité de n'avoir pas tout fait ce qu'il fallait. Du coup, on n'ose plus croire ce qui vient de l'intérieur. Mais est-ce bien la bonne manière de s'y prendre? Obtient-on de meilleurs résultats? Pourquoi les données objectives devraient-elles être supérieures ou vues comme contradictoires à nos besoins, nos désirs, nos intuitions, nos valeurs?

Photo: Pierre Crépô

Lorsqu'on fait des choix, on ne peut pas considérer seulement nos valeurs et besoins individuels: ils s'inscrivent toujours dans un contexte particulier, à l'intérieur d'une famille ou d'une société. On ne peut pas non plus faire des choix seulement à partir des valeurs et habitudes d'une société: l'individu s'y perd et n'y reconnaît plus ses croyances fondamentales. On est donc obligés de faire parfois des choix qui ne sont pas ceux de la majorité. D'ailleurs, on exerce déjà ce droit à la différence dans bien d'autres domaines, fort heureusement!

Pourquoi faudrait-il accoucher toutes de la même façon? Comme s'il n'y avait qu'une seule manière d'assurer la sécurité de la mère et de l'enfant à naître, comme si toutes les autres manières, depuis que le monde existe, avaient été dangereuses et insensées? Comme si seuls les experts pouvaient nous dicter quoi faire, alors qu'on sait que certaines consignes qui étaient des vérités absolues il y a dix ou vingt ans font désormais presque partie du folklore.

Au Québec et ailleurs, le mouvement d'humanisation de la naissance est né de ce désir des parents de reprendre leur place légitime dans l'événement de la naissance. Non pas contre le système médical, bien qu'ils aient dû parfois s'y confronter, mais pour eux-mêmes, pour leur santé et celle de leur famille. Parce qu'il est sain, normal et adulte d'être responsable de sa vie. Ce mouvement, présent ici et à l'échelle du monde occidental, a initié des changements dans les soins entourant la naissance dont peuvent maintenant bénéficier les femmes d'ici. Ce n'est pas une idéologie à laquelle il faut adhérer. C'est une affirmation de notre droit fondamental de choisir.

# Le sentiment de sécurité

Nous avons besoin, pour accoucher, de nous sentir en sécurité. C'est beaucoup plus qu'un besoin individuel: c'est un réflexe de protection de l'espèce. Avez-vous déjà vu une chatte chercher son nid, sa place pour accoucher, en miaulant de ce cri si particulier? Rien n'y fera, tant qu'elle ne l'aura pas trouvé! Cette sensation de sécurité prend sa source, d'abord, dans la confiance. Confiance en notre corps, en sa capacité de mener à bien son travail, confiance en notre pouvoir de sentir, de questionner, de comprendre. Mais attention: confiance ne veut pas dire une croyance aveugle que rien ne peut nous arriver, que le corps est tout-puissant, que tout ira bien sans qu'on imagine même une autre éventualité. C'est plutôt un sentiment qui fait qu'on se fie à soi-même, à ses forces, à l'intérieur de ses limites. Confiance aussi en ceux dont c'est le travail de veiller au bien-être des mères et des bébés. Là non plus, la confiance aveugle n'est pas la bonne! La confiance est une relation vivante et continue qui se bâtit sur l'expérience commune du respect d'un engagement.

Pour que la confiance demeure constamment liée à la réalité, elle a besoin de vigilance. Celle qu'on exerce, tournée vers l'intérieur, vers les premiers signes, les premières intuitions qui peuvent annoncer un besoin d'aide, et l'autre, tournée vers l'extérieur, vers chaque détail qui n'a l'air de rien à lui tout seul, mais qui pourrait cacher ou préparer quelque chose de plus grave.

Finalement, c'est savoir que notre pouvoir d'action peut faire la différence, notre capacité de réagir en tout temps, à toute éventualité, de questionner à haute voix, de proposer, de négocier, de refuser parfois, de changer d'idée aussi quand les circonstances changent. La capacité de devenir un interlocuteur valable, prêt à coopérer avec les autres personnes impliquées, plutôt qu'à se soumettre. Cela ne veut pas dire que chaque geste posé par un membre du personnel médical doit être argumenté à l'infini, ralentissant occasionnellement une action qui aurait demandé à être rapide, mais plutôt de se garder le droit, en toute occasion, de faire entendre sa voix, afin de participer activement aux prises de décision. Il s'agit de vous, de votre corps, de votre bébé et de votre vie! Il n'y a pas de sujet, pas de moment, pas de circonstance (aussi dramatique soit-elle) qui puisse vous enlever ce droit. La vraie sécurité découle de notre responsabilité et de notre autonomie.

## Rien n'est garanti!

La technologie médicale développée au cours des années a réussi à sauver des vies et nous pouvons nous réjouir de vivre dans un siècle et dans un pays où elle est accessible. Elle ne peut toutefois pas être responsable à elle seule de la sécurité de nos bébés. La part d'inconnu, présente dans chaque naissance, a servi à justifier l'augmentation constante et parfois démesurée des moyens technologiques mobilisés pour «sécuriser» l'arrivée du bébé. On croirait, parfois, qu'on cherche à garantir la santé du bébé. Or, rien n'est garanti. Des bébés meurent à la naissance, ou naissent handicapés, prématurés ou malades... entourés de toute la machinerie disponible. Non pas qu'elle soit inutile, mais elle n'est pas magique et ne participe à l'amélioration de la santé que comme partie d'un tout qui comprend l'éducation, la prévention, le soutien, l'amélioration des conditions de vie, etc. L'importance que nous attachons à la santé de nos enfants explique l'effort fourni dans tous les pays du monde pour rassembler les meilleures conditions possibles de naissance. Cependant, quand on observe les moyens utilisés dans les pays industrialisés pour y arriver, on s'étonne de leur diversité et on peut voir qu'un accouchement «sécuritaire» peut prendre des formes très différentes.

La pratique médicale ne peut plus être considérée comme un absolu en face duquel nos désirs ne sont que des caprices qu'il faut apprendre à contrôler. L'histoire des changements dans la pratique obstétricale des dernières années au Québec nous en donne un excellent aperçu. Par exemple, quand des parents se sont mis à réclamer la présence du père dans la salle d'accouchement, il y a 25 ou 30 ans, le système médical s'est empressé de s'y objecter avec des arguments tous plus scientifiques les uns que les autres: il apporterait des microbes dans la salle (le fait qu'il dorme avec la mère depuis au moins neuf mois, contrairement au personnel hospitalier, ne semblait pas détruire cette logique!); il perdrait connaissance et nuirait au bon déroulement des soins prodigués à la mère et au bébé (mais la suite des événements ne leur a pas donné raison sur ce point); il pourrait être traumatisé pour toujours après avoir vu sa compagne donner naissance (on a même parlé d'impuis-

sance!). Le traumatisme de la femme laissée seule avec des étrangers, à ce moment vulnérable de sa vie, n'avait pourtant préoccupé personne jusque-là.

Certains médecins, plus nuancés dans leurs opinions, plus audacieux, peut-être pères eux-mêmes, ont finalement osé laisser entrer d'autres pères dans le lieu sacré, au grand bonheur des parents qui l'avaient réclamé. La pratique s'est rapidement généralisée au point qu'on aurait peine à imaginer, aujourd'hui, quels arguments on invoquerait pour revenir à l'ancienne pratique d'exclusion! Les parents, en tant que vrais responsables de ce changement, n'ont jamais été reconnus et on n'a jamais avoué que les arguments invoqués au départ s'étaient tous démentis! Il en est de même pour d'autres demandes des parents: avoir le bébé sur son ventre dès la naissance, accoucher autrement que couchée sur le dos, cohabiter avec son bébé. Autant d'«hérésies» devenues pratiques courantes. On commence tout juste à reconnaître la nécessité d'une dynamique constante entre

les contraintes du système médical et les désirs légitimes des parents. Seul un échange constant entre ces deux approches protégera l'intégrité de la naissance.

Les pratiques actuelles dans le domaine de l'accouchement continuent d'évoluer. Comme pour n'importe quelle sphère d'activité humaine, que ce soit l'éducation, l'organisation sociale ou autre, l'évolution dépend d'une volonté populaire, elle-même faite de la voix de milliers d'individus, y compris la vôtre! Pour se rapprocher de l'accouchement qu'on veut vivre, tout en bénéficiant de l'évolution des pratiques, il faut tout d'abord s'informer pour comprendre ce qui se passe lors d'un accouchement et être en mesure de faire des choix. L'information reçue, jumelée avec votre propre sens des valeurs, vous permettra de prendre les décisions qui vous conviennent.

Le système médical s'est ouvert ces dernières années à plusieurs choix des parents. Pourtant, il arrive encore qu'exercer son droit de choisir ou de refuser certaines interventions ou autres soulève des réactions de peur, de méfiance, peut-être même d'agressivité de la part du personnel médical, s'il est peu habitué à rencontrer cette attitude. Elle peut leur apparaître comme une menace, un procès d'intention à leur égard, comme s'ils n'avaient pas à cœur, eux aussi, votre bien-être et celui du bébé. La façon de s'y prendre pour se faire entendre comptera beaucoup et nous en reparlerons en discutant de l'accouchement et des interventions médicales. Que leur réaction ne vous éloigne pas de votre sens intérieur de la responsabilité: c'est un bien précieux!

Cela nous ramène à la question du début: comment voulez-vous vivre votre accouchement? Explorez l'image que vous vous faites d'un accouchement normal, naturel. Vérifiez si vos croyances, vos attitudes et habitudes de vie sont compatibles avec l'accouchement que vous avez envie de vivre. Si ce n'est pas le cas, vous pouvez y remédier dès maintenant, en les transformant. Dans ce processus, vous reconnaîtrez vos forces, votre pouvoir de donner la vie, votre capacité à vous ouvrir, et vous pourrez leur donner encore plus d'espace et d'expression dans votre vie. Chaque maternité, chaque paternité constitue une étape de croissance. En ayant le goût d'apprendre, vous en sortirez grandis.

## Le choix d'un professionnel de la santé

Qui vous accompagnera dans votre grossesse et votre accouchement? Ce choix est porteur de conséquences: il en découle souvent le choix du lieu de la naissance, une approche et des pratiques différentes. Il n'est pas toujours facile à faire, surtout s'il s'agit d'une première grossesse et que vous ne savez pas encore à quoi vous attendre. Différents professionnels travaillent autour de la naissance. Bien évidemment, plusieurs de leurs fonctions se chevauchent. C'est à vous de voir quels sont vos besoins et d'être réaliste dans vos attentes. Surtout, ne perdez pas de vue qu'aucune de ces personnes ne vous accouche: c'est vous qui accouchez!

## Le médecin

Le médecin est la personne-clé dans le système de santé actuel, et souvent la première personne à laquelle on pense. Il assure le suivi médical pendant la grossesse, incluant la prescription de tests (analyses de sang, etc.). À l'accouchement, il est consulté au besoin par les infirmières sur la conduite à adopter avec vous pendant le travail et peut prescrire des interventions (stimulation du travail, etc.). Dans la grande majorité des cas, il arrive lui-même à la fin, au moment de la poussée, et quitte peu après la naissance du bébé. Il revient vous visiter pendant votre séjour à l'hôpital et vous le reverrez à son bureau pour la visite postnatale de six semaines. Il peut être omnipraticien ou gynécologue-obstétricien.

L'omnipraticien doit parfois consulter un spécialiste et y référer sa patiente, car certains actes médicaux et chirurgicaux ne sont pas de son ressort (césarienne, péridurale, forceps, etc.) ni le suivi de certaines complications obstétricales. Cependant, sa pratique de la médecine familiale, son approche de l'accouchement en font souvent un professionnel plus approprié au suivi d'une grossesse normale que l'obstétricien-gynécologue. Celui-ci est spécialisé dans la grossesse et l'accouchement pathologiques. Les grossesses «à risques» lui sont réservées. Alors qu'ils sont précieux dans le suivi des vraies grossesses à risques, la formation et l'approche des obstétriciens-gynécologues les poussent souvent à surutiliser des interventions et des technologies inappropriées pour les accouchements normaux. Dans les hôpitaux universitaires, c'est le résident ou la résidente (un médecin reçu, en cours de formation pour devenir obstétricien-gynécologue) qui fait les examens internes, l'évaluation du travail et tient l'obstétricien de garde au courant du déroulement de l'accouchement. Selon son niveau d'expérience et le déroulement du travail, il pourrait être le seul médecin qui assiste à l'accouchement.

### TROUVER LE BON MÉDECIN

L'accouchement est une fonction normale, physiologique et naturelle que nos corps savent mener à bonne fin, dans l'immense majorité des cas. Trouver un médecin qui vous accompagnera en respectant ce principe de base est un défi. Dans les manuels d'obstétrique, un nombre grandissant de pages est consacré aux multiples complications possibles et à leurs traitements, ce qui a relégué l'accouchement normal à une sorte de variante mineure et sans intérêt de l'obstétrique moderne, occupant tout au plus les quelques premiers chapitres. Or, au Québec, l'accouchement normal est tout simplement en voie de disparition. Les chiffres sont éloquents: 17,3% des femmes accouchent par césarienne, 16,3% avec les forceps ou la ventouse, et plus des trois quarts subissent une forme quelconque d'anesthésie[1].

Les médecins ont été formés pour s'occuper de maladies, les diagnostiquer et les traiter. Assister une femme qui accouche demande une attitude et des aptitudes très différentes: c'est elle qui accouche et son accouchement est normal jusqu'à preuve du contraire. C'est vrai que la naissance est un passage délicat et que, parfois, mère et bébé

**Choisir un médecin**

Voici des exemples de questions à poser à un médecin. Ne lui posez pas la liste au complet d'un coup: ce n'est pas un interrogatoire. Choisissez plutôt celles que vous considérez importantes pour vous et le moment approprié pour en discuter.

- À quel hôpital êtes-vous affilié?
- Travaillez-vous en équipe avec d'autres médecins? Puis-je les rencontrer?
- Le médecin qui pourrait vous remplacer respectera-t-il les ententes que nous aurons prises ensemble? Comment en être certaine?
- Comment organisez-vous votre disponibilité pour les accouchements de vos clientes? Quel pourcentage d'entre elles assistez-vous?
- Acceptez-vous la présence d'une ou de plusieurs personnes avec moi?
- Exigez-vous un soluté? Si oui, à quel moment du travail?
- Exigez-vous le moniteur fœtal? Externe ou interne? Selon quelles modalités: de façon continue, intermittente?
- Pourrais-je boire, manger et marcher pendant le travail?
- Comment définissez-vous un travail «trop lent»? Quelles sont les solutions que vous avez à proposer à ce moment-là?
- Rompez-vous habituellement les membranes? Quand? Pourquoi?
- Quelle est votre politique par rapport à l'usage de calmants pendant le travail? L'usage de la péridurale?
- À quel moment considérez-vous qu'une grossesse est «post-terme»? Comment intervenez-vous?
- Quelles positions est-ce que je pourrai prendre pour pousser mon bébé: semi-assise, sur le côté, accroupie, à genoux?
- Quel pourcentage de vos clientes ont une épisiotomie? Une césarienne? Des forceps?
- Qu'est-ce que vous faites en attendant le placenta?

...et tout autre question que vous jugerez pertinente.

---

peuvent avoir besoin d'aide. Par contre, il y a un monde entre la vigilance attentive et respectueuse et la surprotection intrusive. L'obstétrique moderne s'est malheureusement développée avec une nette tendance vers la seconde, avec pour résultat une augmentation constante des complications et des interventions. La plupart des jeunes médecins finissants n'ont jamais vu d'accouchement naturel, c'est-à-dire sans intervention aucune, et, selon toute probabilité,

ils n'en verront pas pour un certain temps, parce qu'ils n'ont pas appris comment ne pas intervenir.

Un dicton dit que les trois grandes vertus d'un accoucheur ou d'une sage-femme sont: la patience, la patience et la patience. Il faut savoir garder ses mains dans ses poches! Certains médecins plus ouverts se permettent une distance par rapport à la vision strictement médicale et interventionniste qui est aujourd'hui de mise dans la plupart des hôpitaux. Pour trouver le médecin qui vous convient, consultez des mères qui ont accouché récemment et qui partagent vos valeurs. Les sages-femmes et les animatrices de cours prénatals ont souvent quelques noms de médecins reconnus pour leur pratique plus ouverte, comme d'ailleurs les personnes-ressources en allaitement, les centres de santé de femmes et les groupes de femmes qui s'occupent d'humanisation de la naissance dans votre région.

Votre médecin devrait prendre le temps de vous écouter et de connaître votre vision de l'accouchement, vous parler d'égal à égale, respecter votre point de vue et vos émotions, considérer comme pertinentes et importantes la présence et l'opinion de votre conjoint. Une relation basée sur l'honnêteté, la confiance et le partage des prises de décisions devrait vous conduire vers une expérience satisfaisante. Permettez-vous un échange significatif avec votre médecin afin de vérifier si les éléments de confiance mutuelle sont présents. Ne vous laissez pas intimider par le «personnage docteur»: s'il vous appelle par votre prénom, faites de même, s'il vous tutoie, imitez-le. Ne discutez pas avec lui pendant l'examen interne, alors que vous êtes étendue et déshabillée, attendez plutôt d'être rhabillée. Sa participation à votre accouchement devrait être à la fois empathique et discrète, compétente certes, mais sans jamais remettre en cause votre propre compétence à mettre votre bébé au monde. Il sait être vigilant, ne rien faire dans la majorité des cas et intervenir avec doigté quand cela s'avère nécessaire.

Si votre médecin ne répond pas à cette image, analysez attentivement ce que vous pouvez réalistement attendre de lui et voyez si cela vous convient. Sinon, vous pourriez considérer en rencontrer d'autres. Ou encore, vous munir de la présence d'une autre personne pendant l'accouchement, une accompagnante par exemple, qui pourrait peut-être compenser les lacunes que vous percevez.

Posez des questions. Au-delà des réponses que vous recevrez, voyez si vous vous sentez à l'aise avec lui ou elle, comment il se comporte avec vous, soyez attentive à la qualité de sa présence, aux petits signes de respect qui révèlent son attitude envers vous. L'honnêteté, la simplicité et l'ouverture avec lesquelles on vous répondra vous renseigneront beaucoup sur la personne que vous avez devant vous. Il n'est pas impossible que vos questions puissent incommoder votre médecin, même ouvert. La création d'une relation médecin-patiente (on devrait trouver un autre mot: vous n'êtes pas malade!) est difficile quand chacun est sur la défensive. Tout médecin qui se sent insulté lorsqu'on le questionne ne fait que protéger son ego, et non pas votre bien-être ni celui de votre bébé. Même chose pour une sage-femme d'ailleurs! Certains médecins trouvent difficile de devoir assumer la méfiance que d'autres ont suscité par leur manque de respect. Ce sont des êtres humains, comme vous et moi, et plusieurs essaient de travailler le mieux possible dans un système qui ne leur facilite pas toujours la tâche. Mais vous avez le droit de vous assurer de ce qui vous attend à l'accouchement. Les médecins eux-mêmes n'accoucheraient pas avec n'importe lequel de leur confrère. Pourquoi devriez-vous y aller à l'aveuglette?

## CHANGER DE MÉDECIN

S'il devient impossible de maintenir une relation satisfaisante avec le médecin qui vous suit ou si vous vous rendez compte que son approche est trop différente de la vôtre, il est peut-être temps de changer. Pour beaucoup d'entre nous, changer de médecin est difficile, alors qu'on n'hésiterait pas à changer d'entreprise ou de professionnel si on n'était pas satisfaite dans d'autres domaines. Plusieurs femmes se sentent obligées envers eux, alors que l'inverse est rarement vrai. Les médecins représentent encore souvent l'autorité ou la supériorité des experts, malgré notre désir de se défaire de ce genre de stéréotypes.

Si vous hésitez à changer de médecin alors que vous n'êtes pas satisfaite, demandez-vous ce que lui a investi dans cette relation qu'il vous coûte d'interrompre. Si vous avez peur de le froisser maintenant, demandez-vous si vous serez prête à le froisser pour obtenir ce que vous voulez pendant votre accouchement, alors que la pression sera encore plus forte pour vous conformer aux normes établies et que vos moyens seront réduits par l'intensité de ce que vous vivrez. Certaines femmes ont changé de médecin quelques semaines à peine avant la date prévue pour leur accouchement et se sont plus tard félicitées de leur initiative.

N'oubliez pas, cependant, que le médecin n'est pas la personne la plus importante pendant votre accouchement. C'est vous la personne la plus importante! Vous et votre conjoint. En fait, vous passerez beaucoup plus de temps avec les infirmières qu'avec votre médecin, qui n'arrive qu'à la toute fin de l'accouchement... quand c'est lui qui vient! Misez sur vous-même, sur votre préparation et aussi sur votre relation avec les autres personnes qui pourraient vous accompagner.

Comme dit Nancy Cohen dans son livre *Silent Knife*[2]: «À tous les médecins qui travaillent de tout leur cœur à améliorer les conditions de la naissance à l'hôpital, à tous ceux qui respectent le pouvoir et le savoir-faire des femmes, faites-vous connaître, vous êtes encore trop peu nombreux! Et surtout, ne vous laissez pas décourager!»

## La sage-femme

Reconnue partout ailleurs dans le monde, ou presque, la présence des sages-femmes dans le système de santé québécois est pourtant toute récente. En 1999, après avoir fait l'expérimentation de leur pratique pendant plusieurs années, le gouvernement du Québec a décidé de reconnaître la profession et de l'intégrer dans le système de santé. Cette reconnaissance est l'aboutissement de vingt années d'efforts du mouvement d'humanisation de la naissance et, plus largement, d'un grand nombre de groupes de femmes et de parents qui ont milité pour avoir des sages-femmes à leurs côtés au cours de leur expérience de la maternité.

À l'origine de cette victoire extraordinaire, il y a des femmes insatisfaites de ce que le système de santé leur offrait. Plutôt que de ruminer leur déception personnelle, elles ont appliqué le slogan «le privé est politique» et ont l'immense mérite d'avoir identifié leurs besoins et remué ciel et terre pour y obtenir réponse. Les femmes ont littéralement recréé la profession de sage-femme telle qu'elles l'imaginaient. Tout en correspondant pour l'essentiel à ce qui existe ailleurs dans le monde, leurs demandes ont façonné la pratique québécoise. Elles ont cherché autour d'elles quelqu'un qui croyait vraiment que l'accouchement est un événement normal et naturel de la vie des femmes et qu'il leur appartient. Elles ont réclamé l'espace et le temps dont elles ont besoin pour nous parler d'elles, de leur vie et de leurs rêves, pendant le suivi de la grossesse et après. Elles nous ont interdit, à tout jamais, de dire que *nous* les accouchions, parce que ce sont *elles* qui accouchent. Elles ont exigé qu'on leur fasse confiance, qu'on respecte leur rythme et celui de la naissance. Qu'on soit auprès d'elles tout au long de la grossesse et de l'accouchement, dans un rapport humain, vivant, égalitaire, de soutien. Qu'on les aide à accueillir leurs bébés avec tout l'amour, le recueillement, la joie qu'elles veulent y mettre. Avec elles, nous avons cherché le sens de la présence d'une femme auprès d'une autre qui accouche. C'est de leurs demandes, de leurs besoins, que nous sommes nées.

Dans leur définition propre, les rôles respectifs des sages-femmes et des médecins devraient être complémentaires: les unes s'occupant de l'accouchement normal; les autres, des pathologies, des complications. Peu de pays occidentaux ont conservé cet équilibre délicat entre les deux professions dans leur système de santé. Les Pays-Bas constituent une exception: voici un pays où les sages-femmes suivent 80% des grossesses, où l'accouchement demeure un événement normal dans la très grande majorité des cas, où plus de 30% d'entre eux ont lieu à la maison et où les statistiques de santé servent d'exemple. Des circonstances historiques propres à l'Amérique du Nord ont fait disparaître les sages-femmes et rompu cet équilibre. L'accouchement est alors devenu un événement pathologique, dangereux, et les taux d'interventions ont grimpé en flèche. Les femmes ont perdu l'accompagnement expérimenté et chaleureux qui est pourtant la clé des accouchements normaux et heureux.

## POURQUOI UNE SAGE-FEMME?

Depuis que le monde est monde, les femmes se sont entourées de femmes pour accoucher. Dans les jours qui ont suivi mon premier accouchement, une certitude s'est tranquillement imposée à moi: aucune femme ne devrait avoir à vivre cela seule! Je n'étais pas vraiment seule, remarquez bien: mon conjoint était avec moi, mon médecin est venu me voir à quelques reprises et les infirmières étaient très gentilles. Mais mon pauvre partenaire, aussi novice que moi, accumulait maladresses et bonnes intentions, les infirmières changeaient constamment et mon médecin ne s'intéressait qu'à l'ouverture de mon col.

Je voudrais pouvoir énumérer objectivement les avantages d'avoir une sage-femme avec vous pendant votre grossesse et votre accouchement. Je me demande plutôt comment vous pourriez vous passer d'avoir à vos côtés une personne que vous avez choisie, qui

s'intéresse à votre vision de la naissance, qui connaît les remèdes à bon nombre de malaises de la grossesse, qui est prête à passer des heures à répondre à vos questions, à vos appréhensions, à réviser avec vous vos intentions pour l'accouchement, à vous entendre décrire longuement au téléphone la texture du bouchon muqueux que vous commencez peut-être à perdre, disponible à toute heure du jour, de la nuit, de la fin de semaine, pour venir vivre les premières contractions avec vous, prête à vous expliquer les étapes qui s'en viennent, à vous soutenir le nombre d'heures qu'il faut, à relayer votre partenaire, à vous encourager tous les deux, à vous soutenir en position accroupie et à venir chez vous deux semaines plus tard, vous aider à ajuster l'allaitement, adoucir les coliques ou peut-être simplement rire et pleurer avec vous des bonheurs et des angoisses des premières semaines de maternité.

Si l'accompagnement humain des sages-femmes est précieux, leur expertise est tout aussi importante. Dans les pays où elles sont reconnues, leur formation dure quatre ans et leur spécialité est la grossesse et l'accouchement normaux. La présence continue de la sage-femme pendant l'accouchement en fait une observatrice privilégiée des signaux subtils que le corps envoie. Elle peut autant pro-téger les conditions qui font que l'accouchement se déroule harmonieusement que proposer des changements quand les choses ne vont pas comme elles le devraient. Ses interventions, la plupart du temps non médicales, peuvent aider à redémarrer un travail qui a ralenti, à faire descendre un bébé qui s'engage difficilement dans le bassin, à optimiser les efforts de la mère quand la poussée est laborieuse, à soutenir le périnée pour éviter une déchirure ou à corriger dès le début un engorgement de sein qui pourrait devenir une mastite. Il n'y a pas d'étape de la grossesse, de l'accouchement et de la période postnatale où son savoir et son expérience de la normalité ne peuvent être mis à contribution.

La sage-femme offre ses services aux femmes en bonne santé qui vivent une grossesse normale, c'est-à-dire, la grande majorité des femmes. Elle s'intéresse à leur santé mais aussi à leurs conditions de vie, à leur bien-être général et passe de longs moments à les aider à se préparer pour l'accouchement et la période qui suit. Elle les assiste là où elles choisissent d'accoucher et assure leur suivi et celui de leurs bébés pendant plusieurs semaines après la naissance. En cas de problème, à n'importe quel moment de la grossesse, de l'accouchement ou de la période postnatale, elle peut con-

---

### La définition internationale de la sage-femme

«Une sage-femme [...] doit être en mesure de donner la supervision nécessaire, les soins et les conseils à la femme enceinte, en travail et en période postpartum, d'aider lors d'accouchements sous sa propre responsabilité et de prodiguer des soins au nouveau-né et au nourrisson. Ces soins incluent des mesures préventives, le dépistage de conditions anormales chez la mère et l'enfant, le recours à l'assistance médicale en cas de besoin et l'exécution de certaines mesures d'urgence en l'absence de médecin [...]. Son travail doit inclure l'éducation prénatale et la préparation au rôle de parent [...]. Elle peut pratiquer en milieu hospitalier, en clinique, à domicile ou à tout autre endroit[3].»

## Énoncé de la philosophie des sages-femmes du Québec

Les sages-femmes du Québec ont adopté, en 1996, cet énoncé de leur philosophie, qui décrit leur vision de la naissance et leur manière d'aborder les femmes et les familles avec lesquelles elles travaillent. Ailleurs au Canada et dans le monde, les sages-femmes adhèrent à une philosophie tout à fait semblable.

- La pratique des sages-femmes est basée sur le respect de la grossesse et de l'accouchement comme processus physiologiques normaux, porteurs d'une signification profonde dans la vie des femmes.

- Les sages-femmes reconnaissent que l'accouchement et la naissance appartiennent aux femmes et à leur famille. La responsabilité des professionnels de la santé est d'apporter aux femmes le respect et le soutien dont elles ont besoin pour accoucher avec leur pouvoir, en sécurité et dans la dignité.

- Les sages-femmes respectent la diversité des besoins des femmes et la pluralité des significations personnelles et culturelles que les femmes, leur famille et leur communauté attribuent à la grossesse, à la naissance et à l'expérience de nouveau parent.

- La pratique des sages-femmes s'exerce dans le cadre d'une relation personnelle et égalitaire, ouverte aux besoins sociaux, culturels et émotifs autant que physiques des femmes. Cette relation se bâtit dans la continuité des soins et des services durant la grossesse, l'accouchement et la période postnatale.

- Les sages-femmes encouragent les femmes à faire des choix quant aux soins et services qu'elles reçoivent et à la manière dont ils sont prodigués. Elles conçoivent les décisions comme résultant d'un processus où les responsabilités sont partagées entre la femme, sa famille (telle que définie par la femme) et les professionnels de la santé. Elles reconnaissent que la décision finale appartient à la femme.

- Les sages-femmes respectent le droit des femmes de choisir leur professionnel de la santé et le lieu de l'accouchement en accord avec leurs normes de pratique. Les sages-femmes sont prêtes à assister les femmes dans le lieu d'accouchement de leur choix, incluant le domicile.

- Les sages-femmes considèrent que la promotion de la santé est primordiale dans le cycle de la maternité. Leur pratique se base sur la prévention et un usage judicieux de la technologie.

- Les sages-femmes considèrent que les intérêts de la mère et de son enfant à naître sont liés et compatibles. Elles croient que le meilleur moyen d'assurer le bien-être de la mère et de son bébé est de centrer leurs soins sur la mère.

- Les sages-femmes encouragent le soutien des familles et de la communauté comme moyens privilégiés de faciliter l'adaptation des nouvelles familles.

sulter le médecin et, au besoin, lui transférer la responsabilité des soins, tout en demeurant aux côtés de la mère et de la famille dans tous les aspects non médicaux de leur nouvelle vie, surtout lorsque les choses deviennent plus difficiles.

La Loi sur les sages-femmes, adoptée par le Gouvernement du Québec, officialise plusieurs des conditions de la pratique qu'elles ont elles-mêmes développées au cours des vingt dernières années, telles que la continuité des soins, la globalité de l'approche, le respect des choix des parents. Elle confirme l'usage de mécanismes de fonctionnement qu'elles appliquaient déjà et qui ont été repris lors de l'expérimentation de la pratique, comme les critères de consultation et de transfert pendant la grossesse, le travail et après. Les sages-femmes sont maintenant reconnues, intégrées au système de santé, et

---

### Choisir une sage-femme

Voici quelques questions que vous pourriez poser pour mieux connaître la sage-femme que vous rencontrerez, son expérience, sa pratique et sa vision de la naissance.

- Où et comment a-t-elle acquis sa formation et son expérience?
- Combien d'accouchements a-t-elle assistés à l'hôpital, dans une Maison de naissance, à la maison?
- Travaille-t-elle en équipe? Selon quelle formule?
- Rencontrerez-vous la ou les autres sages-femmes de son équipe?
- Comment voit-elle son rôle dans votre accouchement?
- Se sent-elle à l'aise avec les choix que vous et votre conjoint pourriez faire?
- Quels sont les critères de transfert vers le médecin ou l'hôpital?
- Quel équipement d'urgence utilise-t-elle?
- Avec quel hôpital fait-elle affaire et quels sont ses rapports avec les médecins et le reste du personnel?

Vous sentez-vous bien avec elle? Vous sentez-vous à l'aise de poser des questions et de discuter avec elle de sa pratique, de son expérience ainsi que de vos attentes?

---

leurs services sont gratuits ou, plutôt, assumés collectivement comme les autres services de santé. Elles peuvent accompagner les femmes dans le lieu de naissance de leur choix: hôpital, Maison de naissance ou domicile. Elles font partie d'un ordre professionnel dont le mandat, comme tous les autres, est d'assurer la protection du public. Elles ne peuvent obtenir un permis de pratique qu'en satisfaisant à des normes de formation et de pratique. Vous pouvez vous informer de ces conditions auprès de l'Ordre des Sages-femmes du Québec, ou auprès de celles que vous rencontrerez.

Vu le jeune âge de la profession au Québec, pour plusieurs années encore les sages-femmes ne seront pas assez nombreuses pour répondre à la demande. La relève s'en vient: depuis 1999, la formation se donne à l'Université du Québec à Trois-Rivières, dans le cadre d'un baccalauréat de quatre ans en pratique sage-femme. Il faudra quand même attendre quelques années pour que toutes les femmes du Québec qui le désirent aient accès à une sage-femme dans leur région ou leur quartier. Dans l'intervalle, plusieurs femmes décideront d'avoir recours à une accompagnante, pour y retrouver à tout le moins la complicité et le soutien dont elles ressentent le besoin. Si vous désirez faire appel aux services d'une sage-femme ou d'une accompagnante, adressez-vous à une Maison de naissance ou à des groupes d'humanisation de la naissance qui vous guideront vers les ressources de votre région.

## L'infirmière

Lors d'un accouchement à l'hôpital, ce sont les infirmières qui vous accueillent et assurent la surveillance du travail: écoute du cœur du bébé, examens internes et autres. Leur expérience leur permet souvent de suggérer des positions confortables et d'encourager les femmes de diverses manières.

Elles sont présentes auprès de vous à la poussée et à la naissance. Ce sont généralement d'autres infirmières qui vous accompagnent lors du reste de votre séjour à l'hôpital. Parmi le personnel hospitalier, ce sont elles qui passent le plus de temps avec les femmes en travail. Elles doivent cependant se relayer selon leurs horaires et leur charge de travail, et la définition de leur fonction comporte malheureusement beaucoup d'autres choses que le soutien de la femme qui accouche, à laquelle elles ne peuvent consacrer autant d'énergie qu'elles le souhaiteraient. Malgré cela, de nombreuses femmes ont pu apprécier leur gentillesse, leur compassion et leur aide concrète. Plusieurs autres auraient aimé les connaître avant ou ne pas avoir à changer en cours de route (parfois deux ou trois fois) alors qu'elles se sentaient bien avec la première, ou encore avoir le choix de vivre leur travail avec une infirmière avec qui elles avaient plus d'affinité. S'il arrivait que, pendant votre travail, vous ne vous sentiez pas à l'aise avec l'une d'entre elles, il est tout à fait possible pour votre conjoint d'aller parler de cette difficulté avec l'infirmière-chef, et de demander que ce soit une autre qui continue avec vous.

Les infirmières sont aussi amenées à jouer un rôle pendant la grossesse et après la naissance. D'abord, ce sont elles qui donnent les cours prénatals dispensés par les CLSC, un travail que plusieurs d'entre elles prennent vraiment à cœur. Même si le cadre des rencontres ne permet pas toujours des échanges personnalisés, plusieurs sont très disponibles à répondre aux questions et aux besoins plus spécifiques des parents qui veulent se préparer activement à leur accouchement. En certains endroits, les infirmières assurent même un certain suivi de la grossesse, qui vient compléter et enrichir celui que la mère reçoit déjà de son médecin. Enfin, elles assurent une présence dans la période postnatale en allant visiter les nouvelles mères, et en offrant divers services de suivi, de consultation et d'encadrement de plusieurs ressources, comme des groupes d'entraide d'allaitement, par exemple. Ces services et la place des infirmières sont appelés à prendre de l'ampleur à mesure que le séjour à l'hôpital s'écourte et que le système de santé s'oriente de plus en plus vers la promotion de la santé, la prévention et les services à domicile.

## L'accompagnante

L'accompagnante est née du besoin de soutien des femmes dans leur maternité, soutien qu'elles ne trouvent pas toujours autrement. Aux États-Unis, où on la retrouve de plus en plus, on la nomme *doula*, un terme d'origine grecque qui désigne une femme expérimentée qui aide d'autres femmes. L'accompagnante est exactement cela: une femme expérimentée dans ce qui touche la naissance, qui offre de l'information et un soutien physique et émotionnel à la mère avant, pendant et juste après la naissance, tout en n'étant pas une professionnelle. Elle peut être une monitrice de cours prénatals, être rattachée à un groupe d'humanisation de la naissance, ou simplement être passionnée par tout ce qui touche la naissance. Plusieurs infirmières, déçues du rôle qui leur est dévolu dans l'organisation des soins en obstétrique, ont commencé à offrir ce type de service. Vous trouverez une très intéressante discussion de l'importance de son rôle dans le livre américain *Mothering the Mother*[4].

L'accompagnante se doit de bien connaître le processus de l'accouchement ainsi

## Choisir une accompagnante

Voici une série de questions qui pourraient vous aider à mieux connaître l'attitude d'une accompagnante par rapport à la naissance, la vision de son rôle auprès de vous et du personnel que vous serez appelée à côtoyer, son niveau d'expérience et de connaissances.

Étant donné la nature extrêmement personnelle de votre rapport, cherchez à retrouver les qualités humaines qui font de la *doula* une alliée précieuse: la chaleur humaine, la maturité, la tolérance, une bonne capacité de communication, la souplesse, une présence rassurante et confortable.

• Quelle est son expérience d'accompagnement?
• Quelle est sa formation?
• Comment voit-elle son rôle auprès de vous et de votre conjoint pendant l'accouchement?
• Combien de fois la verrez-vous pendant la grossesse et après la naissance?
• A-t-elle déjà assisté des accouchements avec votre médecin ou à votre hôpital?
• Est-elle prête à vous informer continuellement et à s'incliner devant vos choix?
• Sentez-vous qu'elle encourage votre sens des responsabilités?
• À quel moment la contacterez-vous?
• A-t-elle une remplaçante si elle n'est pas disponible?
• A-t-elle la compétence nécessaire pour faire une partie du travail avec vous à la maison?
• À quel moment juge-t-elle approprié d'aller à l'hôpital?
• Combien demande-t-elle pour ses services?

que les pratiques obstétricales des hôpitaux de sa région. Pendant la grossesse, elle veille à répondre à vos questions, à éclairer au mieux les décisions que vous avez à prendre, à compléter vos informations sur le déroulement de l'accouchement, bref, à vous y préparer avec réalisme, selon vos besoins et vos choix. Elle peut aussi vous accompagner au début du travail à la maison, avant d'aller à l'hôpital. Elle aide les couples à obtenir l'accouchement qu'ils désirent en les informant sur les choix qu'ils auront à faire et en les aidant concrètement le moment venu.

Pendant l'accouchement, son travail est double: elle vous soutient, par une multitude de petits gestes concrets autant que par sa confiance en votre capacité d'accoucher et sa connaissance des variantes possibles d'un travail normal. Vous apprécierez ses bonnes paroles dans les moments plus difficiles, ses suggestions et son soutien physique dans des positions qui facilitent le travail, ses massages à tour de rôle avec votre conjoint et plus encore. Loin de supplanter votre conjoint dans son rôle de soutien, sa présence a de fortes chances de le rassurer, de stimuler sa participation en lui suggérant des gestes qui peuvent vous soulager, de le relayer au besoin, de lui laisser le temps de vivre ses propres émotions. Bien sûr, il vous connaît beaucoup mieux que l'accompagnante, mais il n'a probablement qu'une expérience limitée des accouchements. L'énergie et la présence des deux ensemble vous entoureront encore mieux.

L'accompagnante agira aussi comme personne-ressource, prête à vous appuyer dans vos décisions si on vous propose une intervention, en examinant avec vous ses avantages et désavantages au stade où vous en êtes dans votre travail, et en vous proposant des alternatives au besoin. Souvent, ses explications permettent aux parents d'éviter une intervention non essentielle ou même inutile. Il est parfois difficile, dans l'émotivité du moment, de rester clairs et fermes dans ses choix. Les hôpitaux acceptent maintenant leur présence à vos côtés pendant le travail et l'accouchement, mais parlez-en directement à votre médecin. Faites-lui connaître votre choix et votre vision du rôle de l'accompagnante, et votre désir de former équipe avec le personnel de l'hôpital.

Il arrive qu'une mère, une sœur ou une amie ayant une certaine expérience de la naissance puisse jouer efficacement ce rôle d'accompagnante. Elles pourraient s'y préparer en lisant, en allant avec vous aux cours prénatals, en contactant une sage-femme ou une accompagnante. J'ai aussi observé combien il est parfois difficile d'accompagner quelqu'un dont on est très proche: on peut se sentir beaucoup plus émotif, avoir moins de recul par rapport à ce qui se passe. Les conjoints, les mères et les amies intimes ont parfois tendance à vouloir «épargner» la mère, la voir arrêter de souffrir, plutôt que de la soutenir dans les moments exigeants du travail. Plusieurs infirmières sont témoins que c'est parfois pour soulager la détresse du *père* que la femme a recours à la péridurale! Sans compter que pour bien comprendre les enjeux des interventions proposées, il faut une solide connaissance des pratiques obstétricales courantes. Si vous tenez à la présence d'une amie très chère, invitez-la en plus de l'accompagnante.

Je ne me souviens pas avoir déjà rencontré un couple qui regrettait avoir emmené avec eux une accompagnante d'expérience. Le découragement et l'épuisement des ressources viennent parfois à bout du courage et de la détermination des parents qui vivent un accouchement exigeant ou différent de ce qu'ils avaient imaginé. Plus d'une fois, leur seule présence aura évité le recours à des médicaments ou une césarienne non nécessaire. Plus d'une fois, leurs interventions discrètes auront protégé l'espace fragile autour des parents pendant leurs premiers contacts avec leur bébé.

## Le choix du lieu d'accouchement

«Où devrais-je accoucher?» C'est une question que peu de femmes se posent tant il est évident, pour elles, que ce sera à l'hôpital. Elle mérite toutefois d'être examinée parce que le lieu d'accouchement ne sera véritablement un choix que lorsque vous aurez pesé, en toute connaissance de cause, les avantages et désavantages de chacune des options qui s'offrent à vous. Quelles sont ces options? L'hôpital, la Maison de naissance ou la maison. Un hôpital plutôt qu'un autre? Même si votre région ne semble offrir que peu d'alternatives, ne négligez pas cette recherche: bien connaître les services et les contraintes de l'hôpital choisi vous permettra de faire, en temps et lieu, les demandes appropriées, et, qui sait, peut-être serez-vous la première femme à accoucher accroupie, ou à garder son conjoint avec elle pendant la première nuit! Ne sous-estimez pas votre capacité d'obtenir ce que vous voulez.

Les arguments des autres ne peuvent vous dicter l'endroit où vous voulez accoucher. Vous choisirez avec votre cœur et, surtout, avec vos tripes, le nid où vous vous sentirez bien et en sécurité. Ce choix, évident pour les uns, difficile pour les autres, aura une importance certaine dans la façon dont votre accouchement se déroulera. Mais ce n'est pas le choix crucial. Comme me disait une mère qui avait été aux prises avec ce questionnement: «L'attachement avec mon bébé ne s'est pas passé dans la chambre de naissance, ni dans la salle d'accouchement: il s'est passé dans mon cœur!» Certains lieux, il est vrai, laissent plus de place au cœur!

Les raisons invoquées pour choisir l'hôpital, la Maison de naissance ou la maison sont multiples. Votre décision sera liée à qui vous êtes, à votre situation, aux disponibilités réelles dans votre milieu. Le choix final vous revient.

## Accoucher à l'hôpital

Les hôpitaux varient beaucoup entre eux par les services offerts, le volume de leur clientèle, leur personnel et leur approche. Dans les petites villes ou dans les régions rurales, le nombre restreint d'hôpitaux ne permet pas toujours un grand choix. De nombreuses femmes ont eu à se rendre dans une ville voisine pour recevoir des services qu'elles ne trouvaient pas dans leur hôpital local, ce qui finit par l'obliger à élargir son éventail de services afin de ne pas perdre sa clientèle.

Quand on parle d'environnement plus humain, on parle de la qualité de la présence des gens autour de vous, de leur respect pour votre travail et pour le processus naturel de la naissance. Est-ce que l'attitude du personnel encourage les femmes à se faire confiance dans leur accouchement? Est-ce qu'on les écoute? Ce ne sont pas des questions faciles à poser. D'abord parce qu'on manque d'informations pour en juger vraiment, mais surtout, parce qu'il est difficile d'imaginer que l'hôpital même puisse en fait être la cause d'interventions non désirées, à conséquences sérieuses et parfois dangereuses. C'est une question qui demande courage et honnêteté, tant pour la poser que pour y répondre. En devenant conscient de l'abus de ce qui, dans d'autres cas, sauve des vies, vous pourrez plus facilement aller chercher, à l'hôpital, la sécurité et l'accompagnement dont vous avez besoin, et vous protéger d'une approche trop interventionniste.

Les femmes choisissent souvent le médecin d'abord, et vont accoucher à l'hôpital auquel il est rattaché. Toutefois, les politiques de l'hôpital influenceront le déroulement de votre accouchement et des jours suivants plus que la pratique du médecin, qui n'arrive souvent que quelques minutes avant la naissance. Sans compter que, dans les grands centres, la plupart des médecins font partie d'une équipe, avec des ententes de «garde» à tour de rôle qui réduit de beaucoup leur disponibilité pour leur propres clientes. Je vous suggère donc de procéder à l'inverse, c'est-à-dire de choisir l'hôpital qui répond le mieux à vos attentes, puis d'y chercher le médecin qui vous convient. Questionnez les femmes de votre entourage sur leur expérience récente à l'hôpital, en n'oubliant pas que leur degré de satisfaction dépendra largement de ce qu'elles attendaient et de ce qu'elles avaient préparé. La plupart des hôpitaux permettent aux futurs parents de visiter leur départe-ment d'obstétrique et vous devriez vous en prévaloir afin d'avoir une idée réaliste de ce qui vous y attend. Visitez deux hôpitaux, si vous le pouvez, la comparaison entre les deux vous servira à mettre les choses en perspec-tive.

---

### Choisir un hôpital

Voici quelques questions que vous pourriez poser au sujet de l'hôpital où vous envisagez d'accoucher. Elles ne sont qu'un aperçu de ce qu'on peut demander pour se faire une idée claire des services disponibles à l'hôpital. Ces questions traitent à la fois des politiques de l'hôpital, de celles des médecins et des habitudes du personnel.

- Est-ce qu'il y a une ou plusieurs chambres de naissance?
- Tous les médecins acceptent-ils d'y assister des accouchements?
- Quelle est la routine d'admission à l'hôpital (vêtement d'hôpital obligatoire, moniteur, etc.)?
- Pouvez-vous boire et manger pendant le travail?
- Pouvez-vous accoucher naturellement après une césarienne?
- Pouvez-vous circuler librement pendant le travail et donner naissance dans la position de votre choix?
- Est-il possible de baisser l'éclairage pendant la naissance?
- Qui peut assister à l'accouchement: le père seulement, ou d'autres personnes, que ce soit une amie ou une accompagnante?
- Dans quelle proportion les femmes allaitent-elles leur bébé?
- Quelles sont les politiques par rapport à l'allaitement (première tétée, horaires de tétées le jour et la nuit, tétée à la demande, suppléments de préparation lactée, etc.)?
- Avez-vous accès à une personne-ressource en allaitement?
- Est-ce un hôpital universitaire? (Un hôpital universitaire dispose d'équipement spécialisé et de spé-cialistes, mais aussi d'étudiants en médecine et de résidents qui font leurs stages; vous pourriez vérifier la possibilité d'en limiter le nombre, par exemple).
- Si le bébé a besoin de soins spéciaux, les parents peuvent-ils le visiter à la pouponnière et participer aux soins?
- Quelles sont les possibilités de visite pour les enfants plus vieux?
- Quelles sont les politiques de l'hôpital concernant les césariennes (type d'anesthésie disponible, présence du père ou d'une autre personne, possibilité pour le père de prendre le bébé dans les pre-mières minutes, etc.)?
- Quel est le temps requis pour faire une césarienne d'urgence?
- Y a-t-il toujours un anesthésiste et un chirurgien sur place?
- Pouvez-vous cohabiter avec votre bébé et dans quelles conditions (après un certain nombre d'heures d'observation à la pouponnière, pas pendant les heures de visite, pas la nuit, avec ou sans possibilité de demander l'aide d'une infirmière ou un temps de repos pendant lequel il retourne tem-porairement à la pouponnière, pas pour celles qui ont eu une césarienne, pas si la voisine de cham-bre ne cohabite pas, etc.)?

## *La chambre de naissance*

Il y a quelques années, l'étroite table de métal, les étriers obligatoires et le chrome de la salle d'accouchement conventionnelle constituaient l'environnement-type d'une naissance. L'apparition de la chambre de naissance dans le paysage québécois est venu créer une alternative bienvenue! Aujourd'hui, elle est la norme dans la majorité des hôpitaux. Avant de discuter de ce changement de décor, laissez-moi vous raconter l'origine de la chambre de naissance.

L'idée de départ vient de France, de la clinique de Pithiviers dirigée alors par le Dr Michel Odent. Leur chambre de naissance était une petite pièce comportant pour tout meuble une plate-forme recouverte d'un matelas et de coussins en quantité. Les femmes et leur conjoint étaient libres de leurs mouvements, libres de trouver dans la pièce l'endroit et la position qui leur convenait, et la présence des sages-femmes et du médecin respectait au maximum le déroulement spontané de l'accouchement et l'intimité du couple. Vingt ans plus tard, la chambre et surtout la philosophie qui lui a donné naissance avaient fait leurs preuves. Un très beau livre-témoignage écrit par les parents rend compte combien cette approche a modifié leur expérience de la naissance[5]. Mieux encore, les statistiques de mortalité et de morbidité de Pithiviers montrent clairement que cet environnement est plus sécuritaire pour les mères et leurs bébés et qu'il conduit à une diminution notable des interventions considérées ailleurs comme inévitables.

La première adaptation québécoise de la chambre de naissance, à l'hôpital de Saint-Georges-de-Beauce, à la fin des années 70, respectait cet esprit. Malgré la satisfaction des parents qui avaient obtenu son implantation, malgré l'engagement des médecins qui avaient accepté de transformer leur vision de la naissance pour y travailler et qui s'en trouvaient heureux, les obstétriciens de la ville voisine ont obtenu sa fermeture après quelques années seulement de fonctionnement.

Le concept actuel de la chambre de naissance a perdu beaucoup de son sens premier. Aujourd'hui, toutes les interventions peuvent y avoir lieu, à l'exception de la césarienne. L'endroit n'est donc plus consacré exclusivement aux accouchements physiologiques. Décorer une pièce sans vraiment modifier ce qui s'y passe dans la pratique ne change pas grand chose. La couleur de la tapisserie est probablement le dernier de vos soucis pendant que vous poussez votre bébé! Modifier les attitudes du personnel face à la naissance, vous apporter la confiance et le soutien dont vous avez besoin, voilà ce qui compte! Toutefois, cela représente quand même un progrès, ne serait-ce qu'en termes de confort.

On commence à voir se répandre une variante intéressante de la chambre de naissance: c'est la chambre unique de séjour, qui porte peut-être un nom différent selon les hôpitaux et les régions. Ce sont des chambres qui servent à la fois pour la naissance et les quelques jours après. Nul besoin, donc, d'être changée de chambre, une ou deux heures après l'arrivée du bébé. C'était déjà une grande victoire de ne pas être déplacée, à dilatation complète, de la chambre de travail à la salle d'accouchement. Pouvez-vous imaginer cette promenade dans les couloirs, sur une civière, à ce moment précis de l'accouchement? Et le changement d'atmosphère? Dans les heures qui suivent la naissance, le déplacement a nettement moins d'importance, parce que l'accouchement est terminé, justement. Cependant, cette transformation va souvent de pair avec une détermination du département d'obstétrique de s'orienter plus clairement vers des soins centrés sur la famille, ce qui amène un changement dans l'organisation du travail des infirmières. Ça, c'est important! Mais tous les hôpitaux n'ont pas les moyens financiers d'effectuer des rénovations majeures. Tous peuvent travailler à un changement de philosophie qui sera alors porté par les personnes, plutôt que par les murs. Évidemment, la disposition des locaux proclame une philosophie: une immense pouponnière occupée vous révèle tout de suite où vont les bébés après leur naissance! Une pouponnière presque vide et des berceaux dans les chambres me semblent plus réjouissants.

## Accoucher à la maison

Contrairement aux opinions les plus répandues, l'accouchement à la maison n'est ni une hypothèse farfelue, ni un choix dangereux en soi, ni l'affaire de quelques rêveurs fervents de la nature. C'est une option réaliste, pratiquée en toute sécurité dans un grand nombre de pays industrialisés comme l'Angleterre, la France, les États-Unis et surtout les Pays-Bas où c'est le lieu de naissance de plus du tiers des bébés. Pour être sécuritaire, l'accouchement à la maison doit être planifié, assisté par des personnes compétentes avec la participation active des parents et doit inclure un processus minutieux de dépistage de toute condition médicale ou autre qui augmente le risque de complications, ainsi que de modalités de transfert vers l'hôpital à l'apparition de conditions

défavorables. J'en discute plus en détail dans le chapitre sur l'accouchement à la maison.

## Les Maisons de naissance

Absentes jusqu'à tout récemment des choix offerts aux parents, les Maisons de naissance doivent leur existence à l'insistance des femmes qui les demandent depuis des années comme alternative à l'hôpital. Elles sont apparues à l'occasion de l'expérimentation de la pratique sage-femme que le Gouvernement du Québec a choisi de faire avant de procéder à la légalisation de leur profession. Les Maisons de naissance fonctionnent en respectant l'autonomie professionnelle des sages-femmes, leur capacité à poser les gestes essentiels au suivi des femmes en bonne santé et de leurs bébés, incluant la prescription de tests, échographies, certains médicaments lorsqu'ils sont nécessaires, le tout selon des règles bien précises. Enfin, tous les services y sont gratuits et donnés par des sages-femmes[6].

La Maison de naissance est porteuse d'une vision de la naissance comme étant un événement normal qui appartient aux femmes et à leur famille. C'est un petit établissement, une maison à vrai dire, où les femmes en bonne santé et dont la grossesse se déroule normalement, peuvent accoucher. C'est là aussi qu'elles viennent pour leurs visites prénatales, les cours prénatals, et tout autre service relié à la maternité: rencontres de nouveaux parents, visites postnatales, etc. Pour protéger sa philosophie, elle doit conserver des dimensions modestes, quelques centaines d'accouchements par année par exemple, pour que les échanges entre les femmes, les familles et les sages-femmes restent eux aussi de dimension humaine. La continuité des soins est beaucoup plus facile à assurer quand quelques mois de fréquentations suffisent pour connaître tout le monde et se sentir chez soi.

En fait, la Maison de naissance, c'est un peu le pont entre la maison et l'hôpital, le chaînon manquant! C'est la liberté et la philosophie de l'accouchement à la maison transportés dans un petit établissement qui, sans être «chez soi», parvient à créer une atmosphère chaleureuse et familiale. La femme elle-même est le centre de son accouchement: elle choisit les positions qui lui conviennent, mange et boit quand bon lui semble, s'entoure de qui elle veut. Son travail pourra s'y dérouler à son rythme, et elle est guidée et soutenue par les sages-femmes qui l'ont suivie pendant sa grossesse. Les interventions simples, parfois utiles lors d'un accouchement normal, y sont possibles: suture en cas de déchirure du périnée, injection de médicament pour contrôler un début d'hémorragie, oxygène pour aider un bébé à bien amorcer sa respiration autonome, etc. Bien que vouée aux femmes en santé dont l'accouchement s'annonce sans complication, la Maison de naissance est équipée pour répondre aux urgences qui pourraient se présenter. Elle a des ententes avec un hôpital à proximité pour y transférer les femmes ou les bébés dont la condition demanderait des soins médicaux, à n'importe quel moment de la grossesse, de l'accouchement ou de la période postnatale.

La sécurité des femmes et des bébés est assurée par la compétence des sages-femmes et par la façon d'établir très clairement la distinction entre un accouchement physiologique et un autre dont le déroulement dévie du normal et annonce une augmentation des risques de complications. Environ 16 à 18% des accouchements qui commencent à la Maison de naissance se terminent à l'hôpital. Un pourcentage similaire à ceux qu'on retrouve dans des établissements semblables ailleurs dans le monde, selon les recherches effectuées à ce sujet. De ce nombre, une infime minorité sont des transferts d'urgence. Ces chiffres pourraient sembler élevés, mais c'est justement cette prudence qui consiste à transférer *avant* que les problèmes graves ne se présentent, qui maintient les bons résultats des Maisons de naissance. Le dépistage précoce des conditions qui pourraient mener à des complications est la clé de la sécurité des accouchements hors hôpital. Il se retrouve aussi dans les accouchements à la maison et explique comment, pour des femmes en bonne santé, le taux de complications pour elles et leurs bébés est semblable sinon meilleur que celui des femmes de santé comparable qui ont choisi d'accoucher à l'hôpital[7].

Après y avoir travaillé pendant plus de six ans, permettez-moi de vous faire part de mes réflexions... et de mes découvertes. Contrairement à ce que bien des gens pensent, l'équipement qu'on apporte à un accouchement à la maison est le même que celui qu'on retrouve dans une Maison de naissance. Aussi, je prends toujours le temps d'expliquer cela aux parents qui me confient se sentir en sécurité à la Maison de naissance, alors qu'ils n'auraient jamais «osé» accoucher à la maison. Ce qui ne les fait pas changer d'avis, d'ailleurs, et ce n'est pas là le but de mon propos. Je demeure convaincue qu'il faut repenser l'idée de sécurité et arrêter de l'accorder d'emblée à des endroits, des lieux, de l'équipement, plutôt qu'à un ensemble de ressources humaines, matérielles, organisationnelles bien intégrées, quand tous les intervenants travaillent de concert à donner à chacun les soins dont il a besoin, au bon moment. Mais bon! On choisit un lieu d'accouchement avec nos tripes, pas avec des concepts.

Dans les faits, probablement 95% des femmes qui accouchent à la Maison de naissance n'auraient jamais accouché à la maison. Mais elles ont l'audace, le courage de choisir un endroit qui affirme, dans son organisation même, que l'accouchement est un événement naturel et normal dans la vie d'une femme. Que l'accompagnement, le suivi et la vigilance des sages-femmes leur procureront les meilleures conditions pour bien vivre cette naissance. Que leur corps a ce qu'il faut pour mener la naissance à bien, avec ce qu'il faut d'intimité, de liberté, de soutien. Qu'elles auront probablement la force de la vivre sans être anesthésiées. Qu'on va à l'hôpital quand quelque chose ne va pas. Que les ressources de l'hôpital, la péridurale entre autres, sont encore disponibles: il suffit de s'y rendre et de les demander.

Ma découverte, et celle de mes collègues sages-femmes, c'est de voir des femmes découvrir leur force, leur pouvoir. Elles ressortent de leur accouchement grandies, transformées, comme jamais elles n'auraient imaginé. Au moment où le Gouvernement du Québec faisait l'analyse des résultats de l'expérimentation de la pratique des sages-femmes, les usagères des Maisons de naissance ont minutieusement fait leur propre bilan[8]. Leur constatation est que les Maisons de naissance ont créé une magie: plus qu'un compromis entre la maison et l'hôpital, elles ont ouvert un lieu de confiance, d'intimité, de liberté. Un lieu qui

L'équipe initiale de la Maison de naissance de Côte-des-Neiges à Montréal: Marleen Dehertog, Kerstin Martin, Isabelle Brabant et Micheline Leduc.

dit que les femmes sont capables de mettre leurs bébés au monde.

Espérons qu'un jour, chaque région, chaque quartier aura une Maison de naissance qui réponde aux besoins de sa population et qui poursuive les principes de normalité, de participation des parents, de respect des choix et de continuité qui en ont inspiré l'apparition.

## Choisir en cours de route

La planification et la préparation d'un accouchement sont plus faciles quand le choix du lieu est clair depuis le début. Toutefois, les connaissances amassées au long de la grossesse, l'approfondissement de leurs convictions personnelles et la confiance gagnée en cours de route peuvent amener certains parents à changer d'idée assez tard dans la grossesse. Ce changement de cap est, en soi, un signe de souplesse et de capacité d'adaptation. En début de grossesse, la question n'est peut-être pas encore assez précise pour que vous puissiez prendre une décision éclairée. Prenez le temps qu'il vous faut. Informez-vous encore, questionnez des couples qui ont vécu l'expérience. Considérez soigneusement les préparatifs à faire dans chaque cas. Si vous décidez d'accoucher à la maison, prévoyez au moins deux mois entre votre prise de décision et la date de l'accouchement: ce choix vous demandera une organisation matérielle et surtout une responsabilité qui s'accommode mal des changements de dernière minute.

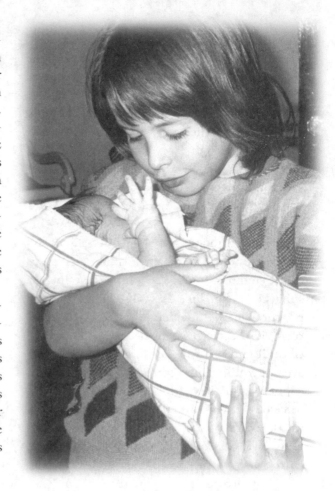

Les listes de questions et d'items à vérifier vous paraissent peut-être bien fastidieuses à l'heure qu'il est et vous vous dites peut-être que vous n'arriverez pas à les maîtriser en temps et lieu. Les mots vous deviendront peu à peu familiers, vous approfondirez ce qui est important pour vous dans cet accouchement et votre instinct vous guidera vers l'endroit qui vous convient pour la naissance de votre bébé.

**Notes**
[1] *Fichier Med-Écho*. Gouvernement du Québec, Ministère de la Santé et des Services Sociaux, 1998-1999.

[2] Nancy COHEN et Loïs J. ESTNER. *Silent Knife, Cesarean Prevention & Vaginal Birth after Cesarean*, South Hadley (Massachussetts), Bergin & Garvey, 1983.

[3] «Définition internationale de la sage-femme», telle qu'adoptée par la Confédération internationale des sages-femmes, la Fédération internationale des gynécologues-obstétriciens et l'Organisation mondiale de la santé, en 1972.

[4] Marshall A. KLAUS, John H. KENNELL & Phyllis H. KLAUS. *Mothering the Mother*, Boston, Addison-Wesley, Pub. Com., 1993.

[5] Association des usagers de la Maternité de Pithiviers. *Histoires de naissances. Les usagers de Pithiviers parlent*, Paris, Épi, 1985.

[6] Au Québec, les Maisons de naissance ne constituent pas un lieu d'exercice pour les médecins omnipraticiens, en raison notamment de l'impossibilité d'assurer la continuité des soins par le professionnel responsable et sa présence constante dès le début du travail et jusqu'à plusieurs heures après la naissance, deux conditions essentielles pour la sécurité de ce lieu.

[7] *Rapport final et recommandations. Conseil d'évaluation des projets-pilotes sages-femmes*, Gouvernement du Québec, Ministère de la Santé et des services sociaux, 1997.

[8] *Idem*.

# Chapitre 4

## La préparation de l'accouchement

# La préparation prénatale

Depuis quelques années, les cours prénatals sont pratiques courantes: tout le monde s'attend à ce que les femmes enceintes fassent régulièrement leurs exercices prénatals et leurs respirations. Tout le monde ou presque. Quand on devient enceinte soi-même, on se rend compte que tous les cours prénatals n'ont pas le même intérêt, que certains semblent plutôt préparer les femmes à subir sagement ce que l'hôpital leur proposera, que la plupart consacrent beaucoup de temps aux fameux exercices prénatals et ne laissent pas de place à l'échange entre les participants. Par ailleurs, on offre aussi du yoga prénatal, de la danse prénatale, de la gymnastique prénatale en piscine et plus encore. Bref, il y a de quoi se perdre!

L'existence des cours prénatals est vraiment un fait de culture: ce n'est que tout récemment, et encore, dans les pays industrialisés seulement, que les femmes ont eu besoin de cours pour accoucher. Partout ailleurs, et de tout temps, on y est allé d'instinct! Avec les meilleures intentions, les cours prénatals se sont développés, spécialisés, en incluant des techniques de respiration plus sophistiquées, des informations plus détaillées, l'audiovisuel aidant. Pourtant, l'activité principale des cours prénatals devrait probablement être de quitter la sphère du mental, du rationnel, des informations, pour entrer doucement en contact avec cette partie instinctive de nous qui sait parfaitement comment accoucher.

*La sage-femme venait d'arriver chez Christiane: elle était fébrile, haletante, toute à l'excitation de ses premiers centimètres, complètement submergée par les sensations de chaque contraction. «Comment est-ce qu'il faut que je respire, demandait-elle, dis-le moi, je ne m'en souviens plus.» La sage-femme s'appliquait à lui rappeler de respirer doucement, profondément... mais dès que la contraction arrivait, l'énervement lui imposait un rythme saccadé, artificiel, où l'inspiration dépassait largement l'expiration, la laissant essoufflée, étourdie, en hyperventilation. «Redis-moi comment», suppliait-elle entre chaque contraction. Après plusieurs minutes de ce manège, le ridicule de cette situation, tout comme le pathétique de son besoin, sont devenus évidents: «Christiane, lui dit sa sage-femme, je n'ai pas à t'enseigner comment respirer: il y a en toi une femelle qui sait parfaitement comment accoucher! Je ne te quitterai pas, je resterai avec toi, mais je ne te dirai pas comment respirer». Christiane en a été saisie: «C'est vrai!» dit-elle. Et à partir de cette contraction, sa respiration, souple, détendue et naturelle, l'a guidée jusqu'à la naissance.*

N'oubliez pas cette vérité en cherchant un cours prénatal: votre corps sait déjà comment accoucher. Le cours prénatal servira plutôt à calmer les inquiétudes qui pourraient l'empêcher de bien fonctionner et à vous donner des moyens de soutien qui vous faciliteront la tâche.

Les cours prénatals en groupe ont l'avantage indiscutable de vous mettre en présence d'autres couples qui préparent aussi la venue de leur bébé et qui ont choisi d'y consacrer, comme vous, ces quelques heures par semaine. Ces contacts sont importants, parce que le cheminement de chacun sert d'éclairage et de stimulation aux questionnements des autres. On se sent moins seule et on apprend à dédramatiser les problèmes qui se posent, quand on se rend compte que ce qui est difficile chez soi n'est pas facile chez les autres non plus! La taille du groupe et le genre d'animation devraient permettre un échange entre participants. Ce pourrait même être un critère dans votre choix.

Les raisons invoquées pour assister à des rencontres prénatales varient beaucoup et se complètent. «Je suis venue chercher de l'information», diront les uns. «Je viens chercher de l'assurance, une confiance en moi», dira une autre. «On a des semaines chargées, c'est le seul moment de la semaine où l'on se prépare ensemble à la venue du bébé.» «J'ai eu une césarienne au premier. Je veux comprendre ce qui s'est passé et accoucher naturellement cette fois-ci.» «J'ai peur de la douleur.» «Je veux me préparer à être proche du bébé, en commençant dès maintenant.» «Je veux savoir comment aider ma femme le moment venu.» «Je veux connaître les respirations, les positions, les trucs, pour que ça se passe bien.» La mise en commun de toutes ces préoccupations ne pourra qu'enrichir chaque participant.

À part cette occasion bienvenue de rencontrer d'autres couples, quels devraient être les objectifs des cours prénatals? Donner de l'information? Préparer les gens à toutes les éventualités? Les préparer à être des «patients coopératifs»? Donner des trucs? Leur dire quoi apporter à l'hôpital et comment donner le bain au bébé? Bref, en quoi consiste une bonne préparation prénatale? Voilà des questions qui déclencheraient sans nul doute une passionnante discussion parmi les personnes qui donnent des cours prénatals, parce qu'il n'y a évidemment pas de réponse absolue. Permettez-moi de vous faire part de ce qui me semble important dans une préparation prénatale. Elle devrait faciliter votre rencontre avec l'inconnu, l'inattendu, vous familiariser avec les sensations de la naissance au point de faire fondre vos inhibitions, vous encourager à participer activement et à faire respecter vos désirs pour cette naissance. Une attitude faite de confiance en vous-même et de souplesse aide à vivre un accouchement normal. Elle vous prépare aussi à accepter votre propre travail tel qu'il se présentera et à le vivre comme une expérience d'apprentissage profondément positive, même s'il s'avère plus difficile que vous ne l'aviez prévu.

L'accouchement n'est pas un examen que vous pouvez réussir ou couler! Ce n'est pas non plus un procédé mécanique où il suffit de contrôler le bon fonctionnement de chaque pièce et de chaque étape de production pour assurer la qualité du produit final. C'est un moment charnière de la vie. La transformation physique évidente est accompagnée d'une transformation psychique, tout aussi réelle bien qu'invisible, et d'une transformation de tout le système familial et social autour de la mère et de l'enfant. Dans ce vaste mouvement, les humains que nous sommes ne pouvons qu'avancer à tâtons, attentifs à l'énergie directrice et à l'effet qu'elle a sur nous. Plus que jamais, le corps, les émotions, le mental doivent apprendre à fonctionner harmonieusement.

Trois facteurs me semblent représenter une clé pour arriver à cette harmonie, quand on les emploie ensemble: avoir accès à une information critique pour bien comprendre le processus lui-même ainsi que les gestes posés par ceux qui assistent l'accouchement, s'ouvrir à l'énergie de la naissance, à ce qu'elle vient remuer et transformer en nous, et prendre les moyens pour se donner l'environnement et le soutien dont nous aurons besoin.

## L'information critique

Pour comprendre, on a besoin d'une information claire, pertinente, complète et critique. Ce bagage de connaissances vous permettra de poser les bonnes questions aux bons moments, de juger de ce qui vous convient, de choisir parmi plusieurs solutions possibles. Recherchez, dans un cours prénatal, le genre d'information qui éclaire vraiment, qui donne envie d'en savoir plus, qui fait corps avec les autres éléments que vous connaissez de vous-même. L'accouchement est une expérience humaine par excellence, et les absolus et les diktats n'y ont pas de place. Les informations qui ne visent qu'à vous avertir de ce qui va se passer aident à dissiper un peu l'anxiété de l'inconnu. Si votre cours prénatal ne vous propose pas plusieurs scénarios possibles ou des façons de faire vos propres choix, vous ressentirez probablement, le moment venu, la frustration d'avoir à vous conformer à une marche à suivre rigide, sans pouvoir l'adapter à vos besoins.

## L'énergie de la naissance

Il me semble qu'on exagère l'importance de l'information relative à la préparation de l'accouchement. Bien qu'essentielle, l'information seule ne pourra pas vous aider à bien vivre cet accouchement si elle ignore le cheminement de vos émotions, de cette partie de vous qui a «des raisons que la raison ne connaît pas». Ce cheminement est beaucoup plus difficile à explorer que la simple acquisition de connaissances. Quand on apprend à s'ouvrir davantage, à exprimer ses besoins, à délaisser un peu ses bonnes manières pour écouter les messages de son corps, on entre dans un processus de transformation parfois évident, parfois imperceptible, toujours inachevé. On ne peut jamais se dire: «Bon, là, on a couvert le programme!» La grossesse est tout naturellement un moment parfait pour ce genre d'apprentissage, puisque l'on se retrouve dans une sorte de déséquilibre sain, de bouillonnement préparatoire aux changements que la maternité et la paternité ne manquent jamais d'apporter.

Le sens profond de sécurité, indispensable à la femme qui accouche pour qu'elle puisse se laisser aller à la puissance des sensations de la naissance, ne s'acquiert pas à force d'arguments logiques, si convaincants soient-ils. Les explications rationnelles sur la nécessité de se laisser aller sans crainte n'ont jamais réussi à calmer un petit enfant bouleversé. Il a besoin d'une réelle sensation de sécurité, d'une image qui va l'aider à se détendre en le ramenant vers quelque chose qu'il connaît, qui le rassure. Il a besoin d'un vrai contact avec quelqu'un. Quand on accouche, et malgré tout le courage et toute la force que cela demande, on ressemble beaucoup plus à ce petit enfant qu'à une consommatrice avertie négociant un achat. On doit reconnaître cette coexistence de notre force et de notre vulnérabilité à l'accouchement. Ne voir que la force nous porte à croire que c'est en «super-femme» qu'on accouchera, une image irréaliste qui risque d'engendrer beaucoup de déception. Ne reconnaître que la fragilité, c'est se rendre vulnérable à la prise en charge par les autres, comme s'ils pouvaient toujours savoir ce qui est bon pour nous et décider à notre place. Là aussi, une source de déception!

Des cours prénatals sensibles à cette dynamique fournissent des occasions d'apprivoiser ces parties de nous qui ne se raisonnent pas. Qui ont peur, qui sont mal à l'aise ou tendues, qui aimeraient mieux ne pas entendre parler de douleur, d'ouverture ou de perte de contrôle. On peut y discuter de sujets ordinairement exclus des conversations et nos opinions ou sentiments y sont respectés et entendus. Les questions et les échanges y sont bienvenus, et on s'y familiarise avec la relaxation. On y parle abondamment de la puissance du travail et de sa grande variabilité possible, pas seulement du scénario moyen, celui qu'on lit dans les livres, mais qui n'arrive jamais exactement comme ils le disent! Des vidéos, des histoires, des photos d'accouchement illustrent ces grandes variations. Le travail peut être long, ou très court et intense, ou douloureux «dans le dos» et vous devriez avoir le temps de vous imaginer dans chacune de ces situations: elles pourraient vous arriver. Comment réagiriez-vous? Comment vous sentiriez-vous? Comment feriez-vous pour continuer à réagir positivement à chaque contraction? Vous avez besoin d'avoir un aperçu le plus concret possible des sensations du travail et de l'intensité du défi que cela peut vous poser.

## L'environnement et le soutien

Avant même les massages et autres techniques de relaxation, la femme qui accouche a besoin d'intimité, de calme, de sécurité. Le soutien que veut lui apporter son compagnon devra commencer par la création, avec elle, d'un espace virtuel où elle se sentira à l'aise de ressentir, exprimer, bouger, gémir, chanter. Par la suite, il devra s'en considérer le gardien et veiller à le protéger des invasions de l'extérieur. C'est que le travail de la femme consistera à plonger dans un monde intérieur fait de sensations et d'émotions, à abandonner toute idée de «contrôle des opérations» et à suivre son corps qui lui, sait comment accoucher. Pas facile si on se sent observée, jugée, chronométrée. Ou si notre propre rationalité analyse, évalue et décortique à mesure que le travail avance. Les plus tendres massages n'auront pas d'effet si on ne commence pas par installer une atmosphère douce et légère où l'on peut se permettre de découvrir ensemble chaque étape du travail, d'explorer comment y répondre en y allant à tâtons parfois. Et de rire un peu si on se prend trop au sérieux!

Le soutien dont on peut avoir besoin pendant l'accouchement, implique une participation active et confiante de notre compagnon. Si le père ne peut être présent à l'accouchement, tout autre personne choisie par la mère peut jouer ce rôle, en autant qu'elle s'y soit préparée avec elle, entre autres par sa participation aux cours prénatals. Cette confiance en soi s'acquiert pendant la grossesse et au long de rencontres prénatales, où la présence du père est non seulement acceptée mais encouragée. Il n'est pas là que pour accompagner sa femme, mais pour participer avec elle à la préparation de cet événement de leur vie commune. Rencontrer d'autres hommes dans la même situation que lui l'aidera à mieux comprendre son rôle, sa place, le sens même de sa participation. Il apprendra les gestes fermes et doux qui soulagent, les positions confortables qu'il peut soutenir de ses bras solides, les massages qui détendent entre les contractions. Il apprendra surtout que ce que les femmes apprécient le plus pendant l'accouchement, c'est le seul fait de leur présence. Mais alors là, leur présence *entière*: de cœur, d'esprit, de corps. Ce qu'ils font avec leurs mains importe moins que leur plus total engagement à rester auprès d'elle, à la soutenir jusqu'à la fin. À faire ce qu'il faudra pour l'aider à mettre *leur* bébé au monde et à amorcer avec lui une nouvelle vie.

Les cours prénatals doivent être une occasion d'enrichir notre réserve de moyens de soutien disponibles. Toute méthode ou approche devrait être discutée et apprivoisée, non pas comme *la* recette, mais comme une ressource qui pourrait s'avérer utile selon les circonstances. La relaxation et la respiration sont des outils pratiques qui peuvent faire toute la différence lors d'un accouchement. Comme chaque femme et chaque accouchement sont éminemment différents, il serait bien étonnant que la même technique de respiration serve également pour chacune et en toutes occasions. Respiration et relaxation devraient donc être travaillées dans une variété de contextes et de styles. C'est une invitation à en faire l'expérience, plutôt qu'une leçon à apprendre par cœur! L'aptitude à se détendre s'acquiert progressivement. Chaque moment que l'on consacre à respirer et à se détendre consciemment nous facilite la tâche. Les moments de calme et de silence, comme le soir, au moment du coucher, sont particulièrement propices à ce genre d'exercices, à deux, quand c'est possible. Toutefois, vous devrez aussi exercer vos nouvelles acquisitions dans des moments de stress, ou lorsque vous ne disposez que de quelques minutes, comme entre deux contractions.

Tous les cours prénatals ne répondront pas également à vos besoins. Vous pouvez décider d'aller chercher ce que vous voulez à plus d'un endroit. Si les cours prénatals de votre quartier répondent à votre besoin d'information, c'est peut-être aux cours de yoga prénatal que vous trouverez l'occasion d'apprendre à vous détendre, à communiquer encore plus avec votre bébé, à parler de comment vous vous sentez. Si vous ne manquez pas d'occasions d'échanges, c'est peut-être à travers des exercices en piscine que vous aimerez apprivoiser votre peur de l'eau, votre peur de «perdre pied», et renouer avec les messages de votre corps, de votre respiration. Si vos lectures comblent déjà votre soif de connaître, vous aurez peut-être envie de contacts plus informels, plus détendus avec d'autres femmes enceintes, comme dans un cours de danse prénatale.

Quelquefois, c'est la personnalité de l'animatrice qui fait toute la différence: une présence chaleureuse, ouverte, honnête, peut compenser largement les contraintes d'un programme un peu terne ou incomplet. Sa confiance dans le processus de la naissance, son respect pour la compétence et la force des femmes qui viennent à ses cours, sa curiosité pour tout ce qui touche la maternité peuvent en faire une précieuse alliée pour vous dans ces mois d'apprentissage. Une animatrice qui assiste régulièrement à des accouchements, comme une sage-femme, par exemple, apportera à ses cours une expérience fraîche et concrète que vous apprécierez.

Finalement, il vous faudra, là aussi, magasiner. Les groupes d'humanisation de la naissance, d'entraide d'allaitement, les sages-femmes et les infirmières en périnatalité disposent souvent d'une liste des cours offerts dans votre région. Allez voir. Faites votre programme. Osez. Faites-vous plaisir. Offrez-vous une activité dont vous avez toujours eu envie. Cette ouverture vous préparera aux changements qui s'en viennent.

# Se préparer pour l'allaitement

L'allaitement est en continuité naturelle avec la grossesse et la naissance. C'est le moyen que la nature a mis en place non seulement pour nourrir votre nouveau-né, mais aussi pour alimenter entre vous et lui cette relation amoureuse à travers laquelle il a encore tout à apprendre. Fort heureusement, ces liens amoureux peuvent aussi se former en dehors de l'allaitement maternel. Des raisons d'ordre personnel ou social peuvent justifier que vous n'allaitiez pas. Vous seule pouvez prendre cette décision, mais comme pour l'accouchement, allez chercher de l'information et surtout du soutien.

Tout comme l'accouchement, l'allaitement a grand besoin d'être dédramatisé. Dans les pays où l'allaitement maternel est la règle, on remarque combien c'est un geste simple et parfaitement inséré dans la vie quotidienne. Nul ne doute de la capacité d'une mère à allaiter son enfant, encore moins de son intention: c'est ainsi depuis toujours! Les problèmes d'allaitement y sont rarissimes. Ce qui n'est pas le cas dans la majorité des pays occidentaux où l'allaitement est un choix. La plupart d'entre nous ignorons l'allaitement instinctif et simple que connaissent des millions de mères ailleurs dans le monde. Avant nous, toute une génération de femmes s'est fait interdire d'allaiter par leurs médecins, sous prétexte que ce n'était pas bon pour leurs bébés ou que leur lait n'était pas adéquat. La médecine avait trouvé la formule «scientifique» pour alimenter les bébés. Pourquoi vouloir rester aux anciennes méthodes, artisanales et approximatives? Nos mères les ont crus et se sont converties aux biberons. Les compagnies pharmaceutiques ont depuis perfectionné la recette et font maintenant fortune avec ce qu'on appelait auparavant les «laits maternisés[1]». En une génération, l'art de l'allaitement, qui s'était toujours transmis de génération en génération, a presque été oublié.

Le monde scientifique a, depuis, reconnu l'infinie supériorité du lait maternel pour les bébés et l'on encourage maintenant l'allaitement. Cependant, il arrive qu'une approche médicale à l'allaitement prévale encore: on enseigne à la mère à se laver les seins à l'eau stérile avant et après la tétée, à minuter soigneusement les premières tétées («Pas plus de cinq minutes par sein») et l'on pèse parfois les bébés avant et après pour évaluer leur consommation de lait. Cette approche est contraire à l'atmosphère qui doit entourer une nouvelle mère qui allaite: elle a besoin d'intimité, de contacts illimités avec son bébé et de la confiance de son entourage. Même dans les cours prénatals conventionnels, l'approche est souvent pratique et rationnelle, du genre «analyse comparée des laits maternels et préparations lactées».

Pour vous préparer à l'allaitement, apprenez à bien connaître cette fonction de votre corps. Il existe d'excellents livres sur le sujet. Procurez-vous-en au moins un, qui vous servira de ressource ponctuelle pour répondre aux questions qui, inévitablement, se poseront à vous: les changements inattendus dans l'appétit du bébé, les premiers signes d'un début d'engorgement et les trucs pour l'éviter, comment augmenter la production de lait, etc. Plusieurs associations de soutien à l'allaitement existent maintenant. La mieux connue est sans doute l'association internationale la Ligue La Leche (mot espagnol voulant dire «lait» et qu'il faut prononcer *lé-tché*), qui s'est donné pour mission de rassembler et développer les connaissances au sujet de l'allaitement, de les rendre disponibles aux femmes partout dans le monde et de leur offrir du soutien dans leur expérience d'allaitement. Certains groupes ont développé un service de marrainage, où les femmes qui en font la demande sont mises en contact avec une mère qui a de l'expérience dans l'allaitement. Consultez votre monitrice de cours prénatals ou votre annuaire pour trouver les groupes de soutien à l'allaitement de votre région. Allez les rencontrer pendant votre grossesse: vous y trouverez de la documentation, des réponses à vos questions et, plus important encore, vous y rencontrerez des mères qui allaitent.

Allez voir et entendre des femmes qui ont aimé allaiter: elles vous communiqueront leur enthousiasme, leur confiance. Elles partageront avec vous la petite histoire de leur expérience, celle qui se vit au jour le jour, avec les moins bonnes journées et les moments extraordinaires, avec l'appui de leur conjoint ou ses réticences. Quand on connaît surtout des femmes qui ont eu des problèmes d'allaitement et qui ont arrêté, on garde l'impression que c'est compliqué et que la seule solution aux problèmes… c'est d'arrêter. Presque toutes les femmes qui ont allaité avec succès ont eu, à un moment ou l'autre, des problèmes d'allaitement mineurs qu'elles ont surmontés.

Certains livres mentionnent la nécessité de préparer les mamelons par des frictions ou autres manipulations pour les endurcir. Les recherches n'ont trouvé aucun avantage aux manipulations qui visent à préparer les mamelons, incluant les massages préventifs à l'aide de crèmes ou d'huile[2]. Certaines peuvent même blesser ou irriter inutilement les mamelons.

Certaines femmes s'inquiètent de ne pas avoir la bonne forme de mamelons. Vérifiez vous-même si vos mamelons peuvent saillir quand ils sont stimulés, que ce soit par la stimulation manuelle, le froid, ou l'excitation sexuelle (ils n'ont pas besoin de rester ainsi, seulement être capables de le faire). Si vous ne pouvez les faire saillir d'aucune façon, ce qui est peu fréquent, consultez quelqu'un qui s'y connaît, comme une monitrice d'allaitement ou une sage-femme. Ce n'est pas une raison pour ne pas allaiter, mais elles pourront vous expliquer comment vous et votre bébé devrez vous adapter à cette particularité. On recommande parfois, pendant la grossesse, de porter une coupole de plastique dans votre soutien-gorge, quelques heures par jour, pour les aider à sortir au bon moment. Encore une fois, les recherches ne parviennent pas à démontrer l'effet positif de cette méthode sur le succès de l'allaitement[3]. N'ayez crainte: la plupart des bébés s'accommodent fort bien des différentes formes et grosseurs de seins et de mamelons: les vôtres devraient être parfaits!

Certaines femmes seront conscientes, très tôt dans la grossesse, de la présence de colostrum dans leurs seins. D'autres n'en verront pas une goutte avant d'accoucher et en produiront abondamment après l'arrivée du bébé. Vous en produirez aussi, ayez confiance! Il n'est pas nécessaire ni d'en observer ni d'en extraire avant l'accouchement.

L'allaitement est simple, important et bon pour les mères et leurs bébés! D'ailleurs, il fallait que ce soit un plaisir pour assurer la survie de la race humaine!

# La préparation en vue du postnatal

Dans les derniers mois de grossesse, vous devrez organiser le soutien dont vous aurez besoin dans les jours et semaines qui suivront votre accouchement. Le ménage de la maison ne sera plus prioritaire et vous devrez réorganiser le rangement au besoin, pour le faciliter. Placez les effets du bébé en calculant les pas que vous aurez à faire pour le changer de couche ou de pyjama, en visant une dépense minimale d'énergie. En plus des inévitables plats cuisinés que vous empilerez au congélateur, garnissez vos armoires d'ingrédients qui permettent de préparer rapidement des repas sains que vous aimez. Si vous avez d'autres enfants, préparez-vous une banque de gardiennes qui pourront vous dépanner si vous avez soudainement besoin d'une journée pour récupérer.

Il est impossible de prévoir vos besoins avec précision. Certaines femmes ont besoin d'une aide continue pendant plusieurs semaines, d'autres, seulement d'un coup de main les premiers jours. Chose certaine, il est beaucoup plus facile de réduire ou d'annuler une entente d'aide qu'on avait prise avec quelqu'un que d'essayer frénétiquement de trouver quelqu'un de disponible à la dernière minute, alors qu'on est déjà débordée.

Malheureusement, les vrais congés de paternité ne sont pas partout la règle et bien des pères qui veulent prendre plusieurs jours avec leur femme et leur nouveau-né doivent le faire à même leurs vacances ou à leurs frais. Pour d'autres, c'est tout bonnement impossible. Même si votre partenaire peut prendre plusieurs jours à la maison, faites attention de ne pas remplir ses journées de tâches ménagères et de courses à l'extérieur. Vous voudrez peut-être vivre ces premiers jours irremplaçables ensemble avec votre bébé. Faire les courses, aller à la banque, faire les repas, la vaisselle, ramasser la maison nouvellement embourbée de couches sales et de pyjamas à laver, faire du lavage, préparer du café pour les visiteurs en plus de passer une partie de la nuit éveillé... ne laissent pas grand temps à son homme pour savourer les premiers moments de la vie à trois (ou à quatre ou à...). Pour alléger son horaire un peu et lui permettre des moments de présence détendue auprès de vous et du bébé, prévoyez une aide supplémentaire. Ce peut être l'une des grands-mamans, une sœur, un frère, une amie, un voisin qui vient passer quelques heures par jours pour cuisiner le souper, faire des courses et rafraîchir la maison, ou même habiter avec vous pour une semaine.

C'est curieux comme plusieurs parents rejettent d'emblée l'aide qui leur est offerte à ce moment-là: «Non, pas ma belle-sœur parce que... Non, pas Sébastien ni ma mère parce que...» Et c'est dommage, parce que souvent, autour de la période de la naissance, même les gens avec qui l'on a ordinairement une relation... imparfaite sont touchés par l'excitation et la magie de cette arrivée et sont prêts à passer par-dessus beaucoup de choses pour vous aider. Il vous sera parfois nécessaire de modifier les arrangements qu'on veut vous offrir: maman pourrait peut-être dormir ailleurs et ne venir que le jour. Marie-Claire devra comprendre que vous avez besoin d'aide pour l'ordinaire de la maison, pas pour s'occuper du bébé, ce que vous ferez vous-même. Bruno pourrait apporter des plats cuisinés chez lui, plutôt que de les préparer chez vous. Quand c'est difficile de trouver une amie qui pourrait venir passer un moment chez vous pour vous aider, quand elle a elle-même des enfants, par exemple, vous pourriez trouver plus simple d'aller passer une journée chez elle, pendant qu'elle s'affaire à sa vie quotidienne, tout en vous offrant une oreille attentive, de la compagnie... et un bon dîner. Restez ouvertes à votre entourage et acceptez leur aide. En plus de vous donner un réel coup de main dans un temps où vous aurez besoin de concentrer votre énergie sur vous-même et votre bébé, cela leur donnera la chance de s'approcher d'elle ou de lui et de créer des liens tout à fait particuliers. Ces liens continueront dans l'avenir, les grands-mamans, les tantes, les amis proches seront d'autant plus attachés à votre bébé et prêts à s'impliquer régulièrement avec elle ou lui.

Aujourd'hui, beaucoup de jeunes mères n'ont jamais tenu de nouveau-né dans leurs bras avant d'avoir elles-mêmes un bébé. Il en va souvent de même pour les pères. C'est une situation unique dans l'histoire de l'humanité. L'anxiété normale des premiers temps de la vie avec un bébé en est ainsi décuplée, et le contact avec les bébés affecté par ce stress. Allez dès maintenant visiter des nouvelles mères. Si vous n'en connaissez pas dans votre entourage, contactez les femmes qui ont suivi des cours prénatals avec vous et qui viennent d'accoucher. Il nous appartient de briser l'isolement des nouvelles mères, de recréer une solidarité dont nous ne pouvons nous passer. Notre confiance en nous, notre force, notre équilibre et donc le bien-être de nos enfants en dépendent!

# Préparer les autres enfants

Lorsqu'on attend un enfant qui n'est pas le premier, la question se pose tôt ou tard: comment réagiront les enfants plus vieux? Comment les aider à faire cette délicate transition entre enfant unique et aîné, entre «bébé de la famille» et «grand frère, grande sœur»? Nous avons tous entendu parler des réactions de jalousie à l'égard du nouveau bébé dans la famille. Cette réaction est normale et elle a besoin d'espace pour exister, s'exprimer et se transformer. Comme parents, nous devons être attentifs à ne pas exagérer cette réaction ou la rendre plus douloureuse par des comportements ou des commentaires qui ne seraient pas appropriés. Par contre, essayer d'empêcher la jalousie, ce qui est bien différent, c'est voler à l'enfant sa capacité de ressentir ses propres émotions. Lorsque nous essayons d'éviter la jalousie chez notre enfant, quels besoins et quelles peurs essayons-nous de protéger? Les leurs? Les nôtres? Les souvenirs douloureux que nous avons gardés de notre enfance? «S'ils veulent tant que je ne sois pas jaloux, je dois être très méchant puisque je suis jaloux quand même!» pourrait-il penser. Préparons-nous plutôt à accueillir sa réaction et à encourager sa résolution normale.

Faire place à un petit frère ou une petite sœur peut parfois être douloureux. Ce sont des douleurs de croissance. C'est nous qui devons nous préparer à aider nos enfants à vivre cette période de leur croissance. Lorsqu'on prépare l'enfant à «bien» réagir, on lui donne le mandat de bien s'adapter, de bien faire les choses, et nous jugeons sa réaction. Or, l'enfant ne peut commander aucune de ses émotions! Et il a le droit de ne pas bien s'ajuster ou de prendre le temps qu'il faudra pour le faire. Exactement comme nous. Il y aura des jours où nous nous demanderons ce qui nous a pris d'en avoir un deuxième! Il nous faudra être patients. Les ajustements ne sont pas des processus rapides ni linéaires. Et les enfants sont bien souvent aux prises avec des émotions intenses et contradictoires qu'ils n'ont pas assez de maturité pour gérer.

*«Il était si mignon», dit Fiona, six ans, de son petit bébé frère, «et il avait un si beau petit nez, que j'ai voulu lui mordre un petit peu... mais j'ai mordu trop fort!»*

Exprimer nos propres sentiments normaux d'ambivalence, devant nos enfants, leur donne le droit de se sentir ambivalents aussi. D'être contents certains jours et agacés ou fâchés certains autres. Nous pouvons aussi expliquer très clairement à nos enfants ce qui est acceptable dans leur comportement et ce qui ne l'est pas. «Tu n'es pas obligé d'aimer le bébé, tu peux même le détester et souhaiter qu'il ne soit jamais venu ici, mais tu ne peux pas lui faire mal.» Dans les semaines et les mois qui suivront la naissance, vous accompagnerez votre enfant dans son adaptation. Toutes ses réactions sont saines: elles expriment ce qu'il ressent. Vous développerez avec lui des stratégies

douces d'apprivoisement: accepter son désir d'aider aux soins du bébé, profiter des moments d'allaitement pour lui raconter une histoire, prévoir des moments où vous aurez des activités ensemble «comme avant». Quelquefois, une visite de quelques jours chez grand-maman peut le soulager d'avoir à être l'aîné, sans répit. Chez mamie, il redeviendra momentanément «enfant unique» et pourra absorber tranquillement sa nouvelle position dans la famille. Vivre avec un nouvel enfant lui fera connaître des moments difficiles, peut-être, mais aussi des moments absolument magiques de bonheur et d'émerveillement. Tout comme pour vous!

Pendant la grossesse, il existe de multiples façons d'annoncer et de préparer la venue du nouveau bébé, selon l'âge et l'intérêt de votre enfant. Des jeux qui expliquent la conception, la croissance du fœtus et la naissance, des histoires choisies pour leur contenu pertinent, des moments de détente où l'on sent le bébé dans le ventre, où l'on essaie d'écouter son cœur ou son hoquet, des jeux de simulation avec des poupées, etc. La liste est longue et votre imagination ainsi que la connaissance que vous avez de vos enfants la compléteront.

La fin de la grossesse correspond probablement à un temps où vous êtes plus fatiguée, physiquement limitée dans vos mouvements et dans votre capacité à prendre votre petit de deux ans dans vos bras. Cela vous obligera à encourager la participation plus active de votre partenaire ou d'autres membres de votre entourage, à favoriser des activités plus tranquilles, bref, à composer déjà avec votre disponibilité réduite, une autre bonne façon de le préparer à ce qui s'en vient.

## La présence des enfants à la naissance

Plusieurs parents ont le sentiment qu'en assistant à la naissance du bébé, ses frères et sœurs pourront créer avec elle ou lui un lien encore plus fort. Que cela leur permettra de vivre plus doucement le choc inévitable de son arrivée dans la famille. Certains invoquent l'importance pour les enfants de ne pas être écartés des grandes expériences de la vie, comme la naissance et la mort. Pour d'autres encore, c'est l'envie toute simple de partager cet événement avec eux. Peu importe la raison pour laquelle vous désirez que vos enfants assistent à votre accouchement, vous vous demandez peut-être si cela est faisable et souhaitable.

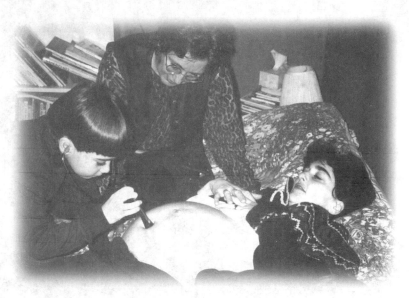

Les sages-femmes que je connais ont assisté à des centaines d'accouchements à la maison ou en Maison de naissance où des enfants étaient présents. L'âge pouvait varier de dix-huit mois à seize ans. S'il y a une conclusion à tirer de ces expériences, c'est que c'est souvent la chose la plus simple du monde! La majorité des enfants avaient reçu les explications toutes simples que la grossesse impose de toutes façons et quelques autres explications sur le déroulement de l'accouchement, sans plus. Nous n'avons jamais vu d'enfant traumatisé, ni pendant l'accouchement ni après. En fait, c'est simple comme la vie!

*Pour l'arrivée de leur troisième bébé, France et Réjean avaient vraiment envie d'un événement de famille. Le travail s'est passé tout simplement, avec France qui a joué au Scrabble jusqu'à six ou sept centimètres. À la poussée, les deux petites filles (quatre et six ans), sagement assises au pied du lit, se tenaient par l'épaule et commentaient doucement l'arrivée du bébé. «On lui voit les*

*cheveux maman, c'est beau!» Il y avait tellement d'amour dans leur présence, pour le bébé, pour leur mère, d'excitation doucement chuchotée pour ne pas déranger le processus, que tous en étaient émus! Leur accueil du bébé a été extraordinaire de tendresse et de spontanéité!*

*Guillaume, deux ans, avait manifesté un intérêt soutenu tout au long de la grossesse pour tout ce qui concernait le bébé. Il venait souvent lui parler dans le ventre de sa maman, le caresser, le tapoter doucement. À l'accouchement, son intérêt ne s'est pas démenti. Sans déranger, il s'est placé aussi proche qu'il a pu pour voir arriver son petit frère Jérôme. Rien au monde ne lui aurait fait manquer cela! Trois ans plus tard, les petits frères ont assisté, émerveillés, à l'arrivée d'Ariane, dans la plus grande simplicité.*

*Pendant que Kathleen poussait, Angela, trois ans, mâchait consciencieusement ses céréales du matin, assise à sa petite table qu'elle avait elle même transportée dans la chambre pour ne rien manquer de l'accouchement. Le bébé est arrivé à peu près comme elle finissait et ce fut un bien joyeux déjeuner!*

Ces accouchements se passaient à la maison ou à la Maison de naissance, ce qui

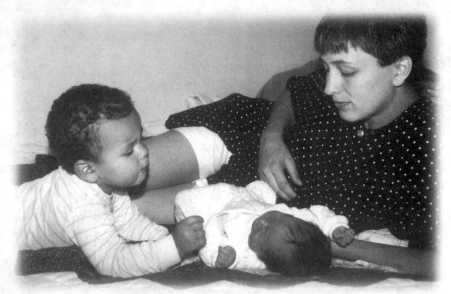

même continue à être perçu comme un traumatisme! En fait, ceux qui s'en inquiètent le plus n'ont probablement jamais assisté à un accouchement avec des enfants. La simplicité de leurs réactions aurait tôt fait de les rassurer. Les enfants réagissent beaucoup plus à l'ambiance qui règne dans la pièce, à l'inquiétude des adultes si elle est présente, qu'au fait de voir du sang ou d'entendre des cris inhabituels. Vous aurez sans doute à organiser plusieurs scénarios: s'il est à l'école, s'il dort, etc. Soyez attentifs à décoder les signes qu'il peut donner pour vous communiquer son désir ou sa crainte de participer à la naissance.

excluait le problème de faire accepter l'idée au personnel de l'hôpital. Cela écartait aussi la question délicate de l'atmosphère qui y règne parfois, c'est-à-dire généralement plus stressée, plus directive, plus «étrangère» à l'enfant. L'accouchement à l'hôpital est donc moins favorable à la présence des enfants à cause de l'aspect inhabituel des lieux et des objets, de l'atmosphère plus tendue, de l'aspect plus médical de l'accouchement, de l'absence d'un lieu confortable où l'enfant peut régulièrement se retirer pour faire autre chose. Parlez-en avec votre conjoint, avec d'autres familles qui ont vécu une expérience semblable, avec votre sage-femme ou votre médecin, vous trouverez la meilleure formule pour vous tous.

Si on voit la naissance comme une entreprise dangereuse ou dramatique, il vaut mieux en éloigner les enfants. Si on la voit comme une étape normale et naturelle de la vie, une transition, un accueil, pourquoi ne seraient-ils pas de la fête? La présence des enfants à l'accouchement soulève des inquiétudes, des théories diverses sur les séquelles possibles, probablement parce que l'accouchement lui-

*Simiane, six ans, à qui on redemandait si elle voulait toujours assister à la naissance de sa petite sœur, déclare un jour: «Je ne sais pas! Je me sens encore fatiguée des fêtes de Noël!» Sauf qu'on était au mois de mars! Les parents ont difficilement retenu leur fou rire devant la raison invoquée... mais le message était bien clair! Ils l'ont laissée dormir, et ne l'ont réveillée que lorsque la petite sœur s'est retrouvée dans leurs bras.*

Un mot enfin sur une situation particulière: accoucher de son premier bébé en présence de l'enfant de son conjoint. Dans l'ordre habituel des choses, si votre enfant est présent, c'est que vous avez déjà accouché. L'existence d'un nombre grandissant de familles reconstituées a bouleversé cela. La naissance d'un premier bébé étant souvent plus longue, plus exigeante, et de tournure plus souvent inattendue, vous aurez probablement besoin de vous éprouver vous-même dans cette première expérience avant d'être assez confortable avec vos réactions pour y inviter un enfant. Des arrangements pour que

l'enfant soit le premier arrivé dans les minutes qui suivent la naissance seraient peut-être un meilleur choix.

### AVANT L'ACCOUCHEMENT

Les enfants sont curieux du processus qui fera sortir le bébé du ventre de maman.

*«C'est vrai maman?» dit Mathieu après avoir appris comment, «ben, j'aimerais ça, moi, la voir la petite porte!»*

Que vous prévoyiez leur présence ou non, les enfants ont besoin qu'on réponde à leurs questions à ce sujet. S'il subsiste des mystères, ils auront tôt fait de se les expliquer par une version imaginaire probablement plus alarmante que la réalité. Si vous planifiez sa présence, parlez-lui de tous les aspects de l'accouchement: les sons que vous pourrez faire, les positions que vous pourrez prendre, le fait que vous ne pourrez pas lui répondre pendant une contraction. Selon son âge et son intérêt, parlez-lui du placenta, du liquide amniotique, du cordon, du fait que le bébé sort mouillé, quelquefois couvert d'une crème blanche qui protège sa peau (le vernix), parlez du sang, des odeurs, des examens vaginaux. Il devrait être familier avec les différents scénarios possibles: un travail très long ou rapide, votre besoin occasionnel d'être seule, les interventions possibles.

Ne vous perdez pas dans des explications longues ou abstraites. Simulez certains moments de l'accouchement comme les positions, votre respiration pendant les contractions, les sons plus intenses de la fin. Expliquez-lui la place que son père tiendra auprès de vous, le rôle que jouera le médecin ou la sage-femme et ce que vous attendez de lui. Les explications doivent être à son niveau: couper le cordon, c'est comme couper les ongles ou les cheveux, cela ne fait pas mal. Amusez-vous à pousser différents objets en faisant semblant qu'ils sont très lourds et en faisant des gros bruits d'efforts, qui pourraient ressembler à ceux de la poussée.

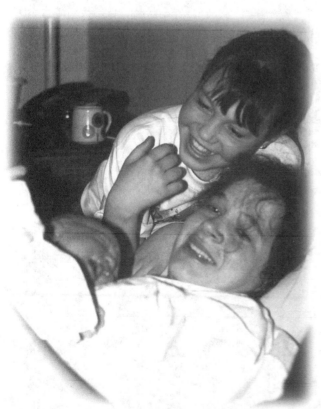

*L'accouchement d'Hélène s'est passé très vite: une demi-heure seulement après qu'elle ait jugé bon de réveiller son mari. Toute entière dans son travail, elle se permet de geindre, de crier, de laisser sortir les sons puissants que lui inspirent ses contractions. De la pièce voisine, Amélie entend tout et court réveiller Benjamin qui a cinq ans. Au premier cri du bébé, ils sont dans la chambre, riant, pleurant, tout excités d'y avoir participé de si proche. «Quand je t'ai entendu crier, maman, j'osais pas venir tout de suite: j'avais peur que tu meures!» Hélène lui explique: «Ça m'a fait tellement de bien, tu sais!» Amélie a téléphoné elle-même à sa grand-mère pour lui annoncer la naissance et lui dire que maman avait crié «beaucoup beaucoup». Le ton était joyeux et détendu: elle s'était inquiétée quelques instants, mais la suite des événements et le calme des adultes autour lui ont confirmé que ces cris inhabituels avaient leur place aujourd'hui.*

Les vidéos peuvent être un bon outil pour apprivoiser l'accouchement, mais visionnez-les avant. Certains présentent une image très passive, très interventionniste et pas très naturelle de l'accouchement. Il peut en rester une impression de danger, difficile à effacer après que l'image ait fait son œuvre! Si l'enfant a plus de dix ou douze ans, informez-vous de la possibilité de l'amener à un cours prénatal avec vous. Si vous accouchez à l'hôpital, visitez la chambre de naissance avec lui. Emmenez-le rencontrer votre sage-femme ou votre médecin.

### PENDANT L'ACCOUCHEMENT

Pendant l'accouchement, les personnes présentes seront normalement tournées vers les besoins de la mère; il est donc important qu'il y ait quelqu'un qui se consacre entièrement à l'enfant présent. Ce devrait être une personne qu'il aime, qu'il connaît bien, calme, à l'aise avec le processus de l'accouchement. Clarifiez vos attentes avec elle.

Son engagement vaut sûrement pour les quelques heures après, par exemple. Elle devrait être prête à manquer l'accouchement si les enfants ont envie de quitter la pièce au moment même de la naissance: leurs réactions sont impossibles à prévoir. Cette personne a un rôle important à jouer. Dans notre expérience, les seules fois où la présence d'enfants a été un peu problématique fut quand les parents n'avaient pas invité quelqu'un pour s'en occuper. Les enfants ne se transformeront pas, de leur seule présence à l'accouchement. Ils continueront à vouloir une collation, à être occasionnellement fatigués ou grincheux, à vouloir jouer, bref, à vouloir de l'attention. Le père ne peut pas jouer ce rôle, parce qu'il est incompatible avec la disponibilité dont sa compagne aura besoin. Il serait pris entre les besoins de l'enfant et ceux de sa compagne (sans compter les siens!), à un moment où il ne devrait pas avoir à sacrifier ni les uns ni les autres.

---

#### La présence de votre enfant à l'accouchement... est-ce une bonne idée?

Les enfants ont une place autour de la naissance. Quelle place exactement? Cela dépend d'eux, de vous, de l'environnement et des circonstances. Voici quelques facteurs qui pourraient influencer votre décision:

- leur intérêt à être présent (primordial);
- votre envie de les avoir présents avec vous (primordial);
- leur besoin d'attention, surtout dans un contexte inhabituel;
- leurs craintes;
- votre propre besoin d'intimité et de liberté;
- la disponibilité de gens familiers pour s'en occuper pendant le travail;
- l'organisation des lieux (l'enfant peut-il se reposer, manger ou jouer sans vous déranger?);
- sa familiarité avec la nudité.

Restez attentif, restez flexible et, surtout, n'oubliez pas que son acceptation harmonieuse du nouveau bébé ne dépend pas de sa présence au moment même de la naissance.

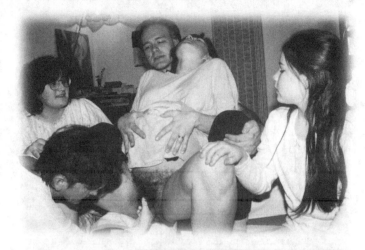

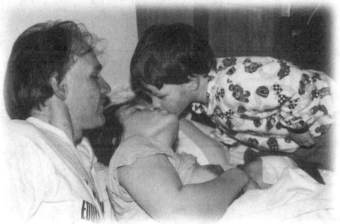

La plupart des enfants trouvent le travail long et répétitif, tant que la tête du bébé n'est pas en vue, à quelques minutes de son arrivée. Apportez des activités nouvelles, aimées et portatives, parce que même un court travail de cinq heures, c'est long! Un accouchement est toujours beaucoup plus impressionnant quand on n'en est que spectateur. Cela vaut, que l'on ait 7 ou 77 ans! Prévoyez, selon ses capacités, des activités ou des tâches qui seront spécifiquement les siennes quand il sera avec vous: apporter de l'eau fraîche, préparer une collation, mettre la musique choisie d'avance, prendre les photos, éponger maman quand elle aura chaud, la couvrir quand elle aura froid, donner le premier bain au bébé. Ces gestes de tendresse aident à canaliser son besoin d'être inclus, d'aider, d'être apprécié pour sa présence et d'être en contact avec vous.

*Francine avait chaud pendant ses contractions. Le travail était rapide et intense, et cet après-midi de juillet n'avait aucune brise en réserve pour la rafraîchir. C'est Marie-Mousse, huit ans, qui patiemment faisait la navette entre la cuisine et la chambre pour l'éponger amoureusement entre les contractions et lui chuchoter de douces paroles: «Ça va bien Francine, ça s'en vient». Sa présence a été une aide réelle et une merveilleuse occasion de complicité mère-fille.*

À tout moment, soyez prêts à changer les plans initiaux. Écoutez-vous et écoutez votre enfant. Si sa présence vous distrait, vous déconcentre ou vous inquiète, n'hésitez pas à demander qu'on l'éloigne gentiment. S'il devient maussade, ou subitement fatigué, c'est peut-être signe qu'il a besoin de prendre ses distances. Un jour, un petit enfant présent pendant le travail est allé se coucher en disant «qu'il avait mal aux oreilles». En fait, il s'est doucement sorti d'une situation qu'il trouvait difficile. Réaction très saine.

Finalement, l'élément le plus important pour que la présence des enfants soit harmonieuse, c'est notre attitude. C'est ce qu'ils retiennent de la préparation et de l'accouchement lui-même. Trop insister sur la préparation à l'accouchement trahit une inquiétude, une nervosité dont ils ne sont jamais dupes. La naissance est un événement extraordinaire de plus dans leur vie, à un âge où ils s'émerveillent de tout. Même lorsqu'une situation qui demande une intervention survient, la personne qui les accompagne peut écouter, expliquer et rassurer. Les enfants sont très capables de s'ajuster et réagissent beaucoup plus à la tension, s'il y en a, qu'à la situation elle-même. Les enfants qui ont assisté à des accouchements ont été témoins de cris, de douleur, d'efforts intenses, de désarroi parfois. Ils ont pu en être momentanément inquiets, mais c'est la réaction des adultes autour qui leur a enseigné comment réagir: écouter, rassurer, soutenir, exprimer de la tendresse, utiliser l'humour, reconnaître l'immensité du travail et le courage. Quelle magnifique leçon de vie!

### APRÈS LA NAISSANCE

Si l'idée de sa présence pendant votre travail ne vous sourit pas vraiment, vous pourriez simplement organiser qu'il arrive tout juste pour la naissance. Vous pourriez aussi faire des arrangements pour qu'il soit le premier arrivé après la naissance. Voir un petit bébé encore humide, encore nu, peut-être encore attaché à sa mère, est bien différent que de le voir tout emmailloté le lendemain dans son berceau. À l'hôpital

surtout, ce peut être plus approprié que sa présence pendant l'accouchement même. Selon la distance entre la maison et l'hôpital, vous pourriez le faire appeler dès la naissance ou à la fin du travail, pour ne pas le faire patienter inutilement! S'il n'était pas présent à l'accouchement, épargnez-lui la vue du sang: il n'a pas l'expérience de ce qui s'est passé pour lui confirmer que ce sang ne provient pas d'une blessure.

*Louis, deux ans, le petit garçon de Suzanne et Benoît, était trop jeune pour assister au travail dans un appartement trop petit pour accommoder à la fois ses besoins et ceux de Suzanne. Il était gardé par une amie habitant tout près. Dès le début de la poussée, Suzanne a demandé qu'on les avertisse de venir au plus tôt. Quand Louis est entré dans la chambre, la tête de son petit frère émergeait doucement de sa mère. Les photos le montrent curieux, calme, grave sans être inquiet, conscient de l'extraordinaire du moment. Pour Suzanne et Benoît, sa présence a renforcé le sentiment d'agrandir leur famille, l'importance de l'engagement mutuel concrétisé par cette naissance.*

Que vos enfants aient été présents ou non à la naissance de ce petit frère, cette petite sœur, son arrivée ne peut pas passer inaperçue. Pourquoi ne pas préparer une vraie fête? Avec un gâteau, un cadeau spécialement choisi par l'aîné, ou patiemment fabriqué par lui, et un cadeau pour celui ou celle qui devient aîné(e). Les enfants aiment les rituels: vous pourriez préparer ensemble une chanson qui signifie quelque chose de spécial pour votre famille, réunir quelques objets qui symbolisent pour vous la naissance (une version rajeunie des cadeaux des Rois mages), composer à l'avance, avec l'enfant, un mot de bienvenue que vous lirez ensemble, ou demander à chaque personne présente de formuler un souhait pour le bébé. Ces moments préparés avec amour restent cristallisés dans la mémoire pour longtemps. Si l'enfant est présent à l'accouchement, expliquez-lui d'avance à quel moment vous aimeriez qu'on commence la fête, pour ne pas le décevoir: vous n'aurez peut-être pas envie de gâteau dans les minutes qui suivront la naissance!

Il peut parfois s'avérer difficile de recueillir les commentaires d'un enfant sur l'accouchement ou l'arrivée de son petit frère ou de sa petite sœur. C'est vrai pour d'autres événements aussi: «Et puis», demande-t-on après une absence de quinze jours, «comment c'était le camp de vacances?» «Super!» répond l'enfant... et voilà le sujet clos! La plupart des enfants n'ont pas le recul, la réflexion ou la capacité d'analyse pour exprimer comment ils se sont sentis. Ils peuvent toutefois s'exprimer par bien d'autres moyens. Votre enfant pourrait dessiner l'accouchement et parler de son dessin. Demandez-lui d'écrire l'histoire (ou aidez-le à le faire) pour l'envoyer à grand-maman qui n'était pas là. Écoutez-le raconter l'accouchement à certains visiteurs. Revoyez avec lui des photos de lui-même petit bébé et les livres sur l'accouchement que vous aviez regardés ensemble: ses commentaires vous en diront beaucoup. Rejouez l'accouchement avec une poupée, s'il en a envie. N'oubliez pas non plus de respecter son silence. S'il sent que ses commentaires sont bienvenus, il vous les fera, en temps et lieu.

Souvent, on ne note aucune réaction vraiment extraordinaire: ils trouvent que c'est beau, que le placenta est «dégueulasse», que «ça fait du dégât». Ce sont des réactions ordinaires à un événement qui fait partie de la vie.

Quelquefois, la présence d'un enfant à un accouchement peut l'aider à guérir sa propre naissance et lui enseigner que l'accouchement peut être naturel et beau même si sa propre naissance ne l'a pas été. Parfois, aussi, l'accouchement laisse une impression profonde, impossible à cerner, pour les petites filles surtout. Comme si elles sentaient qu'un jour ce pourrait être leur tour. Peu importe que l'accouchement ait été intense, joyeux ou difficile, elles en gardent l'image concrète d'un travail extraordinaire qu'une femme peut accomplir par elle-même.

**Notes**

[1] Le gouvernement du Canada interdit désormais l'appellation «lait maternisé» pour ces produits parce qu'ils sont trop éloignés du lait maternel. Il recommande l'appellation «préparation lactée».

[2] ENKIN, KEIRSE, NEILSON, CROWTHER, DULEY, HODNETT & HOFMEYR. *A Guide to Effective Care in Pregnancy and Childbirth*, 3e édition, New York, Oxford University Press, 2000, p. 189.

[3] *Idem.*

# Chapitre 5

# Le suivi de grossesse

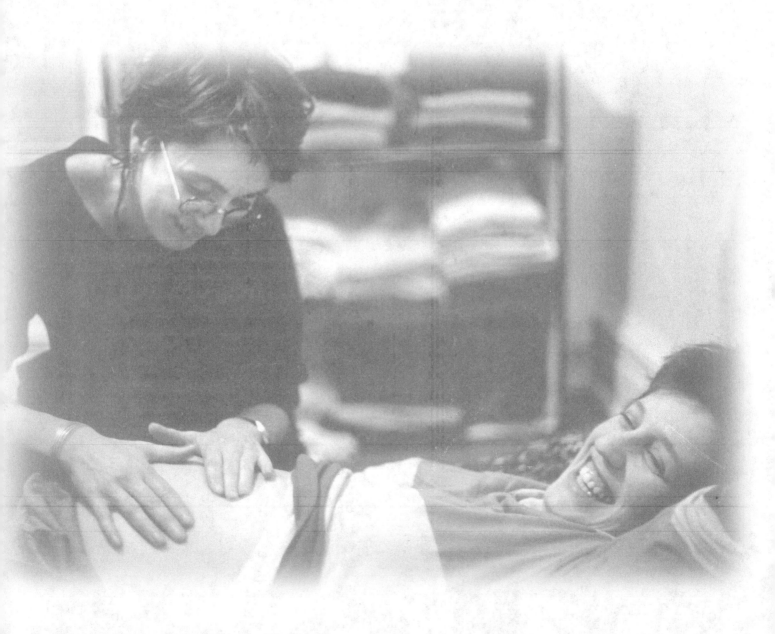

# Quarante semaines?
## je pensais que c'était neuf mois!

Le médecin et la sage-femme ont une façon de calculer le temps de la grossesse qui ne concorde peut-être pas avec la vôtre. Le calcul se fait en semaines, ce qui est beaucoup plus précis qu'en mois, d'autant plus que neuf mois, c'est un chiffre rond! En fait, la grossesse dure neuf mois moins une semaine à partir de la conception, c'est-à-dire 38 semaines. Pourquoi alors parler de 40 semaines? Parce que, et c'est une convention internationale, on compte la gestation depuis le premier jour des dernières règles, même si, manifestement, ce n'est que deux semaines plus tard que bébé a fait son apparition dans sa plus simple forme! En comptant 40 semaines à partir de ce jour, on arrive à la date prévue de l'accouchement. Ce jour n'est qu'une moyenne statistique: 90% des femmes environ accouchent entre deux semaines avant la date prévue et deux semaines après, et seulement 5% le jour même de la date prévue! Il est aussi normal, quoique moins courant, d'accoucher la troisième semaine avant ou la deuxième après! Celles d'entre vous qui ont un cycle régulier de 35 jours, par exemple, ovulent probablement au 21$^e$ jour, plutôt qu'au 14$^e$ comme dans le scénario classique, ce qui retarde la date prévue de sept jours. Conservez cette date révisée à l'esprit, elle est probablement plus proche de la réalité que la date statistique.

L'échographie que vous choisirez peut-être de passer entre la 16$^e$ et la 20$^e$ semaine viendra, elle aussi, prédire une date. Il est reconnu scientifiquement que la date prévue par échographie à cette époque a une précision de plus ou moins une semaine (cette précision diminue considérablement par la suite). C'est-à-dire que si votre date diffère de celle de l'échographie par moins de sept jours, la date prévue est bel et bien la même. La différence ne reflète probablement qu'une variation normale dans les grandeurs et grosseurs des bébés. Une différence plus grande pourrait révéler que la conception a eu lieu plus tôt ou plus tard que présumé et la date prévue devra probablement être révisée.

**Des semaines ou des mois**

Pour calculer le nombre de semaines, partez du premier jour de vos dernières menstruations et calculez les semaines complétées. Voici un petit tableau de concordance approximative:

| | | | | |
|---|---|---|---|---|
| 1 mois | → 4 semaines | | 6 mois | → 27 semaines |
| 2 mois | → 9 semaines | | 7 mois | → 31 semaines |
| 3 mois | → 13 semaines | | 8 mois | → 35 semaines |
| 4 mois | → 18 semaines | | 9 mois | → 40 semaines |
| 5 mois | → 22 semaines | | | |

Dans environ 80% des grossesses, la date calculée avec les dernières règles est exacte.

Cette fameuse date devient importante à la fin de la grossesse quand, par exemple, une femme est «en retard» selon la date de l'échographie et à terme selon sa date menstruelle et qu'il faut discuter des interventions de déclenchement. Souvenez-vous alors des limites de précision de la prédiction échographique. Le déclenchement sera discuté plus loin, dans les interventions médicales.

# Les visites prénatales

Dans l'esprit de la grande majorité des gens, quand on est enceinte, on va chez un médecin! C'est presque une vérité de La Palisse. Mais on peut aussi aller chez une sage-femme. C'est ce que choisissent un nombre grandissant de femmes. Dans la description des visites prénatales, j'emploierai alternativement les termes «médecin» et «sage-femme», que vous adapterez à votre situation.

Les visites prénatales comportent une série de gestes et d'examens que nous allons passer en revue pour bien comprendre ce qu'ils signifient. L'autonomie ne commence pas le jour de l'accouchement alors qu'on veut faire connaître ses demandes; elle commence dès le début de la grossesse. En demandant de l'information claire sur les tests et interventions qu'on vous propose, vous devenez une participante active, capable de décisions éclairées. De plus, bien comprendre l'utilité du suivi prénatal vous rend encore plus apte à prendre part à la prévention des complications: vous êtes celle qui portez cet enfant et vous êtes à même de déceler un changement significatif à ses tout débuts, pendant qu'il est temps d'y remédier.

Une visite prénatale type comporte quelques gestes que vous connaissez sans doute déjà: palper le bébé pour en déterminer la croissance et la position, écouter son cœur, mesurer la hauteur de l'utérus, prendre la tension artérielle, enregistrer votre poids, tester l'urine et, en fin de grossesse, faire un examen vaginal occasionnel.

Vous pouvez vous-même poser plusieurs de ces gestes. C'est une occasion de mieux connaître votre corps, votre anatomie,

**Faire son bilan de santé**

Profitez de votre grossesse pour faire un petit bilan de vos rapports avec la santé, les médecins, les médicaments et traitements. Vous remarquerez peut-être certains liens entre des événements apparemment distincts et des attitudes que vous aurez envie de changer pendant cette grossesse.

• Êtes-vous une patiente informée, coopérative ou passive?

• Y a-t-il des parties de vous qui réclament régulièrement une attention médicale?

• Savez-vous reconnaître les premiers signes d'un problème et y remédier?

• Avez-vous une perception de vous-même comme active et créatrice par rapport à votre santé, ou plutôt «terrassée» par la maladie et «sauvée» par le docteur?

le fonctionnement des organes, muscles et ligaments qui participent à la grossesse et à l'accouchement. Même si vous avez peu de temps à consacrer à cet apprentissage, vous serez surprise de la confiance que vous y gagnerez! Déjà, vous vous sentirez un peu plus responsable, plus partenaire: il s'agit de votre corps, après tout! L'intérêt et le plaisir que vous en retirerez compenseront largement le petit effort que cela vous demandera. Vos observations ne peuvent pas se substituer à celles de la sage-femme ou du médecin: leur expérience et leurs connaissances leur permettent d'interpréter des renseignements qui pourraient vous paraître anodins. Par contre, une observation particulière de votre part peut amener une investigation plus attentive de la leur. Le meilleur des soins prénatals vient justement de cette collaboration! Que vous soyez suivie par une sage-femme ou un médecin, l'examen prénatal comportera les mêmes gestes, à cette différence près que la sage-femme vous accorde beaucoup plus de temps qu'un médecin. Vous pourrez donc la questionner, pratiquer certains gestes avec elle,

comme la palpation du bébé et discuter de vos observations depuis la dernière visite.

## L'histoire de santé

La première visite est principalement consacrée à faire l'histoire de votre santé et celle des membres de votre famille, incluant certains renseignements sur la famille de votre conjoint. Le commun des mortels se demande un peu le rapport entre la haute pression de tante Cécile, les jumeaux de grand-maman Dupont, une salpingite d'il y a dix ans et cette grossesse-ci. Plusieurs maladies et conditions ont des conséquences possibles sur votre grossesse ou ont tendance à se retrouver dans une lignée familiale. Connaître les antécédents personnels et familiaux permet donc d'anticiper certains problèmes, de se prévaloir de certains tests de dépistage particuliers et d'évaluer à leur juste valeur certains signes d'apparence bénins. Ne vous gênez pas pour poser des questions sur les événements qui attireront l'attention de votre sage-femme ou de votre médecin.

## Les battements de cœur du bébé

Les battements du cœur du bébé sont le petit métronome de sa vie et de ses activités: normalement entre 120 et 160 pulsations à la minute. Lorsque le bébé dort, il bat plus lentement, mais dès qu'il bouge un peu, les battements de son cœur accélèrent aussitôt, comme le ferait le vôtre si vous vous mettiez à courir. La variabilité des battements de son cœur selon ses activités nous assurent de sa bonne forme. On peut entendre le cœur autour de la 16e semaine avec un fœtoscope régulier et à partir de la 10e semaine environ avec un fœtoscope à ultrasons, ces petits appareils électroniques manuels qu'on applique sur le ventre après y avoir déposé une gelée un peu bizarre (c'est en fait une gelée conductrice des ultrasons que le petit appareil émet). Puisqu'on ne connaît pas encore l'effet des ultrasons sur les fœtus, vous aimerez peut-être limiter l'usage de ce genre de fœtoscope à ces rares occasions où l'on doit absolument vérifier la présence et la santé du bébé alors que d'autres signes pourraient en faire douter. Autrement, à ce stade de la grossesse, la croissance de l'utérus confirme qu'il y a bien là un petit bébé qui pousse!

On peut entendre le cœur du bébé à l'oreille nue dans les derniers mois de grossesse, parfois même avant, s'il est particulièrement bien placé. Toutefois, puisqu'il est plus petit, il est aussi moins bruyant! «On», cette fois-ci, ne veut pas dire la mère, puisqu'il faut poser la tête sur le ventre, ce qui demanderait une gymnastique assez particulière! Les pères sont souvent très fiers de ce geste dont ils ont le privilège exclusif.

Pour entendre le cœur de votre bébé, retirez-vous dans un endroit tranquille. Déterminez d'abord de quel côté se trouve le dos de votre bébé. C'est à travers son dos qu'on écoutera son cœur, puisque par devant ses bras et ses jambes repliés gêneraient l'écoute. Le père pose sa tête sur le côté du ventre où se trouve le dos du bébé, de façon à ce que son oreille soit à peu près à mi-chemin entre le nombril et le pubis. C'est probablement à cette hauteur que vous entendrez son cœur le plus clairement. Ensuite, il faut se détendre, laisser aller la tête de tout son poids, comme si on s'installait pour y faire un petit somme.

Au début, on n'entend rien ou on entend toutes sortes de bruits: la friction de l'oreille sur la peau, des clapotis d'eau, les boums boums des petits coups de pied, des pulsations sourdes et lentes (celles des vaisseaux sanguins de la mère) et tous les bruits de l'extérieur. Si on reste là quelques instants encore, on risque fort de percevoir finalement un petit battement régulier et lointain, comme s'il y avait une montre sous un oreiller! Quelquefois, il faut se reprendre et déplacer un peu son oreille. Ne vous découragez pas si vous n'entendez rien aux premiers essais. Souvent, le bébé est tout simplement dans une position telle qu'il vous présente ses membres seulement. Quand vous aurez perçu son battement à quelques reprises, ce sera pour vous un jeu d'enfant de le retrouver. Profitez des rencontres avec votre sage-femme pour vous exercer: elle vous aidera à trouver l'endroit le plus propice. Vos enfants plus vieux aimeront ce jeu de cache-cache avec le bébé! Mais attention: le plaisir croît avec l'usage!

## La tension artérielle

Que veulent dire ces fameux chiffres: 110/65, 125/80, etc.? 110 quoi? Sur 65 quoi? Et quel rapport avec la grossesse? La tension artérielle mesure la pression avec laquelle le cœur pompe le sang dans le corps, ainsi que celle qui reste dans les vaisseaux sanguins entre les battements. La mesure vient donc en deux chiffres: celui du haut pour la pression du sang pendant le battement et celui du bas pour la pression dans les vaisseaux sanguins au repos. Elle se calcule en millimètres de mercure, le mercure étant dans l'appareil, évidemment! La tension normale d'une femme enceinte se situe entre 90/50 et 130/80. Au milieu de la grossesse, votre tension peut être légèrement plus basse qu'à l'accoutumée et un peu plus haute que votre normale vers la fin.

On vérifie votre tension artérielle pour dépister l'hypertension chronique, et surtout, dès ses premiers signes, la prééclampsie ou toxémie de grossesse. Il s'agit d'une complication de grossesse dont la cause est encore mal connue. On comprend cependant qu'elle touche de près le fonctionnement du foie et des reins, deux organes extrêmement importants. Les symptômes incluent la présence de protéines dans l'urine, une élévation anormale de la tension artérielle, parfois de l'œdème, et des symptômes plus graves si elle n'était ni dépistée ni contrôlée. Une élévation significative de la tension artérielle au cours de la grossesse, notamment après la 28e semaine, ainsi que l'apparition de protéines dans l'urine,

pourraient être les premiers signes de prééclampsie. Si elle n'est pas traitée, des séquelles importantes pourraient affecter la mère et son bébé, d'où l'importance d'un dépistage minutieux. Le repos complet serait probablement la première mesure corrective suggérée pour tenter de contrôler l'élévation de la tension artérielle. D'autres mesures pourraient être apportées si la condition s'aggrave, allant jusqu'à provoquer la naissance, ce qui est à ce jour la seule méthode connue pour arrêter le processus de prééclampsie.

*Christiane montrait, depuis quelque temps déjà, une légère tendance à l'hypertension. On a donc discuté de repos et de sa façon de se détendre. Christiane voulait l'améliorer un peu, n'y ayant jamais vraiment pensé. Un mois plus tard, la tendance était encore à l'augmentation! Assez pour qu'il soit question de traitement sinon d'hospitalisation. Le mot était lâché: il fallait arrêter de travailler et se reposer vraiment! La première fin de semaine ne fut pas facile: passer sa journée couchée (sur le côté gauche, le plus souvent) quand on a l'habitude de trotter et qu'on ne se sent pas malade, c'est dur. On a fait une collecte de disques et cassettes de musique de*

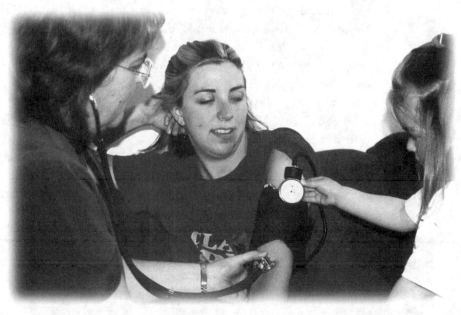

*relaxation, fermé la télé, et Christiane s'est concentrée sur son besoin de détente. Deux jours plus tard, elle qui ne s'était pas encore sentie fatiguée, même à cinq semaines de sa date d'accouchement, se rendait compte tout d'un coup de l'immensité de cette fatigue. Il avait fallu qu'elle commence à se reposer un peu pour commencer à la ressentir. Avant, elle fonctionnait... sur l'élan! Ce repos, cette retraite en elle-même ont réussi à stabiliser sa tension jusqu'à la fin de sa grossesse, si bien qu'elle a pu vivre son accouchement sans s'en préoccuper.*

## Le test d'urine

Ce test consiste à plonger dans un peu d'urine un bâtonnet où sont collés des petits carrés de buvards. En comparant les couleurs de ces carrés avec des carrés-témoins, on peut déceler la présence de protéines ou de glucose dans l'urine. Vous pouvez aisément faire ce test vous-même chez votre médecin ou votre sage-femme: il suffit de comparer des couleurs. On utilise soit de l'urine fraîche, soit celle du matin, plus concentrée... mais embêtante à transporter! Les protéines, si nécessaires au bon développement de votre bébé, ne devraient pas se retrouver dans l'urine: leur présence trahit un mauvais fonctionnement des reins, comme dans la prééclampsie. Cependant, il est très normal de trouver occasionnellement des «traces» de protéines, c'est-à-dire juste assez pour savoir qu'il y en a, pas assez pour en déterminer la quantité. Le glucose dans l'urine, quant à lui, pourrait signifier qu'il y en a en excès dans votre sang, ce qui mérite investigation. Dans les deux cas, si la présence est importante et persistante (une seule lecture n'est pas assez en l'absence de tout autre signe), des tests plus poussés vous seront prescrits pour dépister d'éventuels problèmes.

## Le poids de la mère

Le poids! Le fameux poids! Il se fait souvent plus d'échanges verbaux entre un médecin et sa cliente au sujet de son poids (à elle, pas à lui!) que sur n'importe quel autre sujet. Cela reflète plus l'obsession qu'entretient notre culture au sujet de la minceur qu'une préoccupation d'ordre strictement médical. Les femmes enceintes prennent du poids, c'est clair! D'ailleurs, je n'aime pas entendre dire: «J'ai engraissé». Ce n'est pas de la graisse, c'est du bébé! Les femmes en santé qui ont des bébés en santé prennent de onze à seize kilos pendant leur grossesse et peuvent facilement en prendre dix-huit, sinon vingt-deux sans problème. Il n'y a pas de corrélation entre la prise de poids totale et le développement de complications de grossesse. La question n'est pas tant la prise de poids elle-même que la qualité de la nourriture que vous mangez. Seize kilos de gâteaux, de boissons sucrées, de patates frites et autres ne donnent pas des bébés en santé (ni des mères d'ailleurs!). Regardez votre assiette plutôt que votre balance! Le poids gagné se perdra facilement par la suite, s'il résulte d'une bonne alimentation.

Une femme enceinte bien nourrie prend du poids graduellement pendant sa grossesse. Certaines maigrissent en tout début, parfois à cause des nausées qui coupent l'appétit, ou gagnent plusieurs kilos rapidement alors que d'autres prennent du poids par petits coups. Un gain subit de plusieurs kilos en quelques jours ou semaines pourrait être causé par de l'œdème, c'est-à-dire une rétention d'eau qui mériterait d'être signalée à votre médecin ou à votre sage-femme. Ils pourront vérifier la présence d'autres signes problématiques si c'est le cas, sinon essayer de voir avec vous si vous devez ajuster votre alimentation pour mieux répondre à vos besoins. Nulle n'est tenue de prendre du poids selon un calendrier restrictif. Ne laissez personne vous culpabiliser avec votre poids: le stress est bien plus dommageable pour la santé qu'une courbe de poids qui refuse de suivre celle du livre!

Les femmes qui débutent leur grossesse en deçà de leur poids-santé ont parfois tendance à prendre plusieurs kilos dès le début, comme si leur corps se décidait à prendre les réserves dont il se passe habituellement. À l'inverse, les femmes qui commencent leur grossesse avec un surpoids n'en prennent parfois que très lentement. L'un et l'autre sont tout à fait souhaitables, si elles mangent bien.

## La hauteur de l'utérus

Un fœtus en santé grandit tout au long de la grossesse. L'observation de cette croissance nous renseigne donc sur sa bonne forme. En mesurant la hauteur de l'utérus, on se trouve à mesurer indirectement votre bébé, puisque c'est lui, en grandissant, qui étire sa maison! La sage-femme ou le médecin prendra donc cette mesure en partant du sommet de l'os du pubis jusqu'au sommet de l'utérus, c'est-à-dire jusqu'à la courbe en haut du ventre. Vous pouvez sans peine prendre cette mesure vous-même, avec un simple galon à mesurer. Les mesures peuvent varier quelque peu d'une personne à l'autre, parce que chacun a sa façon d'arrondir avec la main le haut de l'utérus et d'appuyer plus ou moins profondément.

On ne se fie vraiment à cette mesure en centimètres qu'à partir de la 20ᵉ semaine de grossesse. À ce moment, le haut de l'utérus est à peu près vis-à-vis du nombril de la mère. L'utérus grandit d'environ un centimètre par semaine jusque vers la 36ᵉ semaine. Pendant les dernières semaines, le bébé grandit encore (il prend environ un kilo dans le dernier mois), mais il descend aussi dans le bassin, en dessous de l'os du pubis d'où part la mesure. Ce qui veut dire qu'on ne le mesure plus dans son entier. Il ne faut donc pas s'étonner que le rythme de croissance de la hauteur utérine semble s'arrêter ou ralentir à partir du moment où bébé s'engage dans le bassin. Avant de s'inquiéter d'une mesure qui semble stagner, on peut vérifier si cela ne correspond pas tout simplement à la descente du bébé dans le bassin.

On s'inquiète beaucoup, et à raison, des bébés qui ont un petit poids à la naissance, c'est-à-dire moins de 2,5 kilogrammes. C'est parmi eux qu'on retrouve le plus de mortalité, de bébés malades ou qui ont besoin de soins très spéciaux. La moitié de ces bébés sont nés prématurément, c'est-à-dire avant la 37ᵉ semaine de grossesse. L'autre moitié de ces bébés naissent à terme, mais sans avoir le minimum de poids qu'il aurait été normal de prendre. On les appelle, en jargon médical, «petits pour le temps de gestation» ou PTG. Le bébé à terme qui pèse moins de 2,5 kilogrammes révèle la plupart du temps qu'il a manqué de nourriture pendant la grossesse, soit dans les dernières semaines, ou parfois tout au long de la grossesse, sans que les causes de cette insuffisance placentaire ne soient toujours connues.

C'est, entre autres, pour dépister ces bébés plus fragiles qu'on mesure soigneusement la hauteur de l'utérus tout au long de la grossesse. Habituellement, l'utérus mesure quelques centimètres de moins que le nombre de semaines de grossesse. Par exemple, à 28 semaines, on s'attend à ce que la hauteur utérine soit de 25 à 28 centimètres environ; à 34 semaines, qu'elle soit de 31 à 34 centimètres. La mesure elle-même (à moins d'un extrême, évidemment) compte moins que la progression continue d'un mois ou d'une semaine à l'autre. Une mesure qui progresse régulièrement annonce tout probablement un bébé qui grandit bien. Il peut sembler parfois n'y avoir aucun progrès pendant deux ou trois semaines, même quand le bébé n'est pas encore engagé, seulement parce que le bébé a une façon de se placer qui camoufle sa grandeur réelle. À ce moment-là, on se rassure en le palpant bien, en observant la prise de poids de sa mère et en surveillant sa croissance d'un peu plus près. Les centimètres «manquants» devraient réapparaître bientôt. Sinon, une échographie pourrait permettre de vérifier s'il y a problème.

À l'inverse, la mesure est parfois de un ou deux centimètres plus élevée, ce qui se rajuste souvent au cours des mois suivants. Une mesure de quatre ou cinq centimètres de plus que prévu, enregistrée deux fois à quelque temps d'intervalle, demande qu'on vérifie avec soin les dates des dernières menstruations (on pourrait être enceinte d'un mois de plus qu'on pensait) et qu'on s'assure qu'il ne s'agit pas d'une augmentation anormale du liquide amniotique (un problème peu commun) ou encore... de jumeaux!

## La position du bébé

Dans le dernier trimestre de la grossesse, on peut déterminer la position de votre bébé et apprécier sa croissance par quelques mouvements et pressions sur votre ventre. Avant la 32e semaine de grossesse, le bébé change souvent de position, bien que quelques-uns semblent affectionner un petit coin plus particulièrement et s'y tenir la plupart du temps. Vers la 32e semaine (ou quelques semaines avant ou après), le bébé se place la tête en bas. La raison en est bien simple: peu à peu, sa tête est devenue la partie la plus lourde de son corps et c'est vraiment en bas qu'il est plus commode d'aller la déposer! À partir de ce moment, il est fort probable qu'elle y reste, bien que son dos pivotera sans doute occasionnellement de gauche à droite, histoire de se changer un peu les idées.

Comment palper votre bébé? Installez-vous confortablement, étendue, la tête et les épaules soutenues par des oreillers. Prenez quelques secondes pour vous détendre, la palpation n'en sera que plus facile. Sachez que vous pouvez probablement vous permettre de le toucher plus fermement que vous ne le pensez. Il est bien protégé par votre peau, une couche de graisse plus ou moins garnie, vos muscles abdominaux, l'épaisseur de la paroi de l'utérus et le liquide amniotique. Vous vous feriez sans doute mal avant de le blesser!

Jusque vers le milieu de la grossesse, c'est en pressant vos doigts ensemble sur votre ventre que vous reconnaîtrez la présence de votre bébé: vous sentirez sa masse, d'un côté ou de l'autre, alors qu'ailleurs, vous ne rencontrerez pas la même résistance. Parfois, vous sentirez une

**Que faire si votre bébé reste en siège?**

À 32 semaines, environ 85% des bébés se présentent la tête en bas. À terme, la proportion est de 97%. C'est donc que plusieurs d'entre eux prennent un certain temps à s'y décider. Il est impossible de deviner à l'avance lequel se tournera finalement et lequel restera en siège. Voici des moyens pour tenter de le persuader de faire la culbute, s'il tardait à la faire!

Certaines postures semblent favoriser le déplacement du bébé vers une meilleure présentation. Vous pouvez les commencer dès la 33e semaine et les poursuivre sans crainte jusqu'à la fin ou jusqu'au changement souhaité.

Le but de ces exercices est d'empêcher votre bébé d'engager ses fesses dans votre bassin, ce qui rendrait sa culbute beaucoup moins probable. Si vous soupçonnez qu'il a tourné, soit que vous l'ayez senti ou que ses coups de pieds se font sentir en haut plutôt qu'en bas, faites vérifier sa position avant de continuer l'exercice. Lorsqu'il aura la tête en bas, vous l'encouragerez à s'engager dans votre bassin pour assurer sa position en prenant de grandes marches ou en adoptant une position accroupie à quelques reprises dans la journée. Si rien ne semble bouger, n'oubliez pas de faire confiance à votre bébé. Peut-être a-t-il une bonne raison de rester dans cette position. Encouragez-le, invitez-le, facilitez-lui la tâche, oui, mais sans vous acharner!

Pour des raisons évidentes, ces exercices doivent se faire avant de manger. Faites celui des deux qui vous est le moins inconfortable!

- Couchez-vous sur une surface ferme et mettez deux ou trois oreillers sous vos fesses. Vos hanches devraient être de quinze à vingt centimètres plus élevées que vos épaules. Restez dans cette position une quinzaine de minutes et répétez l'exercice au moins deux fois par jour.

- Mettez-vous à genoux, sur votre lit, par exemple, avec les épaules sur le matelas et les fesses en l'air, comme certains enfants se placent parfois pour dormir.

petite rondeur plus dure que le reste, avec cette particularité de revenir vers la surface quand on l'a pressée vers le fond, comme le ferait un glaçon dans un verre d'eau: c'est sa tête. Ne soyez pas surprise par ses dimensions, c'est, dès le début, la plus grosse partie de son corps. À 20-22 semaines de grossesse, elle a facilement la grosseur d'une mandarine! À cette même époque, le sommet de l'utérus, appelé le fond utérin ou *fundus* (toujours ces noms latins!) est à peu près au niveau du nombril. On peut assez facilement cerner le contour de l'utérus: il est de texture plus ferme que son environ-nement. En plaçant votre main au travers du ventre et en pressant légèrement, vous sentirez la courbe que décrit son sommet.

À partir de la 28e ou 30e semaine, votre bébé a probablement adopté une position verticale qu'il ne quittera plus. Pour trouver où est son dos, placez vos mains à plat de chaque côté de votre ventre, les paumes se faisant face, en quelque sorte. Pressez fermement vers le centre, une main, puis l'autre. Après plusieurs essais, vous sentirez probablement que l'un des côtés est plein, massif, alors que l'autre donne l'impression d'être vide ou rempli de bosses. Son dos est du côté plein. De l'autre, vous avez les bras, les jambes et les petits coups de pied! Un peu au-dessus de votre pubis, vous pourrez sentir sa tête, en plongeant vos doigts vers l'intérieur. Cela peut être un peu inconfortable pour vous: c'est la vessie qui proteste! En haut, les fesses sont fermes, mais sans la rondeur et la dureté caractéristiques de la tête. Pour faire le même examen, votre conjoint devrait s'asseoir à côté de vous, les mains pointant vers votre tête pour trouver le dos, et vers vos pieds pour sentir la tête.

### La version externe

Depuis quelques années, on est revenu avec de nouvelles précautions et de nouveaux outils à une manœuvre ancienne qui consiste à faire pivoter le bébé manuellement à travers la paroi du ventre de sa mère. La version externe, comme elle se nomme, diminue de 80% le nombre de bébés en siège au moment de la naissance, et réduit conséquemment les césariennes de 48%, un avantage manifeste[1]. Plusieurs médecins offrent maintenant ce service, mais pas avant la 37e semaine, pour diminuer les risques infimes, mais possibles, d'un accouchement prématuré provoqué par la manœuvre elle-même. Il est possible de faire plusieurs tentatives à quelques jours d'intervalle. Vous pouvez continuer à faire les exercices posturaux entre les tentatives et jusqu'à l'accouchement, si votre bébé fait partie de ceux qui ont l'air de tenir à leur position!

Le médecin commencera d'abord par bien évaluer votre condition, puis la position de votre bébé avec une échographie, et fera un suivi de ses battements cardiaques avant et après la manœuvre pour s'assurer qu'il tolère bien cette culbute surprise. On emploie parfois une médication intraveineuse pour relâcher l'utérus pendant la version, ce qui la facilite. Il existe des contre-indications à la version externe, comme l'hypertension, le fait qu'il y ait peu de liquide amniotique, ou la présence de jumeaux. Discutez avec votre médecin ou votre sage-femme de l'accessibilité à une version externe dans un hôpital de votre région, de ses risques, bénéfices et conditions préalables. Le succès et la sécurité de la version externe dépendant aussi de l'expérience du médecin qui la tentera, assurez-vous que l'équipe qui vous recevra a l'habitude d'en faire. N'hésitez pas à aller dans un autre hôpital que celui où vous devez accoucher s'il n'offre pas ce service.

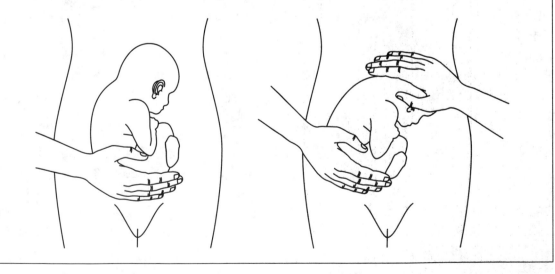

## L'examen vaginal

### EN DÉBUT DE GROSSESSE

À l'une des premières visites de la grossesse, votre sage-femme ou votre médecin fera un examen vaginal complet: certains signes visibles, comme la couleur du col, ou sensibles, comme la grosseur et la texture du col et de l'utérus, viendront confirmer la grossesse. Ils pourront aussi se faire une idée de l'âge de la grossesse: la taille de l'utérus change d'une semaine à l'autre et la différence est perceptible à ce moment-là, alors que plus tard elle variera selon les différences individuelles. Si vous n'avez pas eu d'examen gynécologique récemment, ils pourront faire une cytologie (un examen de dépistage du cancer du col aussi appelé le test PAP, du nom de son inventeur, le Dr Papanicolaou) et le dépistage de maladies transmises sexuellement (chlamydia, gonorrhée), si nécessaire. À moins de raison médicale particulière, il n'y a pas de raison de refaire un examen vaginal jusqu'aux derniers mois de la grossesse.

### EN FIN DE GROSSESSE

Dans les derniers mois, l'examen vaginal fera occasionnellement partie de la visite prénatale, pour observer la descente du bébé, la texture, l'effacement et la dilatation du col. Jusque-là, le col est resté bien clos et ferme pour protéger la maturation du bébé. Les hormones de fin de grossesse accomplissent maintenant un travail invisible et la plupart du temps indolore pour préparer le corps au déclenchement spontané de l'accouchement. Le col s'amollit, s'efface, c'est-à-dire qu'il perd peu à peu de son épaisseur, pour bientôt se fondre complètement dans le corps de l'utérus et il commence à s'entrouvrir. Le vagin devient plus souple, plus extensible et produit plus de mucus. La présence de quelques gouttes de sang dans ce mucus (qui s'appelle alors le bouchon muqueux) laisse supposer que le col est suffisamment stimulé, «bousculé», pour que de petits vaisseaux capillaires se soient brisés. Vous pouvez faire cet examen vous-même, quoique la plupart des femmes y arrive difficilement en fin de grossesse, mais ce n'est pas impossible! Votre sage-femme pourra vous guider ou guider votre conjoint dans l'apprentissage de cet examen.

Dans les dernières semaines, le bébé commence tout doucement à s'engager dans votre bassin. Vous entendrez sûrement les commentaires de votre entourage à ce sujet: chacun aime à y aller de son coup d'œil expert, prêt à prédire l'arrivée du bébé selon la forme du ventre. Peu de bébés descendent d'un coup, donnant ainsi à tous l'occasion de mesurer visuellement le progrès accompli. Le processus est le plus souvent graduel, surtout pour celles qui attendent leur premier bébé. C'est dans le bassin, là où la tête du bébé s'enfonce peu à peu, qu'on peut véritablement observer sa descente, plus qu'en haut! Les observations faites pendant l'examen vaginal permettent donc de suivre ce déroulement progressif, mais on ne peut que rarement en tirer des conclusions sûres quant au temps qui reste avant d'accoucher: chez certaines femmes, le travail se fait rapidement à plusieurs semaines du terme et reste stationnaire en attendant que le bébé soit prêt. D'autres prennent tout le monde par surprise! C'est toujours un bon signe quand le bébé s'engage une ou deux semaines avant son terme, mais il arrive assez souvent qu'il ne le soit pas du tout et cela ne doit pas vous inquiéter: quelques heures de bonnes contractions devraient le convaincre de la direction à prendre pour sortir!

Pour certaines femmes, l'examen vaginal est le moment désagréable de la visite, surtout s'il inclut l'utilisation d'un spéculum. Ce n'est pas étonnant! La position qu'on doit adopter justifie à elle seule le sentiment de vulnérabilité sinon d'humiliation qui l'accompagne parfois. On a un jour demandé à des étudiants en médecine, majoritairement des hommes, de s'installer eux-mêmes sur la table d'examen, les pieds dans les étriers, pour se faire une idée de l'état dans lequel pouvaient se trouver les patientes qu'ils auraient à examiner. La réaction a été unanime: inconfort extrême, gêne, sensation d'être exposé sans défense... et ils étaient tout habillés! Pour pallier à cette réaction commune, les centres de santé de

femmes ont modifié l'installation et le déroulement des examens vaginaux pour que les femmes s'y sentent plus confortables et plus entières, pas seulement un vagin sous observation!

Enceinte, on sera appelé à vous faire un certain nombre de ces examens: il peut valoir la peine de les rendre plus agréables. Vous pourriez demander, par exemple, d'être semi-assise plutôt que couchée, que l'examen soit fait avec vos pieds à plat sur la table plutôt que dans des étriers, avec un coussin de chaque côté, pour appuyer vos jambes, ou encore que les étriers soient recouverts d'un tissu quelconque pour qu'ils ne soient pas glacés. S'il s'agit d'un examen avec un spéculum, vous pouvez demander à l'insérer vous-même: c'est très simple et cela peut faire toute la différence! Un spéculum de métal peut être passé quelques instants à l'eau chaude pour le réchauffer à la température du corps. Vous

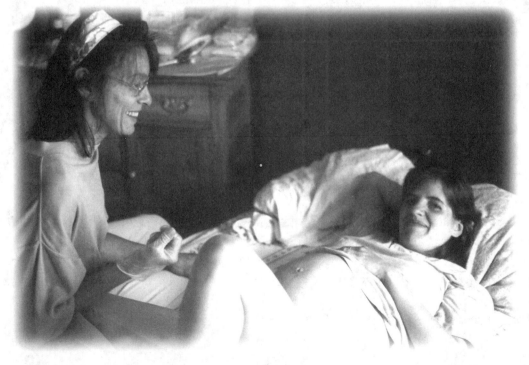

pourriez demander un miroir pour voir votre col, une expérience qui émerveille la plupart des femmes, surtout si vous pensez que cette ouverture qui a l'allure d'un point devra s'ouvrir pour laisser passer votre bébé! On devrait vous expliquer les gestes et les tests qui sont faits. Chez votre sage-femme, l'examen de fin de grossesse sera probablement fait simplement sur un lit, avec le soutien de coussins.

# La préparation du périnée

D'abord, situons le périnée! Voilà un petit bout de nous-même dont la plupart des femmes connaissent vaguement l'existence, mais qu'elles pourraient difficilement localiser avec précision... avant d'être enceinte, en tout cas! C'est, en fait, une sorte de ceinture musculaire en forme de huit, composée de plusieurs couches de muscles en profondeur qui encerclent le vagin, l'urètre et l'anus. Ce sont ces muscles qui travaillent quand on arrête le jet d'urine ou encore quand on serre le pénis de son conjoint pendant la pénétration. Même si ce sont des muscles volontaires, plusieurs femmes n'ont jamais appris à s'en servir. La préparation du périnée devrait donc nous permettre de repérer ces muscles, d'abord, et d'apprendre autant à les tonifier qu'à les détendre.

Pour les tonifier, commencez par serrer ces muscles suffisamment, pendant que vous urinez, pour interrompre le jet d'urine: on n'y arrive pas toujours, mais vous devriez au moins sentir que vous le ralentissez. Soyez attentives de ne pas serrer aussi vos muscles abdominaux, vos fesses, vos cuisses, une sorte de réflexe de coopération du corps, quand il sent que le principal intéressé n'a pas la force qu'il faut! Quand vous aurez bien identifié les muscles du périnée, arrêtez de les contracter pendant que vous urinez: cela pourrait empêcher votre vessie de bien se vider. Plusieurs fois par jour, rassemblez les fibres du périnée et tenez les serrées de cinq à dix secondes. Répétez à quelques reprises, jusqu'à la prochaine fois que vous y penserez.

Le massage du périnée est une méthode qu'ont d'abord préconisée les sages-femmes puis plusieurs médecins pour prévenir les déchirures à l'accouchement. Certaines femmes ont apprécié la découverte de cette partie moins connue de leur corps et le sentiment de maîtrise qui en a découlé. Pour d'autres, l'exercice lui-même causait plus de gêne et d'inconfort que de satisfaction. Dans mon expérience, le nombre de femmes impliquées ne me permet pas de tirer des conclusions statistiquement valables quant à sa réelle capacité d'éviter les déchirures. À ce jour, les recherches qui se sont intéressées à mesurer l'efficacité du massage du périnée n'ont pas de résultats probants, dans un sens ou dans l'autre. L'une des plus récentes recherches semble dire qu'elle réduit légèrement le nombre de déchirures chez les femmes accouchant de leur premier bébé, mais pas chez les autres[2]. Dans cette étude, seules les femmes qui s'engageaient à faire des exercices postnatals du périnée se voyaient expliquer le massage, sinon on craignait qu'elles aient ensuite des problèmes d'incontinence. Alors allez-y comme bon vous semble: s'il s'avère un outil de connaissance de soi, tant mieux, sinon, n'allez pas croire que votre périnée ne saura pas s'adapter à ce qui lui sera demandé: il a été conçu pour pouvoir s'étirer le moment venu.

Avant de commencer ce massage, il est important de se rappeler que, bien avant d'être un passage pour votre bébé, votre vagin est un organe de sexualité, d'affectivité. Tout comme le reste de votre corps, et probablement plus encore, il reste imprégné de ses expériences, bonnes ou moins bonnes. C'est en douceur, en respectant les émotions qui s'y cachent peut-être, que vous apprendrez à mieux le connaître.

Installez-vous confortablement dans un environnement familier et intime où vous ne serez pas dérangée. Vous pouvez faire le massage vous-même, en utilisant un pouce, soit semi-assise, soit debout avec un pied surélevé, dans la position que vous prendriez pour introduire un tampon. En fin de grossesse, le volume du ventre rend la manœuvre moins confortable, voire impossible pour certaines. Votre conjoint peut le faire pour vous, mais seulement si vous êtes à l'aise tous les deux, sinon le massage perd tout son sens! Ajustez les consignes qui suivent selon la personne qui fera le massage. Votre conjoint n'a pas d'autres préparatifs à faire que d'avoir les mains propres, mais certains aiment utiliser un peu d'huile d'amande douce, de gelée lubrifiante ou autre. Il introduit deux doigts dans le vagin, jusqu'à la deuxième jointure environ, et attend quelques instants pour vous permettre de vous ajuster à leur présence. Ensuite, en synchronisant ses mouvements avec votre respiration, il exerce une pression douce mais ferme sur le rebord du vagin, en allant vers le bas, pendant que vous expirez. Il doit presser jusqu'à l'endroit précis où cela devient inconfortable pour vous. Votre travail consiste alors à vivre cette sensation, à reconnaître la résistance du muscle probablement surpris par cette demande exceptionnelle et à apprendre à le laisser s'étirer au-delà de vos limites habituelles. C'est un travail très intérieur: «Oui», direz-vous à votre vagin, «tu peux t'ouvrir, tu as ma permission, c'est correct, c'est bon». Au bout de quelques essais, vous verrez que ce qui était inconfortable au début l'est moins et que vous pouvez aller plus loin.

De temps à autre, votre conjoint variera la position des doigts: de parallèle au lit, ils seront maintenant presque perpendiculaires. Il ne s'agit plus de presser vers le bas, mais de tirer vers l'extérieur. Ce geste suscite une sensation très particulière, même désagréable: en effet, les doigts se trouvent à appuyer sur l'anus, de l'intérieur, à travers la paroi vaginale, comme le ferait, par exemple, une selle. Le premier réflexe des muscles est évidemment de se contracter pour éviter un accident, parce que vos muscles ne savent pas, eux, que la sensation provient d'une autre source. Il vous revient alors d'apprivoiser une autre réponse que la réaction habituelle de rétention.

Le massage du périnée est une incursion dans une région de notre corps qui reçoit habituellement peu d'attention de notre part, en dehors des relations sexuelles ou des soins d'hygiène. C'est important de se sentir à l'aise avec soi-même, de sentir qu'on habite tout son corps. À l'accouchement, plusieurs facteurs décideront s'il y aura déchirure ou pas et la plupart d'entre eux sont hors de votre contrôle. Si la situation s'y prête, vous pourrez peut-être adoucir vos poussées spontanées et choisir une position favorable. Peu importe l'issue, le temps et l'attention que vous aurez mis pour apprivoiser, détendre et tonifier cette partie de vous-même ne seront pas perdus.

Après l'accouchement, il vous sera plus facile d'exercer ces muscles pour retrouver et garder un bon tonus vaginal, et vous en serez plus maîtresse, pendant les relations sexuelles, entre autres. De nombreuses femmes ont noté une amélioration de leur capacité orgasmique après avoir appris à se servir de ces muscles.

# Les tests et examens prénatals

Le suivi de la grossesse inclut certains tests pour évaluer votre état de santé dans ses composantes moins visibles. Il y a quelques années, on allait une ou deux fois à l'hôpital pour une prise de sang. Aujourd'hui, les femmes enceintes, même en parfaite santé, se voient offrir de plus en plus de tests de routine.

Certains tests font partie intégrante d'un suivi prénatal, d'autres ont des indications précises. Cependant, la tendance est nettement à la généralisation de plusieurs d'entre eux, comme l'échographie et le test de tolérance au glucose, même en l'absence de condition médicale pour les justifier. Mieux connaître les tests prénatals vous aidera à en comprendre les résultats et à ne choisir que ceux qui conviennent vraiment à votre condition et à vos désirs.

## En début de grossesse

Bien qu'il y ait des tests incontournables à certains moments de la grossesse, tous les médecins et toutes les sages-femmes ne font pas les mêmes au même moment. Ne vous en étonnez pas: certains, tout en étant utiles, ne sont pas essentiels, certains sont faits de routine, d'autres, à la discrétion du professionnel ou selon votre situation. Demandez à connaître les tests que vous passez: ils vous concernent directement, après tout!

### LA CULTURE D'URINE

Elle sert à dépister les infections urinaires. Celles-ci sont relativement plus fréquentes pendant la grossesse qu'en d'autres temps. Cela est principalement causé par les changements hormonaux qui ralentissent le passage de l'urine dans les uretères (les petits conduits entre les reins et la vessie) et laissent donc aux bactéries le loisir d'y proliférer. Les symptômes possibles comprennent: une douleur locale au moment d'uriner, le fait d'uriner très fréquemment, de la fièvre, des douleurs dans le dos, à la hauteur des reins (c'est-à-dire au-dessus de la taille), des douleurs abdominales et parfois même des vomissements et des nausées. Chez environ 5% des femmes, cependant, l'infection est totalement asymptomatique et la culture d'urine demeure le seul moyen de la dépister. Les infections urinaires non traitées peuvent atteindre les reins, ce qui entraîne des problèmes graves pour la mère et son bébé. Elles peuvent aussi être un facteur dans l'accouchement prématuré. Le traitement consiste à prendre des antibiotiques compatibles avec la grossesse. Certains praticiens font la culture plus tard dans la grossesse, et à n'importe quel moment si vous vous plaignez de symptômes.

### LES PRÉLÈVEMENTS VAGINAUX

Lors de votre première visite, votre sage-femme ou médecin vous proposera un dépistage des maladies transmises sexuellement, telles la gonorrhée et la chlamydia. Vous pourrez décider s'il s'avère nécessaire dans votre cas. Ces maladies ne présentent souvent aucun symptôme qui vous permettrait de deviner leur présence, et gagnent évidemment à être traitées. Il pourrait aussi dépister le trichomonase et le *candida albicans*, responsable de ce qu'on appelle

## Se soigner par les médecines douces

Certaines femmes, familières avec les médecines douces, choisissent d'y recourir pour traiter différentes conditions anormales pendant la grossesse. Plusieurs de ces méthodes ont fait leur preuve. Les herbes, par exemple, peuvent être de précieuses alliées dans notre processus de guérison. Depuis des milliers d'années, des femmes et des hommes se transmettent cette connaissance des herbes et des bienfaits qu'elles peuvent nous apporter. N'utilisez des herbes ou d'autres moyens pour vous aider à guérir que si vous avez un accès direct à cette connaissance ou à des gens qui en ont une longue expérience. Pendant la grossesse, certaines herbes ou traitements pourraient être nocifs ou trop puissants pour vous ou votre bébé. Si vous choisissez cette voie, informez-en votre médecin ou votre sage-femme et demandez à vérifier l'efficacité de votre traitement. Dans le cas d'une infection urinaire, par exemple, une nouvelle culture d'urine, après le traitement naturel, confirmera la disparition des bactéries indésirables, s'il a bien fonctionné. Sinon, vous pourriez avoir à recourir aux moyens médicaux conventionnels.

(*voir Plantes contre-indiquées pendant la grossesse, page 47*)

familièrement «une infection à champignons», ou vaginite. Les hormones de grossesse changent l'acidité du milieu vaginal, ce qui favorise la multiplication du *candida albicans*. Il se pourrait donc que vous n'arriviez pas à vous en débarrasser complètement pendant votre grossesse, mais seulement à la tenir en respect.

### LES ANALYSES DE SANG

On fait plusieurs tests à partir du sang, d'où la nécessité d'en prendre plusieurs tubes, ce qui, rassurez-vous, ne représente encore qu'une infime partie de notre volume total. On vérifie entre autres: le taux d'hémoglobine, d'hématocrite et le nombre de plaquettes et de globules blancs, la présence d'anticorps à la rubéole, à l'hépatite B et à la syphilis, le groupe sanguin, le facteur rhésus et la présence d'anticorps Rh. Au Québec, on offre à chaque femme enceinte la possibilité d'être testée pour la présence d'anticorps au VIH, le virus responsable du sida, mais en aucun cas ce test ne devrait être fait à votre insu ou contre votre gré.

### • L'immunité à la rubéole

La rubéole est une maladie contagieuse de l'enfance, assez bénigne et qui passe souvent inaperçue, mais qui prend une tout autre proportion si on la contracte dans les trois premiers mois de grossesse. Il y a alors des risques que le fœtus soit atteint de surdité, d'anomalies aux yeux, au cœur, ou de retard physique ou mental. D'où l'importance de s'assurer de la présence des anticorps à la rubéole qui vous en protégeraient. Si vous avez déjà eu la rubéole, votre immunité est permanente. Si elle résulte d'un vaccin, elle diminuera graduellement, et le taux d'anticorps mesuré lors de ce test permettra de dire si vous êtes encore considérée comme étant immunisée. Si vous n'avez pas d'anticorps, soyez extrêmement prudente dans vos fréquentations pendant les trois premiers mois de grossesse, et même après: les risques diminuent mais sont encore présents! Après votre accouchement, vous pourriez décider de recourir à la vaccination pour protéger une prochaine grossesse éventuelle.

• **L'immunité à l'hépatite B et à la syphilis**

Il s'agit de vérifier si vous avez été en contact avec l'une ou l'autre de ces maladies et si vous êtes possiblement infectée. Selon la situation, il faudrait alors user de mesures pour prévenir la transmission au bébé ou traiter l'infection.

• **Le groupe sanguin et le facteur rhésus**

Notre sang est de type A, B, AB ou O. Connaître le groupe sanguin permet de prévenir certains problèmes reliés à des incompatibilités, votre bébé pouvant avoir un groupe sanguin différent du vôtre. Lors d'une éventuelle et rarissime transfusion sanguine, on reprendrait ce test pour connaître avec précision quel type de sang utiliser. Le facteur rhésus, quant à lui, est un antigène présent dans les globules rouges. Une proportion de 15% des femmes sont Rh-, ce qui veut dire qu'elles n'ont *pas* de facteur Rh dans leur sang. Si le père est Rh+, le bébé pourrait l'être aussi. Même si normalement le sang de la mère et du bébé ne se mélangent jamais, il existe des situations où une femme pourrait accidentellement recevoir du sang de son bébé. Par exemple, une petite surface du placenta pourrait se détacher légèrement pendant la grossesse et un peu de sang du bébé pourrait pénétrer dans la circulation de sa mère. Cela initierait la formation d'anticorps s'il était Rh+ et elle Rh-. À la naissance, quand le placenta se détache de la paroi de l'utérus, le même phénomène pourrait se produire ainsi que pendant une fausse couche ou un avortement.

Si une femme Rh- reçoit du sang Rh+, elle fabrique automatiquement des anticorps pour détruire cette substance étrangère.

L'ennui, c'est que si elle venait à porter un enfant Rh+, lors d'une prochaine grossesse, ces mêmes anticorps franchiraient le placenta pour se retrouver dans la circulation du bébé où ils feraient des ravages. En effet, leur fonction étant de détruire les facteurs Rhésus qu'ils rencontrent, ils détruiraient les globules rouges du fœtus. Le degré de risque varie selon la quantité d'anticorps en circulation. Cela pourrait causer une jaunisse grave et précoce (à ne pas confondre avec la jaunisse physiologique du nouveau-né), une anémie grave chez le bébé (il n'y a plus assez de globules rouges capables de transporter de l'oxygène) et parfois même la mort, une éventualité rarissime maintenant que toutes les femmes subissent ces tests d'anticorps. Auparavant, près de 13% des bébés étaient affectés plus ou moins gravement par cette incompatibilité Rh. La compréhension de ce phénomène, le développement de traitements pour les bébés et d'un vaccin[3] préventif pour les mères ont grandement contribué à pratiquement éliminer le taux de mortalité des bébés affectés.

On comprend donc l'importance de vérifier qu'il n'y a pas d'anticorps présents, ce qui se fait dès le début de la grossesse et à nouveau vers la 28e semaine chez les femmes Rh-. Une petite proportion de femmes est susceptible de développer des anticorps dès leur première grossesse. Pour prévenir les problèmes qui pourraient en découler, le suivi recommandé pour les femmes Rh- en Amérique du Nord inclut un vaccin à la 28e semaine. Dans le cas où le père du bébé est aussi Rh-, votre bébé sera nécessairement Rh- aussi. Vous pourriez alors décider d'omettre ce vaccin prénatal. Discutez-en avec votre médecin ou votre sage-femme. Toutes les femmes Rh- dont le bébé est Rh+ reçoivent, dans les 72 heures après l'accouchement, un vaccin pour empêcher la formation d'anticorps qui pourraient affecter le bébé suivant, même quand il n'y a pas de bébé suivant prévu! On fait de même lors d'une fausse couche, d'un avortement, d'une amniocentèse, d'une chute, d'un accident de la route ou de tout autre situation où il y a un risque d'échange de sang entre la mère et son bébé.

### • Le taux d'hémoglobine et le taux d'hématocrite

Ces deux valeurs donnent une mesure de la quantité de globules rouges dans votre sang: l'hématocrite calcule le pourcentage de leur volume par litre de sang, alors que l'hémoglobine en rapporte le poids en milligrammes par litre. La raison de cet intérêt pour les globules rouges est qu'ils transportent l'oxygène dans l'organisme, une fonction vitale pour la mère comme pour son bébé. Dans son évolution normale, la grossesse occasionne une augmentation importante du volume de sang, soit environ 40%, en raison de l'accroissement de la quantité de sérum. Cela a pour effet de diluer le sang et donc de diminuer les valeurs normales *hors grossesse* qui sont habituellement entre 120 et 140 grammes par litre.

Une femme enceinte en bonne santé aura le plus souvent entre 100 et 120 grammes par litre d'hémoglobine, et environ 0,33 d'hématocrite. Ces résultats légèrement inférieurs aux valeurs normales en dehors de la grossesse sont fréquemment mal interprétés et qualifiés d'anémie alors qu'ils n'en sont pas. Comme si le but était de redonner à une femme enceinte les résultats qu'elle devrait avoir quand elle *n'est pas* enceinte. Il est vrai

que le développement normal du fœtus exige une bonne quantité de fer: il viendra au monde avec une réserve pour six mois! C'est donc une bonne idée de manger régulièrement des aliments riches en fer et en acide folique comme les légumes verts feuillus, le jaune d'œuf, les fruits secs et le foie. Il n'y a cependant aucune preuve que les suppléments de fer donnés aux femmes qui ont plus que 100 grammes par litre d'hémoglobine améliorent leur santé et celle de leurs bébés. Au contraire, deux recherches bien menées ont démontré que les suppléments de fer augmentent les risques de prématurité et de petit poids pour le bébé[4]. Ils ne sont pas sans désavantages non plus pour la mère puisqu'ils causent fréquemment de la constipation et des brûlures d'estomac. L'anémie véritable, qu'on peut soupçonner quand les taux d'hémoglobine sont inférieurs à 100 grammes par litre, doit être confirmée par des tests plus poussés avant d'être traitée par des suppléments de fer et d'acide folique. Ne vous inquiétez donc pas de la baisse normale de votre hémoglobine causée par le processus physiologique de la grossesse. Après tout, comme le reste du processus de la grossesse, la dilution du sang de la mère résulte de millions d'années d'évolution: il doit y avoir une bonne raison à cela!

## En cours de grossesse

### LE TEST DE TOLÉRANCE AU GLUCOSE (OU HYPERGLYCÉMIE PROVOQUÉE)

Il s'agit d'un test sanguin qui vise à dépister le «diabète de grossesse». Mais voilà, les choses sont plus compliquées qu'elles n'y paraissent au sujet du diabète de grossesse, l'une des grandes controverses en obstétrique aujourd'hui. Pardonnez-moi les explications fastidieuses qui suivent, mais elles sont essentielles pour bien comprendre pourquoi vous pourriez penser sérieusement à éviter ce test de dépistage pourtant fait à toutes les femmes de façon systématique, au Québec.

Le vrai diabète est une maladie complexe, dont l'effet le plus connu est d'altérer le métabolisme des hydrates de carbone et du sucre. Il affecte l'évolution de la grossesse et peut avoir des conséquences graves pour le fœtus, s'il est mal contrôlé. Le suivi des femmes diabétiques doit donc être très serré et relève des soins combinés de leur endocrinologue et de leur obstétricien. Voilà pour le vrai diabète.

Le concept de diabète de grossesse, quant à lui, est né de l'hypothèse qu'il pourrait exister une sorte de stade précoce de la maladie, un «pré-diabète» qui comporterait aussi des dangers pour le bébé. Cependant, après plusieurs années et malgré d'innombrables études sur le sujet, *aucune* recherche n'a jamais pu établir clairement l'existence de liens entre ces risques supposés et cette nouvelle condition baptisée «diabète de grossesse[5]». Et il n'existe aucune preuve que les thérapies suggérées pour traiter le diabète de grossesse diminuent le nombre ou la gravité des complications appréhendées chez les bébés. Cette absence remarquable de base scientifique n'a pas empêché les tests de dépistage, le diagnostic et les «traitements» de s'implanter dans la pratique obstétricale moderne... pour traquer et soigner une «maladie» qui, dans l'état actuel des connaissances, n'existe toujours pas.

Habituellement fait vers la 28e semaine, ce test consiste à faire une prise de sang une heure après avoir bu une solution contenant une quantité prémesurée de glucose (souvent 50 grammes, soit l'équivalent d'environ dix cuillères à thé de sucre) et à y mesurer le taux de sucre (la «glycémie»). Quand le résultat est plus élevé que la norme préétablie, on doit alors subir un autre test, comportant plusieurs prélèvements à intervalles d'une heure, après avoir absorbé une dose plus importante de glucose. On l'appelle l'hyperglycémie provoquée, et c'est exactement ce qu'il fait: mettre l'organisme dans une situation artificielle d'excès de glucose dans le sang pour voir comment il y réagit.

Quand les résultats se situent au-dessus d'un certain taux, on diagnostique un diabète de grossesse ou une «intolérance au glucose», selon le nombre de résultats jugés «anormaux». Le traitement consiste à suivre une diète spéciale, habituellement supervisée par une diététicienne, visant à contrôler le taux de sucre dans le sang et à le garder dans les valeurs dites normales. Les femmes doivent donc tester leur glycémie en se piquant le bout du doigt plusieurs fois par jour et faire analyser les résultats obtenus lors de leur visite hebdomadaire. S'ils demeurent plus élevés que la norme fixée, on pourra leur prescrire des injections quotidiennes d'insuline. Dans les dernières semaines de grossesse, on ajoutera des tests de réactivité fœtale hebdomadaires (*voir page 123*) et des échographies régulières. Généralement, et selon le contrôle du taux de glycémie obtenu, on ne laissera pas la grossesse se poursuivre au-delà de 40 semaines et l'accouchement sera provoqué s'il ne s'est pas déclenché spontanément avant cette date.

L'importance de ce suivi particulier et l'ampleur de l'impact qu'il a sur la vie des femmes qui le subissent est étonnant, quand on pense à la fragilité de l'hypothèse sur laquelle il repose et à l'absence de tout bénéfice démontré sur la santé du bébé. À cela se rajoutent d'autres questions majeures sur la validité de ces tests, comme le fait que personne n'a pu établir clairement les valeurs maximales normales de taux de sucre dans le sang ni celles à partir de quoi on devrait s'inquiéter. De plus, les chercheurs affirment que «le test lui-même est tellement peu fiable que, dans 50 à 70% des cas, on n'arrive pas à le reproduire[6]», c'est-à-dire qu'on n'obtiendrait pas les mêmes valeurs si on le refaisait. Des milliers de femmes sont donc étiquetées «à risques» et doivent subir, pour le reste de leur grossesse, des examens et des interventions sans aucun bénéfice reconnu pour elles ou pour leur bébé.

Les recherches auxquelles je fais allusion ont été répertoriées et étudiées par une équipe d'experts dont je cite souvent l'excellent ouvrage: *A Guide to Effective Care in Pregnancy and Childbirth*, qui recense et analyse les études scientifiques en obstétrique publiées dans plus de 400 revues médicales réparties dans 85 pays. On ne peut certainement pas les accuser de négliger leurs sources. Or, leurs conclusions au sujet du diabète de grossesse n'ont pas varié depuis leur première édition en 1989, la deuxième en 1995 et la dernière en 2000. Laissez-moi les citer:

> Les données actuelles ne fournissent aucune preuve soutenant la recommandation de procéder au dépistage du «diabète de grossesse» chez toutes les femmes enceintes, et encore moins de les traiter à l'insuline. Jusqu'à ce que des recherches bien conduites établissent qu'un risque existe, causé par des élévations mineures du glucose pendant la grossesse, toute thérapie basée sur ce diagnostic devrait être sévèrement révisée. L'usage de l'insuline sur la base des données disponibles

est extrêmement contestable et dans plusieurs autres champs de pratique médicale, une thérapie aussi agressive sans bénéfice reconnu serait jugée non-éthique[7].

Les recommandations de la Société des gynécologues-obstétriciens du Canada reconnaissent la faiblesse des arguments scientifiques pour le dépistage de routine... mais préconisent quand même de le poursuivre.

## Alternative

Vous pourriez décider d'éviter ces tests de dépistage. Côté alimentation, il est sage, pour *toutes* les femmes enceintes, de diminuer la consommation de sucre pendant la grossesse tout en augmentant celle des légumes, fruits, céréales entières et protéines, ainsi que de faire de l'exercice régulièrement, deux façons simples d'aider à régulariser le taux de sucre dans le sang.

**Attention:** Si vous faites partie des femmes à risque de développer un vrai diabète, si l'un de vos parents proches en a fait à l'âge adulte, par exemple, votre glycémie devrait être surveillée de plus près par des évaluations périodiques au long de la grossesse, à jeun et deux heures après les repas. Tant que les taux demeurent normaux, votre grossesse l'est aussi. Il s'agit d'être plus vigilant, tout simplement. Discutez de l'éventuelle présence de ces facteurs de risque avec votre sage-femme ou votre médecin. Et prenez un soin tout particulier de votre alimentation et de votre niveau d'exercice, un souci de prévention qui devrait demeurer... même après la naissance.

### LES RAYONS X

Les rayons X ont déjà été le seul moyen de «voir» à l'intérieur de l'utérus. À l'époque, on se réjouissait de cet atout extraordinaire et «sans danger» pour le fœtus. Les rayons X étaient considérés comme tellement innocents que, vers la fin des années 50, certains magasins de chaussures mettaient à la disposition de leurs clients un appareil à rayons X qui permettait de voir les os des pieds à travers les chaussures, et donc de vérifier la grandeur choisie. Curieusement, ces machines assez populaires ont subitement disparu: on venait de se rendre compte que les radiations n'étaient pas sans danger, loin de là. Leur effet sur le fœtus de moins de trois mois est maintenant bien connu: ils peuvent causer de sérieuses malformations. On connaît moins bien les effets qu'ils peuvent avoir sur les bébés en cours de grossesse, mais il semblerait qu'ils courent deux fois plus de risques d'être atteints de leucémie pendant leur enfance et souffriraient de trois fois plus de problèmes respiratoires. Sans compter que nos filles ont, déjà dans notre ventre, tout leur propre bagage d'ovules pour la vie!

Certains médecins font encore passer occasionnellement des pelvimétries radiologiques, c'est-à-dire une ou plusieurs radiographies du bassin, pour le mesurer. Les résultats des pelvimétries radiologiques sont toutefois loin d'être aussi fiables qu'on les voudrait: des femmes avec des bassins dits «limites» accouchent parfois de bébés de quatre kilos! Si on vous prescrit une pelvimétrie radiologique, ne vous laissez pas intimider: demandez des explications, des justifications. L'un de ses derniers usages acceptables est de vérifier les mesures du bassin quand on prévoit un accouchement par le siège. Cependant, on recommande plutôt d'évaluer à l'échographie la grosseur du bébé, de confirmer que sa tête est bien fléchie (un préalable absolu) et d'observer la façon dont le travail se déroule, l'indicateur le plus fiable[8].

Si on vous propose une radiographie dentaire ou autre, assurez-vous qu'elle est absolument indispensable à votre santé, qu'elle ne peut pas être retardée après l'accouchement et que toutes les parties non concernées de votre corps sont protégées par un tablier de plomb. Ces simples règles devraient d'ailleurs être appliquées pour nos filles et pour nous-mêmes, aussi longtemps que nous sommes en âge de concevoir. La prudence recommande d'éviter les rayons X, à moins qu'il ne soit évident que les renseignements qu'on en tirerait valent plus que les risques qu'ils font courir. La seule dose de radiations qui soit sécuritaire est... zéro!

## En fin de grossesse
### LA PRÉVENTION DES INFECTIONS À STREPTOCOQUES B CHEZ LE NOUVEAU-NÉ

Parmi les infections qui peuvent toucher les nouveau-nés figure l'infection à Streptocoque B, une maladie virulente qui peut laisser des séquelles importantes. Le nombre de bébés affectés est relativement petit: en 1997, 178 cas avaient été confirmés au Canada et, de ce nombre, on compte quatorze décès[9]. Depuis quelques années, on essaie de réduire le nombre d'infection ainsi que leur gravité. Le point de départ de l'infection est la présence de Streptocoques B dans le vagin de la mère. Entre 15 et 40% des femmes enceintes sont porteuses de cette bactérie qui, pour elles, n'est pas une maladie et ne cause aucun problème. Mais l'immense majorité de leurs bébés se portent très bien même s'ils ont été en contact avec la bactérie, tandis qu'un à deux bébés sur 1000 contractent l'infection. On cherche donc par quelle méthode on pourrait les protéger, parce que l'infection à Streptocoque B est particulièrement agressive: non seulement son évolution peut être foudroyante, mais même après qu'un traitement à l'antibiotique soit initié, les toxines qu'elle crée dans le système du bébé continuent à causer des dommages parfois irréversibles.

Les stratégies de prévention qui ont été développées jusqu'à maintenant n'ont pas réussi à éliminer cette infection complètement, mais semblent quand même être parvenues à en réduire l'incidence, une étude récente[10] chiffrant cette diminution à 65%. Bien que des efforts soient déployés en ce sens, ces méthodes de prévention ne sont pas encore appliquées systématiquement dans toutes les régions. Pour cette raison, elles ne sont pas encore bien connues du public. Comme les recherches se poursuivent toujours pour arriver à trouver le meilleur

---

### Méthodes de prévention de l'infection à Streptocoque B

Par le dépistage:

On fait un dépistage à toutes les femmes enceintes entre 35 et 37 semaines de grossesse à l'aide d'un prélèvement dans le vagin et à l'anus (pas besoin d'un spéculum, cela prend quelques secondes). Aux femmes qui sont porteuses, on suggère des antibiotiques pendant leur travail. Le but de ce traitement est de faire parvenir les antibiotiques au nouveau-né, par le biais du placenta, pour faire en sorte qu'il soit mieux armé contre le Streptocoque B au moment de sa naissance. Traiter la mère avec des antibiotiques pendant la grossesse ne réduit pas le nombre de bébés affectés à la naissance.

Par les facteurs de risque:

On s'attarde plutôt à dépister des facteurs de risques, puisqu'on connaît un certain nombre de conditions qui se retrouvent plus fréquemment chez les bébés infectés. On ne fait donc pas de dépistage pendant la grossesse, mais pendant le travail, on cherche la présence de ces facteurs de risques, et l'on donne des antibiotiques aux femmes qui en présentent ne serait-ce qu'un seul. Ces facteurs de risques sont:

• l'accouchement prématuré (avant 37 semaines);

• la rupture prolongée des membranes (plus de dix-huit heures);

• la fièvre de la mère pendant le travail;

• avoir eu une infection urinaire au Streptocoque B pendant la grossesse (même si elle a été traitée);

• avoir déjà eu un bébé infecté par cette bactérie.

Dans un cas comme dans l'autre, le traitement se fait par voie intraveineuse, avec des antibiotiques bien tolérés par les bébés, en doses données toutes les quatre à six heures. Comme chaque dose prend quelques minutes seulement, on peut être débarrassée du soluté quand elle est terminée... jusqu'à la dose suivante. C'est un avantage certain quand on pense à la contrainte créée par le fait d'être reliée à un soluté. Le nombre de bébés touchés est tellement petit que la très grande majorité d'entre eux se portent bien à la naissance, même si leur mère est porteuse. Discutez avec le professionnel qui vous suit de ces recommandations, et n'hésitez pas à poser toutes les questions que cela soulève pour vous.

moyen de protéger les nouveau-nés, les recommandations actuelles seront amenées à se préciser et même à se transformer dans les années qui viennent, à mesure que l'information s'accumulera sur les modes de transmission, les facteurs de risques et l'efficacité des stratégies de prévention.

Voici un exemple de progrès qui profite à quelques rares bébés, mais dont le coût humain en inquiétudes et en contraintes doit être porté par l'ensemble des femmes enceintes. Le risque que *votre* bébé soit affecté est minime, c'est vrai. J'ai eu la grande tristesse de connaître une famille bouleversée par la mort d'un bébé foudroyé par le Streptocoque B, et je sais combien tous ceux qui les connaissent auraient volontiers accepté n'importe quel test, n'importe quel désagrément temporaire pour leur éviter cette peine si cruelle. Chacun d'entre nous doit apprécier, au plus profond de lui-même, le poids des enjeux de chacune des stratégies de dépistage et de prévention: que ce soit celle-ci ou l'échographie, l'amniocentèse ou la vaccination. Être parent nous demandera continuellement de choisir ce que l'on croit être le mieux pour nos enfants, sans qu'il existe où que ce soit une liste toute faite qui énumère les «bons» choix.

## LE TEST DE RÉACTIVITÉ FŒTALE (NON-STRESS TEST)

Le cœur d'un bébé en santé, tout comme le nôtre, ajuste continuellement son rythme en réponse aux stimuli externes (comme une contraction, un bruit, une palpation vigoureuse) ou internes (comme ses propres mouvements ou son sommeil). Le test de réactivité fœtale consiste à observer de près les variations normales dans les battements de cœur du bébé. On installe un moniteur électronique externe sur le ventre (*voir La sur-*

*veillance du cœur du bébé, page 285*). Il enregistre les battements de cœur sous forme d'une ligne sinueuse continue. Chaque fois que le bébé bouge ou que la mère a une contraction (les petites, qu'on appelle aussi «Braxton-Hicks»), elle presse un bouton qui enregistre un signal sur le même graphique. Généralement, une écoute de 30 minutes suffit à observer au moins quatre ou cinq épisodes de mouvements ou de contractions. Un bébé en bonne forme y réagit en accélérant son rythme cardiaque: il montre ainsi qu'il a l'énergie nécessaire pour s'adapter aux variations de son environnement.

Pour évaluer si le résultat est réactif ou non, on évalue le rythme de base (normalement entre 120 et 160 battements/minute), la variabilité spontanée et les accélérations après un mouvement ou une contraction. S'il y a peu ou pas de réaction, cela peut indiquer que le bébé dort, tout simplement! Le test est alors non concluant. On peut le recommencer un peu plus tard, après que la

mère ait mangé ou se soit activée. Un résultat non réactif n'est pas une indication absolue de détresse fœtale, mais cela indique le besoin de le recommencer ou de le compléter par un examen plus poussé: le profil biophysique (*voir page 129*).

On fait un test de réactivité fœtale chaque fois qu'on a des raisons de penser que le bébé pourrait souffrir de certaines conditions comme un retard de croissance, l'hypertension, la prééclampsie ou le diabète chez la mère, et chaque fois qu'une condition particulière exige plus de vigilance, comme lorsque la grossesse dépasse 41 semaines ou que le bébé précédent a présenté des problèmes graves et inexpliqués qui justifient de suivre celui-ci de plus près. On peut le répéter aussi souvent que nécessaire. Pour une grossesse qui passe son terme, par exemple, il est courant de le faire une fois à 41 semaines, et tous les trois ou quatre jours par la suite.

On a longtemps accordé à ce test une valeur prédictive. C'est-à-dire qu'on pensait qu'un test réactif permettait de penser que le bébé était en bonne santé et le demeurerait au moins pour un certain nombre de jours: on avait parlé d'une semaine, puis de trois à quatre jours. Les dernières recherches invalident cette idée. Ce test donne, en fait, une évaluation immédiate de l'état de santé du bébé, sans véritable valeur prédictive. On en voit l'utilité dans des situations précises où l'on pourrait craindre une détresse actuelle du bébé: lors d'une réduction soudaine de ses mouvements, après un événement traumatique comme un accident de voiture, etc. Si ses résultats sont douteux ou inquiétants, on doit obligatoirement compléter l'évaluation par une investigation plus précise comme le profil biophysique.

## L'ÉCHOGRAPHIE

L'échographie fait maintenant partie du paysage de la naissance. Voici une intervention «sympathique» que chacun connaît et anticipe quand une femme est enceinte. «As-tu eu ton écho?» et «Est-ce un garçon ou une fille?» sont des questions désormais tout à fait banales. On s'attend à ce que l'échographie de routine permette un premier contact avec le bébé et fournisse des bonnes nouvelles de santé et de normalité. Pourtant, il arrive aussi que l'échographie soit porteuse de tristesse et d'angoisse pour les parents qui y apprennent l'existence d'une anomalie grave chez leur bébé. Et pour un bon nombre de parents, elle constitue une source importante de stress et d'anxiété quand elle génère une information partielle, ambiguë, ou dont on devra attendre l'évolution pour en comprendre la portée. En fait, l'échographie est très complexe dans son fonctionnement, ses usages, ses interprétations et l'effet qu'elle crée chez les parents. Parce qu'elle est directement tributaire d'une technologie en évolution constante, les dernières générations d'appareils fournissent des informations dont on ne comprendra le sens qu'après des années de compilation et d'analyse. Entre-temps, les parents repartent parfois chez eux avec des mots comme «kystes du plexus choroïde», «intestin échogène», «pli nuchal» ou «gros bébé» et «petite tête». Dans leur cœur, ça sonne vraiment moins bien que «tout est beau»!

*Johanne avait un petit ventre, pour ses huit mois de grossesse. Il faut dire qu'elle était elle-même menue et son conjoint petit et délicat. Il faut dire aussi que sa mère avait toujours eu des bébés petits... et en parfaite santé. Qu'importe: les mesures de l'utérus ne concordaient pas avec les moyennes. On l'en-*

*voya passer une première échographie: la date du terme de sa grossesse, pourtant certaine, s'en trouva décalée de deux semaines, la machine croyant que le petit bébé était en fait... un bébé plus jeune. Inquiétude du médecin qui envoie Johanne en passer une autre: on détermine une autre date du terme, mais on commence aussi à parler d'arrêt de croissance intra-utérine, une situation qui, si elle est vraie, est problématique pour le bébé: cela voudrait dire qu'il reçoit si peu de nourriture du placenta, qu'il n'a pas assez d'énergie pour se développer normalement. Johanne et Paul sont, à juste titre, inquiets. Mais quelque chose au fond de Johanne continue de lui dire que son bébé va bien, elle le sent grossir d'une semaine à l'autre. Pour en avoir le cœur net, son médecin la renvoie à l'échographie: en une journée, elle en aura trois... chacune avec des résultats différents! Il est question d'induire le travail et de risques pour le bébé. Au retour, ce soir-là, Johanne est en larmes: «Pourtant, mon bébé va bien, je le sais.» Le lendemain, elle accouchait d'une magnifique petite fille de 2,6 kilogrammes, en parfaite forme, un peu petite, mais absolument adaptée au corps de sa mère... qui l'avait conçue et portée, après tout!*

L'échographie est un outil de diagnostic précieux lorsqu'il y a un problème et son apparition dans la panoplie obstétricale a permis un progrès réel dans les cas difficiles. Cependant, chose étonnante, les bénéfices de l'échographie de routine, la plus courante de toutes, restent encore à prouver! Quand l'échographie est-elle un instrument véritablement utile, au service de la bonne évolution de la grossesse et de la santé du bébé? À quel moment les parents peuvent-ils choisir d'utiliser ou non cette intervention, en accord avec leurs valeurs, leur vie, leurs rêves pour leur bébé?

## D'où vient l'échographie?

C'est vers le milieu des années 50 qu'un gynécologue écossais, le Dr Ian Donald, a songé à utiliser la technique des ultrasons, issue des découvertes technologiques de la Première Guerre mondiale, pour l'aider dans le diagnostic de certaines tumeurs abdominales. Occasionnellement, la tumeur s'avérait plutôt être une grossesse et l'idée ne fut pas longue à germer d'utiliser les ultrasons pour y voir de plus près. À partir de 1965, la technique permet de déceler les grossesses dès la 7e semaine. En quelques années, les ultrasons ont dépassé l'utilisation expérimentale pour se répandre largement et devenir une pratique obstétricale routinière d'abord, et presque obligatoire maintenant. D'ailleurs, l'utilisation pour les grossesses sans complication augmente constamment.

## Comment fonctionne l'échographie?

Des ondes sonores à haute fréquence (des «ultrasons») sont envoyées dans l'abdomen de la femme enceinte, où elles rebondissent sur les structures et surfaces à différentes vitesses, selon leur densité. À leur retour, ces ondes produisent des échos qui sont transformés en signaux électroniques, eux-mêmes convertis en images sur un écran vidéo. Un type de balayage à ultrasons produit une image statique du fœtus. Un autre type, de plus en plus employé, émet des ondes d'ultrasons pulsées, extrêmement rapides, et produit une image mouvante. Un troisième type, utilisant des ondes continues, produit des signaux sonores qu'on emploie pour écouter le cœur fœtal. Pour assurer la transmission des ondes, on doit utiliser une gelée conductrice entre l'appareil et la peau.

Lors d'une échographie en début de grossesse, la vessie doit être pleine pour améliorer la visibilité de l'utérus. On vous demandera donc de boire abondamment et de ne pas aller vider votre vessie, ce qui peut se révéler un exploit assez inconfortable, surtout si l'attente est longue! Une fois étendue, on mettra une gelée sur votre ventre et l'on y passera un transducteur, un instrument rectangulaire un peu plus petit qu'un écouteur de téléphone. Le technicien passera et repassera le transducteur jusqu'à ce qu'il ait recueilli toutes les informations qu'il cherche. Selon le cas, cela peut durer de 20 à 40 minutes. Au tout début de la grossesse, on utilise une sonde transvaginale (qu'on introduit dans le vagin): l'utérus ne peut pas encore être visualisé à travers l'abdomen parce qu'il est encore sous le pubis. Elle demande, on le devine, une utilisation délicate pour le bébé comme pour la mère.

## Les indications de l'échographie obstétricale

Les indications de l'échographie sont très nombreuses, puisqu'il s'agit d'un outil de diagnostic qui, à chaque étape de la grossesse, peut avoir un rôle à jouer dans le dépistage de problèmes potentiels. On peut regrouper ses indications de plusieurs manières, entre autres selon le trimestre de la grossesse où on l'emploie, mais je vous suggère plutôt une classification selon la nature même de ses usages.

### • L'évaluation de l'âge de la grossesse

L'échographie est utile quand l'âge de la grossesse est inconnu ou que les observations cliniques ne concordent pas avec l'âge supposé. Elle est possible dès huit à douze semaines. Entre seize et vingt semaines, le degré de précision est de plus ou moins une semaine (certains disent dix jours). Cela veut dire que si la date calculée avec les dernières menstruations ne diffère pas de plus d'une semaine, c'est elle que l'on conservera comme date prévue. À l'opposé, si elle diffère de plus d'une semaine, c'est la date de l'échographie qui sera conservée. Après vingt semaines, la précision diminue rapidement et, bientôt, l'échographie n'a plus de fiabilité pour évaluer l'âge du fœtus.

On a trouvé plusieurs avantages à mieux connaître l'âge de la grossesse. En effet, plusieurs interventions de fin de grossesse reposent sur une connaissance présumée de l'âge du fœtus, comme l'usage de médicaments pour arrêter un travail prématuré, la césarienne programmée et l'induction. Cet usage particulier de l'échographie a eu pour effet de diminuer le nombre de complications liées à l'usage de ces interventions ou de médicaments au mauvais moment de la grossesse. Moins de bébés naissent prématurément après une césarienne programmée trop tôt par erreur; moins de femmes reçoivent des médicaments destinés à arrêter une menace de travail prématuré... qui ne l'est pas; on procède à moins d'induction sur des bébés que l'on croit en retard mais qui, en fait, ne le sont pas.

### • La localisation du bébé et du placenta

C'est le cas notamment au cours de l'amniocentèse, où l'échographie sert à visualiser la position du bébé et du placenta, pour que le médecin puisse choisir le meilleur endroit où insérer l'aiguille qui retirera le liquide amniotique. Il s'agit ici d'une échographie de quelques minutes à peine.

C'est le cas aussi lors d'une version externe, vers la fin de la grossesse, une intervention où le médecin fait basculer le bébé d'une position de siège à une position céphalique (c'est-à-dire la tête en bas) par des manipulations à travers la paroi abdominale de la mère. Une meilleure compréhension de sa position exacte facilite la version et en réduit les risques.

### • Le diagnostic prénatal

L'échographie sert à visualiser certaines malformations. C'est probablement l'usage le plus connu et le plus populaire: les parents s'attendent à ce qu'on leur confirme que leur bébé va bien et qu'il a «tous ses morceaux». Malgré l'apparente simplicité de cette recherche, il s'y cache de nombreux écueils. Entre autres, l'échographie ne détecte pas toutes les anomalies. Une recherche portant sur plus de 25 000 femmes a montré que dans les grands centres hospitaliers on détectait 76% des anomalies majeures chez les bébés alors que, dans les petits centres, on n'en détectait que 36%. Ces chiffres diminuent encore (à 36% et 13% respectivement) lorsqu'on inclut les anomalies mineures[11]. Cela veut dire que des bébés naîtront avec des malformations ou anomalies non détectées, une éventualité à laquelle les parents n'ont peut-être pas songé.

Les malformations ne se retrouvent, heureusement, que dans environ 2% de toutes les grossesses, réparties plus ou moins également entre les malformations majeures et mineures. Cela veut dire qu'une technicienne qui fait des échographies de routine examine 98 bébés sains avant d'en voir deux qui présentent une malformation. Cela diminue sa capacité à déceler les anomalies lorsqu'elles se présentent, contrairement à l'échographie faite suivant une indication particulière qui recherche un problème précis

(quand les parents ont déjà eu un bébé avec une malformation cardiaque, par exemple, ou lorsque certains signes laissent penser à un diagnostic spécifique). Car on a tendance, en échographie aussi, à trouver ce que l'on cherche! De plus, les qualifications et l'expérience du technicien ont beaucoup d'importance dans la précision des résultats. Voilà des chiffres qui donnent à réfléchir quand on pense obtenir une réponse claire et fiable!

De plus en plus, l'échographie sert aussi à relever des signes minimes, qui ne constituent pas en soi des anomalies, mais qui sont reliés à une augmentation du risque de la présence d'anomalies la plupart du temps génétiques. Ces signes sont classés comme étant mineurs ou majeurs et, selon leur nombre, leur gravité et le moment de la grossesse, on suggérera aux parents de compléter l'investigation avec d'autres tests: par des échographies de contrôle ou par une amniocentèse. La révélation de ces signes crée souvent une anxiété chez les parents que même des résultats normaux aux tests subséquents arriveront difficilement à calmer.

La décision de passer une échographie aux fins de dépistage d'anomalies congénitales ou chromosomiques peut découler de risques accrus, comme leur présence dans l'histoire familiale, la naissance précédente d'un bébé avec des anomalies, l'exposition à certaines maladies infectieuses, etc. Surtout, elle pose des questions fondamentales pour les parents: que feriez-vous si le résultat révélait une anomalie? Considéreriez-vous un avortement pour ce motif et à ce moment de la grossesse? Pensez-vous la même chose à ce sujet, vous et votre conjoint? Si, dans certains cas, on connaît la gravité de l'anomalie, on ne peut pas toujours prédire l'importance de ses conséquences sur la santé: elles pourraient tout aussi bien constituer une difficulté sans pour autant empêcher cet enfant de mener une vie pleine et entière. Seriez-vous capable de trancher et de prendre une telle décision, et voudriez-vous même vous retrouver dans la situation de prendre une telle décision? L'échographie fait parfois des erreurs de diagnostic, c'est-à-dire qu'elle annonce une anomalie qui n'existe pas. Êtes-vous capable de vivre avec l'idée de possiblement avorter d'un bébé normal? Quand la grossesse se poursuit, certains parents considèrent comme un atout de pouvoir se préparer à la naissance d'un enfant handicapé, mais d'autres souffriront intensément de porter cette nouvelle pendant les semaines et les mois qui restent. Plusieurs parents d'enfants atteints par une malformation ont apprécié de ne l'apprendre qu'à la naissance, en présence du petit être qui la porte, et donc de l'avoir attendu et aimé paisiblement dans la hâte et l'émerveillement.

Ce ne sont pas là des questions faciles, et les réponses le sont encore moins. Leurs enjeux sont cruciaux dans votre expérience de mère, de père, de famille, et essentiellement d'être humain. Pour beaucoup de parents, elles doivent être posées et reposées à chaque grossesse, parce que la vie change, la vie nous change, et que la réponse doit venir du plus profond de nous-même et concorder avec qui nous sommes.

### • Le dépistage de complications et de problèmes spécifiques

Le suivi de la grossesse peut révéler des signes cliniques qui font soupçonner la présence d'un problème sous-jacent, comme des douleurs abdominales inexpliquées, des saignements, une diminution de la croissance du bébé à la palpation. L'échographie vient alors confirmer ou infirmer ces soupçons, et donner l'information nécessaire pour décider de la conduite à tenir en termes d'interventions, de tests complémentaires, etc. La liste des problèmes possibles est assez longue, puisqu'elle inclut des complications peu fréquentes. En voici néanmoins une énumération non exhaustive:

- Risque de grossesse ectopique (c'est-à-dire implantée ailleurs que dans l'utérus, le plus souvent dans une trompe);
- Menace d'avortement spontané (fausse couche) pour confirmer soit la présence d'un fœtus vivant ou la fin de la grossesse et prendre des décisions en conséquence (tout faire pour poursuivre la grossesse ou aider l'utérus à expulser l'embryon);
- Risque de jumeaux;
- Évaluation de la quantité de liquide amniotique quand il y a risque d'hydramnios ou d'oligohydramnios (c'est-à-dire une quantité anormalement élevée ou réduite de liquide amniotique, les deux étant associées avec une augmentation des risques pour le bébé);
- Localisation et visualisation du placenta lorsqu'il y a un saignement vaginal important pendant la grossesse;
- Risque de retard de croissance chez le bébé;
- Suivi des bébés de mères avec des problèmes médicaux particuliers (diabète, problèmes de cœur, de thyroïde, des reins, etc.);
- Risque d'une présentation autre que de la tête (siège ou transverse);

Ainsi que d'autres indications moins courantes.

### • Le profil biophysique

C'est un outil d'évaluation du bien-être du bébé en fin de grossesse qui a été élaboré ces dernières années: il s'agit d'une observation par échographie de facteurs dont l'appréciation globale semble donner une bonne idée de la santé du bébé. Ces facteurs sont: les mouvements respiratoires du bébé (oui, il s'exerce déjà à l'intérieur!), son tonus musculaire, ses mouvements et la quantité de liquide amniotique (une réduction significative de celui-ci est reliée à une augmentation du niveau de risques pour le bébé). On y adjoint souvent une appréciation de la maturité du placenta. On l'emploie dans les mêmes circonstances que le test de réactivité fœtale, le choix de l'un ou l'autre ou la combinaison des deux selon le praticien, de l'indication et des différences de pratique entre chaque établissement. Les rares recherches faites à ce jour pour mesurer son efficacité confirment que le profil biophysique arrive à prédire, mieux que le test de réactivité fœtale seul, quels bébés seront en difficulté à la naissance. Curieusement, il ne réussit pas à améliorer la santé de ces bébés à la naissance[12]. Cela nous montre combien l'obstétrique est une pratique en mouvement, qui cherche encore à perfectionner ses instruments pour améliorer la santé des bébés.

Le profil biophysique est offert aux femmes dont la grossesse présente une augmentation du niveau de risque pour le bébé, comme dans le cas d'un diabète, d'un risque de retard de croissance intra-utérin et lors d'une grossesse post-terme (après 41 semaines). Comme on peut se l'imaginer, la détermination de ce qui constitue «une augmentation du niveau de risques pour le bébé» est définie par le corps médical et rarement discutée

comme tel avec les parents. Certains pourraient penser, par exemple, que l'évaluation de la santé de leur bébé est raisonnable à partir de 42 semaines mais pas à 41 semaines. Cette différence n'est pas négligeable. En laissant à la médecine le soin de décider ce qui constitue un risque ou pas, les parents abandonnent leur capacité et leur pouvoir de choisir, en concordance avec leurs propres valeurs, ce qui est bon pour leur bébé.

### • L'échographie de routine

Ah! la voilà enfin, cette échographie de routine, celle que tout le monde connaît et qui sert à dire que tout va bien... ou enfin c'est ce que l'on croit! C'est l'échographie systématique, c'est-à-dire pratiquée sans aucune indication médicale. Elle se fait dans le deuxième trimestre, entre seize et vingt semaines de grossesse, et certains médecins en recommandent une autre, autour de la 32[c] semaine. Pour ce qui est de la première, autour de dix-huit semaines, j'ai déjà discuté de sa capacité à reconnaître les anomalies. Même quand elles sont clairement identifiées, cela n'accorde pas à la médecine le pouvoir d'y changer quoi que ce soit. Tout au plus, cela permet à certains parents de choisir l'avortement quand cela leur semble approprié. Les dernières statistiques continuent de démontrer que les échographies de routine n'ont pas diminué les naissances de bébés avec une anomalie, ni diminué la mortalité périnatale. L'une des recherches a même montré que dans un groupe de femmes soumises à un plus grand nombre d'échographies, le nombre de bébés souffrant d'un retard de croissance intra-utérin était d'un tiers plus élevé[13]! C'est que l'échographie est un examen diagnostique, c'est-à-dire qu'il recueille de l'information, point à la ligne, et que la technologie d'investigation ultra-sonique s'est développée beaucoup plus vite que les possibilités offertes par la chirurgie et la néonatalogie.

Au Québec, les femmes ont passé, en 1997, environ deux échographies par grossesse. L'utilisation systématique des ultrasons pour les grossesses sans complication augmente constamment, malgré les avis experts contraires. La Société des gynécologues-obstétriciens du Canada (SOGC), la Direction de la Santé à Santé Canada, le Food and Drug Directorate des États-Unis (FDA), l'American College of Radiologists Commission on Ultrasound, et le US National Institute of Health, pour ne nommer que ceux-là, recommandent que les échographies soient réservées aux indications médicales précises. Mais la place de l'échographie dans l'obstétrique et dans la société en général est maintenant telle que, malgré les résultats de recherches qui démontrent clairement que l'échographie de routine n'améliore pas la santé des bébés tout en comportant une possibilité de risque encore inconnue, la SOGC recommande qu'entre seize et vingt semaines, on *offre* un examen échographique à toutes les femmes enceintes[14]. Dans la réalité, la majorité des femmes ne savent pas qu'elles ont le choix! Cette pratique est donc devenue la norme en obstétrique, et les femmes qui préfèrent s'en abstenir sont l'exception. Pour certains parents, cette situation marginale et les reproches qui pourraient en découler (et oui, on en a déjà fait le reproche à des parents) créent une pression qui les empêche de faire librement ce choix… qui n'en est plus un, par le fait même! Et c'est inquiétant.

## Les risques

L'échographie est-elle dangereuse pour votre bébé? Toute réponse doit nécessairement peser de part et d'autre les risques de la passer versus de ne pas la passer. Les bénéfices qu'on en attend doivent donc être clairs et démontrés. Par exemple, si vous avez choisi de passer une amniocentèse, s'assurer par échographie que l'aiguille ne touchera pas au bébé semble un usage judicieux. La situation n'est cependant pas toujours aussi simple à juger. À moins de preuves raisonnables qui justifient une inquiétude quant à la santé du bébé, on se trouve à l'exposer inutilement aux effets encore mal connus des ultrasons. Vous devrez donc vous poser la question: cela vaut-il la peine? Si la réponse est parfois très clairement «oui», à d'autres occasions elle dépendra de toutes autres considérations, certaines personnelles, certaines sociales.

Les risques de l'échographie sont de deux ordres: d'abord, ceux liés à l'utilisation d'ultrasons sur l'être humain et plus particulièrement sur le développement du fœtus et, ensuite, ceux reliés aux diagnostics et aux interventions qui en découlent. J'ai discuté des risques provenant des décisions prises à la suite des échographies; vous pourriez aussi consulter les sections portant sur les interventions elles-mêmes.

Des recherches ont été faites sur la sécurité des ultrasons employés pendant la grossesse, mais elles sont trop peu nombreuses et n'ont pas toujours un échantillonnage assez grand pour pouvoir faire ressortir des résultats valables. Ce qui complique encore l'analyse de ces recherches, c'est qu'il faudrait pouvoir calculer les doses d'ultrasons reçues par chaque sujet pour pouvoir comparer les conséquences. Or, il n'existe aucune norme dans l'industrie des appareils à ultrasons qui détermine les seuils maximum acceptables. On trouve donc en usage dans les centres hospitaliers des appareils qui produisent jusqu'à 5000 fois plus d'ultrasons que d'autres, pour une capacité diagnostique équivalente[15]. Voilà une situation tout à fait inexplicable et inexcusable, en termes de santé publique. Comment tolérer que certains bébés reçoivent cinq fois, 50 fois, 5000 fois plus d'ultrasons que d'autres pour obtenir la même qualité de dépistage, alors qu'on n'a pas encore de réponse définitive quant à leur innocuité?

Plusieurs parents ont entendu parler de l'augmentation pendant la petite enfance d'otites causées par les ultrasons, faisant ainsi écho à une préoccupation bien compréhensible face à leur multiplication. Cependant, aucune recherche jusqu'à présent n'a démontré un tel lien. Mais l'ensemble des recherches actuelles n'a pas encore réussi à prouver qu'il n'y a pas de risques du tout. Les études qui pourraient conduire à une telle démonstration, ou à son contraire, devront porter sur de très grands nombres de grossesses et de bébés, et suivre ceux-ci pendant plusieurs années. Certains effets pourraient n'apparaître qu'à l'âge adulte ou à la deuxième génération. Et qui subventionnera ces recherches? En ce moment, les études portent presque exclusivement sur les applications de l'échographie et son développement... pas sur ses risques. La réponse quant à la sécurité des ultrasons pourrait tarder à venir! Michel Odent, obstétricien, chercheur et auteur français, dit pour sa part qu'il se prononcera sur l'échographie vers l'année 2020 ou 2030, quand plusieurs générations de fœtus l'auront subie et qu'on pourra juger des conséquences!

Un mot sur le monitoring fœtal et sur l'usage des petits appareils portatifs pour écouter le cœur du bébé. Oui, ce sont aussi des ultrasons. Les ondes ne sont pas tout à fait les mêmes, ni surtout le temps d'utilisation. Pour ce qui est de l'écoute du cœur lors de la visite mensuelle chez votre médecin ou votre sage-femme, à partir d'environ vingt semaines, le fœtoscope fonctionne la plupart du temps tout aussi bien, sans utiliser d'ultrasons. À vous de choisir.

Un des effets malheureux de l'usage répandu de l'échographie de routine est que trop de médecins abandonnent leur jugement clinique pour adopter ses conclusions, plutôt que de combiner les deux. Des habiletés de base, comme déterminer la position du bébé par la palpation du ventre, seront bientôt oubliées. Ainsi, des femmes et des bébés subissent des traitements ou des interventions inutiles sinon dangereux sur la foi de résultats faussement positifs (c'est-à-dire démontrant l'existence d'un problème). Pendant ce temps, d'autres parents se croient sécurisés par des résultats faussement négatifs.

## L'expérience des parents

Toutes les femmes du monde se sont inquiétées et s'inquiètent du bien-être de leur bébé, mais chaque intervention destinée à calmer leurs appréhensions multiplie aussi les possibilités de recevoir une mauvaise réponse et les fait vivre plus longtemps avec leurs angoisses. De nouvelles techniques s'imposent les unes après les autres, chacune se vantant de sécuriser les parents par les nouvelles informations qu'elle peut fournir. En fait, on n'a jamais senti autant d'anxiété que ces années-ci autour du fait de porter un enfant et de le mettre au monde. Le livre d'Anne Quéniart *Le Corps paradoxal* raconte bien ce lien de plus en plus étroit entre les femmes, leur inquiétude et le regard médical tout au long de leur grossesse[16]. Chaque nouvelle découverte promet des grossesses plus sécuritaires, des accouchements moins douloureux et des bébés plus en santé. En même temps, la médecine y étend de plus en plus son contrôle. Annoncée comme une alternative sécuritaire aux rayons X, l'échographie a été accueillie avec enthousiasme par les médecins qui y voyaient une façon de mieux contrôler la grossesse. Les femmes ont facilement accepté cette intervention indolore qui fournissait des informations rassurantes et en sont rapidement venues à compter dessus. Aujourd'hui l'échographie est pratiquement incontournable, au point que la plupart des parents ignorent qu'elle n'est jamais obligatoire[17]!

## Les parents ont-ils leur mot à dire?

Non, ce n'est pas de la négligence ou de l'insouciance grave que de décider autrement que les protocoles médicaux en cours. Si la seule apparition des mots «risques pour le bébé» suffit à imposer un nombre grandissant d'investigations et les interventions qui en sont parfois la suite inévitable, cela signifie pour les parents la disparition de la possibilité de choisir de vivre la grossesse, l'arrivée de leur bébé, et finalement leur vie selon leurs propres croyances fondamentales. Évidemment, une information complète et juste doit être disponible pour chacun d'entre eux afin qu'ils puissent prendre des décisions éclairées. Dans la vraie vie, on voit tout de suite la difficulté d'obtenir une information juste ainsi que l'espace nécessaire pour en

discuter et en disposer quand elle est essentiellement fournie par des gens qui croient sincèrement aux bienfaits de l'intervention et endossent l'intrusion de la médecine dans toutes les sphères de la vie, incluant la naissance. Ce n'est pas par malhonnêteté, mais à cause du manque de recul qui résulte trop souvent du fait de côtoyer quotidiennement ces interventions jusqu'à leur banalisation la plus totale. Or, elles ne sont pas banales. Elles affectent des gens dans leur corps, leur cœur, leur vie, et ils ont le droit et devraient avoir la possibilité de les choisir dans un contexte plus large qu'un calcul statistique de risques. Encore une fois, le pouvoir des parents de choisir les interventions qui leur conviennent va main dans la main avec la responsabilité de trouver l'information nécessaire, d'en discuter et d'en juger le plus honnêtement possible, en dehors de toute rigidité idéologique, pour le mieux-être de leur enfant.

L'introduction des nouvelles techniques favorise toujours les données objectives et mesurables qui viennent de l'extérieur, au détriment des facteurs subjectifs et personnels qui proviennent de la mère. Au lieu d'un espace pour vivre une inquiétude normale, pour l'exprimer, pour agir quand il devient clair qu'il y a vraiment lieu de s'inquiéter, la technologie offre aux parents de la contourner, de la régler, d'y répondre par la voix de ses appareils. L'angoisse, faute d'un espace pour s'exprimer, ne fait que s'enfoncer plus profondément: chaque nouveau test trouve rapidement une clientèle avide de calmer ses peurs, que le test précédent devait pourtant régler! Peut-être y a-t-il une part très importante du processus de la grossesse qui consiste à apprivoiser l'angoisse que connaissent toutes les mères, tous les pères, à laisser ce sentiment mûrir et à le transformer en un sentiment de responsabilité à l'égard de l'enfant à venir. Peut-être devons-nous apprendre à vivre avec cette part d'inconnu, d'imprévisible, d'incontrôlable. Cela fait partie du processus de devenir parent. Dans ce domaine très particulier de la naissance, est-ce que savoir/prévoir/contrôler est mieux? Est-ce que parce qu'on *peut* savoir quelque chose, on *doit* le savoir? Vraisemblablement, nous n'avons pas tous la même réponse à ces questions. Et c'est tant mieux. Il n'y a que l'intégrisme, qu'il soit religieux ou autre, pour prétendre qu'il n'y a qu'une seule vérité et qu'elle doit s'appliquer à tous de la même manière. En fait, l'incertitude fait partie de l'expérience humaine. C'est l'ingrédient premier de la liberté.

## L'AMNIOCENTÈSE

L'amniocentèse est un test de diagnostic prénatal de certaines anomalies chromosomiques du bébé. Elle se fait après la 14ᵉ semaine de grossesse, le plus souvent vers la 16ᵉ semaine. Une petite quantité de liquide amniotique est retirée de l'utérus à l'aide d'une longue aiguille, après qu'une échographie ait localisé le bébé et le placenta avec précision. La composition du liquide est analysée en laboratoire et les cellules fœtales qu'il contient sont cultivées pour y déceler des anomalies chromosomiques. Les résultats sont connus entre dix et vingt jours environ après le prélèvement. L'amniocentèse peut déceler la présence de la trisomie 21, le vrai nom du mongolisme, aussi appelé le syndrome de Down, et de certaines autres anomalies majeures, notamment le spina-bifida, une malformation de la colonne vertébrale qui laisse la moelle épinière partiellement à découvert.

## Les indications

### • L'âge de la mère

C'est l'indication la plus fréquente. Son accessibilité diffère d'un pays à l'autre: au Québec, elle est offerte aux femmes qui auront 35 ans ou plus au moment prévu de la naissance (38 ans en France). Elle dépiste alors principalement la trisomie 21 et le spina-bifida.

### • Les antécédents familiaux

L'amniocentèse est offerte aux parents qui ont déjà eu un enfant atteint d'une anomalie génétique, ou qui ont dans leur famille proche une personne atteinte d'un trouble génétique ou encore qui sont tous deux porteurs d'un trouble génétique comme la maladie de Tay-Sachs ou la thalassémie. Elle fait alors suite à une consultation génétique qui prend en compte tous les éléments de l'histoire familiale afin d'évaluer le risque spécifique de ce couple que leur bébé soit porteur de la même anomalie. Le liquide amniotique est alors soumis à des analyses spéciales pour détecter ces anomalies particulières.

### • L'apparition de «signes d'appel»

Les signes d'appel sont des indices, le plus souvent découverts à l'échographie, reliés à une augmentation du risque de présence d'une anomalie génétique. Certains signes sont classés comme étant majeurs, alors que d'autres n'ont d'importance que s'il en apparaît plusieurs, donc en association.

L'amniocentèse peut aussi être faite dans le dernier trimestre de la grossesse, dans le suivi de certaines conditions pathologiques très particulières.

Le risque d'avoir un enfant atteint d'une anomalie chromosomique existe à tout âge. Le risque zéro n'existe pas. Par exemple, le risque de trisomie 21 est de 1/800 dans la population en général et, dans les faits, 80% des enfants atteints naissent de mères qui ont moins de 35 ans. Le risque augmente graduellement avec l'âge pour atteindre 1/100 à 40 ans.

## Les risques

Il existe des risques à l'amniocentèse, le principal étant celui de faire une fausse couche, et il est de 0,5 à 1%. De plus, environ 0,5% des bébés auront un petit poids à la naissance (un signe de malnutrition intra-utérine) ou des problèmes respiratoires à la naissance. Les accidents de la procédure, comme la perforation d'un vaisseau sanguin, la rupture prématurée des membranes, les risques de blessure au bébé, mineure ou majeure, sont plus rares. Dans le cas où la mère est Rh-, elle doit recevoir l'injection de gammaglobulines qui préviennent la formation d'anticorps dangereux pour le bébé puisque la procédure pourrait occasionner un échange de sang entre elle et son bébé.

Parmi les problèmes rencontrés, il arrive qu'on doive reprendre l'intervention, soit qu'on n'ait pas réussi à retirer assez de liquide, soit que la culture des cellules ait été inadéquate. Cela multiplie évidemment les risques et allonge les délais d'attente des résultats. Si cette prolongation ajoute à l'anxiété de l'attente, pour certaines femmes, cela pourrait même compromettre l'idée d'un avortement à une date si tardive, si les résultats s'avéraient anormaux.

Malgré sa réputation de grande fiabilité, l'amniocentèse peut, quoique rarement, donner un faux résultat, soit que l'on manque une anomalie pourtant présente ou que l'on diagnostique une anomalie qui n'est pas présente, surtout dans le cas du spina-bifida, dont le diagnostic dépend non pas de la culture de cellules, mais de l'analyse de la proportion de certaines substances dans le liquide amniotique, une proportion qui varie normalement selon l'âge de la grossesse, la présence de jumeaux, et d'autres facteurs.

## L'expérience des parents

L'amniocentèse ne peut pas garantir un bébé parfait: la grande majorité des anomalies génétiques ne sont pas décelables par amniocentèse. Il naît environ 2% de bébés qui ont des malformations ou des problèmes majeurs nécessitant des soins médicaux. Depuis l'avènement de l'amniocentèse, ces valeurs n'ont pas changé, sauf pour la trisomie 21. L'amniocentèse, quand elle annonce des résultats normaux, semble contribuer à diminuer le niveau d'anxiété chez les mères, mais la progression de la grossesse abaisse aussi la crainte des autres mères face à de possibles anomalies chez leur bébé. Une grande partie de l'anxiété qui se résout au moment des résultats provient du test lui-même: le fait d'attendre pendant trois semaines une réponse qui va décider de l'avenir d'une grossesse déjà bien installée fait vivre beaucoup d'angoisse aux femmes. Un certain nombre de parents sont, par ailleurs, mis en présence de résultats ambigus comme la découverte de changements chromosomiques mineurs, dont la médecine ne connaît pas encore les conséquences sur le fonctionnement futur des bébés atteints.

Toutes les femmes du monde connaissent, pendant leur grossesse, un sentiment d'inquiétude quant à l'intégrité physique et mentale de leur bébé. La possibilité d'avoir recours à l'amniocentèse, pour les femmes de 35 ans et plus, a transformé cette procédure délicate, tant par ses risques que par ses conséquences sur la poursuite de la grossesse, en un simple test de «routine». La seule existence et disponibilité de l'amniocentèse en fait un choix évident pour bien des gens. Certains parents pensent même qu'elle est obligatoire, passé un certain âge. Dans l'entourage, on demande «C'est pour quand ton amnio?» et «As-tu eu tes résultats?» comme s'il s'agissait d'un test banal. La pression sociale à passer l'amniocentèse s'exerce sur toutes les femmes, mais elle a aussi quelque chose d'absolument culturel et arbitraire. En France, par exemple, l'amniocentèse de routine n'est proposée qu'aux femmes de 38 ans et ce n'est qu'à cet âge qu'elle est remboursée par la Sécurité sociale. Les femmes de moins de 38 ans n'angoissent pas de ne pas y avoir accès! L'amniocentèse devrait pourtant faire l'objet d'une décision partagée dans le couple et mûrement réfléchie, qui prend le temps d'évoquer les choix qui s'offriraient en cas de résultats douteux ou clairement anormaux.

*«Décider de ne pas passer d'amniocentèse a été l'aboutissement d'un long processus de questionnement et de réflexion avec mon mari», dit Carmen, «et nous étions vraiment à l'aise avec notre décision finale. Mais vivre le reste de la grossesse en se faisant demander par tout le monde si ça ne nous inquiétait pas de l'avoir refusée, ça, ç'a été difficile. Nous n'avions pas de répit. On nous l'a demandé jusqu'à la fin!»*

*À l'âge de 28 ans, Alexandra a eu un enfant affligé du syndrome de Down. C'était leur deuxième bébé et, ensemble, Denis et elle ont passé à travers le chagrin,*

*l'inquiétude et le long apprentissage requis pour en prendre soin avec amour. Ils ont été mille fois payés en retour et il leur serait maintenant impossible d'imaginer leur famille sans lui. Maintenant qu'Alexandra est enceinte d'un quatrième bébé, Denis lui avoue être incapable d'imaginer avoir à s'occuper d'un deuxième enfant atteint de la même anomalie (le risque est en effet plus grand vu l'existence du premier). Alexandra ne partage pas son inquiétude, mais accepte d'aller passer l'amniocentèse qui le rassurera.*

*Martine est enceinte pour la première fois. Elle a 38 ans et craint d'avoir un enfant atteint du syndrome de Down. Son médecin lui suggère une amniocentèse. Martine prend le temps de faire une recherche pour mieux connaître cette intervention. Elle découvre que les risques de fausse couche à la suite de l'amniocentèse sont aussi élevés, à son âge (soit 0,5%), que les risques d'avoir un enfant trisomique Elle ne sait pas quoi faire! Elle parle de son inquiétude dans son entourage. Son amie Christine, qui a eu quatre enfants, lui dit: «Tu pourrais essayer d'aller toi-même à l'intérieur, d'aller sentir si ton bébé est correct ou non. Si tu sens que oui, crois-le. Ne te laisse pas avoir par toute la pression autour de toi pour avoir une réponse officielle. Ça demande un acte de foi, et beaucoup de courage, exactement ce dont tu auras besoin pour l'accouchement, d'ailleurs.» Après mûres réflexions, Martine décline l'amniocentèse. Aujourd'hui, à 41 ans, elle est enceinte de nouveau et n'en aura pas cette fois-ci non plus!*

*Danielle est enceinte pour la deuxième fois à 37 ans. Il y a un an et demi, elle a perdu son premier bébé à l'âge de quatre mois, du syndrome de mort subite du nourrisson, une maladie mystérieuse et cruelle qui frappe un bébé sur 500 dans la première année de vie, et dont on n'a encore compris ni la cause ni le mécanisme ni le remède. Cette mort soudaine les a laissés le cœur déchiré, elle et Antoine, son compagnon. Plus sereins aujourd'hui, ils partagent néan-*

moins l'inquiétude des femmes de cet âge d'avoir un enfant trisomique. Le risque n'est que de un sur 350, mais cette probabilité relativement faible leur souligne cruellement qu'elle s'est un jour appliquée à leur bébé. Ils se sentent incapables de penser que ce «un sur 350» ne «devrait» pas tomber sur eux. Ensemble, après avoir pesé les risques de l'intervention elle-même, ils décident que Danielle passera l'amniocentèse.

Marie-Lise a 41 ans et attend son deuxième bébé. Elle a fait une fausse couche l'année dernière et se sent généralement plus inquiète face à cette nouvelle grossesse. La question de l'amniocentèse la torture depuis les premières semaines: il lui semble qu'il faut qu'elle y aille, mais en même temps, elle en a peur. Comme un malaise sourd et persistant. Elle s'y résout finalement et reste anxieuse pendant les semaines d'attente de la réponse. Un téléphone au centre de génétique après trois semaines confirme que les résultats préliminaires sont encourageants: il y a 46 chromosomes, tout semble normal, le résultat définitif devrait venir d'ici quelques jours. Le lendemain: c'est le choc! Elle vient de perdre un peu de liquide clair et sanglant. À l'hôpital, l'examen confirme que ses membranes sont rompues et que le cordon ombilical est là, dans le vagin. À vingt semaines de grossesse. L'obstétricienne pense que cela pourrait fort bien être relié à l'amniocentèse.

Leila et Bill avaient longuement réfléchi à l'amniocentèse lors de leur première grossesse, alors qu'elle avait 37 ans. Ils avaient alors décidé de ne pas la passer et, en paix avec leur décision, avaient vécu l'attente de leur bébé avec bonheur. Cette fois, à 43 ans, la question se posait autrement. C'est le cœur gros mais tout de même prête à assumer leur choix que Leila s'y est prêtée. Quand le verdict est tombé, trisomie 18, leur chagrin a été immense. Les enfants atteints de trisomie 18 ne peuvent espérer se développer normalement et dépassent rarement l'âge de un an. Ils ont ensemble vécu cet avortement comme la naissance et l'accueil,

en tout petit, de la petite fille dont ils avaient rêvé. Des mois, des années plus tard, Leila porte encore le deuil de ce qu'elle a choisi de ne pas vivre avec sa fille. «Qui suis-je pour décider que cette année de vie possible n'avait pas de valeur, que mourir tout de suite, à dix-huit semaines de grossesse, était mieux pour elle?» Encore aujourd'hui, elle apprend à vivre en paix avec les terribles choix que la science moderne permet aux parents de faire, des choix qui les laisseront souffrants, quels qu'ils soient.

Diana a 26 ans et s'en va, exaltée, à son échographie de routine avec Luc, son conjoint. Ils ont bien hâte de voir leur bébé à l'écran. Mais plutôt que le très attendu «tout va bien», on leur annonce que les bassinets des reins de leur bébé sont plus grands que la normale, que cette anomalie est parfois accompagnée de malformations cardiaques et qu'elle est plus fréquente chez les enfants avec des anomalies génétiques. C'est le choc! On les envoie dès le lendemain à l'amniocentèse pour éliminer cette dernière hypothèse. Les résultats n'arriveront que dans trois semaines, trois très longues semaines alors qu'elle commence tout juste à sentir son bébé bouger dans son ventre. Tout sera éventuellement normal, mais longtemps après la naissance de leur bébé en santé, Luc et Diana se souviendront du stress, de la coupure brutale dans la grossesse jusque-là heureuse et insouciante, surtout que ni l'un ni l'autre n'avaient idée qu'ils pourraient être confrontés à la décision de passer une amniocentèse, à l'intérieur d'un si court délai.

Ces exemples illustrent bien, il me semble, combien la décision de passer ou non une amniocentèse est personnelle à chaque femme, chaque couple, et relève d'un ensemble de facteurs subjectifs autant qu'objectifs. Que les parents soient porteurs d'un gène déficient qui les oblige à une investigation génétique complète ou qu'ils essaient seulement de composer avec des risques statistiques, le processus de décision et l'expérience de vivre avec les résultats ne sont jamais simples[18].

Quand une anomalie est détectée, les choix qui s'offrent aux parents sont soit un avortement «thérapeutique», la poursuite de la grossesse, ou encore la décision de donner l'enfant en adoption. C'est une très lourde décision à prendre. Sur les quelques anomalies décelables par l'amniocentèse, toutes n'impliquent pas une vie de souffrance ou une vie végétative pour l'enfant touché, loin de là. Malheureusement, la pression sociale est unidirectionnelle: on décèle les anomalies pour les éliminer quand on les trouve. Cette certitude va de pair avec une autre: personne ne voudrait vivre avec un enfant handicapé. Voilà pourtant un énoncé qui n'est pas évident. Certes, aucun parent ne choisirait que son enfant soit handicapé. Mais s'il le devenait? Et si l'enfant qui vient se présente avec un handicap? Où est l'espace pour que chaque parent découvre comment il vivrait cette rencontre?

Tous les parents vivent un choc au moment où ils se rendent compte que leur enfant est touché par un handicap. Leurs réactions varient énormément selon leurs croyances, leur culture, leurs attentes, le soutien de leur entourage, la gravité de l'atteinte et de multiples autres facteurs. Ce choc, très réel, est toujours suivi d'une adaptation parfois douloureuse, déchirante, mais aussi très souvent positive, une expérience d'élargissement de l'amour, un apprentissage inespéré des facettes de la vie que le bonheur ordinaire aurait laissé cachées, un rapprochement profond dans le couple et dans la famille. On entend peu parler de ces expériences.

> «Mon frère et sa femme ont eu un enfant 'mongol'. Ça fait curieux de l'appeler comme ça parce que, pour nous, il est ce qu'il est, c'est-à-dire Alexis, deux ans, adorable, affectueux, gai, une joie dans la maison! Jamais je n'aurais une amniocentèse pour avorter d'un enfant trisomique. Je l'accepterais et l'aimerais sans problème, et c'est évident pour Guy aussi!»

Vu de loin, l'avortement d'un enfant handicapé peut sembler un moindre mal, une façon relativement simple de gérer le problème. Pour beaucoup de mères et de pères, c'est une expérience déchirante. On ne peut pas calculer le chagrin en comptant les mois ou les années de vie commune. Si un enfant était de toutes façons non viable, a-ton nécessairement moins de peine de le laisser vivre ses neuf mois de grossesse que de le forcer à quitter à cinq mois? La peine de ne pas avoir eu le bébé qu'on attendait reste là, même si «c'était pour le mieux», comme disent souvent les gens de l'entourage qui essaient d'aider.

Étant donné la gravité des conséquences de l'amniocentèse, les parents devraient s'assurer d'avoir accès à tous les points de vue et à un espace d'ouverture réelle pour choisir d'agir selon leurs croyances, leurs limites et leurs circonstances de vie. La pression actuelle, qu'elle soit médicale ou sociale, va certainement dans le sens de passer l'amniocentèse et de subir l'avortement. Les femmes auront-elles encore la possibilité et même le droit, dans quelques années, de ne pas passer d'amniocentèse et de risquer de mettre au monde un enfant imparfait?

# Les grossesses «à risques»

La catégorie des grossesses «à risques» a été inventée pour distinguer facilement les grossesses sans histoire de celles qui peuvent présenter certaines complications. Pour ces dernières, le suivi comptera probablement des visites plus rapprochées, des tests supplémentaires et une surveillance plus étroite du travail. Ce qui est très bien, si votre condition le réclame vraiment! Mais cette classification de risques ne touche jamais l'ensemble des transformations qui auront cours. Les symptômes de début de grossesse, les premiers mouvements du bébé, la sensation grandissante de sa présence, les bouleversements dans l'organisation de la vie en préparation à son arrivée, l'intensité des sensations du travail, la force des contractions et l'importance de s'y abandonner, la naissance, les émotions complexes qu'on vit les premiers jours, l'allaitement, l'ajustement à la vie avec un bébé, toutes ces étapes de la maternité se vivent malgré la présence d'un facteur de risque. Être placée dans cette catégorie, par contre, peut radicalement changer la vision qu'une femme a d'elle-même et affecter sa confiance de mère avant même qu'elle n'ait commencé!

Il existe des risques réels reliés à des problèmes de santé antérieurs à la grossesse. Par exemple, le diabète, l'hypertension, les problèmes cardiaques. Certaines conditions porteuses de risques apparaissent pendant la grossesse (comme la prééclampsie) ou deviennent inquiétantes à cause d'elle (comme l'herpès). Certaines situations plus délicates, comme la présence de jumeaux ou une présentation du bébé par le siège, sont des variations normales qui demandent une vigilance accrue et des soins particuliers. Enfin, certaines catégories de risques comme l'âge transportent plus de préjugés qu'elles ne décrivent une réalité scientifique!

L'âge! Voilà bien une catégorie douteuse, basée sur la supposition qu'un couperet s'abat à 35 ans, faisant de nous des vieilles avant notre temps! Penser que l'âge seul justifie de nous «déclasser» trahit une vision très mécanique de la personne: les vieilles autos roulent moins bien que les neuves, quoi! Le concept médical de la grossesse tardive, et donc à risques, a été lancé par un obstétricien lors d'un congrès au milieu des années 50. L'idée que les femmes de cet âge avaient un corps beaucoup plus rigide, un organisme déficient devenu inapte à mettre un enfant au monde, a fait des adeptes et s'est immédiatement répandue sans qu'on ne la soumette à l'épreuve scientifique de recherches sur de très grands groupes. En vérité, on reconnaît certaines particularités qui augmentent avec l'âge, comme la diminution de la fertilité (mais si vous êtes enceinte, vous avez vaincu cette difficulté-là!), un plus grand risque de fausses couches (qui est déjà d'environ 20% pour l'ensemble des femmes), et le risque plus élevé de développer de l'hypertension, une condition pour laquelle toutes les femmes enceintes sont suivies de toute manière. L'augmentation réelle du risque d'anomalies génétiques ne change rien dans le déroulement de la grossesse et de l'accouchement.

En aucun cas l'âge seul devrait être un facteur de risques. L'histoire de santé, la forme actuelle, le soin que les femmes prennent d'elles-mêmes et le déroulement des événements sont de bien meilleurs indicatifs!

Comment se fait-il alors qu'on ait l'impression d'entendre des histoires d'accouchements de femmes de 35 ans et plus qui se terminent en césarienne? Peut-être parce qu'elles sont trop souvent réduites à jouer un rôle diminué dans un scénario dont l'issue est décidée d'avance. «Vous comprenez, madame, à l'âge que vous avez, il faudra vous attendre à une césarienne», leur dit leur médecin, dès le début. Mal informé, l'entourage poursuit sur le même ton: «Ça ne t'inquiète pas, à ton âge?» Pendant des mois, on leur instille l'idée de leur supposée incompétence physique à donner naissance et de la presque inévitabilité de leur échec. C'est subtil, mais ça marche! Rajoutez à cela

---

**Attention**

Certains signes peuvent avoir une signification particulière et doivent être rapportés rapidement à votre médecin, votre sage-femme ou à une infirmière de la salle d'accouchement.

• Des maux de tête violents ou persistants;

• Des étourdissements et des troubles de la vision;

• Des vomissements excessifs;

• Des douleurs abdominales aiguës et incessantes;

• Des douleurs au moment d'uriner;

• Une enflure importante des mains, des pieds ou du visage;

• Une diminution importante des mouvements du bébé, dans la seconde moitié de la grossesse, et ce malgré une stimulation;

• De la fièvre;

• Des contractions de l'utérus lorsqu'elles sont douloureuses et fréquentes;

• Des pertes sanguines importantes (comme une menstruation, par exemple);

• Une perte de liquide par le vagin.

l'empressement qu'on a à les brancher sitôt le travail commencé, vu leur situation «à risque», le biais évident dans l'interprétation de ce qui serait autrement une variation normale du travail, et vous avez tous les ingrédients nécessaires pour que le film se termine tristement: «Ils eurent de nombreux enfants... mais ça n'allait pas tout seul, je vous jure!»

À plusieurs reprises, j'ai aidé des femmes de 36, 39, 42 ans à avoir leur premier bébé. Certaines ont accouché comme si elles n'avaient fait que cela toute leur vie, d'autres ont travaillé très fort et quelques-unes ont eu besoin d'aide médicale. Comme les autres femmes! De grâce, ne laissez personne vous considérer comme diminuée ou handicapée du seul fait de votre âge!

Si l'on vous dit, en cours de grossesse, que vous êtes «à risques», commencez par en vérifier minutieusement la pertinence. Vous êtes responsable d'aller chercher les soins que votre condition réclame, s'il y a lieu, mais vous êtes aussi responsable de ne pas tomber dans cette appellation comme dans un vaste piège, une invitation à la passivité et à l'obéissance aveugle parce qu'«ils» savent ce qu'il faut faire. Allez chercher un soutien supplémentaire auprès d'un autre médecin, d'une sage-femme, d'une accompagnante, d'un groupe d'entraide d'allaitement, de mères amies qui vous encourageront à traverser ce que la grossesse pourra avoir de plus difficile pour vous.

Sheila Kitzinger, une anthropologue britannique qui observe la naissance et tout ce qui l'entoure depuis des années, déteste cette appellation «grossesse à risques élevés» (*high risk pregnancy*). «N'auriez-vous pas l'impression d'être une sorte de bombe à retardement?» demande-t-elle. Reconnaissant que certaines femmes et bébés requièrent des attentions particulières, elle suggère l'expression «*high care pregnancy*», qui se traduit difficilement, sinon peut-être par «grossesse à soins accrus», qui met l'accent sur les soins, plutôt que sur les risques. Un peu plus invitant, ne trouvez-vous pas?

# *Le carnet de grossesse*

J'ai toujours été fascinée par les «carnets de bord» que certaines femmes tiennent pendant leur grossesse. Très différents les uns des autres, ils reflètent les préoccupations et les intérêts de leurs propriétaires. On y retrouve une foule de choses: des résultats d'hémoglobine jusqu'aux récits de rêves, en passant par les listes de questions qui s'accumulent pendant le mois et qui ont le don de disparaître à la visite prénatale suivante quand on se fait demander le fameux: «Avez-vous des questions?»

Certaines femmes se font une sorte de dossier prénatal personnel. Elles y notent leurs résultats de tests et de visites prénatales. D'après elles, on se sent beaucoup plus en maîtrise de sa santé quand on a une idée claire de ce qu'est sa tension artérielle normale et en observant ses résultats sur plusieurs mois. Comment le bébé était placé la semaine dernière et le mois d'avant?

Quelle a été la progression de la hauteur utérine? Au lieu d'avoir à s'en remettre à son médecin ou à sa sage-femme, on devient une interlocutrice valable. C'est un bel exemple d'autonomie. C'est un principe très courant dans plusieurs pays. En France, par exemple, c'est la femme qui garde son dossier prénatal: le médecin ou la sage-femme y consigne les résultats de l'examen mensuel et en garde la copie carbone.

Quelques minutes par mois ne peuvent suffire à glaner toutes les observations d'intérêt concernant votre grossesse. Vous êtes la seule à pouvoir compléter cet examen mensuel par vos observations personnelles. Rapportez les changements inhabituels, en prenant des notes, au besoin, pour être plus précise. Ces signes peuvent être sans con-séquences, mais votre sage-femme ou votre médecin pourra en déterminer l'importance avec vous en les discutant et en vous exami-nant de plus près s'il y a lieu.

Un carnet de bord est aussi composé de réflexions, d'observations intimes, de pen-sées recueillies au fil des jours. L'écriture, même faite de notes toutes simples, permet d'exprimer librement ses émotions, de pren-dre du recul. Quel précieux document! Quel merveilleux livre d'histoire! Plusieurs albums de ce genre existent en librairie ou faites-vous-en un: choisissez un cahier qui vous inspire, mettez-y des images ou des photos qui vous touchent, faites-en un moment quotidien de réflexion et laissez-le traîner pour y écrire quand l'envie vous prend. Par-dessus tout, faites-vous plaisir!

**Notes**

[1] ENKIN, KEIRSE, NEILSON, CROWTHER, DULEY, HODNETT & HOFMEYR. *op. cit.*, p. 145.

[2] M. LABRECQUE. «Randomized Controlled Trial of Prevention of Perineal Trauma by Perineal Massage During Pregnancy», *American Journal of Obstetrics and Gynecology*, vol. 180, n° 3, mars 1999.

[3] Même si on emploie couramment le terme «vaccin», cette injection de gammaglobulines anti-D n'a rien à voir avec les vaccins habituels qui inoculent en infime quantité une version atténuée d'un virus.

[4] ENKIN, KEIRSE, NEILSON, CROWTHER, DULEY, HODNETT & HOFMEYR. *op. cit.*, p. 75.

[5] *Idem.*

[6] *Idem*, page 76.

[7] *Idem*, page 77. Traduction de l'auteure.

[8] Consensus canadien sur la conduite à tenir en cas de présentation du siège à terme; SOGC, *Déclaration de principe*, n° 31, novembre 1994.

[9] Selon le Rapport annuel de la Société canadienne de pédiatrie (juin 1997).

[10] *New England Journal of Medicine*, 2000, vol. 342 , p. 15-20.

[11] P. MOHIDE, L. A. MORAN & Ultrasound Working Group of the McMaster Diagnostic Imaging Practice Guideline Initiative, «Prenatal Ultrasound and the Detection of Pregnancies with Major Fetal Anomalies», Hamilton (Ontario), 28 Juin 1999.

[12] ENKIN, KEIRSE, NEILSON, CROWTHER, DULEY, HODNETT & HOFMEYR. *op. cit.*, p. 53.

[13] Marsden WAGNER. *Pursuing the Birth Machine: The Search for Appropriate Birth Technology*, ACE Graphics, 1994.

[14] SOGC. *Lignes directrices sur l'utilisation de l'échographie pour les soins prénatals courants*. 1999.

[15] Marsden WAGNER. *op. cit.*

[16] Anne QUÉNIART. *Le Corps paradoxal*, Montréal, Éditions Saint-Martin, 1989.

[17] Au Québec, pour le moins. Il en est autrement en France, où il faut un certain nombre d'échographies pour obtenir le remboursement par les services d'État.

[18] Lisez à ce sujet le livre de Barbara Katz ROTHMAN. *The Tentative Pregnancy. Prenatal Diagnosis and the Future of Motherhood*, New York, Penguin Books, 1987.

**Carnet de grossesse**

Voici un exemple de ce que pourrait comprendre votre carnet de grossesse.

• Profil (Nom, âge, grandeur, poids avant la grossesse).

• Renseignements généraux sur la grossesse (Date prévue de l'accouchement, dernière menstruation, date de conception).

• Histoire et antécédents (Nombre d'accouchements, nombre de grossesses précédentes, nombre d'avortements spontanés, nombre d'avortements provoqués).

• Examens prénatals (Semaines de grossesse, poids, hauteur utérine, tension artérielle, protéines et glucose dans l'urine, position du bébé, cœur fœtal, examen vaginal, personne qui a effectué l'examen).

• Dates et résultats des tests prénatals (Groupe sanguin, anticorps Rh, taux d'hémoglobine, culture d'urine, anticorps à la rubéole, maladies transmises sexuellement, prélèvement vaginal).

• Dates et résultats d'autres tests et examens prénatals: échographie, amniocentèse, etc.

Laissez un espace où noter les éléments suivants, s'il y a lieu: enflure, fièvre, mouvements du bébé, saignements, pertes vaginales, maux de tête, nausées, étourdissements, fatigue, douleurs.

**Bloc-notes**

• Prenez-vous des médicaments en ce moment? Lesquels?

• Prenez-vous des drogues pour usage non médical? Lesquelles? À quelle fréquence?

• Prenez-vous des vitamines ou suppléments? Lesquels?

• Fumez-vous la cigarette? Combien par jour? Avez-vous diminué depuis le début de votre grossesse? Vous êtes-vous fixé un objectif à ce sujet?

• Avez-vous un ou plusieurs facteurs médicaux qui pourraient influencer le déroulement de votre grossesse ou de votre accouchement?

• Votre médecin vous considère-t-il dans une catégorie «à risques»? Vous sentez-vous à l'aise avec ce que cela implique?

• La date prévue de l'accouchement selon vos dernières règles concorde-t-elle avec celle prévue par l'échographie?

• Avez-vous visité l'hôpital ou la Maison de naissance où vous comptez accoucher? Quelles sont vos impressions?

• Comptez-vous rapporter ces impressions à votre médecin ou sage-femme? Vous amènent-elles à discuter certains points avec eux ou à changer certains plans?

• Votre médecin ou votre sage-femme travaille-t-il ou elle dans une équipe? Quelles sont ses disponibilités? Avez-vous rencontré les autres membres de son équipe?

# Chapitre 6

# L'accouchement vu de l'intérieur

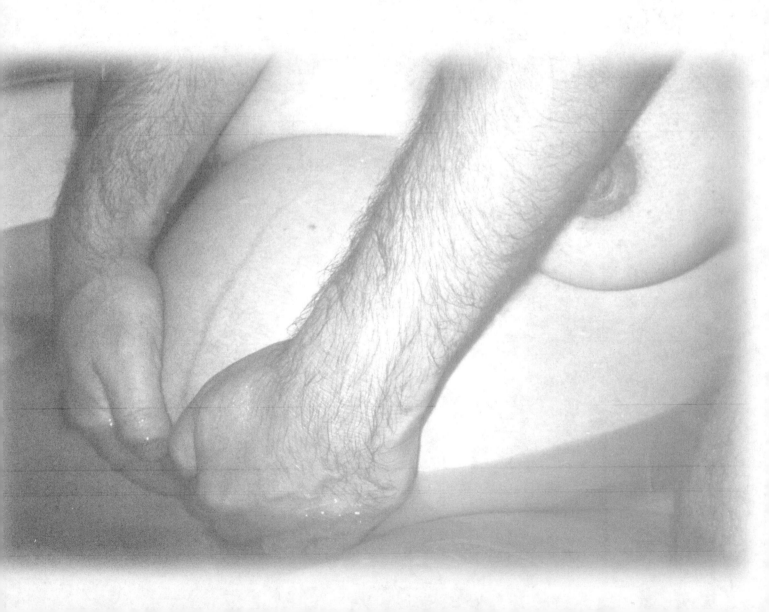

# L'histoire d'un accouchement

Si vous le voulez bien, plutôt que d'imaginer le voyage qui s'en vient à travers des explications, des centimètres, des stades de l'accouchement, laissez-vous conter l'extraordinaire aventure de la naissance. Comme un de ces contes merveilleux qui nous ont fait rêver, enfants. Le texte qui suit pourrait vous servir de visualisation, de voyage guidé, que vous en fassiez la lecture vous-même ou qu'on vous la fasse. Les points de suspension suggèrent une pause dans la lecture. Laissez monter en vous l'intensité que les images vous proposent, laissez-vous pénétrer par le récit de l'accouchement.

Vous êtes enceinte. Les mois passent, les semaines, les jours. Votre bébé continue de grandir, de se nourrir à même votre souffle, votre sang, votre corps. À chaque instant, chacune de vos respirations lui apporte tout l'oxygène dont il a besoin. Imaginez votre bébé dans votre utérus en ce moment. Il flotte doucement dans le liquide tiède qui l'entoure, bercé par votre respiration et par vos mouvements, réconforté par le battement de votre cœur.

Essayez d'imaginer l'intérieur de votre utérus. Cela ne devrait pas être difficile: après tout, vous avez vous-même déjà séjourné dans un utérus, pendant neuf mois. Imaginez les parois souples et fermes qui protègent votre bébé, le placenta gorgé de sang et d'oxygène, le cordon qui les rattache, avec ses deux artères et sa veine qui assurent l'échange continu entre vous et lui. Quel organe extraordinaire que le placenta: il sait s'approvisionner selon ses besoins et se débarrasser de ses déchets.

Imaginez l'intérieur de votre vagin. Les cellules qui s'étirent et deviennent de plus en plus souples. Vous pouvez peut-être même déjà sentir cette flexibilité qui augmente: les cellules roses, fortes, robustes, qui s'assouplissent continuellement et s'ouvrent de plus en plus, vers les dernières semaines de grossesse. Tout ce travail d'assouplissement, d'ouverture, d'abandon, nous fait vraiment percevoir la grande sagesse du corps, qui se libère de la fatigue, du stress, pour faire graduellement plus de place à la relaxation, sur le chemin qu'empruntera bientôt votre bébé.

Votre corps sait non seulement comment nourrir un bébé par le placenta, mais aussi comment le mettre au monde. Tout comme vos organes ont su s'adapter, se déplacer pour faire de la place au bébé, tout ce que vous pourriez avoir besoin d'apprendre intérieurement vous viendra naturellement, sans effort de votre part. Votre routine quotidienne se déroule normalement, mais d'infimes changements s'opèrent graduellement et continuellement à l'intérieur de vous.

En ce moment même, votre bébé se nourrit et grandit patiemment. Il attend d'avoir atteint le bon poids, d'être prêt à naître. Le moment parfait viendra pour que votre bébé entame son voyage vers l'extérieur.

\* \* \*

*D'abord, imaginez une sorte de tunnel dans le temps, qui vous permettrait de faire un saut dans le futur et de vous retrouver à ce moment parfait que votre bébé aura choisi pour naître...*

*Ce jour-là, ou cette nuit-là, vous sentez revenir périodiquement un serrement, une pesanteur dans le bas de votre ventre. Vous en avez peut-être ressentis souvent depuis quelques semaines, mais cette fois-ci, c'est différent. Ce sont les contractions! Comme elles deviennent plus présentes et plus régulières, vous vous rendez compte que vous êtes en début de travail. Votre corps et votre bébé ont commencé le processus de la naissance, exactement comme la nature l'avait prévu.*

*Vous parlez à votre bébé et vous lui dites combien vous êtes heureuse de savoir que, très bientôt, vous pourrez vous voir et vous toucher, peau à peau. Vous avez parlé à votre compagnon, qui partage votre excitation, à sa manière, et maintenant vous allez prendre une marche ou continuer vos activités, en respirant profondément à travers chaque contraction. Si c'est la nuit, vous vous rendormez jusqu'à ce que la force de vos contractions vous réveille à nouveau...*

*Maintenant, il y a une contraction qui s'en vient, toute petite d'abord, comme le bruit d'un train qu'on entend arriver au loin, et qui grandit et grossit, jusqu'à ce qu'il soit tout près de vous. Vous sentez la tête de votre bébé qui plonge vers le col, vers le bas de l'utérus, vers l'extérieur. Votre respiration vous emmène de plus en plus profondément, exactement là où cette pression se fait sentir. C'est votre souffle et la tête de votre bébé, ensemble, qui font ouvrir le col. Un peu. Un tout petit peu. Juste ce qu'il faut. Tout douce-ment, vous pouvez sentir la contraction qui perd de sa force, comme un train qui vous a dépassée et qui repart vers le lointain.*

*À nouveau c'est le silence, le grand et merveilleux silence qui apaise. Et vous vous reposez... Comme c'est bon, ce temps de repos! Vous en profitez pour bouger, marcher, vous étirer, parler avec ceux qui vous entourent. Ou peut-être pour faire le silence, vous recueillir, vous centrer. Vous attendez...*

*Maintenant, vous pouvez sentir la prochaine contraction qui arrive. Comme une belle et grande vague. Pleine d'écume. Elle vient vous chercher et vous emporte sans que vous puissiez rien y faire sauf respirer et respirer. La tête de votre bébé plonge vers le col, pèse sur le col, lui demande de s'ouvrir, de lui faire de la place. Parce qu'il veut naître, cet enfant. Vous respirez pendant que la vague vous emmène toujours de plus en plus loin, de plus en plus profond. La tête du bébé qui plonge en bas, c'est cette pression-là, dans le bas de votre ventre, peut-être même jusque dans votre dos. C'est toujours votre souffle qui vous porte, qui vous transporte jusque dans le creux de votre ventre, pour aller dire oui, oui à la porte qui s'ouvre, au col qui s'ouvre, à tout votre corps qui s'ouvre pour laisser passer votre bébé. Vous pouvez bientôt sentir cette pression qui relâche un peu. La vague qui se calme, qui vous ramène tout douce-ment au rivage. Parce que les vagues revien-nent toujours au rivage. Les vagues revien-nent toujours au rivage...*

*Et vous vous retrouvez là, sur le rivage, dans le magnifique silence du rivage. Vous pouvez enfin vous y reposer... Qu'elle est extra-ordinaire cette accalmie, cette paix. Vous en savourez chaque instant, chaque seconde.*

*C'est comme si toute la paix du monde était contenue dans chacune de ces secondes de silence. Comme si tout le courage du monde était là, à votre disposition, pour que vous puissiez y puiser à volonté. Vous vous en nourrissez et vous vous reposez, avec votre bébé...*

*Jusqu'à ce que la prochaine vague vienne vous chercher, encore plus forte que les autres. Tellement tumultueuse, tellement folle. La tête du bébé plonge toujours vers le bas de l'utérus, descend de plus en plus, et pèse tellement sur le col, que le col doit céder. Il cède, il s'ouvre, comment pourrait-il faire autrement? Cette vague est tellement forte, elle vous amène tellement loin du rivage que vous vous demandez s'il existe encore un rivage. Elle vous bouscule, vous roule dans son écume, et vous vous sentez comme un petit bouchon de liège au milieu de l'océan. Peu importe la violence de la tempête, peu importe sa durée, peu importe combien la mer le secoue... le petit bouchon de liège sait qu'il continuera toujours à flotter. C'est votre respiration encore une fois qui vous guide, qui vous emmène au plus profond de vous-même, là où la tête de votre bébé implore à votre col de s'ouvrir, de lui faire de la place pour passer. Et votre col s'ouvre, il s'ouvre. Parce qu'il ne peut pas faire autrement. Parce que vous êtes, avec votre bébé, au milieu d'un merveilleux processus perfectionné par d'innombrables générations de femmes avant vous. Parce que les cols sont faits pour s'ouvrir et les bébés pour naître. Vous n'avez qu'à vous y abandonner. Tout doucement, la vague vous ramène au rivage. Son infime et essentiel travail, d'ouvrir le col un peu plus, de faire descendre votre bébé un*

*peu plus, est accompli. Chaque contraction est tellement efficace...*

*Heureusement, son travail achevé, la vague se retire et vous ramène au rivage, dans cet oasis de calme et de paix. Vous vous y bercez, paisiblement, avec votre petit passager. Vous en profitez pour lui dire combien vous l'aimez, combien vous avez hâte de le serrer dans vos bras. Vous prenez le temps de goûter à tout l'amour qui vous entoure. Celui de votre compagnon, des gens qui sont avec vous. Vous pensez aussi à la tendresse de tous ceux qui vous aiment, en ce moment, et qui se soucient de vous. Vous utilisez chaque instant de calme et de paix pour vous régénérer...*

*La prochaine vague vient vous enlever et vous emporter au large, encore une fois. Vous entendez votre souffle qui suit le mouvement, qui vous guide. Vous sentez la tête de votre bébé qui pèse là, en bas, sur ce qui reste du col maintenant tellement ouvert. Votre souffle qui vous entraîne au plus profond, là où il faut aller dire oui. Oui à l'ouverture, oui au travail, oui à ces incroyables sensations de la naissance. La tête du bébé qui presse encore, et, mon dieu, ce liquide chaud qui vous coule soudainement entre les jambes. C'est le liquide amniotique! Quelle extraordinaire sensation chaude et mouillée, qui ouvre la voie à votre bébé, il s'en vient, il s'en vient vraiment. C'est l'énergie de la naissance qui coule à travers vous et qui coule de vous. Cette pression de la tête là en bas, encore plus présente maintenant, plus pressante. Toute votre énergie concentrée à lui dire oui, à laisser ouvrir exactement l'espace qu'il faut pour que naisse votre bébé. En sachant qu'il a tout l'espace qu'il lui faut. Bientôt, la* pression diminue, la tempête se calme, la vague roule avec mollesse et vient vous déposer doucement, là, dans le calme, le silence et la paix...

Chacune de vos respirations vous remplit d'oxygène et nourrit chacune de vos cellules qui sont prêtes depuis si longtemps à faire ce merveilleux travail. Elles alimentent aussi les cellules de votre bébé. Votre bébé si amoureusement massé par chacune de vos puissantes contractions, massé, éveillé de son doux sommeil, réveillé de sa vie sous-marine, intra-utérine. Chacune de vos contractions le prépare à respirer, à téter, à quitter son berceau de chair pour atteindre son autonomie. Parce que c'est aujourd'hui qu'il va naître! Vous vous reposez tous les deux, au milieu de ce prodigieux voyage. C'est le plus court et en même temps le plus long et le plus mystérieux des voyages de la vie...

La prochaine vague qui vient vous chercher est accompagnée d'une nouvelle sensation, d'une excitation différente aussi, d'une envie de pousser, de tout votre corps, de tout votre ventre. L'ordre vient directement de là, de l'intérieur. Votre bébé descend, un petit peu, et franchit maintenant le col, qui s'était ouvert si grand, que votre bébé peut maintenant le passer et s'engager dans votre vagin, le dernier couloir qui le sépare encore de sa naissance. Et ça pousse, ça pousse tout seul, et votre corps suit spontanément. Chaque poussée, qui presse encore plus que tout à l'heure, fait descendre votre bébé. Vers le bas, vers l'extérieur, vers sa vie. Vous vous abandonnez toute entière à ce mouvement de l'intérieur qui veut l'aider à venir au monde...

Puis, la force de la vague diminue et vous quitte encore une fois, son travail est ter-

miné. Cette fois, le repos semble encore meilleur. «Viens, viens mon bébé, je te sens venir enfin!» Une énergie neuve vous habite, une fébrilité en même temps qu'une force tranquille. Vous avez chaud, vous avez soif, votre corps réclame une attention nouvelle, parce qu'il commence maintenant un travail nouveau: celui de pousser votre bébé, de le pousser au monde. Les gens autour de vous partagent votre excitation et la joie de savoir que votre bébé sera bientôt dans vos bras. Chaque instant de repos vous communique force et énergie...

La contraction qui vient vous trouve prête, prête à travailler, à pousser, à vous ouvrir aussi. Votre souffle a changé, il s'est adapté à ce nouveau travail, et vous l'entendez aller chercher cette force en vous pour faire descendre votre bébé. Encore un peu, encore un peu plus. Tous les tissus de votre vagin répondent à cette demande, ils s'étirent et s'ouvrent devant votre bébé, le laissant descendre. La poussée a une telle force que vous avez l'impression de sauter sur une grande vague et de glisser avec elle aussi loin qu'elle ira. Chaque poussée vient presser là, en bas, partout, dans le vagin, sur le rectum, dans tout le bassin, parce que votre bébé prend toute la place qu'il y a. Et le chemin s'ouvre, s'ouvre. Puis, doucement, la contraction perd de sa force et vous sentez aussitôt la pression qui se relâche, et votre bébé qui remonte, puisque aucune pression ne le maintient en bas...

Il remonte dans son nid, dans son espace connu. Il se repose. Tous les tissus du vagin se reposent aussi. Chaque fibre, chaque muscle qui vient de s'étirer reprend sa forme, s'abreuve d'oxygène et d'énergie à même votre respiration, à même votre repos. Vous prenez le temps de regarder les gens autour de vous, de reprendre contact avec eux: ils sont là, avec vous, ils vous aident et ils vous aiment. Chaque instant de cette pause vous remplit, vous régénère...

Vous sentez venir encore une fois cette pression, cette poussée. Vous la laissez monter jusqu'à ce qu'elle soit irrésistible. Et ça pousse, ça pousse encore. Votre bébé glisse sans effort jusqu'où il est allé plus tôt et d'une poussée, vous le faites avancer un peu plus, là où il n'est encore jamais allé. C'est maintenant toute la vulve qui s'étire, qui s'ouvre pour laisser venir votre bébé. Quelle chaleur intense, comme si chaque cellule s'étirait au maximum de sa flexibilité et brûlait de tant s'ouvrir. L'étirement, la souplesse et l'ouverture permettent à votre bébé de naître. Il sent maintenant, pour la première fois, la sensation de l'air sur son cuir chevelu. Vous voyez le sommet de sa petite tête dont vous pouvez enfin toucher les replis. Sa peau est humide, chaude, là, juste là, entre vos lèvres. Doucement la contraction perd de sa force. Vous sentez la vague qui se calme et qui vous quitte. Le cercle de sa tête reste là, un instant encore, un instant, avant de remonter se cacher au creux de vous, laissant encore une fois les tissus se reposer, se préparer à la grande ouverture...

Vous vous reposez aussi. Vous ressentez peut-être encore, aux lèvres, le feu de cette ouverture extraordinaire. Doucement, avec chacune de vos respirations, vous allez y apporter la fraîcheur, la détente, le «oui» qui leur permettra d'ouvrir encore un peu plus. Parce qu'ils en sont capables, vos tissus. Ils ont été exactement conçus en prévision de laisser

un jour passer un bébé. C'est aujourd'hui qu'ils font bravement leur travail. «Mon bébé, mon bébé, dans quelques instants seulement. Mon amour, mon bébé...»

La prochaine vague s'en vient et votre bébé commence déjà à glisser dans votre vagin. Vous sentez maintenant qu'il vous faudra alléger la poussée, la faire si légère, si douce, que vos tissus sauront s'étirer graduellement pour s'ouvrir plus grands qu'ils ne se sont jamais ouverts. Ça pousse et vous laissez la pression s'exercer toute seule, à mesure que vous soufflez, et vous haletez légèrement, quand elle se fait plus insistante. Juste pour sentir que chaque souffle fait avancer votre bébé, sans exiger trop à la fois de vos lèvres, de votre périnée, de votre vagin, qui s'ouvrent en une dernière et magnifique caresse sur tout le corps de votre bébé. Juste comme vous pensez que vous ne pouvez plus vous ouvrir, vous vous ouvrez encore et encore et «oh mon dieu», ce cri qui vous vient, ce cri venu du fond des temps et du fond de vous-même: c'est sa tête toute entière qui glisse à l'extérieur tandis que votre périnée laisse apparaître graduellement son front, ses yeux, son nez, sa bouche, son menton. Il est là. Sa tête est là, entre vos cuisses. Déjà il s'est tourné et vous présente son profil...

Quelle vision: sa tête tout juste émergée de vous, là, entre vos cuisses! Quel moment extraordinaire! Comme un instant suspendu entre deux mondes, entre deux éternités. Votre bébé n'est pas encore né, mais déjà il n'est plus tout à fait à l'intérieur de vous. Vous pouvez voir son visage, y toucher. Immobile peut-être. Comme vous suspendu, en attente, paisible, confiant. Ou peut-être a-t-il déjà commencé à bouger légèrement, à plisser le front, à bouger les lèvres. Peut-être aussi à prendre de petites respirations, à faire des petits bruits avec sa bouche. Des mains viennent l'accueillir, le soutenir, et une autre poussée vient pour la dernière fois faire naître le reste de son corps. Vous suivez, attentive, son mouvement. En poussant pour qu'il glisse graduellement et doucement vers vos mains, vers vous. Une épaule, puis l'autre et c'est tout son corps qui s'échappe, chaud, glissant, ruisselant du liquide qui le baignait encore. On vous aide à le déposer sur vous.

Enfin! Enfin, il est là. Vous sentez son corps mouillé sur vous, sa chaleur, son poids. Il commence à respirer. D'un coup, peut-être d'un cri, en sortant, un cri qui dit: «Me voilà, la vie, j'arrive!» Ou tout doucement peut-être, progressivement. Par petits coups. Pour s'habituer au goût de l'air dans ses poumons. Sa couleur change rapidement vers un rose vibrant de vie. Vous reconnaissez ses petits mouvements de jambes. Vous percevez enfin son odeur, cette odeur du dedans de vous que vous ne sentirez qu'une fois. Il est là, enfin, il est là votre bébé. Vous formez maintenant une famille. Votre famille. Prenez le temps de lui dire les mots qui vous viennent, les émotions qui vous montent directement du cœur...

Pendant ce temps, votre utérus, tel que prévu, continue à se contracter. Le placenta, n'ayant plus l'espace nécessaire, se décolle de la paroi de l'utérus. Une autre contraction et votre utérus l'expulse, le fait glisser dehors, chaud et mou: votre placenta a maintenant terminé son travail et il s'élimine de lui-même. C'est à peine si vous y portez attention. Chacun des gestes de votre bébé, ses petits sons, son poids sur votre ventre, rappellent à votre utérus qu'il doit maintenant continuer à se contracter, infiniment fort et ferme, à peine gros comme un pamplemousse, pour garder la perte de sang à son minimum.

Vous êtes toute occupée à découvrir votre bébé. À partager cette joie avec votre compagnon, heureux lui aussi. Avec ceux qui vous ont accompagnée dans ce voyage. Bientôt votre bébé se met à chercher avec sa bouche. Vous le guidez du mieux que vous pouvez, ses lèvres toutes proches de votre sein. Peu à peu, après avoir senti, léché, goûté votre mamelon, il le prendra dans sa bouche et se mettra à téter. Dans ce geste, la continuité de votre intimité, de votre lien physique qui se transforme. Imaginez ces premiers moments ensemble...

Quand vous aurez eu tout le temps de laisser venir les émotions qui montent, le temps de les laisser s'exprimer, permettez à ces images de s'estomper petit à petit. Laissez-les se brouiller juste un peu, d'abord, puis tout à fait. Laissez-les retourner là d'où elles viennent. Ce jour dans le futur, ce jour parfait pour la naissance de votre bébé. Ce jour où il aura atteint son poids, sa maturité, son moment à lui pour naître. Prenez quelques instants pour parler à votre bébé maintenant, pour lui dire comment vous vous sentez maintenant, alors que vous le sentez bouger juste là, dans votre ventre... Prenez conscience du fait que chaque instant, celui-ci compris, chaque instant vous rapproche de lui et vous prépare à cette rencontre. Dans votre corps, dans votre cœur et dans votre âme...

* * *

Voici donc l'histoire d'un accouchement. Elle n'est pas découpée en morceaux, en stades, en centimètres. Parce qu'un accouchement c'est bien plus que la somme de ses parties, avec son souffle et son rythme, tout proche des émotions, toutes impressions et sensations intimement mêlées. Une histoire avec un début, une fin et un sens. Il me semble important, pour une fois, de m'adresser au monde obscur des émotions, des «tripes», puisque ce sont bien elles qui travaillent! J'espère vous y avoir fait goûter un peu.

Bien sûr, malgré ce que tous les accouchements du monde ont en commun, le vôtre aura son propre début, son couronnement et son sens. Nous allons prendre le temps de voir ensemble les infinies variations que peuvent comporter les accouchements. Pour que vous soyez mieux préparée à rencontrer votre propre histoire.

# Chapitre 7

# Le travail préliminaire

# Les dernières semaines

Les dernières semaines de la grossesse sont entièrement occupées par un lent processus invisible, où le corps reconnaît progressivement que son petit passager est maintenant prêt à le quitter. Le subtil équilibre d'hormones qui a permis le miracle de la croissance de votre bébé, au chaud, dans votre ventre, va maintenant se modifier en préparation à sa naissance. Ces préparatifs sont accompagnés de toutes sortes de sensations nouvelles. C'est tout un apprivoisement que d'apprendre à les reconnaître et à les accueillir.

Cette période peut être un doux moment de recueillement, un temps pour finir son nid, amoureusement. Elle concorde souvent avec l'interruption du travail à l'extérieur, les préparatifs qui s'activent, s'ils ne sont pas déjà achevés. Les autres enfants sentent que quelque chose se prépare et plusieurs parents ont observé qu'ils demandent plus d'attention et de patience qu'à l'accoutumée. C'est parfois difficile de trouver un peu de temps pour soi, un temps pour se tourner vers ce qui se passe à l'intérieur. Pourtant, encore une fois, vous aurez besoin de redéfinir vos priorités, en accordant un peu plus d'espace à ce qui s'en vient: l'accouchement, bien sûr, mais aussi, et surtout, la vie avec un nouveau-né.

Nous avons des vies réglées par des horaires, des échéances, des exigences de travail, de budget. Nous avons appris à gérer tout ça. Nous sommes efficaces, compétentes, raisonnables. Nous nous apprêtons à basculer dans un monde où rien ne se gère: ni la date à laquelle le bébé arrivera, ni l'heure ni le comment. Ni aucune étape du travail et de l'accouchement. Ni la dépendance de notre nouveau-né. Nous basculons ainsi dans un monde de sensations, d'émotions, de besoins et de réponses. C'est un monde d'essais et d'erreurs, de doutes. Les dernières semaines de la grossesse donnent la chance de s'approcher doucement de ce monde, en accueillant les sensations qu'elles occasionnent, en les intégrant dans la vie quotidienne, en apprenant à vivre dans l'impondérable, l'imprévisible, le surprenant, en acceptant d'être vulnérable, en lâchant nos repères habituels. D'ailleurs, beaucoup de femmes se sentent plus souvent rêveuses, absentes, «dans la lune», un autre effet des hormones! C'est cette ouverture, cette vulnérabilité qui vous préparera le mieux à cette naissance prochaine. C'est l'attente!

## Le rôle du bébé

Avant même de chercher à comprendre pourquoi le travail se déclenche un bon jour, on peut se demander pourquoi il ne s'est pas déclenché avant, pourquoi le corps ne rejette pas ce petit «corps étranger» dès son apparition. Car il s'agit bien d'un corps étranger, même si le terme nous apparaît absurde pour décrire un être si proche de nous! Il n'a pas le même code génétique que nous, bien que la moitié vienne de nous. Il pourrait fort bien ne pas avoir le même groupe sanguin, par exemple, ni le même sexe, bien sûr. La science est encore à éclaircir le mystère de l'acceptation d'un fœtus par le corps de sa mère et le mécanisme qui décide finalement de sa naissance. L'une des hypothèses est que, dès le tout début de la grossesse, le placenta sécréterait des hormones empêchant le rejet qui serait la réaction normale du corps en d'autres circonstances. Cette action est évidemment essentielle à la survie du petit embryon, au tout début, puis du fœtus, tant qu'il n'est pas prêt à affronter le monde par ses propres moyens.

Vers la fin de la grossesse, la maturation du bébé modifie la nature et la quantité des hormones sécrétées (entre autres par le placenta), ce qui envoie un message clair: il ne peut plus demeurer dans l'organisme de son hôtesse. Pendant ce temps, le corps de la mère approche peu à peu des limites de sa capacité d'adaptation pour s'accommoder à son petit passager. Il devient évident que bientôt il ne pourra plus s'adapter à sa croissance. Tout cela met en place une lente transformation des hormones dont chacune a un rôle à jouer, comme achever la maturation des poumons du bébé, préparer les tissus de la mère en augmentant leur élasticité et stimuler l'activité musculaire de l'utérus.

De son côté, votre bébé gagne du poids, environ 250 grammes par semaine. Vers la 36ᵉ semaine, parfois avant, ses poumons sont matures, et c'est ce qui explique qu'il sera considéré à terme à partir de la 37ᵉ semaine. Il profite de ce temps pour venir se placer le dos à l'avant et sa tête s'engage de plus en plus profondément dans votre bassin. Pour bien des femmes, cela se traduit par une diminution des inconforts causés par les brûlures d'estomac et le souffle court, mais aussi par une pression accrue dans le vagin et le besoin de se vider la vessie plus souvent... pour quelques gouttes seulement.

On sait que la meilleure position, pour le bébé en début de travail, est d'avoir son dos contre la partie gauche de votre ventre. Autrefois, et encore aujourd'hui dans les pays non industrialisés, les femmes travaillaient fréquemment en position penchée, même en fin de grossesse: pour travailler la terre, ramasser du bois, préparer les repas, etc. Cela avait pour avantage de laisser glisser le dos du bébé dans le hamac formé par les muscles abdominaux, le plaçant ainsi dans la meilleure position pour l'accouchement à venir. D'ailleurs, laver les planchers à quatre pattes faisait partie des stratégies de nos grands-mères pour déclencher le travail, quand le temps était venu.

Aujourd'hui, en fin de grossesse, on tend à se reposer assise ou semi-allongée, ce qui encourage plutôt le bébé à glisser son dos

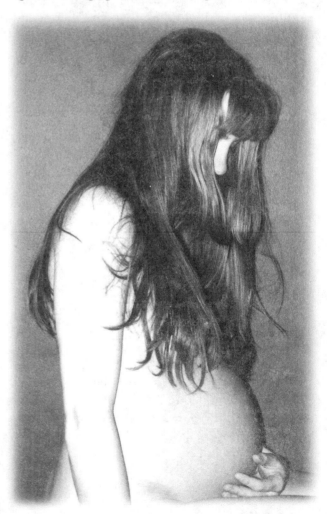

vers le vôtre, une position moins favorable pour l'accouchement. Vous pouvez, en fin de grossesse, encourager le bébé à se placer le dos en antérieur, si ce n'est déjà fait, en vous installant le plus souvent possible penchée vers l'avant. Par exemple, assise à califourchon sur une chaise pour regarder la télé ou discuter avec des amis ou agenouillée sur des coussins les bras appuyés sur une table basse. Vous pouvez aussi vous asseoir sur le bord du sofa, les bras appuyés sur un dossier de chaise placé devant. Règle générale, adoptez des postures où vos genoux sont plus bas que vos hanches et votre ventre plus bas que votre colonne. C'est ce qui ouvre l'espace nécessaire pour que la tête de votre bébé entre dans votre bassin dans l'angle le plus favorable. Couchez-vous sur le côté pour vous reposer plutôt que sur le dos, ou même semi-assise. Commencez vers la 34ᵉ semaine s'il s'agit de votre premier bébé, et quelques semaines plus tard si c'est votre deuxième bébé ou plus (sauf si la malposition du bébé a justement été un problème lors du premier accouchement, alors commencez plus tôt). Vous trouverez peut-être fastidieux d'avoir à modifier vos habitudes, mais la position dans laquelle le bébé se trouve au début du travail a une telle importance dans le bon déroulement de l'accouchement que ça en vaut vraiment la peine.

## Les contractions de préparation

Les contractions de l'utérus ne sont pas exclusives à l'accouchement. L'utérus se contracte régulièrement, plus particulièrement pendant les menstruations, lors d'un orgasme et pendant toute la période postnatale, alors qu'il reprend sa forme initiale.

Bien sûr, il se contracte régulièrement pendant toute la grossesse. C'est ce qu'on appelle aussi les «Braxton Hicks». Ce sont des contractions essentiellement musculaires. C'est-à-dire que l'utérus se contracte périodiquement, comme tout autre muscle. Certaines femmes les sentent très bien, d'autres, surtout quand c'est leur premier bébé, les confondent avec des mouvements du bébé. Certaines femmes ont évidemment un utérus plus réactif que d'autres. Elles doivent parfois moduler leurs activités pour les réduire en nombre et en importance. Si elles sont très fréquentes (plus de quatre à l'heure, par exemple), s'accompagnent de douleurs de type crampes menstruelles, ou de douleurs sourdes dans le bas du dos, il pourrait s'agir des premiers signes d'un travail prématuré. Parlez-en à votre sage-femme ou à votre médecin: ils pourront évaluer avec vous ce qui en est et déterminer si une surveillance particulière ou des changements dans votre rythme de vie donneraient de meilleures chances à votre grossesse de continuer jusqu'à terme.

Vers la fin de la grossesse, parce que la tête du bébé applique une pression grandissante sur le col, ces contractions changent graduellement de nature et de direction. À l'action musculaire s'ajoute une action hormonale, un changement qui va s'opérer graduellement jusqu'à l'accouchement, où l'origine des contractions sera alors exclusivement hormonale. Au lieu d'être un simple resserrement des fibres, plus ou moins généralisé, elles commencent à se synchroniser et à se rendre jusqu'au col, dont elles modifient la consistance et la forme. Alors qu'il était long de deux à trois centimètres, ferme et cartilagineux, un peu comme le bout du nez, le col deviendra mou, un peu comme la consistance des lèvres, accueillant quand on le touche du doigt à l'examen. Les contractions le tireront progressivement jusqu'à ce qu'il se fonde dans l'utérus lui-même et semble en faire partie. Il perdra alors graduellement sa longueur jusqu'à disparaître. C'est ce qu'on appelle l'effacement.

## Les changements au col

Plusieurs femmes ressentent à l'occasion des petits élancements au col, l'impression d'un coup d'aiguille lancinant, mais bref. Ils ne durent le plus souvent que quelques secondes, mais surprennent par leur arrivée soudaine et leur intensité. Assez communs à la fin de la grossesse, ces élancements sont très différents de ce que vous ressentirez pendant le travail. C'est bon signe: le col de votre utérus réagit au travail des hormones en changeant de texture. Chacune de ces sensations vous dit que le travail approche, qu'il se prépare exactement comme prévu. Chacune de ces sensations, pas toujours agréables, vous donne l'occasion de respirer profondément, de vous ouvrir à cette pesanteur qui habite maintenant votre bassin, d'entrer petit à petit dans le travail.

Votre corps fera son travail de préparation différemment selon que vous attendez votre premier bébé ou non. Au premier bébé, le col commence par s'effacer avant de dilater, alors qu'au deuxième bébé et aux suivants le col s'efface plus tard dans le travail, en même temps qu'il se dilate. Cela s'explique par la résistance des tissus du col qui est différente une fois qu'ils ont déjà laissé passer un bébé: ils semblent reconnaître plus rapidement ce qu'on leur demande!

Votre sage-femme ou votre médecin vous dira peut-être que votre col est dilaté à un ou deux centimètres. En fait, il est le plus souvent «dilatable», c'est-à-dire qu'il laisse entrer un doigt sans nécessairement demeurer ouvert après l'examen. Cela démontre plus sa maturation qu'une dilatation comme telle. Ici encore, il ne faut pas s'attarder uniquement à ce qui est aisément mesurable, avec des chiffres précis: «25% d'effacement, un centimètre». La texture de votre col, le fait qu'il s'assouplisse et devienne «comme du beurre» comme dit mon amie Kerstin, sage-femme elle aussi, est tout aussi importante, sinon plus. Cela révèle l'action des prostaglandines, qui doit venir avant celle de l'ocytocine (dont on dit qu'elle provoque les contractions). Le col doit être «imbibé» de prostaglandines, prêt à accueillir le travail, pour que les contractions l'ouvrent aisément. Dans le cas contraire, la force des contractions qui cherchent à faire ouvrir le col se heurte à sa rigidité, ce qui augmente la douleur tout en diminuant l'efficacité.

Plus tôt dans la grossesse, le col se tenait vers l'arrière, dans la région postérieure du vagin, pour éviter que, debout, le poids du bébé s'exerce directement sur lui. Avec les transformations des dernières semaines et la descente du bébé, le col viendra se placer graduellement plus au centre, ce qui augmentera la stimulation directe exercée par la tête du bébé.

## L'attente

Certaines femmes «portent bien» jusqu'à la fin, mais beaucoup d'autres sont incommodées par la pesanteur des dernières semaines. L'insomnie, la difficulté à trouver des positions confortables pour dormir, les crampes dans les jambes, tous ces désagréments annoncent que la fin est proche. La sollicitude de l'entourage peut aussi devenir très lourde. Les incontournables «c'est pour quand?» et «comment, tu n'as pas encore accouché?» quand il s'agit d'un déclic qu'on ne contrôle pas, rajoutent un stress inutile et parfois même nuisible. Sachez vous en protéger.

*Julie s'était même mise à répandre la nouvelle qu'il y avait eu erreur sur la date et, qu'en fait, elle était due le mois suivant... ce qui lui a donné quelques jours de répit! Martin avait enregistré sur le répondeur un couplet comique de son cru, pour se plaindre des curieux qui appelaient trop souvent à son goût. Catherine avait mis sur le sien un message qui disait: «Non, ce n'est pas encore arrivé... nous vous appellerons!» pour avoir la paix.*

Parfois, c'est une sorte de trac qui se présente. Comme si le cheminement parcouru pendant la grossesse se dérobait sous nos pieds. On est soudain confrontée à des vagues d'inquiétudes, à des angoisses déraisonnables.

*Après avoir affronté une à une ses réticences et ses peurs pendant la grossesse, Françoise s'est retrouvée à une semaine de la date prévue angoissée, ambivalente, prête à tout abandonner... si seulement elle avait pu! Finalement, c'est une de ses amies qui l'a rassurée: elle aussi, quelques jours avant sa date, avait vu tous ses vieux démons se réveiller d'un coup et venir la hanter. Mais, du moment que le travail avait commencé, l'appréhension, le trac l'avaient lâchée et c'est toute sereine qu'elle s'était mise à l'œuvre.*

Ce trac des derniers moments, beaucoup d'hommes le traversent aussi, en redoublant d'ardeur au travail ou en multipliant les dernières sorties avant l'arrivée de l'enfant et des responsabilités. Sachez en parler tous les deux, faire la part des choses, exprimer vos besoins. Faites des demandes concrètes et limitées dans le temps, plutôt que des souhaits généraux un peu décourageants pour votre conjoint («J'aimerais que tu sois plus présent», par exemple). Si vous pouvez vous le permettre, offrez-vous un massage, une soirée d'amoureux, ou n'importe quoi d'autre qui représente un apport d'énergie pour vous. Vous avez besoin d'intimité, de sérénité et de la confiance de votre entourage.

## Pas de prédictions!

Les formules utilisées dans certains livres donnent souvent à penser qu'il existe un calendrier précis de ces changements, par lequel on peut prédire la date de l'accouchement. Par exemple, on affirme parfois que les bébés s'engagent dans le bassin un mois avant l'accouchement. Cela ne reflète pas la réalité et ne respecte pas non plus les variations tout à fait normales qui existent entre les femmes. Quelquefois le col est effacé, dilaté à trois centimètres... et rien n'arrive. D'autres fois, on jurerait que ce n'est pas mûr, que rien n'est prêt... et le travail se déclenche. Un peu de bouchon muqueux, ces pertes de mucus légèrement taché de sang, semble annoncer que le travail est imminent... mais les jours passent sans qu'il ne se déclenche! Avec l'expérience, on peut juger l'ensemble des signes présents et se risquer à donner une approximation: «dans les jours qui viennent, peut-être» ou «probablement pas avant une semaine», à condition de ne pas se prendre trop au sérieux! Ça fait longtemps que j'ai cessé de prédire des dates, sauf pour rire! Armez-vous donc de patience et d'humour.

# Les signes précurseurs du travail

Combien de femmes scrutent, jour après jour, chaque petit signe qui pourrait les avertir que c'est pour cette nuit ou pour bientôt. Certains signes, il est vrai, peuvent annoncer que le travail est imminent. N'oubliez pas que plusieurs femmes entrent en travail sans jamais en avoir reconnu un seul!

## Les «fausses» contractions

Vous trouverez sûrement le qualificatif de «fausses» bien mal à-propos si vous en avez, puisqu'elles peuvent être assez régulières et douloureuses. Ce sont des contractions de préparation, dont le travail, très important, consiste justement à préparer le col pour l'accouchement prochain. C'est parce que leur travail est invisible (elles ne dilatent pas vraiment le col) et interrompu (elles s'arrêtent éventuellement d'elles-mêmes) qu'on leur a donné ce nom de «fausses», qui ne respecte pas leur fonction réelle. Certaines femmes vivent plusieurs fois ces épisodes de contractions en fin de soirée ou la nuit, qui finissent par s'estomper et les laisser dormir, un peu déçues, jusqu'au matin. Si elles se présentent souvent et durent assez longtemps, ces heures de contractions peuvent vous fatiguer inutilement. D'ordinaire, un bain chaud et une boisson chaude relaxante vous aideront à les calmer et à confirmer que ce n'est pas encore le «vrai travail». Certaines femmes hésitent à prendre ce bain, craignant d'arrêter un vrai travail déjà commencé: ne craignez rien, cela ne suffirait pas. À la limite, les contractions pourraient sembler diminuer un peu en intensité, mais elles continueraient et s'in-tensifieraient de toute manière dans les heures qui suivent. Si cela ne suffit pas, consultez votre sage-femme ou votre médecin pour trouver comment traverser cette période de «valse-hésitation» sans vous épuiser.

## Le «bouchon muqueux»

Il porte, lui aussi, un drôle de nom. On s'imagine un vrai bouchon, d'un seul morceau, qui laisserait le col ouvert comme une bouteille sans sa capsule. En fait, l'intérieur du col est tapissé d'un mucus épais qui en augmente l'étanchéité pendant la grossesse. Pendant les dernières semaines, les sécrétions vaginales deviennent plus abondantes, souvent de consistance gélatineuse. Lorsque les contractions se mettent à étirer le col, cela brise des petits vaisseaux sanguins, ajoutant un peu de sang dans le mucus qui devient alors rosé ou brunâtre. Si cela s'est fait de façon spontanée, c'est-à-dire sans examen vaginal ou relation sexuelle récents, cela peut annoncer le début du travail dans les jours qui viennent mais, attention, ce n'est pas toujours le cas. De toute manière, vous pouvez sans crainte continuer vos activités habituelles, y compris les bains et les relations sexuelles.

Enfin, plusieurs femmes vont à la selle plus fréquemment quand le travail est imminent. C'est probablement en raison de la présence de prostaglandine, une hormone à l'effet légèrement laxatif. D'ailleurs, cette hormone est aussi active lors du déclenchement des menstruations, et plusieurs femmes ont alors cette réaction de stimulation des intestins.

# Rendez-vous avec une date

Vous approchez maintenant de cette date magique que vous connaissez depuis le début de la grossesse: la date prévue de l'accouchement. Rappelez-vous que c'est seulement la date *moyenne* à laquelle accoucherait un groupe de femmes ayant eu leurs dernières règles à la même date que vous. De toute évidence, elles n'accoucheraient pas toutes le même jour! Un bébé est considéré à terme à partir de la 37e semaine complétée (donc 21 jours avant *la* date) et jusqu'à 42 semaines (donc quatorze jours après). Cela veut donc dire que votre bébé peut arriver n'importe quand dans ces cinq semaines! Au premier bébé, il est plus commun de se rendre à la 41e semaine. Attention, j'ai dit *plus commun...* pas *toujours*!

## Trop tôt?

Il peut arriver que des indices donnent à penser que votre bébé pourrait arriver un peu trop tôt. Je ne veux pas discuter ici des vrais problèmes de prématurité, qui peuvent impliquer toutes sortes de pathologies, surtout avant 32 semaines. J'aimerais m'attarder sur ces «petits pressés» qui donnent l'impression de vouloir arriver un peu avant leur temps. On parle de prématurité avant la 37e semaine. En fait, dès 34-35 semaines complétées, on considère généralement les bébés assez mûrs pour affronter le monde avec un minimum d'aide médicale... et parfois aucune. La plupart du temps, si une femme entre en travail après 34 ou 35 semaines, le médecin laissera les choses progresser, puisque le bébé risque peu d'en souffrir, alors que les traitements pour tenter d'arrêter le travail comportent, eux, certains risques. Sans que la condition du bébé soit inquiétante, il reste cependant qu'il gagnerait à compléter sa maturation avant de naître et à profiter tranquillement de ses dernières semaines dans le monde protégé de votre ventre.

Il est difficile de décrire de façon précise ces indices annonçant que le travail risque de commencer. Si vos contractions sont assez importantes, que vous les sentez bien en bas, que votre bébé descend dans votre bassin et que cela fait changer votre col avant 37 semaines (texture, effacement, dilatation, position), vous devriez réviser certains comportements pour rallonger le plus possible le séjour de votre bébé à l'intérieur. Plusieurs femmes ayant prévu arrêter de travailler à l'extérieur vers la 37e semaine pourraient avoir à quitter quelques semaines plus tôt pour prévenir un accouchement prématuré. C'est *maintenant* que votre organisme a besoin du répit.

Les signes que je viens de nommer (modifications précoces du col) vous demanderont d'être plus attentive à ce qui se passe dans votre corps. Des listes de règles ou d'interdictions ne changeront rien, si vous ne mettez pas d'abord votre attention et votre énergie à ressentir les effets qu'ont sur vous certaines activités ou postures. Soyez attentive en particulier à ne pas soulever des objets lourds ou vos enfants, par exemple! Soulever un petit

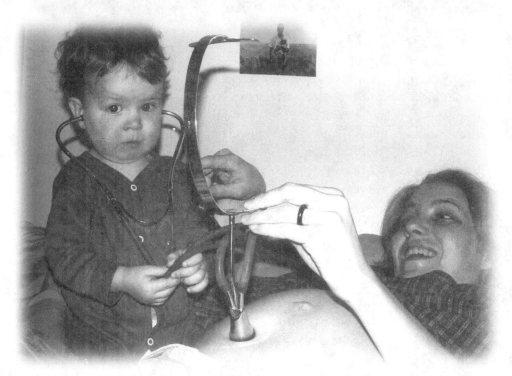

enfant de deux ans vingt fois par jour pourrait être excessif pour vous. Prenez l'habitude de vous mettre à sa hauteur, ou de vous asseoir en lui demandant de grimper à vos côtés par lui-même. La station verticale, debout ou assise, amplifie la pression de la tête sur le col. Évitez-la le plus possible, ainsi que les longs trajets en auto, monter et descendre des escaliers, etc. La fatigue et le stress peuvent devenir des facteurs significatifs que vous aurez à apprivoiser dans le cadre de votre vie, avec l'aide de votre sage-femme ou de votre médecin. Les relations sexuelles peuvent amplifier ou déclencher une activité utérine excessive. Là encore, ce n'est pas une règle rigide qui prévaut. Observez plutôt quelles pratiques sexuelles (stimulation des seins, pénétration, orgasme) provoquent des contractions ou des sensations de pression. Vous pourrez

alors les limiter, les transformer ou les suspendre provisoirement, selon leur effet. Bien sûr, si votre situation particulière inquiète votre médecin ou votre sage-femme, suivez leurs conseils.

## Trop tard?

À mesure qu'on dépasse la date magique, il est difficile de ne pas se laisser gagner par l'impatience. Surtout quand les dernières semaines sont accompagnées d'inconfort ou d'énervement causés par le stress, à la déception de se réveiller chaque matin en se disant qu'il faudra encore attendre avant d'accoucher. On doit parfois composer avec la pression du système médical qui voudrait intervenir ou celle de l'entourage, qui a hâte de voir le bébé. L'acharnement à vouloir être en travail ou à essayer des recettes pour qu'il commence joue parfois contre nous. Certaines femmes ont justement besoin de détente pour entrer en travail. La meilleure chose à faire est parfois d'arrêter d'y penser. Plus facile à dire qu'à faire…

La nature a prévu ce qu'il fallait pour que le travail se déclenche au moment voulu. Si rien ne semble avoir commencé à bouger (effacement du col, descente du bébé, etc.) et que vous êtes déjà à 38-39 semaines, par exemple, ou si votre grossesse précédente vous a menée très près de 42 semaines, il peut parfois être utile de lui donner un coup de pouce.

# Favoriser le déclenchement du travail

Je vous propose certaines méthodes qui *favorisent* le début du travail, ce qui est différent de *provoquer* le travail. Ces moyens aident à mettre en place les conditions dans lesquelles le travail a le plus de chance de commencer par lui-même. Ne les utilisez que si vous sentez que le travail préparatoire semble se faire trop lentement. Je sais que ce sont là des indications plutôt vagues. N'entreprenez pas d'actions basées sur votre impatience ou sur un manque de confiance en vous. Voyez plutôt ces actions comme une façon de travailler de connivence avec votre corps, pour l'alimenter dans son travail, plutôt que d'agir à sa place parce qu'il est incompétent à le faire. Plusieurs de ces moyens ont une action lente et doivent donc être commencés plusieurs jours (parfois même plusieurs semaines) avant la date fatidique où votre accouchement devrait être déclenché

Aucune de ces méthodes n'est efficace à chaque fois, aucune ne fonctionne pour toutes les femmes. Il s'agit donc d'expérimenter avec ce qui semble donner des résultats pour vous. N'utilisez que des moyens avec lesquels vous vous sentez à l'aise et dont vous comprenez bien le fonctionnement et les effets possibles.

## La bonne position du bébé

Si le bébé est encore haut, toute intervention d'encouragement au travail devrait commencer là. Passez plusieurs heures dans les postures que j'ai suggérées plus haut, penchée vers l'avant (*voir Le rôle du bébé, page 155*). Il peut être utile de consulter un ostéopathe ou toute personne qui travaille les postures, la structure osseuse ou musculaire et en qui vous avez confiance. Parfois, un travail de cet ordre peut corriger ce qui ralentissait les efforts de votre bébé pour se placer. De plus, en ostéopathie, certaines manipulations crâniennes semblent faciliter la circulation des liquides et des hormones et activer le fonctionnement de l'hypophyse, la glande responsable de la production des hormones nécessaires.

## Faire l'amour

Faire l'amour est une façon d'encourager naturellement le travail à commencer. Tout rapprochement amoureux, toute excitation sexuelle, y compris la stimulation des mamelons, favorise les contractions. La prostaglandine, une hormone qui joue un rôle important dans le travail, est présente en quantité appréciable dans le sperme. Chose certaine, la tendresse et l'expression de votre amour l'un pour l'autre ne peuvent que vous aider à vous ouvrir à la naissance toute proche de votre bébé.

## L'acupuncture

Cette très ancienne médecine chinoise connaît plusieurs manières d'activer les préparatifs de la naissance. Vérifiez auprès de l'acupuncteur que vous consulterez s'il est habitué et même spécialement formé à travailler auprès des femmes enceintes. Assurez-vous aussi de connaître le plus de données possibles sur l'état de votre col (encore une fois, l'effacement, la dilatation, la texture) et la position de votre bébé. Sinon, il sera obligé de travailler à l'aveuglette, ce qui n'est pas aussi efficace! Il pourrait être utile de faire plus d'une visite, selon la situation. L'acupuncteur pourrait aussi vous indiquer des points précis à stimuler avec vos doigts pour continuer, par vous-même, à la maison.

## L'homéopathie

Plusieurs remèdes homéopathiques accélèrent le processus de préparation à l'accouchement, quand quelque chose le ralentit. Je le précise car, vu la façon dont l'homéopathie fonctionne (et je vous laisse à d'autres lectures pour le découvrir par vous-même, cela dépasse largement mon propos), un remède homéopathique n'est *pas* un «accélérateur de travail», mais plutôt un «harmonisateur», qui laisse le corps accomplir lui-même sa fonction naturelle. Il y a plusieurs façons de procéder. Pour ma part, je n'aime pas travailler avec plusieurs remèdes à la fois, parce qu'il est difficile de comprendre lequel fonctionne et pourquoi, et je n'aime pas la prise quotidienne de remèdes pour de longues périodes. À titre d'information, les remèdes les plus souvent utilisés sont *Caulophyllum*, *Pulsatilla* et *Actea Racemosa*. Comme chacun s'adresse à une situation particulière, vous devriez con-

sulter un homéopathe ou une source d'information sérieuse pour choisir celui qui pourrait vous aider. Si le remède choisi vous convient, vous devriez sentir une nette augmentation du nombre et de la force des contractions de réchauffement et, en général, un sentiment «qu'il se passe quelque chose». Vous pourriez recommencer après cinq ou six jours, si vous n'avez toujours pas accouché.

## Les plantes

Les herbes sont avec nous depuis des millénaires. Et depuis des millénaires, les femmes ont appris à s'en servir pour les aider dans toutes les étapes de leur vie. De nombreuses plantes ont donc été utilisées de par le monde pour préparer l'accouchement. En Amérique, l'actée à grappes bleues était fréquemment employée par les Amérindiennes pour faciliter leur travail. Mais les doses thérapeutiques peuvent, dans certains cas, causer des effets secondaires indésirables quoique réversibles. Ne l'utilisez donc que sous la supervision d'un professionnel confortable à la fois avec les herbes médicinales et la surveillance de la grossesse et de l'accouchement. (*Voir Les plantes contre-indiquées pendant la grossesse, page 47*)

L'onagre est une petite plante à fleurs jaunes qui pousse à l'état sauvage tant ici qu'en Europe. L'huile qu'on en extrait a des propriétés très particulières et des usages multiples. En effet, elle contient des précurseurs de prostaglandines. Cette huile contient la matière première avec laquelle votre corps fabrique la prostaglandine. Si votre col est encore ferme et long vers 39

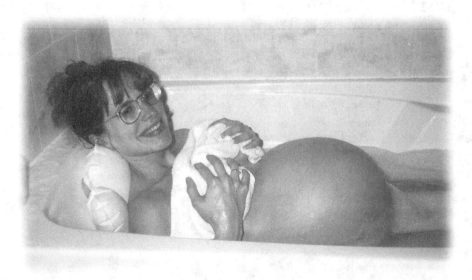

semaines, vous pourriez prendre trois à six capsules de 500 milligrammes d'huile d'onagre par jour, comme supplément alimentaire. S'il est encore ferme et long après 40 semaines, vous pouvez, chaque soir, mettre jusqu'à huit capsules de 500 milligrammes dans le vagin, aussi loin que possible, près du col. L'huile d'onagre devrait aider à assouplir le col, à le ramollir pour qu'il soit plus prêt à recevoir les contractions.

Nos grands-mères utilisaient une autre plante pour faciliter l'accouchement: dans le dernier mois de grossesse, elles laissaient tremper deux cuillères à table de graines de lin dans un peu d'eau, chaque soir. Au matin, elles les mangeaient, soit telles quelles, soit mêlées aux céréales du matin. Ici encore, vous trouverez des précurseurs de prostaglandines ainsi qu'une action émolliente et légèrement laxative qui aident à préparer le corps pour l'accouchement.

## Le décollement des membranes

Il s'agit d'un geste posé pendant un examen vaginal. Votre sage-femme ou votre médecin introduit un doigt dans le col et, en pivotant le poignet, décolle les membranes de la paroi de l'utérus, autour du col. Cela doit être fait avec précaution, pour ne pas rompre les membranes avant le temps. Ne soyez pas surprise si cela provoque un léger saignement, il est causé par le bris de capillaires qui doivent céder avant que le col ne s'ouvre. Le décollement augmente probablement le niveau de stimulation des membranes sur le col et donc la quantité de contractions de préparation. En fait, plusieurs médecins le font, dans les dernières semaines, lors de l'examen vaginal, sans nécessairement en aviser la femme. Or, la

sensation peut varier de inconfortable à douloureux. Discutez-en avant et mettez-vous d'accord que *vous* déciderez quand *vous* en aurez assez. Le geste peut se faire à plusieurs reprises, et il semble que plus de femmes entrent en travail dans les jours qui suivent.

## La stimulation les mamelons

C'est une méthode efficace, comme plusieurs recherches l'ont démontré. La stimulation peut être manuelle, mécanique (si vous avez accès à un tire-lait électrique, par exemple) ou orale, ce qui demande la collaboration de votre conjoint ou d'un bébé consentant! Essayez d'imiter le mouvement que ferait un bébé qui tète. Stimulez un mamelon à la fois, en changeant de côté aussi souvent qu'il le faut pour que cela demeure confortable, aussi longtemps qu'une heure à la fois, de une à plusieurs fois par jour. Cette stimulation provoque une augmentation de l'ocytocine naturelle qui donne des contractions. L'effet peut se faire sentir immédiatement ou à la longue. C'est important d'arrêter la stimulation si vous avez des contractions plus fréquentes qu'aux trois minutes ou plus longues que deux à trois minutes: cela pourrait incommoder votre bébé. Vous pourrez la reprendre un peu plus tard et plus doucement.

## L'huile de ricin

L'huile de ricin est un de ces bons vieux remèdes efficaces du temps de nos grands-mères. On l'utilise lorsque tous les signes donnent à penser que la naissance est imminente, que le bébé est à terme, engagé et le col mature. Son principal désavantage est, bien sûr, son action laxative parfois musclée, que beaucoup de femmes redoutent. C'est pourquoi on ne l'utilise que lorsqu'il est essentiel d'entrer tout de suite en travail, comme lorsque les membranes sont rompues déjà depuis quelques heures, ou qu'une induction médicale est prévue pour le lendemain. C'est donc le dernier moyen sur la liste. Les femmes qui l'utilisent prennent deux cuillerées à soupe d'huile de ricin dans un peu de jus d'orange, avec une pincée de bicarbonate de soude (soda à pâte), pour que les bulles fassent oublier le goût huileux. Puis, elles se glissent dans un bain chaud pour se détendre. C'est souvent plus efficace si la première dose est prise vers la fin de l'après-midi, mais ajustez cela à l'horaire qui vous convient. Après deux heures, elles reprennent une ou deux cuillerées à soupe d'huile, s'il n'y a pas encore d'effet sur les contractions. Le plus souvent, le travail commence dans les deux à trois heures qui suivent la deuxième dose, avec ou sans action sur les intestins.

**Attention:** si le bébé n'est pas bien fixé dans le bassin ou si le col n'est pas effacé, prendre de l'huile de ricin pourrait avoir des conséquences nuisibles au bon déroulement du travail.

Quel que soit le moyen que vous essayiez, assurez-vous auprès de votre sage-femme ou de votre médecin que tout se présente bien, que votre bébé se porte bien et que la stimulation du travail est appropriée. N'oubliez pas que même s'il s'agit de moyens dits «naturels», ce sont tout de même des interventions. Si vous utilisez des moyens avec lesquels vous êtes moins familière, assurez-vous de la compétence et de l'expérience de la personne qui vous conseille ou vous accompagne dans ces interventions.

# Chapitre 8

# La physiologie du travail et de l'accouchement

# Le fabuleux voyage de chair et d'os

Voici, dans le secret du corps de sa mère, l'histoire fabuleuse du voyage d'un bébé qui quitte le ventre chaud et protecteur devenu désormais trop petit pour le contenir. Il devra, pour y arriver, faire céder les frontières de l'utérus nourricier, franchir le bassin en louvoyant, se mouler à la forme même du vagin maternel avant d'émerger finalement dans le monde... dans les bras de sa mère et de son père. C'est à travers ce passage de chair, d'os et de sang, de sensations et d'émotions qu'il s'incarnera en tant qu'humain et que vous naîtrez en tant que mère. C'est notre héritage commun, humains de ce monde.

Regardons d'abord les protagonistes de l'aventure de la naissance. Le bassin, dont on connaît bien les contours extérieurs, a une forme intérieure plus qu'intéressante. Loin d'être un canal lisse et rond, il présente des particularités qui en font une sorte de tunnel pivotant, aux dimensions changeantes. À l'entrée, le bassin est plus large de l'avant vers l'arrière. La cavité du milieu est aussi large d'avant en arrière que de gauche à droite, mais comporte des protubérances (les épines sciatiques) de chaque côté. Enfin, la sortie du bassin est à nouveau plus large de l'avant à l'arrière. Le bébé, lui, a la tête plus longue de l'avant à l'arrière, mais les épaules plus larges de gauche à droite. On voit tout de suite que le passage de l'un dans l'autre demandera des mouvements complexes, asymétriques aussi, puisque le bébé devra se glisser dans le bassin de côté, donc en regardant soit à gauche, soit à droite, et que cela va influencer le reste du trajet. Une observation à se remémorer quand, en travail, vous chercherez des positions. D'ailleurs, souvent les femmes prennent spontanément des positions asymétriques qu'on essaie parfois de leur faire corriger, sans comprendre qu'elles obéissent à des sensations internes qui les leur imposent.

Dans son trajet, alors qu'il entre dans le bassin, le bébé commencera sa descente en diagonale. Il dépassera alors le promontoire sacré, cette bosse au sommet et à l'intérieur du sacrum, qui se trouve à dessiner la forme de l'ouverture. Un peu plus profondément vers le bas, le passage sera rétréci par des protubérances, les épines sciatiques. Quand il les aura dépassées, le bébé devra tourner la tête vers le sacrum, pour se présenter au monde en regardant vers le dos de sa mère.

Enfin, les contractions constituent la force motrice. Leur rythme et leur intensité découlent d'une délicate balance hormonale dont nous ne comprenons pas encore tous les aspects. On sait cependant que ces hormones sont facilement inhibées, comme c'est le cas chez tous les autres mammifères, à des fins de protection. Si la mère se sent menacée, inquiète ou même observée, son corps veille à interrompre le processus en attendant des conditions plus propices.

Les femelles qui accouchent ont tous leurs sens en alerte, parce qu'elles ont besoin de sentir les premiers signes de danger avant tout le monde si elles veulent avoir le temps d'agir pour protéger leur petit. Cela peut paraître curieux que je parle de nous, les femmes, comme étant des mammifères. C'est que, justement, nous en sommes. Des mammifères pensants, bien sûr, mais des mammifères tout de même. Quand il s'agit de la reproduction, nous obéissons, qu'on le veuille ou non, aux mêmes lois que celles qui régissent les naissances de tous les autres mammifères du monde. Nous avons besoin des mêmes choses: chaleur, intimité, protection, sécurité, liberté. Toute atteinte à ces besoins fondamentaux affecte directement le déroulement de l'accouchement.

# Le bébé se prépare à la naissance

Dans les dernières semaines, en préparation à sa naissance, le bébé se place le plus souvent le dos du côté gauche (certains bébés y passent presque toute la grossesse), plus précisément entre votre hanche gauche et votre nombril. Ce qui le fait regarder vers l'arrière. C'est la position la plus favorable et aussi la plus courante. On appelle cette présentation «antérieure», parce que le sommet de la tête du bébé est tout contre la paroi antérieure du ventre de sa mère. Toute la mécanique du passage dans le bassin (les courbes qu'il aura à franchir, la rotation qu'il aura à faire) est basée sur le fait que le bébé s'y engagera en regardant vers l'arrière. Les os du crâne sont ainsi dessinés qu'ils s'emboîteront facilement pour mieux se glisser dans le bassin de sa mère si le bébé regarde vers l'arrière, mais plus lentement dans les autres positions. C'est ce qu'on appelle le moulage. On ne sait pas exactement pourquoi les bébés se placent moins souvent le dos du côté droit. Peut-être cela a-t-il à voir avec la disposition des autres organes de la mère qui occupent un certain espace. Tant qu'ils regardent vers l'arrière, gauche ou droite ne feront pas de différence.

Une fois son dos bien à gauche, entre la hanche et le nombril, la forme de l'entrée du bassin encouragera le bébé à fléchir sa tête en allant poser son menton sur sa poitrine. Cela aura pour effet de lui faire présenter, dans l'ouverture du bassin, le plus petit diamètre de sa tête, donc le plus facile à passer. Le diamètre moyen de la tête bien fléchie d'un bébé est de 9,5 centimètres, un diamètre facile à accommoder pour un bassin de dimension ordinaire qui dispose de onze centimètres. Quand le bébé est bien aligné, les contractions plus fréquentes des dernières semaines de la grossesse (les «Braxton-Hicks») font appuyer sa tête sur le col, le stimulant à produire des prostaglandines qui vont graduellement l'amollir et l'effacer, pour le préparer à la naissance prochaine.

Assez curieusement, certaines observations donnent à penser que la présentation en antérieur, la plus favorable, est moins fréquente maintenant qu'avant les années 60. De nos jours, il semblerait que beaucoup plus de bébés commencent le travail en postérieur, donc le sommet de la tête contre la partie postérieure de la mère, c'est-à-dire son dos, regardant donc vers son ventre. Comme cet angle ne permet pas à la tête de bien se fléchir, son diamètre est alors de onze ou même douze centimètres, ce qui rend l'accouchement plus long, plus difficile, plus douloureux et nécessitant plus souvent des interventions... jusqu'à ce que le bébé se tourne et mette enfin son menton sur sa poitrine. C'est ce que nos grands-mères appelaient «l'accouchement par les reins», la douleur dans le dos étant souvent plus intense que la douleur des contractions elles-mêmes. D'où l'importance de s'intéresser à la façon dont le bébé entre dans le bassin!

# Le déroulement du travail

On explique généralement le déroulement de l'accouchement en le divisant en trois phases: la dilatation, l'expulsion du bébé et la délivrance du placenta. Souvent, on subdivise aussi la dilatation: le début du travail (de zéro à trois centimètres), le travail actif (de quatre à sept centimètres) et la phase de transition (de huit à dix centimètres), à la fin de laquelle on arrive au stade de la poussée. Il s'agit, en fait, d'une simplification qui a le défaut de mettre toute l'importance sur la dilatation et d'ignorer complètement les deux autres phénomènes physiologiques essentiels qui se passent en même temps, soit la rotation du bébé, pour s'accommoder des différentes courbes du bassin, et sa descente jusqu'à la sortie. L'accouchement s'accomplit en fait par un travail combiné de la traction exercée sur le col par l'utérus lorsqu'il se contracte et de la pression de la tête sur le col provoquée par cette même contraction, alors que la forme du bassin et la tonicité des muscles du périnée guident conjointement le bébé dans les rotations qu'il doit faire pour aborder chaque étape du passage dans le meilleur angle possible.

Quand la «poche des eaux» est encore intacte, c'est elle qui presse sur le col à la place du bébé, ce qui explique pourquoi les contractions deviennent parfois plus intenses lorsqu'elle se rompt, parce qu'elle agissait comme un coussin alors que la tête du bébé est plus dure.

Il est presque impossible de schématiser ce processus sans le réduire. Parce qu'au-delà de la forme du bassin et de la fréquence des contractions, il y a une femme, un bébé, une histoire de vie, un cœur, des émotions, des besoins, cette infinie complexité de tout ce qui est humain. Certaines étapes se chevaucheront, alors qu'elles se suivent habituellement, et d'autres arriveront dans un ordre inverse; il y aura des pauses, des accélérations, des résistances, des plongeons... tout ceci étant si caractéristique du monde vivant. Il y a un lieu de naissance, un moment, des gens, des façons de faire, une culture au sein desquels la naissance aura lieu. Cet ensemble engendre une diversité sans limites dans la manière qu'ont les bébés de venir au monde, alors que l'accouchement dont on lit la description dans les livres, avec ses stades bien définis, son nombre d'heures «normal», ses consignes préenregistrées, se trouve souvent bien loin de ce que vous vivrez.

Cette cassure entre les livres et la vraie vie crée de la confusion et, pour beaucoup de femmes, leur enlève leurs moyens, parce qu'elles ne comprennent plus ce qui se passe. Pour plusieurs, l'histoire de leur accouchement trop long, trop difficile, ou dont l'issue a nécessité l'emploi d'interventions lourdes (forceps ou césarienne), s'explique exclusivement en centimètres jamais atteints ou «éternellement» stationnaires. Quand on analyse les faits avec elles, à l'aide de leurs souvenirs et parfois de leur dossier médical, on se rend compte très souvent que le bébé n'était pas bien placé et n'arrivait pas à tourner. Donc ne pouvait pas descendre non plus. C'est un peu comme si, ayant presque complété un casse-tête, il ne restait plus qu'une pièce à placer au centre. Si elle n'est pas exactement dans l'angle qu'il faut, peu importent vos efforts, elle n'entrera jamais à sa place. Faites-la pivoter jusqu'à ce qu'elle soit orientée comme il faut, et hop! elle y est.

Le col ne peut pas s'ouvrir tout seul, comme un grand cerceau tendu, loin, sous le bébé à qui l'on demanderait ensuite de sauter dedans! Pour qu'un col dilate, il doit être sollicité par une pression directe: celle de la tête du bébé qui descend, qui exige cet espace pour continuer son chemin dans le bassin de sa mère, vers sa naissance. Quand cette pression est là et bien dirigée, le col dilate et le bébé naît. Même un col qui a subi des avortements, des chirurgies ou des déchirures. Le col est fait pour s'ouvrir quand un bébé vient appuyer dessus avec suffisamment d'insistance. Une femme en travail ne peut pas «faire dilater son col» en l'absence de cette pression exercée par son bébé. En revanche elle peut, par ses mouvements et ses positions, encourager le cheminement de son bébé, sa rotation et sa descente, et c'est *ça* qui fera dilater son col. L'accouchement peut alors redevenir un tra-

vail que vous accomplissez ensemble, vous et votre bébé.

## Le début du travail

Les bébés ont trouvé mille manières d'annoncer qu'ils étaient prêts à venir au monde. Les préliminaires s'étalent parfois sur plusieurs heures, voire plusieurs jours, par épisodes ou de façon continue, dans ce qu'on appelle la phase de latence. Le chapitre suivant est entièrement consacré à cette période de préparation. Il vient un moment où un travail commence qui ne s'arrêtera qu'à la naissance de votre bébé. Les contractions se feront peu à peu plus profondes, plus intenses. Vous les sentirez tout en bas, juste au-dessus de l'os du pubis, plutôt que comme un serrement du ventre pendant la grossesse. Plusieurs femmes leur trouvent une parenté certaine avec les douleurs menstruelles: pas étonnant, il s'agit là aussi de contractions de l'utérus. Elles durent généralement de 45 à 60 secondes. Elles changent légèrement la forme de l'utérus, comme si elles le soulevaient vers l'avant.

Les femmes qui peuvent bouger librement vont souvent se pencher spontanément, pour prendre leurs contractions, en s'appuyant à un cadre de porte, ou sur l'épaule de leur compagnon. L'utérus applique alors une pression continue le long du dos du bébé jusqu'au col. La dilatation peut alors progresser aisément et rapidement. Plus la pression augmente, plus le bébé fléchit sa tête pour utiliser au mieux l'espace alloué par la forme particulière de votre bassin. La mobilité des sutures des os de sa tête (qui ne se sont pas encore soudés pour pouvoir faciliter la naissance) va permettre un léger chevauchement qui se trouve à changer la *forme* de son crâne sans en diminuer le *volume*, afin de ne pas exercer sur son cerveau une pression indue.

Si le début du travail s'annonce d'emblée avec des contractions douloureuses et rapprochées mais qui n'évoluent pas, il y a de fortes chances que ce soit parce que votre bébé a du mal à fléchir sa tête pour entrer dans votre bassin. Autrement dit, il a de la difficulté à s'engager. Une position qui pourrait vous aider serait de vous accroupir, les pieds à plat, le dos contre un mur, ou encore soutenue par vos bras entre les jambes de votre conjoint assis. Ainsi, votre bébé sera bien dans l'axe de votre bassin, qui lui offrira une plus grande ouverture pour y entrer.

Quand le bébé est bien placé dans le bassin, la «poche des eaux» coiffe sa tête comme un petit chapeau. La force des contractions pousse un peu de liquide amniotique en avant de sa tête, formant ainsi un petit ballon qui agit comme un coussin. C'est le plus souvent vers la fin de la dilatation que la pression de l'une des contractions fera rompre ce petit ballon. Quand la tête n'est pas engagée aussi parfaitement dans le bassin de la mère, cela crée des espaces vides autour de la tête. La pression des contractions fera donc descendre beaucoup plus de liquide amniotique devant la tête, formant ainsi une volumineuse «poche des eaux» qui aura aussi tendance à se rompre plus tôt dans le travail. La solidité des membranes a aussi un rôle à jouer dans le fait qu'elles se rompent plus tôt ou plus tard: certaines sont si solides qu'on a même du mal à les rompre avec un petit crochet quand elles n'arrivent toujours pas à céder spontanément!

## La dilatation complète et la descente du bébé

La dilatation du col de l'utérus est complétée lorsque son diamètre est ouvert aussi grand que la partie la plus large de la tête du bébé et que le vagin se trouve à former une continuité avec l'intérieur de l'utérus. À ce moment-là, si on vous examine, on ne peut plus sentir votre col au bout des doigts et la tête de votre bébé peut glisser dans le bassin sans retenue. De la même manière, si on essaie d'enfiler un chandail dont l'encolure est serrée, on tire sur le chandail le temps qu'il faut pour que le col s'étire jusqu'au plus large de notre tête. Le reste se fait sans effort et en un rien de temps, puisque le col du chandail est déjà ouvert et que le bas de visage et le cou sont plus étroits! Arbitrairement, cela s'appelle aussi «dix centimètres». Tant de femmes m'ont demandé: «Comment peux-tu être si sûre que je suis à neuf centimètres et demi et pas à dix?» Elles ont raison. Mesurer dix centimètres du bout des doigts demande une précision dont bien peu seraient capables. Ce qu'on évalue, en fait, c'est le fait que le col ne soit plus perceptible aux doigts, qu'il soit complètement passé derrière la tête du bébé. Le «dix centimètres» ne représente que le diamètre moyen que le col doit atteindre pour pouvoir glisser derrière la tête d'un bébé moyen: en réalité, un petit bébé prématuré n'a probablement besoin que de huit centimètres pour s'y glisser, alors qu'un bébé à terme avec une bonne tête aura peut-être besoin de onze centimètres! Dans les deux cas, la dilatation sera complète quand le col sera passé derrière la tête du bébé.

La descente du bébé provoque la dilatation du col. La dilatation favorise la descente, parce qu'il reste moins de col devant le bébé, donc moins de résistance, moins d'empêchement à son passage. Cette stimulation mutuelle ne fonctionne pas toujours de façon parfaitement synchronisée: le fait que les tissus soient très souples ou plus toniques, que le bassin soit «un peu juste» ou bien ample, que l'ajustement de la position du bébé soit plus ou moins parfait, la qualité et la force des contractions, la grosseur du bébé vont tous jouer un rôle dans la façon particulière qu'aura un travail de progresser. Sans compter tous les facteurs extérieurs comme les positions que la mère adoptera, ses mouvements, le fait qu'elle soit plus ou moins détendue, etc. Donc, bien que le «modèle» physiologique fasse arriver le bébé dans la profondeur du bassin de sa mère au moment où elle est complètement dilatée, on rencontre en réalité de multiples variations. Le bébé peut être très bas, mais la dilatation encore incomplète, ou la dilatation complète, mais le bébé encore un peu haut, ou pas encore bien orienté.

Avec chaque contraction, la mère sent la pression que la tête de son bébé exerce sur son col et sur tous les tissus aux alentours. Finalement, à force de glisser et de tourner, le bébé se retrouve la tête profondément dans le bassin, le visage protégé par la courbe du sacrum. Seules les femmes ont un sacrum incurvé, en prévision de ce mouvement-là! Par l'action combinée de sa descente et des contractions qui ont tiré les fibres de l'utérus vers le haut, le col est maintenant complètement ouvert, c'est-à-dire en continuité directe avec le vagin. Souvent, on assiste alors à un petit moment de repos. Les contractions sont encore présentes, mais beaucoup moins douloureuses puisqu'elles ont terminé leur travail d'étirement du col. Ce sera un répit bienvenu avant la prochaine étape, celle du passage dans le vagin et de la naissance.

## La poussée

Même en étant moins douloureuses, parce qu'elles n'étirent plus le col, les contractions continuent à faire descendre le bébé. Sa tête vient alors appuyer sur le muscle transverse du périnée et sur les terminaisons nerveuses situées à la jonction entre le côlon et le rectum, d'où cette sensation si particulière, comme si le bébé allait plutôt sortir par l'anus! Cette pression provoque chez la mère des envies de pousser incontrôlables, une envie d'agripper quelque chose avec ses mains, très souvent au-dessus d'elle. Des poussées spontanées qui font dire à toutes les mères: «ça pousse, mon dieu! ça pousse tout seul!» Il s'agit vraiment d'un réflexe, et non pas d'une action apprise ou dictée de l'extérieur. Le mélange d'hormones qui a présidé au progrès du travail a changé. Des hormones de la famille de l'adrénaline s'y sont ajoutées.

*Imaginez-vous une gazelle dans la jungle qui s'apprête à mettre bas. Elle se cherche un coin à l'abri. Les contractions commencent, elle les sent venir. Soudain elle flaire l'odeur lointaine du lion, son ennemi naturel, son prédateur. S'il s'approche, il va la sentir aussi, et alors elle et son petit seront en grave danger. La peur lui lance une décharge d'adrénaline dans le corps et arrête net ses contractions. Elle se lève et se met à courir. Elle court habituellement plus vite que le lion et elle a une petite avance sur lui. Elle court, ne prenant que de brèves pauses pour écouter, sentir, vérifier s'il l'a suivie, haletante, tous ses sens aux aguets. Et elle court encore. Tant qu'elle n'est pas absolument sûre de l'avoir semé pour de bon. Alors seulement elle se laisse tomber dans un coin retiré pour se reposer. Essoufflée, énervée, le cœur battant. Les heures passent, le lion n'est pas réapparu, ni lui, ni aucune autre menace. À mesure que l'adrénaline quitte son corps, les contractions reprennent, plutôt faibles au début, de plus en plus fortes à mesure que les hormones du travail prennent le dessus. Tranquillement, elle mettra son petit au monde.*

*Si le lion s'était approché plus tard, alors qu'elle était complètement dilatée, avec son petit faon bien descendu dans son bassin, elle n'aurait pas pu courir assez vite, et le lion l'aurait rattrapée sans peine. L'adrénaline aurait eu alors l'effet contraire, celui d'accélérer le travail au point de faire naître le petit immédiatement pour qu'elle puisse se mettre à courir et détourner le lion de son nouveau-né. Elle aurait couru aussi longtemps qu'il faut pour le semer. Alors, à ce moment seulement, elle serait revenue auprès de son petit pour en prendre soin.*

Quand l'accouchement est imminent, un grand stress pour la mère accélérerait la naissance du bébé plutôt que de l'inhiber comme précédemment, parce qu'à ce stade-ci, il serait plus sécuritaire de compléter le processus que de l'arrêter.

En réponse à ces sensations intérieures, le corps de la mère pousse à chaque contraction. En descendant, le bébé commence à relever la tête parce que les tissus à l'avant offrent moins de résistance. Sous la poussée, le sacrum bascule littéralement vers l'arrière, en bougeant de un ou deux centimètres (pas des millimètres, des centimètres!). Quand la mère est dans une position qui le permet, on peut *voir* ce déplacement. C'est que les os du bassin ne sont pas soudés ensemble. Les joints entre le sacrum, le coccyx, les os iliaques se sont graduellement relâchés grâce à l'action des hormones de fin de grossesse en prévi-

sion de cette demande exceptionnelle de flexibilité et ils peuvent véritablement «s'ouvrir» pour faciliter le passage. Le coccyx, dont la courbe naturelle l'amène habituellement vers l'intérieur, va s'étaler et s'ouvrir vers l'arrière pour faire plus de place.

Il est très important, à ce moment-là, de laisser la mère prendre les postures dont elle a besoin pour sentir *plus* de pression, et donc, toute la puissance des poussées spontanées. Les images anciennes d'accouchement, par exemple, montrent des femmes qui s'accroupissent, les bras au-dessus d'elles, suspendues à quelqu'un ou quelque chose. Aucune d'entre elles n'a le dos arrondi et le menton sur la poitrine, comme on l'enseigne aujourd'hui dans certains livres et comme on encourage les femmes à le faire dans les chambres de naissance, en position semi-assise. En se repliant vers l'avant, la mère se trouve en fait à repousser le corps du bébé vers l'avant aussi, en *exagérant* l'angle qui existe déjà entre sa tête et le trajet de la descente, ce qui rend plus difficile encore l'entrée de ses épaules dans le bassin. De plus, en étant semi-assise, le point d'appui se trouve directement sur le sacrum, qui ne peut plus basculer vers l'arrière.

À chaque poussée, le bébé avance, et c'est comme si le corps de la mère s'en retirait pour le laisser enfin émerger, comme s'il le «démoulait» doucement. Bientôt, la tête déjà visible commence à étirer son périnée. On peut alors voir le bébé relever la tête, à la vulve, découvrant enfin, en un seul mouvement, son front, ses yeux, son nez, sa bouche, et dégageant finalement son menton. Maintenant libérée de l'angle auquel l'obligeait la direction du vagin, la tête se tourne spontanément de 45°, pour se retrouver naturellement en ligne avec ses épaules. Entraînées par le mouvement, les épaules continuent de pivoter pour s'aligner correctement avec la vulve orientée de l'avant vers l'arrière. La tête continue son mouvement de rotation d'un autre 45°, pour préparer la naissance des épaules (en fait, de l'extérieur, on ne voit qu'un seul mouvement de 90°).

L'instant de la naissance de la tête est souvent accompagné d'un cri de la mère, auquel on peut prêter toutes sortes de significations, mais qui, physiologiquement, a pour effet de protéger le périnée en le faisant remonter avec le diaphragme au moment même de l'émergence du bébé. Parfois, il y a une pause avant la naissance du corps, alors que d'autres bébés vont glisser tout entier en une seule contraction. C'est le plus souvent l'épaule qui se trouve juste sous le pubis de la mère qui glisse dehors la première, suivie immédiatement de l'autre, puisqu'elles sont trop larges pour sortir ensemble. Puis, rapidement, tout le corps suit, encore rattaché par le cordon qui remonte jusqu'au placenta, dans l'utérus.

## Le placenta

Pendant que la mère est toute à l'émotion de la naissance, son utérus va se contracter à nouveau, une sensation qui risque de passer inaperçue tant elle est modeste comparativement à l'intensité des dernières heures. Désormais presque vide, l'utérus, grâce à l'élasticité de ses fibres, se contracte jusqu'à diminuer son volume de façon spectaculaire par rapport à ce qu'il était il y a

seulement quelques minutes. Le placenta, qui n'est pas un muscle, n'a aucune élasticité pour suivre ce mouvement et, désormais inutile, il va se décoller spontanément de la paroi de l'utérus. Un peu de sang vient signaler ce décollement: il provient de l'endroit où le placenta était rattaché à l'utérus. Après quelques contractions, l'utérus l'expulsera, sans que la mère en soit particulièrement incommodée, ses tissus étant encore étirés par le passage de son bébé. Le placenta pèse environ 500 milligrammes (ou environ 1/7 du poids du bébé) et n'a pas d'os, lui! C'est la contraction continue de l'utérus qui assure maintenant que la perte de sang soit minimale. En effet, chaque fibre de l'utérus est intimement «tricotée» autour des vaisseaux sanguins, et leur contraction se trouve à les bloquer mécaniquement, en attendant que le processus de coagulation vienne prendre la relève, plusieurs minutes plus tard. La perte de sang se situe normalement aux environs de 250 millilitres (une tasse), une quantité que le corps de la mère est tout à fait préparé à perdre sans problème.

Je ne me lasse pas de m'émerveiller de ce processus extraordinaire, dont chaque étape mène nécessairement à la suivante, dont chaque détail est un bijou d'ingéniosité. C'est un privilège de pouvoir en être témoin alors qu'il se dévoile, chaque fois différent, à travers le corps, le cœur d'une femme chez qui on en respecte profondément l'appel. Libre de bouger comme elle veut, sensible aux sensations de l'intérieur qui lui dictent ses mouvements, la mère travaille alors avec son bébé, en unité, pour accomplir, une fois de plus, le miracle de la naissance.

# Chapitre 9

# Le début du travail

L'entrée en travail est l'aboutissement inévitable de ces semaines de préparation invisible. Vous plongez maintenant dans cet extraordinaire processus de l'accouchement. Le trac, la hâte, la peur, l'excitation, les jambes qui tremblent, le cœur qui débat révèlent l'émotion de la rencontre qui s'en vient.

Entrer en travail nous fait glisser du quotidien rationnel et concret à l'inconnu, au monde de la sexualité, pris dans son sens le plus large. Accoucher est la culmination du grand processus de la reproduction. Toutes les hormones, toutes les consignes sont en place. Entrer en travail, c'est accepter d'embarquer dans ce voyage dont nous ne connaissons pas encore tout l'itinéraire, seulement la destination, en ayant confiance que notre corps sait parfaitement comment s'y rendre.

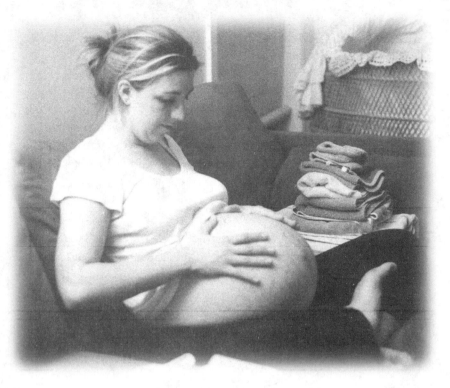

Le travail se déclenche habituellement quand tous les éléments sont rassemblés: le col est mûr, les différentes hormones sont présentes en quantité suffisante et dans la proportion qu'il faut, le bébé est prêt. Puisqu'il s'agit d'organismes vivants, toutes les nuances existent, et il y a autant de débuts de travail que de femmes enceintes. Très peu d'accouchements ressemblent à la «version du livre»: les contractions qui commencent aux demi-heures pour ensuite passer aux dix minutes, pour arriver enfin aux cinq minutes. Il existe de nombreuses variations, ce qui n'en facilite pas la description! La façon dont votre travail se présentera à vous pourrait vous désorienter, vous surprendre. Votre premier défi? Le prendre comme il vient, vous y couler, sauter dans ce train en marche vers la naissance de votre bébé.

Des contractions régulières et durables, dont la fréquence et l'intensité augmentent, constituent le signe le plus clair que le travail est commencé. «Est-ce que je saurai les reconnaître?» se demandent souvent les femmes qui n'ont encore jamais accouché. Sauf de très, très rares exceptions, on peut honnêtement répondre que oui. Il existe, toutefois, plusieurs scénarios possibles et normaux pour le début du travail. Comme il arrive souvent que l'on ait des séries de contractions de réchauffement dans les derniers jours de la grossesse, il peut être difficile de les différencier du vrai début de travail. Comment les reconnaître du travail proprement dit? Voici quelques indices pour vous aider à faire la différence.

## À quoi ressemble une contraction?

D'abord, à quoi ressemble une contraction de travail? C'est une sensation diffuse et intense de pression juste au bas du ventre et quelquefois jusque dans le bas des reins qui vient graduellement, se maintient quelques instants et se relâche peu à peu. La plupart des femmes la qualifient de douloureuse, bien que, si vous leur demandez de spécifier un peu, vous trouverez les descriptions plutôt floues et variables. Les douleurs menstruelles s'en rapprochent, en moins intenses tout de même, avec la différence importante que les contractions sont rythmiques plutôt que continues. Dieu merci!

## Les contractions de préparation

On pourrait aussi les appeler des contractions de maturation. Elles changent souvent d'intensité et varient en fréquence. Elles peuvent s'interrompre ou être moins fortes et moins nombreuses quand la mère s'active ou, au contraire, quand elle se couche. Les sensations de crampes, d'élancement, ne sont pas toujours coordonnées avec les contractions. On n'observe généralement pas de bouchon muqueux. Elles durent de 20 à 30 secondes ou, au contraire, plusieurs minutes. Après un certain temps, elles disparaissent.

# La phase de latence

On convient généralement que le travail actif commence quand les contractions sont régulières, espacée de cinq minutes ou moins, ayant un effet sur le col qui est déjà au moins dilaté à trois centimètres pour un premier bébé, et à quatre ou cinq centimètres pour les bébés suivants. La plupart du temps, cela prendra plusieurs heures de contractions avant de *se rendre là*, pour faire la transition entre l'activité utérine des dernières semaines et le travail proprement dit. Souvenez-vous, par exemple, de l'importance de la pression de la tête du bébé sur le déroulement du travail. Certains bébés sont encore hauts, et cela leur prendra des heures de contractions plus ou moins régulières et douloureuses afin qu'ils descendent suffisamment pour appuyer sur le col, ce qui stimulera à son tour la production d'hormones qui donneront enfin des contractions plus fortes et plus efficaces. Parfois aussi, les contractions commencent alors que le col n'est pas encore assez mou et effacé pour se dilater facilement. Plusieurs heures de contractions seront alors nécessaires pour qu'enfin il soit prêt à débuter le travail actif proprement dit. Cette période de réchauffement, pendant laquelle l'utérus passe de l'activité sporadique et désordonnée des contractions de grossesse à l'action coordonnée du travail actif, s'appelle la phase de latence. C'est une phase de maturation. Elle n'est pas toujours présente et elle est généralement plus prononcée pour un premier bébé.

Ce temps peut être décourageant si l'on s'attend à une dilatation proportionnelle à la douleur qu'on ressent. Les heures passent, on a des contractions et rien ne semble avancer. Pourtant, ce qui arrive là fait partie du travail normal. Ces contractions font descendre le bébé un peu plus bas dans le bassin, préparent le col, en changent la texture, l'effacent, le préparent à l'ouverture qui s'en vient. Le progrès ne se mesure peut-être pas en centimètres, mais le travail de maturation du col et de finalisation des derniers préparatifs est *essentiel* dans le processus de la naissance.

Cette période peut durer de quelques heures jusqu'à 24 heures et quelquefois plus. D'où l'importance primordiale de boire et de manger, de se reposer entre les contractions, de conserver son énergie pour le travail à venir. La longueur de la période de latence ne permet absolument pas de prédire la longueur du travail actif lui-même. Certaines femmes peuvent passer quinze heures en contractions à un ou deux centimètres et ne mettre qu'une heure et demie pour passer ensuite à dix centimètres!

Lorsque les contractions débutent la nuit, restez au lit et essayez de somnoler entre chacune d'elles. Entourez-vous de coussins et d'oreillers: entre les genoux, dans le dos, sous le ventre pour le soutenir. Une bouillotte chaude ou un coussin électrique, placés là où la sensation est la plus forte, pourraient aussi vous aider. Respirez doucement avec chaque contraction et laissez-vous aller aussi molle et détendue que possible. Ce n'est pas toujours facile, mais c'est justement ce qu'on fait en début de travail: on apprend à respirer et à se détendre avec les contractions, même quand cela fait mal. Vous n'y arriverez peut-être pas du premier coup, mais vous avez chaque contraction pour vous y exercer. Si le travail commence en plein jour, continuez vos activités courantes, à votre rythme, en alternance avec des moments de repos. Peut-être ressentirez-vous le besoin de vous isoler, de vous retirer dans une pièce intime. Mangez et buvez comme d'habitude, vous aurez besoin de cette énergie.

# Le travail actif

Le travail actif se caractérise par le fait qu'il dépasse une sorte de point de non-retour et que seule la naissance y mettra fin, alors que les contractions de réchauffement pourraient encore s'interrompre et recommencer un autre jour. Les contractions augmentent graduellement en intensité et en fréquence. Elles durent de 45 à 60 secondes. Les changements d'activité de la mère, se lever, marcher, prendre un bain, ne les interrompent pas. Les sensations de douleur ou de pression au bas du ventre ou dans le bas du dos sont coordonnées avec les contractions. On observe parfois des écoulements de bouchon muqueux, ces sécrétions gélatineuses tachées de sang. Vous pouvez aussi perdre du liquide amniotique. Le fait de cumuler plusieurs de ces signes justifie certainement d'enclencher les actions prévues selon le cours des choses: aviser votre sage-femme, vous rendre à l'hôpital, etc.

Si vous n'êtes pas sûre où vous en êtes, laissez-vous aller dans ce qui se passe maintenant, jusqu'à ce que l'évolution des choses vous confirme que c'est bien le travail lui-même. Souvent, ce n'est qu'en rétrospective qu'on peut faire la différence entre des contractions de réchauffement et la phase de latence. Si le doute subsiste, prenez un long bain chaud. Cela calmerait probablement les contractions qui ne sont pas le «vrai travail». Calculez la fréquence de vos contractions pendant une demi-heure, du début de l'une au début de la suivante. L'écart devrait généralement être de cinq minutes ou moins avant de pouvoir parler vraiment d'être «en travail». La durée des contractions donne aussi un bon indice: elles devraient durer au moins 45 secondes (mais rassurez-vous, rarement plus d'une minute) pour être efficaces et dilater le col. Certaines femmes connaîtront un travail où les contractions demeureront espacées, aux sept-huit minutes par exemple, parfois pendant une bonne partie de la dilatation. Leur intensité toutefois devrait leur mettre la puce à l'oreille. De toute façon, si vous vous sentez anxieuse parce que vous n'êtes sûre de rien, appelez votre sage-femme ou l'infirmière de la salle d'accouchement et décrivez-leur ce que vous ressentez. Elles devraient être capables de vous aider à juger de ce qui se passe.

## Pourquoi faire la différence?

Pourquoi s'inquiète-t-on de savoir reconnaître le début du travail? Pour s'assurer d'avoir rassemblé autour de soi ce dont on aura besoin au moment de l'accouchement, pour savoir quand se déplacer ou quand faire venir la sage-femme, pour celles qui accoucheront à la maison. Pour pouvoir se rendre à temps à l'hôpital ou à la Maison de naissance, surtout dans le cas d'accouchements qui risquent d'être très rapides. Pour ne *pas* se rendre à l'hôpital trop tôt s'il est clair que le travail proprement dit n'est pas encore bien installé. Pour ne pas passer la nuit réveillée avec des contractions erratiques qui s'arrêteront à quatre heures du matin, après vous avoir volé une nuit de sommeil. Pour traverser la phase de latence avec une dépense d'énergie minimale.

## Le premier bébé?

Le début du travail variera aussi selon qu'il s'agit de votre premier bébé ou non. L'histoire des accouchements précédents, s'il y en a, et le degré de maturation de votre col influenceront votre façon de réagir au début des contractions. Par exemple, celles qui ont accouché très rapidement au bébé précédent devront être vigilantes pour ne pas rater les premiers signes, quitte à se rendre inutilement à l'hôpital ou à la Maison de naissance. Par contre, celles dont le bébé est haut et le col encore long et fermé devront probablement vivre plusieurs heures de contractions de préparation juste pour tout mettre en place. Discutez-en avec votre sage-femme ou votre médecin, tout en sachant qu'il existera toujours une part d'impondérable et de mystère.

**Attention:** Certains débuts de travail défient les descriptions générales. Si vous avez soudainement le sentiment très clair que vous devez vous rendre là où vous accoucherez, *faites-vous confiance et rendez-vous-y maintenant!*

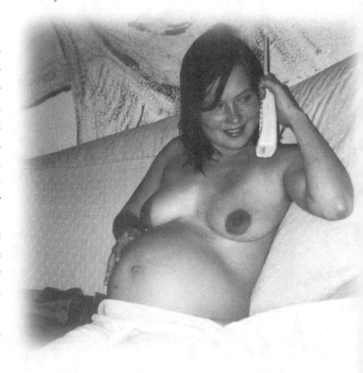

# Plonger dans le travail

Au début du travail, deux mondes se rencontrent: la vie courante, dans laquelle vous devrez déterminer à quel moment vous déplacer vers l'hôpital ou la Maison de naissance et veiller aux derniers détails pratiques, et le monde intérieur, physique, puissant, dans lequel va se dérouler l'accouchement. De toute évidence, vous ne pouvez pas faire abstraction de l'organisation pratique, mais n'essayez pas de tout faire à la fois. Laissez votre conjoint ou quelqu'un d'autre s'occuper des détails qui ne vous concernent pas directement. Restez bien connectée avec vos sensations intérieures: vous seule pouvez le faire!

Votre travail est commencé. Les hormones que vous produisez depuis des semaines en réponse à la maturation de votre

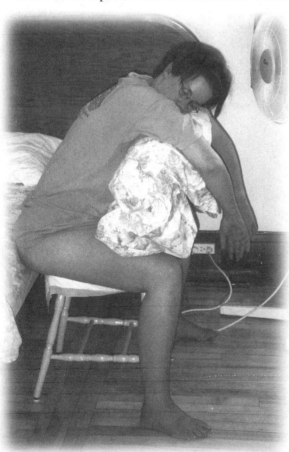

bébé et aux changements internes ont atteint la quantité et la proportion qu'il faut pour déclencher le processus de la naissance. Comme l'explique si bien Michel Odent dans plusieurs de ses écrits[1], c'est la partie primitive de notre cerveau, celle que nous partageons avec les autres mammifères, qui régit la production et le dosage des hormones du travail. C'est l'autre partie de notre cerveau, le néocortex, si développé chez les humains, qui peut inhiber ces hormones. Toute stimulation du néocortex, de ce qui pense, raisonne et réfléchit, interfère avec le progrès du travail. La lumière vive, la parole, les questions, l'arrivée d'une situation ou d'une personne nouvelle, et l'impression d'être observée sont autant de stimulations du néocortex, donc de dérangements du processus hormonal en marche. Vous ne pourrez pas les éliminer complètement, mais vous pouvez les réduire au minimum.

C'est le temps de se couper du monde extérieur. Le contexte physique vous y aidera. Votre conjoint peut aider à créer cette atmosphère autour de vous. Il peut éteindre les lumières et garder seulement une chandelle, une veilleuse ou une petite lampe à la lumière indirecte et douce. On ne devrait s'adresser à vous que pour les choses essentielles, et jamais pendant ou immédiatement après une contraction. Si, dans l'énervement, on semble avoir oublié votre besoin d'intimité, rappelez-leur. Permettez-vous de glisser dans un monde où tout ce qui compte sont vos sensations, le travail qui se fait à l'intérieur et qui vous sollicite tout entière. Vous vous créez votre espace intime, la «bulle» où vous serez à l'aise pour mettre votre bébé au monde.

Rappelez-vous de ce qui se passe à l'intérieur en ce moment: à chaque contraction, la tête de votre bébé exerce une pression sur votre col qui, en retour, s'efface et s'ouvre pour lui laisser le chemin libre. Installez-vous dans une position où vous sentez que vous pouvez travailler avec cette pression des contractions. Plusieurs femmes se sentent bien assises à califourchon sur une chaise (pliez-y une serviette pour que les rebords soient moins durs), penchées vers le dossier, avec un oreiller devant et un ou deux sur le dessus du dossier pour y appuyer les bras et la tête; surélevez vos pieds pour donner la meilleure inclinaison possible à votre bassin. La position penchée vers l'avant facilite le mouvement interne que fait votre bébé en ce moment. D'autres aiment mieux marcher et, quand la contraction arrive, s'appuyer vers l'avant sur le dessus d'une commode, ou sur une épaule amie.

Après avoir si abondamment parlé des positions verticales et penchées vers l'avant, je veux parler un peu de ce qui se passe quand on est couchée sur le côté. Pour bien des femmes, c'est la position où les hormones semblent circuler le mieux, où les contractions sont plus fortes, mieux rythmées, plus longues et où la pression se fait le mieux sentir. L'avantage magnifique de cette position est qu'elle fournit un répit bienvenu si vous avez été debout un moment et qu'elle permet une détente, parfois même une sorte de somnolence difficile à atteindre dans d'autres postures. Plusieurs femmes sont étonnées que je leur propose de se coucher sur le côté, tellement elles sont convaincues qu'il faut absolument utiliser la gravité. Elles ont raison, mais parfois certaines se rendent compte que, pour elles, le travail avance mieux dans cette position.

Voici donc comment j'aide une femme à s'installer sur le côté. Le plus souvent, elle se couchera spontanément du même côté que le dos de son bébé (mais ne craignez pas de changer si cette position vous fatigue à la longue ou si vous êtes plus confortable de l'autre côté). Plein de coussins et d'oreillers: un ou deux sous la tête, au goût, un devant, légèrement glissé sous le ventre pour le soutenir et pour y appuyer le bras, un bien calé dans le dos, deux entre les genoux. Bien important, la cuisse du dessus doit être dans un angle de moins de 90° par rapport au corps. Autrement dit, le genou doit être remonté vers l'épaule. Il devrait aussi être plus haut que la hanche, pour ne pas écraser le ventre. C'est ainsi que le bébé aura le plus de place possible pour bien s'orienter et descendre dans votre bassin. Demandez à la personne avec vous de replacer votre genou au besoin: il aura tendance à glisser graduellement et à se retrouver plus bas. Parfois, les femmes apprécient une source de chaleur (bouillotte, coussin chauffant) placée au bas du ventre ou dans le dos.

Maintenant que vous êtes installée, concentrez-vous sur cette sensation de pression. C'est exactement cette énergie-là qui fera naître votre bébé. Essayez de la repérer dans votre corps. Quel angle de votre corps, quelle façon de respirer, de relâcher les fesses, vous la fait le mieux sentir? Essayez de trouver n'importe quelle sensation qui s'en rapproche. Ouvrez-vous à cette sensation-là. Faites-lui de la place. Faites de la place à votre bébé qui veut se frayer un chemin. Il faut parfois changer de position à quelques reprises avant de trouver celle qui convient. Ne tombez pas dans le piège de rechercher la position où vous sentez le *moins* la contraction, où elle fait moins mal. Sans le savoir, vous essayez peut-être justement d'éviter la sensation de la pression de votre bébé sur votre col.

# La rencontre avec la douleur

Il vient un moment, dans le travail, où vous rencontrerez les premières contractions qui vous feront juste un peu plus mal que ce à quoi vous vous attendiez ou ce dont vous vous rappeliez. Quelques femmes s'adaptent aisément à cette différence de niveau. D'autres, moins facilement. On veut toutes se détendre et s'ouvrir avec grâce pendant notre accouchement, mais c'est maintenant avec cette contraction-ci, tout de suite, que cela se joue. Votre réaction spontanée risque d'être différente de ce que vous aviez prévu.

Heureusement, vous aurez le temps d'apprendre, en étant attentive à vos réactions intérieures, et vous arriverez à changer votre manière de les vivre. «Qu'est-ce qui se passe quand je respire rapidement? Quand je respire plus lentement?» «Comment je sens la contraction quand je relâche mes épaules? mon ventre? mon anus?» Essayez, expérimentez. Quand j'aide une femme à respirer avec ses contractions, j'aime à lui rappeler qu'elle ne fait pas cela pour me faire plaisir ou pour «bien faire ça». Elle le fait pour elle, pour que ce soit plus facile pour elle et son bébé. Dominique, une amie sage-femme, propose parfois aux femmes de guider leur souffle jusque dans leur sacrum, qu'elle appelle «le petit nid», là où le bébé vient déposer sa tête et la laisse glisser pendant le travail. Pour donner à la mère une sensation de la direction dans laquelle elle doit créer cette ouverture, le père ou une autre personne peut poser sa main dans le bas du dos, juste là, pour qu'elle sente mieux son sacrum et qu'ensemble ils lui donnent tout son sens de «petit nid». Il n'y a pas de méthode à suivre, de modèle à copier, de performance. Vous trouverez le chemin de votre propre ouverture. Même si les consignes générales restent les mêmes pour toutes les femmes, respirer profondément, rester aussi molle et détendue que possible, la clé, la vraie réponse est à l'intérieur de vous.

Les premiers temps du travail sont faits pour que vous expérimentiez ce laisser-aller. On n'y est pas toujours à notre meilleur: on grimace, on se raidit, on se plaint, tout autant qu'on respire et qu'on se détend. Lorsqu'on est encore tendue et inconfortable, c'est souvent jusque dans nos muscles profonds que la tension se fait sentir: la contraction de l'utérus essaie de tirer le col vers le haut pour l'ouvrir, alors que, tendu, le col se tient fermé, comme si sa vie en dépendait. C'est la bataille entre ces deux forces qui tentent d'agir dans le sens contraire qui fait si mal.

Cela explique une réalité que j'ai maintes fois observée chez beaucoup de femmes: le moment le plus douloureux de l'accouchement *c'est le début!* «Quand je pense aux petites contractions qui me faisaient si mal ce matin!» disent-elles beaucoup plus tard dans le travail, «ce n'est rien à comparer de celles-ci... mais elles se prennent tellement mieux!» Or, dans la plupart des livres, on explique que les contractions du début sont faibles, qu'elles deviennent plus fortes par la suite et très intenses à la fin. C'est vrai quand on parle de la mesure *objective* de la force de la contraction, mais pas quand on parle de la sensation *subjective* qu'elle procure. Des contractions sur un col qui résiste, c'est très douloureux! Beaucoup de femmes ont eu peur, au début du travail, pensant que si ces contractions-là étaient les «petites», elles ne seraient jamais capables de prendre les grosses. Elles ont raison... si le col restait aussi tendu. Lorsque vous vous relâchez, le col fait de même et, comme il oppose moins de résistance à la force des contractions, la douleur diminue. En plus, au lieu du sentiment désespérant de «travailler pour rien», plusieurs femmes ressentent un apaisement, comme si le corps reconnaissait maintenant qu'il ne se bat plus contre lui-même, mais que tout s'est aligné en coopération pour travailler à la naissance. Ça reste douloureux, mais ça a du sens, et ça avance!

Bientôt, en vous laissant glisser dans l'énergie du travail, en entrant dans votre «bulle», les différentes hormones vont s'harmoniser entre elles, dont les endorphines, ces magnifiques alliées. Les endorphines appartiennent à la famille des opiacées (comme la morphine, par exemple), et nous les sécrétons dans différentes situations de la vie, spécialement pendant le travail. Elles contribuent à engourdir la douleur, à créer la sensation de planer, d'être sur une autre planète. Elles ont un rôle important à jouer dans les premiers moments de rencontre avec le bébé. Toute stimulation intempestive, qui vous «sort» de votre bulle, diminue et parfois même arrête la production des endorphines pour un moment, d'où l'importance de bien protéger cet espace, surtout à l'hôpital. Certaines techniques utilisent des pressions sur des points déclencheurs d'endorphines[2]. C'est une belle façon de mettre à profit l'énergie du conjoint qui a envie «de faire quelque chose» et cela peut apporter une aide appréciable.

Bien des femmes ont mis des heures avant de trouver, pour elles-mêmes, ce qui déclenchait leur abandon, leur ouverture. Pour certaines, on dirait que le corps n'a pas besoin de ce déclic pour fonctionner à vive allure: la dilatation progresse, qu'elles se détendent ou non. Pour beaucoup d'autres, par contre, le corps a besoin d'une permission pour s'ouvrir, de celles que l'on se donne avec un souffle, une expiration qui dit «Oui, d'accord, viens travailler fort, ma contraction, je te laisse faire ton travail». La sensation devient alors exclusivement celle de l'étirement et de la pression du bébé qui descend. Il n'y a plus de lutte. C'est tout un apprivoisement!

Je me souviens de tellement de femmes qui, aux prises avec des contractions qu'elles trouvaient douloureuses, craignaient de se laisser aller, de peur que cela ne fasse encore plus mal. Elles se sont rendues compte, un peu plus tard, que c'est le contraire. Les contractions sont beaucoup plus faciles à prendre quand on les laisse faire. En plus, on a la satisfaction de sentir que le travail progresse, qu'il sert à quelque chose! Il faut avoir confiance pour se laisser aller, en cet instant même où l'on ne sait pas encore, dans notre corps, que ce sera plus facile de cette façon.

*Les contractions peuvent surprendre par leur force. Cela suscite pour plusieurs une peur bien naturelle, celle de ne pas pouvoir «passer au travers». Des femmes se disent: «Qu'est-ce que ce sera à huit centimètres, moi qui ne suis encore qu'à deux?» Rassurez-vous. Tout viendra en son temps.*

*«Elles surprennent toujours», me disait Hélène, «au point de me donner la trouille, ce qui m'a fait vomir de peur et de panique.»*

Un apprentissage extraordinaire a lieu pendant notre accouchement. Chaque étape franchie nous transforme et nous prépare à la suivante. Votre corps possède toutes les ressources nécessaires, même si vous n'y avez jamais eu recours encore et que vous en ignorez jusqu'à l'existence. Ne sous-estimez pas ce que vous êtes capable d'apprendre, même dans le court laps de temps de votre travail. Ce ne sont que quelques heures, j'en conviens, mais vous y traverserez beaucoup plus que dans bien des journées et semaines de votre vie ordinaire.

## L'accompagnement

Je ne peux passer sous silence quel serait le rôle d'une sage-femme à ce moment de votre accouchement. Je sais combien trouver son chemin, explorer les sensations, découvrir sa manière de s'ouvrir à son bébé est plus facile à lire qu'à faire. Nous sommes toutes *pour* la relaxation et *contre* la tension. Mais, au milieu d'une contraction, quand on découvre petit à petit dans quel registre d'intensité on vivra les prochaines heures, le vertige nous prend! Ce n'est ni un hasard ni une surprise si les femmes demandent aussi souvent la péridurale assez tôt dans le travail, souvent même avant quatre ou cinq centimètres. C'est qu'elle n'est pas facile, cette quête du chemin de l'ouverture. Une femme écrivait dans un texte émouvant: «L'accouchement est une île qu'on ne devrait jamais visiter seule». J'ai moi-même été obligée de l'explorer seule, cette île, sans guide, dans le désarroi, le mien et celui de mon conjoint. J'ai rêvé d'une présence féminine amie qui connaîtrait ce territoire inconnu pour moi, et les mots qui parlent au cœur, qui chuchotent, qui proposent des sentiers presque invisibles, des raccourcis insoupçonnés, qui nous font découvrir les éclaircies, les points de lumière, quand on ne

voit plus que l'obscurité. J'ai pensé qu'aucune femme ne devrait avoir à vivre son accouchement sans cette présence... et je suis devenue sage-femme.

## Le début du travail pour le père

Le début du travail déclenche aussi chez l'homme des émotions, des papillons dans l'estomac, et chacun aura sa façon de l'exprimer. Lui aussi devra trouver, à son rythme et à sa manière, sa façon de participer à cet événement. Vous aurez sans doute déjà discuté ensemble de la participation qu'il souhaite avoir mais, tout comme pour vous, le voilà devant une réalité qui diffère parfois des prévisions.

Il peut être insécurisant, pour plusieurs hommes, de participer à un processus dont le rythme, l'action, le déroulement sont entièrement à l'extérieur d'eux, hors de leur contrôle. On les valorise habituellement

pour leur capacité d'agir... Or, ils n'auront pas la maîtrise des événements. Eux aussi sont confrontés à un modèle de partenaire idéal «qui respire chaque contraction avec sa compagne» ou «qui fait bien ça». Pour eux aussi, le début du travail sera un apprentissage. La femme, elle, doit rapidement concentrer son attention sur chaque contraction mais, pour l'homme, rien de concret ou de physique ne lui arrive toutes les cinq minutes pour le forcer à entrer dans l'énergie du travail.

Même le conjoint plein de bonne volonté peut avoir de la difficulté à trouver son chemin jusqu'à «vous-en-contraction». Il vous connaît bien, mais il ne vous connaît pas encore dans cet accouchement. Parfois, il est rassurant pour lui de s'occuper longuement des valises, des appels téléphoniques, du calcul des contractions, soigneusement notées sur des pages et des pages de calepin, de n'importe quoi sauf de ce qui se passe réellement en ce moment.

*Quand je suis arrivée, Martin, le mari de Camille, était occupé à finir la vaisselle. Comme elle n'était encore qu'au tout début du travail et qu'elle allait bien, je les ai laissés pour quelques heures. À mon retour, Martin avait fini la vaisselle, évidemment, mais il avait aussi astiqué le comptoir, les portes d'armoire, passé l'aspirateur, lavé le plancher de la cuisine et il en était à nettoyer les vitres de la porte d'entrée. Camille, elle, était à sept centimètres! À cette nouvelle, Martin a réagi en nous proposant de faire une sauce à spaghetti, pour le souper. «Ça ne sera pas long!» plaidait-il. Nous l'avons doucement convaincu qu'il était temps qu'il se rapproche de Camille et, bientôt, il était à ses côtés, entièrement présent pour elle.*

Prenez du temps ensemble, tous les deux, aussi proches que possible et le plus tôt possible, pour évoluer côte à côte. Périodiquement, demandez-vous si les choses se passent entre vous comme vous le souhaitiez. Rapprochez-vous. Trouvez votre lien, votre force ensemble.

# Quand doit-on aller à l'hôpital?

À moins que vous ne ressentiez fortement le besoin de vous rendre à l'hôpital dès le début ou que votre médecin ou votre sage-femme vous ait expliqué une raison spéciale pour laquelle vous devriez y aller très tôt, il est préférable de rester à la maison le plus longtemps possible, pour profiter de l'intimité et de la liberté de mouvements que vous offre votre propre maison. On entend souvent dire qu'il faut aller à l'hôpital dès que les contractions sont aux cinq minutes ou quand les membranes sont rompues. Avec une telle consigne générale, beaucoup de femmes se rendent à l'hôpital trop tôt, ce qui a parfois pour effet de ralentir ou même d'arrêter leur travail et certainement de rallonger inutilement leur séjour.

Permettez-vous de faire une partie du travail chez vous. Vous pourrez bouger, marcher, manger, être libre de vos mouvements, vous sentir à l'aise plus longtemps. Partez pour l'hôpital quand vos contractions sont à moins de cinq minutes les unes des autres, ou si vos membranes se rompent alors que vous avez déjà de bonnes contractions. Ayez votre valise prête, pour ne pas vous retarder à ce moment-là. Pour la même raison, les arrangements avec la gardienne, si besoin est, devraient être déjà faits. Vous devrez aussi, bien sûr, prendre en considération le temps qu'il faut pour vous rendre à l'hôpital, l'état de la circulation ainsi que votre situation personnelle que vous aurez discutée avec votre médecin ou votre sage-femme (premier bébé très rapide, etc.). Si, à votre arrivée, le personnel hospitalier vous annonce que vous n'êtes qu'en tout début de travail, vous pourriez choisir de retourner chez vous pour y profiter plus longtemps de votre intimité. Vous pourrez retourner à l'hôpital quand les contractions changeront de rythme et d'intensité, signalant ainsi la progression du travail.

De toute manière, juste avant que votre bébé naisse, les contractions seront probablement aux deux à trois minutes et dureront une minute ou plus. Il est très rare qu'il naisse pendant que vos contractions sont encore aux cinq minutes. Il n'est pas nécessaire de prendre en note chaque contraction: la personne qui vous accompagne peut discrètement s'en occuper. Le chronomètre détourne l'attention de la femme qui accouche et risque de la maintenir inutilement dans un esprit de performance plutôt que d'abandon. Tout n'est pas qu'une question de minutes. Observez bien ce qui se passe: quand vous sentirez que les contractions se sont rapprochées et, surtout, qu'elles ont changé de force, de sensations, d'intensité, il sera temps de partir.

La question se pose différemment si vous allez accoucher dans une Maison de naissance. Vous avez moins besoin de retarder votre départ puisqu'on y respectera votre intimité et que vous ne vous buterez pas à des contraintes comme l'interdiction de manger ou de prendre un bain. Vous aurez fréquemment discuté avec votre sage-femme, dans les dernières semaines et aussi par téléphone au début de votre travail, du meilleur moment pour vous y rendre.

Ayez une liste visible près du téléphone, comportant les numéros de taxis, gardiennes, ambulance, salle d'accouchement ou Maison de naissance et de votre sage-femme. Si le trajet vous est inhabituel, affichez-le: il devrait être assez précis pour qu'on s'y retrouve facilement et rapidement. Ceci vaut aussi pour les accouchements prévus à la maison, où les circonstances pourraient exiger que vous vous rendiez à l'hôpital rapidement.

Plusieurs femmes appréhendent le trajet vers l'hôpital ou la Maison de naissance. Comment y arriveront-elles avec ces contractions? Discutez-en avec votre conjoint avant le grand jour. Ne vous préoccupez de rien! Laissez-le appeler le taxi ou approcher la voiture, mettre les bagages dedans, etc. Décidez sur le moment si vous voulez être assise devant ou vous allonger derrière sur le côté ou encore vous mettre à genoux, vers la vitre arrière. La façon dont vous ressentirez vos contractions à ce moment-là vous le dictera clairement. Servez-vous des oreillers que vous apportez avec vous. Une serviette de bain sur le siège pourrait s'avérer utile si vos membranes sont rompues. Restez dans votre espace intérieur! Restez connectée avec votre bébé!

## Suggestions pour le sac qu'on apporte à l'hôpital

En plus de vos effets et de ceux du bébé, certains items peuvent s'avérer utiles ou contribuer à créer l'atmosphère que vous désirez. Voici quelques suggestions.

### Nourriture et breuvages

Prévoyez des aliments variés pour la durée du travail, pour vous et les gens qui vous assisteront: fruits, jus de fruits, yogourts, fromage, sandwiches, breuvages chauds dans un thermos, etc. Les machines distributrices sont déprimantes à trois heures du matin! Et vous apprécierez prendre une collation après la naissance!

### Oreillers

Apportez plusieurs oreillers: leur nombre est souvent limité à l'hôpital, et on n'en a jamais trop! Vous apprécierez votre propre oreiller si vous dormez à l'hôpital.

### Huile et crème

Une petite bouteille d'huile d'amande douce non parfumée pourrait s'avérer précieuse pour les massages. Apportez une crème pour le visage et pour les lèvres: l'air est souvent très sec et on respire beaucoup!

### Bouillotte ou coussin électrique

Pour garder une chaleur apaisante dans le bas du dos ou ailleurs! Certains apportent même une petite bouilloire électrique parce que l'eau du robinet n'est souvent pas assez chaude pour faire effet.

### Vêtements

Apportez des vêtements dans lesquels vous serez confortable en travail... afin d'enfiler le vêtement d'hôpital le plus tard possible ou pas du tout. N'oubliez pas les bas chauds. Pensez à quelque chose de largement ouvert à l'avant pour allaiter (une vieille chemise de flanelle par exemple!).

Pour le père, prévoyez des souliers confortables (vous serez peut-être longtemps debout). Une chemise et des bas de rechange pourraient vous rafraîchir si le travail est long. Dans le même ordre d'idée, une brosse à dents et du dentifrice font des merveilles à quatre heures du matin!

### Appareils photos ou caméras vidéo

Pour des photos de l'accouchement ou des souvenirs des premiers moments avec votre bébé. Apportez plusieurs films afin de ne pas en manquer! La plupart des bébés s'accommodent assez bien des «flashes». Si vous songez à photographier la naissance même, vous trouverez peut-être que les photos en noir et blanc font mieux ressortir les émotions tout en camouflant le rouge du sang. Ce n'est pas que tous les accouchements soient sanglants, mais un peu de sang suffit à donner cette impression inutilement envahissante.

### Miroir

Un miroir de taille moyenne (30 x 30 cm) si vous voulez voir arriver votre bébé. Le miroir de l'hôpital est souvent trop gros, peu maniable ou trop loin, quand il y en a un.

### Musique

Apportez la musique que vous aimez, avec l'appareil qu'il vous faut, à moins de savoir qu'il y en a là où vous allez. Pensez à des musiques «physiques», qui vous donnent envie de danser ou de vous bercer. Pas trop de textes «songés».

### Objets familiers

Apportez des coussins de couleur, une couverture, des dessins à apposer au mur, un objet provenant de la future chambre de votre bébé, de quoi créer un environnement plus familier, plus chaleureux.

# Des situations particulières

## Une longue phase de latence

La phase de latence est cette période de contractions qui finit de préparer le col et de faire descendre le bébé avant de devenir le travail proprement dit. Parfois, il n'y en a pas. Mais parfois, elle peut durer 24 heures, ou s'étirer sur plusieurs jours, la plupart du temps par périodes intermittentes. Comme si les contractions n'arrivaient pas à se coordonner pour devenir efficaces, bien qu'elles demeurent douloureuses. Si on veut conserver son énergie pour le travail qui s'en vient, il est très important de boire et manger, quitte à grignoter continuellement ou presque. Le problème est souvent celui du sommeil. Bien des femmes passent des nuits blanches avec ces contractions de préparation pour se retrouver fatiguées, en manque de sommeil, au moment où tout est vraiment prêt à démarrer.

D'abord, et je le redis, ne vous laissez pas gagner par le découragement. Bien des naissances extraordinaires ont débuté par d'interminables sessions de contractions qui avaient aussi l'air de n'aller nulle part! La déprime peut, à elle seule, consommer une quantité incroyable d'énergie. Prenez les choses en riant, prenez-les légèrement. Une fois qu'on a compris qu'on fait un travail de préparation, c'est plus facile de dormir dessus, de continuer nos activités habituelles, en s'arrêtant quand les contractions le réclament. Bientôt, elles exigeront de vous toute votre concentration. Quelquefois, on a tendance à dépenser nos forces, sans s'en apercevoir, évidemment! C'est avec chaque contraction que vous apprendrez à doser votre apport d'énergie, que vous ferez l'apprentissage de la douleur, du laisser-aller. Aussi, essayez régulièrement de respirer plus doucement encore, plus légèrement, comme si cette contraction-là vous atteignait à peine. De cette manière, si une attention réduite est suffisante pour la traverser, vous apprendrez à conserver votre énergie jusqu'à ce que les contractions elles-mêmes en exigent plus.

Si vous êtes déjà à l'hôpital, ne vous laissez pas gagner par l'impatience ambiante. D'accord, vous n'avez pas encore «produit» un bébé ni même des centimètres, mais tout viendra en son temps. Rappelez-vous de l'importance de ce qui se prépare maintenant, même si *eux* ne le voient pas. Si tout cela a vraiment duré très longtemps et que vous vous sentez épuisée, à bout de forces, incapable de penser à entrer dans la prochaine étape du travail, vous pourriez envisager l'usage de médicaments pour vous aider à reprendre un peu de sommeil. Le courage vous reviendra plus aisément si vous pouvez dormir, ne serait-ce que quelques heures. À ce stade-ci, la péridurale risque de ralentir encore les contractions, créant alors la nécessité d'utiliser de l'ocytocine (une hormone synthétique) pour stimuler le travail. Statistiquement, les femmes qui ont une péridurale avant cinq centimètres, surtout au premier bébé, courent plus de risques d'avoir une césarienne. Un calmant, généralement donné en injection intramusculaire, pourrait engourdir suffisamment la douleur pour vous permettre de dormir quelques heures (*voir Les analgésies et anesthésies, page 306*). Il n'est pas rare que les femmes se réveillent ensuite avec des contractions bien coordonnées qui feront rapidement progresser le travail. Si ce n'est pas le cas, la péridurale pourrait alors être un choix et créer des résultats qui ne sont pas venus autrement.

Plusieurs femmes, encore chez elles, obtiennent des résultats similaires en buvant un verre de vin (ou un peu de vodka dans du jus d'orange) tout en prenant un bain chaud. Le but n'est évidemment pas de s'enivrer, mais d'obtenir une relaxation musculaire qui calmera les contractions pour quelques heures et vous laissera dormir, une bouillotte contre le ventre. Certains remèdes homéopathiques peuvent aussi donner de bons résultats, que ce soit pour stimuler le travail avant que vous ne soyez vraiment fatiguée, ou pour apaiser les contractions le temps qu'elles se réorganisent de façon plus efficace (*voir Les fausses contractions, page 160*). Si votre col ne semble pas prêt (c'est-à-dire qu'il est encore long et ferme), voyez les moyens suggérés dans le travail préliminaire pour l'aider à mûrir. À l'hôpital, on pourrait vous suggérer un gel de prostaglandine qui est alors appliqué directement sur le col. C'est souvent très efficace. N'oubliez pas non plus, que ce retard à entrer dans le travail actif pourrait être causé par le fait que votre bébé est encore très haut ou pas encore tourné. Portez toute l'attention nécessaire aux postures qui pourraient l'aider à se placer et à descendre dans votre bassin. Le reste suivra!

## La rupture spontanée des membranes

Quelquefois, la rupture des membranes constitue le premier signe du début du travail. Quand la grossesse est à terme, environ 10% des femmes commencent leur travail par la rupture de «la poche des eaux», comme on la nomme familièrement. Cela ne signifie pas nécessairement que vous perdrez un déluge d'eau. La perte de liquide n'est pas toujours très importante et se présente le plus souvent comme une perte de quelques «cuillerées», suivies d'un écoulement continu ou intermittent. Si votre bébé est bien descendu dans le bassin, sa tête agira comme un bouchon et seul le liquide qui se trouvait à l'avant de sa tête s'échappera en premier lieu. Par la suite, puisque le sac est maintenant ouvert, il laissera échapper un peu de liquide au moment d'une contraction ou de certains mouvements, et cela vous mouillera à nouveau.

Après la rupture des membranes, le risque d'infection du liquide amniotique augmente à mesure que le délai se prolonge avant la naissance parce que les bactéries de l'extérieur y ont maintenant accès. Cette augmentation du risque est statistiquement documentée après douze à dix-huit heures, et s'accélère graduellement après 24 heures. Chez la mère, l'infection est assez facile à traiter par des antibiotiques. Chez le bébé, les infections sérieuses n'apparaissent qu'occasionnellement, mais vu l'immaturité de son système immunitaire et la vitesse à laquelle elles se développent parfois, les conséquences peuvent être graves. À tout le moins, une infection chez le nouveau-né implique un séjour prolongé à l'hôpital et des traitements qui dérangeraient ses premiers jours à tous points de vue. Plusieurs facteurs influencent le risque d'infection, parmi lesquels figure le nombre d'examens vaginaux après la rupture, la présence d'une infection vaginale, même banale, ainsi que l'état de santé général. Les femmes épuisées ou mal alimentées sont, par

## Précautions à observer après la rupture des membranes

- Observez une hygiène personnelle impeccable;
- Changez fréquemment de serviette hygiénique;
- Insistez pour que les examens internes soient gardés à leur absolu minimum, c'est-à-dire lorsqu'ils sont essentiels pour déterminer la conduite à tenir. Ils devraient être faits par la même personne, qui pourra alors comparer l'évolution d'un examen à l'autre;
- N'ayez aucune pénétration (tampons, relations sexuelles);
- Buvez beaucoup: vous en avez besoin puisque le liquide amniotique se renouvelle constamment;
- Prenez votre température toutes les quatre heures et avertissez votre médecin ou votre sage-femme si vous observez une élévation au-dessus de 37,5°;
- Mangez bien;
- Reposez-vous;
- Plusieurs recherches démontrent que les bains n'augmentent pas le risque d'infection pour la mère ou le bébé et favorisent le déclenchement plus rapide du travail. Assurez-vous de son absolue propreté[3]. Si vous avez marché pieds nus, surtout à l'hôpital, lavez-vous les pieds avant d'entrer dans l'eau.

Attention: Si votre bébé est encore très haut, ou s'il se présente par le siège, faites-vous examiner rapidement par votre sage-femme, une infirmière ou un médecin: le cordon pourrait possiblement descendre dans le vagin et être plus tard comprimé lors de la descente du bébé.

Si vous n'êtes pas encore à 37 semaines de grossesse, la conduite à tenir est différente. Avisez immédiatement votre médecin ou votre sage-femme. Même chose si le liquide est teinté de vert ou s'il est sanglant.

définition, plus vulnérables. Ni la présence ni l'absence de facteurs de risques ne peut prédire avec précision le risque d'infection. La prudence s'impose.

Près de 70% des femmes auront accouché dans les premières 24 heures après la rupture des membranes, et plusieurs autres le feront dans les 24 heures suivantes. Discutez à l'avance avec votre médecin ou votre sage-femme de leur politique et de celle du département d'obstétrique ou de la Maison de naissance à ce sujet. Combien de temps attendent-ils avant de juger qu'ils doivent intervenir? Une controverse existe au sujet de la conduite à tenir pendant ces heures d'attente, où l'on peut soit intervenir, soit surveiller l'état de santé de la mère et du bébé. Certains médecins préfèrent provoquer le travail, sans plus attendre (*voir Le déclenchement*

*artificiel du travail, page 295*). Par contre, cela augmente significativement le risque de césarienne, et le travail peut être plus long et plus douloureux, sans pour autant diminuer le risque d'infection[4]. Vous êtes donc tout à fait justifiée de demander qu'on laisse le travail démarrer par lui-même, au moins pour plusieurs heures, si tel est votre souhait. Dans l'intervalle, l'utilisation d'antibiotiques réduit les risques d'infection chez la mère et le bébé (*voir Les antibiotiques, page 294*).

## Mes membranes sont-elles vraiment rompues?

Il n'est pas toujours facile d'affirmer que les membranes sont bel et bien rompues. Les signes les plus clairs incluent: une perte importante de liquide, comme lorsque cela mouille abondamment votre culotte et votre jupe ou votre pantalon, ou plusieurs serviettes hygiéniques. Ou encore un écoulement persistant, plus important peut-être au départ, mais qui continue, quelquefois par intermittence, dans l'heure ou les heures qui suivent, accru par vos mouvements ou ceux de votre bébé. La présence de vernix (la crème blanche qui couvre la peau du bébé) ou de cheveux confirme la rupture.

Si la quantité est moindre, ou que l'écoulement s'est tari, il est plus difficile de se prononcer. Il peut s'agir plutôt d'un peu d'urine (l'odeur ou la couleur pourraient vous aider à les différencier), ou encore de sperme, si vous avez eu récemment des relations sexuelles, ou de sécrétions vaginales plus fluides. Il peut aussi s'agir d'une fissure dans les membranes, généralement placée plus haut dans l'utérus. Les membranes étant constituées de deux feuillets collés l'un sur l'autre, l'amnion et le chorion, il arrive que du liquide s'amasse entre eux et forme une sorte de bulle qui pourrait crever sans entamer la membrane principale. Portez une serviette hygiénique, préférablement blanche et pas de type «super-absorbante». Si elle demeure sèche pendant quelques heures, c'est peut-être que la membrane principale n'est pas rompue ou qu'elle s'est refermée d'elle-même. En cas de doute, assurez-vous d'aviser votre médecin ou votre sage-femme.

Il existe des tests pour vérifier si les membranes sont bel et bien rompues. Dans le premier test, on trempe un papier tournesol dans quelques gouttes de liquide. Il changera de couleur en présence d'une substance alcaline comme le liquide amniotique. Le sang, l'urine et certaines sécrétions vaginales étant aussi alcalines, ce test ne donne pas une réponse infaillible. Dans l'autre, plus fiable, on observe au microscope le dessin laissé par quelques gouttes de liquide. En séchant, elles se cristallisent et forment des ramifications ressemblant aux feuilles d'une fougère. Parfois, un examen au spéculum permet tout simplement de voir le liquide s'écoulant directement du col.

## EN ATTENDANT LES CONTRACTIONS

Une fois les membranes rompues, si vous êtes à terme et que votre bébé est bien placé dans votre bassin, le travail a de bonnes chances de se déclencher spontanément. Ainsi, une attente de quelques heures avant de vous rendre à l'hôpital pourrait être raisonnable. Pendant ce temps, vous pourrez essayer divers moyens simples d'encourager le début des contractions (*voir Favoriser le déclenchement du travail, page 163*). Vous ne devriez prolonger la période d'attente que si vous avez accès à un médecin ou une sage-femme, qui vous aideront à bien évaluer tous les facteurs en cause et à déceler, le cas échéant, les signes qui devraient pousser à intervenir.

**Notes**

[1] Michel ODENT: *Bien naître*, Paris, Éditions du Seuil, 1979; *Votre bébé est le plus beau des mammifères*, Paris, Éditions Albin Michel, 1990; *Naître et renaître dans l'eau*, Paris, Éditions Presse Pocket, 1990.
[2] Julie BONAPACE. *Du cœur au ventre*, Rouyn-Noranda (Québec), Éditions JBE, 1997.
[3] *Midirs*, Mars 1997, p. 69.
[4] ENKIN, KEIRSE, NEILSON, CROWTHER, DULEY, HODNETT & HOFMEYR. *op. cit*, p. 156.

# Chapitre 10

# Le travail actif

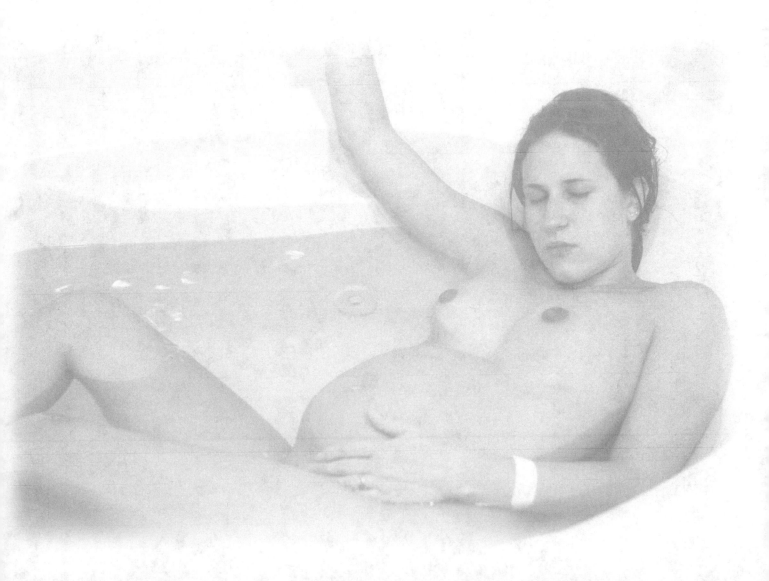

Vous êtes en contractions depuis quelques heures déjà, et la sensation est maintenant plus vive, plus profonde, là, juste au bas du ventre, presque dans le vagin. Les contractions ont un rythme bien régulier, que rien ne vient déranger. Les choses bougent, changent, progressent. Vous vous adaptez aux nouvelles sensations qui accompagnent la descente de votre bébé et l'ouverture de votre col requiert toute votre attention et toute votre énergie.

Pendant neuf mois, votre bébé a grandi, bien au chaud, bercé dans votre ventre. Il a pris quelques semaines pour bien se placer dans l'entrée de votre bassin, puis un peu plus bas. Aujourd'hui, votre bébé va compléter son trajet... en quelques heures seulement. Imaginez-vous la quantité de sensations nouvelles! Car chacune d'elles signifie que votre bébé avance maintenant dans des endroits où il n'est jamais allé. Plus vous sentez de la pression, plus c'est bon signe. Bougez, laissez votre corps trouver la position dans laquelle elle est encore plus présente: c'est elle qui aidera votre bébé à naître. À mesure que le bébé descend, les sensations de pression s'accentuent, spécialement sur l'anus ou le rectum. Accueillez-les comme autant de bonnes nouvelles: le travail avance, votre bébé s'en vient. Lui aussi participe à ce travail incroyable avec vous.

Vers la fin de la dilatation, les contractions sont souvent plus longues, avec un sommet très abrupt ou avec plusieurs sommets. Les temps de pause peuvent être beaucoup plus courts. La mère a souvent le visage transformé, les yeux brillants et les joues rouges. Le col grand ouvert laisse échapper ce qui restait de bouchon muqueux. Jamais la femme n'a été aussi ouverte, aussi vulnérable et aussi forte en

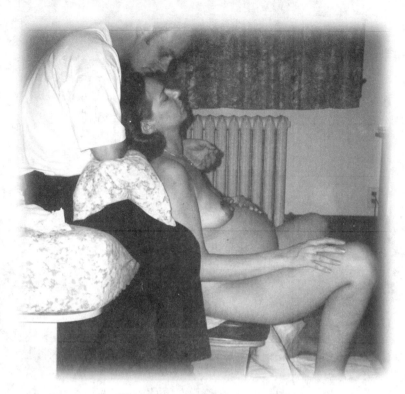

même temps. C'est le temps de resserrer l'énergie autour de celle qui accouche et de communiquer avec elle par le toucher, les sons, les mots d'amour et d'encouragement sans troubler le monde où elle se trouve.

Les femmes peuvent sembler être complètement «ailleurs» entre les contractions. C'est l'action extraordinaire des endorphines qui amortissent un peu la douleur et donnent une sensation d'euphorie ou de somnolence. On observe le même phénomène pendant d'autres efforts physiques intenses et les marathoniens, par exemple, le connaissent bien. Notre vie quotidienne est régie par l'activité de l'hémisphère gauche du cerveau, celui qui analyse, comprend, décide, raisonne. S'abandonner à l'énergie de l'accouchement nous fait basculer dans le monde de l'hémisphère droit, celui qui sent, qui a des émotions, qui est directement lié au corps. Lorsque c'est cet hémisphère-là qui dicte les réponses à la douleur, le corps se met à sécréter des endorphines, notre propre «calmant». Les «hormones du bonheur», comme elles ont déjà été nommées, créent une sorte d'engourdissement et d'état second. Beaucoup de femmes disent, après leur accouchement, qu'elles en ont «perdu des bouts», décrivant ainsi l'effet de ces hormones.

# Participer au travail

Le corps fait son travail, sans avoir besoin de directives, heureusement! Vous allez tout simplement apprendre à couler avec cette énergie-là, à danser avec elle, comme avec un partenaire qui connaît le pas, la musique et qui vous emporte dans ses bras. C'est la respiration, lente, ouverte jusque dans votre gorge, profonde, fluide et ronde, qui vous guide encore. C'est elle qui mène le bal, à la fois artisane et témoin de votre détente. Quand vous expirez, vous pouvez peut-être laisser sortir les sons qui viennent, sans les contrôler. Ce bruit de vos respirations deviendra la chanson de votre accouchement, comme une mélopée répétitive, faite de subtiles variations. Laissez-la changer au gré de ce que vous sentez. Ce n'est pas toujours facile de se laisser aller dans un contexte hospitalier où, trop souvent, le silence des femmes est porté aux nues. Donnez-vous la permission de le faire. Si votre respiration devenait saccadée, rapide, tendue, fatigante, vous l'entendrez et vous pourrez pousser un long soupir, suivi de quelques longues et lentes respirations qui relâchent la tension, qui vous ramènent à votre propre capacité de détente.

## Un brin d'histoire

D'où vient cette association quasi automatique que font la plupart des gens entre accoucher et «faire ses respirations»? C'est un héritage du travail de pionniers comme le Dr Fernand Lamaze, en France, dans les années 50, et avant lui, le Dr Grantley-Read, dans les années 40 aux États-Unis. Les femmes d'alors accouchaient à l'hôpital, ce qui était relativement nouveau, coupées de leur réseau traditionnel de soutien, et étaient complètement «dopées» à l'aide de différents mélanges de médicaments narcotiques et amnésiques (qui effacent le souvenir!). Après s'être intéressé aux recherches du savant russe Ivan Pavlov qui étudiait les réflexes conditionnés chez des chiens, le Dr Lamaze a eu l'idée de «conditionner» les femmes, pendant la grossesse, à se détendre en réponse à des stimuli particuliers. Le conditionnement s'installait après des mois de pratiques quotidiennes de différents types de respiration en réponse à des consignes verbales. Les méthodes de respiration ont été modifiées par la suite, mais ce sont toujours des techniques de distraction, qui obligent les femmes à suivre un modèle rigide pour contrôler la douleur, en «sortant» du corps.

Quand on observe des femmes qui accouchent spontanément, on peut remarquer comment elles «entrent» entièrement dans la sensation. Elles planent, complètement envahies par les endorphines, elles bougent et suivent leur corps, obéissant à des sensations intérieures. L'accouchement leur demande une flexibilité constante, un abandon aux forces qui travaillent en elles. C'est dans cet état second que l'accouchement a les meilleures chances de se passer tel que prévu, alors que la mère et son bébé travaillent ensemble à la naissance.

À quoi sert la respiration, dans ce cas? Toute émotion a un impact sur le corps. Pensez, par exemple, à comment on a l'estomac serré si on a peur, ou le cœur qui bat à tout rompre si on est très énervé. Ou encore comment la respiration se modifie en faisant l'amour. Jamais personne ne se prépare en prenant des cours de respirations et pourtant on se débrouille quand même assez bien! La respiration est l'une des premières fonctions du corps à enregistrer l'impact d'une émotion: c'est pour ça qu'on crie de surprise ou qu'on a «le souffle coupé», en moins d'une seconde, parfois. Inversement, c'est aussi la fonction du corps qui a le plus le pouvoir d'influencer nos émotions. Cette extraordinaire capacité de révéler les émotions et de les affecter en retour en fait une alliée indispensable pendant l'accouchement. La respiration se modifie spontanément au cours du travail, de la même façon qu'elle change au cours des relations sexuelles, sans que cela provienne d'une décision de votre part. Si vous vous sentez tendue, crispée, bloquée, le seul fait de dénouer votre respiration, de la laisser couler, vous aidera à faire fondre le stress. Ne vous préoccupez pas de prendre des grandes inspirations. C'est à l'expiration qu'on se trouve à vider la tension (c'est d'ailleurs comme ça qu'on soupire naturellement). Votre conjoint peut vous aider, s'il vous sent tendue, en soufflant bruyamment lui-même, une de ces longues expirations qui relâchent. C'est beaucoup plus facile à suivre, plus «organique» si je puis dire, que de se faire dire: «Respire, chérie!» Ça a l'avantage de le détendre aussi!

## «L'autre planète»

J'ai mentionné, plus haut, que le travail était comme un plongeon dans le monde de la sexualité. Cela ne veut pas dire que je compare de manière simpliste l'accouchement à une relation sexuelle. Dès les premières contractions intenses, vous m'en voudriez. Cependant, l'un est vraiment l'aboutissement de l'autre et ils font tous deux partie du grand phénomène de la reproduction. L'un et l'autre réclament des conditions similaires pour se dérouler le plus harmonieusement possible: l'intimité, la présence exclusive de personnes familières, la pénombre et le chuchotement, le moins de circulation et de témoins possibles, un sentiment d'être protégé du monde extérieur et dégagé du temps qui passe.

La femme qui accouche a besoin d'un environnement où elle se sent en sécurité. Votre conjoint ne peut pas vivre les contractions à votre place. Plus d'un le ferait volontiers, pour donner un répit à la femme qu'il aime. Mais s'il comprend bien votre besoin d'intimité, il peut vraiment se charger d'en être le protecteur vigilant. Demandez-lui de se faire le gardien de cet espace. Dans les

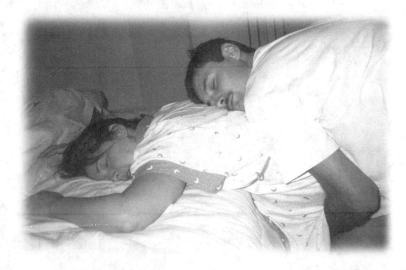

heures de travail que vous passerez chez vous, profitez-en pleinement pour instaurer un climat, une atmosphère propice. Formez le cocon qui sera votre intimité, votre nid. C'est dans la chaleur de votre maison, de votre chambre, dans l'intimité même où vous avez conçu ensemble cet enfant, où vous en avez rêvé, qu'il sera plus facile de le créer. Une fois installé, vous pourrez transporter ce climat d'intimité avec vous à l'hôpital ou à la Maison de naissance et continuer à le protéger.

Cette atmosphère est cependant une bulle fragile qui se brise facilement. C'est important de protéger la mère des bruits, des lumières vives, des conversations intempestives... parfois de ceux-là mêmes qui sont venus aider et qui passent ainsi, sans vouloir mal faire, une partie de leur nervosité. C'est encore plus vrai à l'hôpital, où il y a beaucoup d'intervenants différents. Votre conjoint peut intercepter les messages inadéquats qui s'adressent à vous, et vous laisser planer dans votre monde.

Il peut aussi se charger de transformer l'environnement physique pour qu'il vous convienne mieux. Vous aurez besoin de trouver autour de vous des endroits où vous appuyer, vous agenouiller, vous agripper, pour pouvoir continuer à vous concentrer sur ce qui se passe à l'intérieur. Osez faire du bruit, osez bouger vos hanches comme si vous dansiez, osez balancer votre bassin de l'avant vers l'arrière. Osez!

*Dominique était en travail depuis de longues heures et commençait à voir son énergie décliner. Elle était à sept centimètres depuis un moment et la progression semblait stagnante. Peter, son compagnon, lui a suggéré de faire du bruit avec sa respiration, de dire avec sa voix l'intensité, la force qu'elle ressentait. Dominique avait été silen-cieuse jusque-là et n'osait pas, ne trouvait pas comment. Les contractions venaient, intenses, exigeantes... mais sans grand résultat. Peter a renouvelé sa suggestion. Elle hésitait encore. C'était l'été, il faisait tellement chaud que les fenêtres devaient rester ouvertes. Dominique se sentait intimidée de faire du bruit, gênée que les voisins, dehors dans leur jardin, l'entendent. Il fallait cependant débloquer, ouvrir, dépasser ce barrage qui l'épuisait maintenant. Alors Peter s'est mis à gémir, tout haut, avec chaque contraction, chaque expiration. Plus fort, comme une plainte... comme une femme qui accouche. Puisque le bruit était déjà présent et que cela ne faisait plus de différence, Dominique s'est mise à gémir aussi, à chantonner ses contractions, protégée dans son intimité par les sons que faisait Peter. Bientôt la dilatation s'est complétée et le bébé est né, avec leurs voix mêlées comme un beau chant d'amour.*

## Le mouvement

C'est un bien court trajet que celui de la naissance... ou bien long, selon le point de vue. Votre bébé exécutera, à l'intérieur de vous, dans votre bassin, une série de mouvements guidés par les contractions, par la pression douce et ferme qui s'exerce sur lui, vers le bas, vers l'extérieur. Tout cela demande une souplesse et une mobilité encouragées par vos mouvements. Il pourra entamer chaque segment de son voyage dans le meilleur angle possible, en s'accommodant de la forme spécifique de votre bassin qui, lui, changera de forme et de dimensions selon les mouvements que vous ferez en réponse aux pressions de la tête de votre bébé.

Si votre bébé est très bas, le col bien appliqué sur sa tête, vos contractions bien régulières en fréquence et en force, la position couchée sur le côté peut être appropriée.

Vous pourriez passer de longs moments étendue, avec beaucoup de coussins autour de vous. En vous installant sur votre côté gauche, vous favoriserez les échanges sanguins avec le placenta. Vous pouvez aussi vous étendre sur le côté droit, si cela vous semble plus confortable; ou les deux en alternance. Parfois aussi, rester couchée peut ralentir le travail ou le rendre moins efficace si la tête du bébé ne presse plus assez sur le col.

Bougez, marchez, changez de position. Appuyez-vous sur un coin de meuble pour y reposer la tête entre les contractions, en y mettant d'abord un oreiller. Mettez-vous à genoux sur un coussin, les bras appuyés sur le bord du lit. Asseyez-vous à cheval sur une chaise, avec un oreiller sur le dossier, toujours pour vous y appuyer la tête. Asseyez-vous sur un gros ballon de gymnastique: cela permet de faire des rotations du bassin et de le basculer en remontant

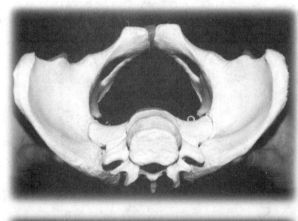

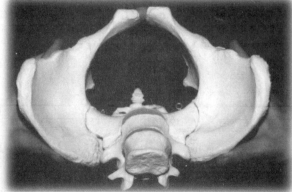

le pubis vers la poitrine (plutôt qu'en cambrant le dos) pour ouvrir ainsi plus d'espace pour le bébé. Soyez attentive à l'effet des différentes positions sur la sensation de la contraction. Votre bébé descend et tourne pendant la dilatation. Les positions tout à l'heure inconfortables pourraient vous soulager maintenant, ou le contraire. Toute position verticale vous fera profiter de la gravité. C'est important, surtout si votre bébé est encore un peu haut ou si sa tête est moins bien appliquée sur votre col.

La position assise ne facilite le travail que lorsque le torse est bien droit ou penché vers l'avant. Toutes les positions semi-assises, où l'on est calée comme dans un fauteuil, le dos rond, font reposer notre poids sur le coccyx et le sacrum. Cela a pour effet de leur enlever la possibilité de s'ouvrir vers l'arrière, ce qu'ils auront besoin de faire pour laisser descendre le bébé. Au début du travail, l'angle que cela donne à votre bassin rend l'engagement de la tête plus difficile. Enfin, la force des contractions, au lieu d'être bien orientée vers le col, est dirigée vers la paroi postérieure de l'utérus, ce qui rend les contractions plus douloureuses et moins efficaces.

Dans toutes les positions, mais encore plus dans la position assise, il est important de faciliter le trajet du bébé en dégageant son chemin de la «bosse» que fait le sacrum à sa jointure avec la dernière vertèbre lombaire. Observez bien ces photos d'un bassin «vu d'en haut», du point de vue d'un bébé qui s'apprête à y descendre, en somme. Regardez, dans la photo du bas, comme l'espace s'ouvre lorsqu'on bascule le bassin vers l'arrière, en remontant le pubis vers le haut. Que vous soyez assise, allongée ou à genoux, il faut que vos cuisses soient bien fléchies, formant avec votre dos un angle plus petit que 90°,

Photos: Zoé Brabant

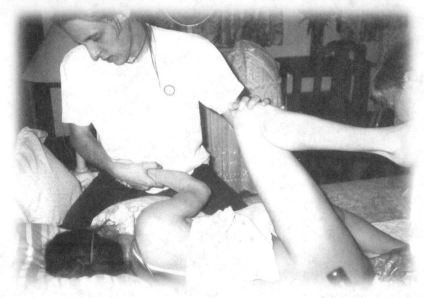

comme dans la position accroupie par exemple, ou comme sur la photo ci-dessus.

Il est possible qu'une douleur excessive, difficile à vivre, soit là pour vous dire que quelque chose ne va pas tout à fait. C'est peut-être que le bébé n'est pas poussé dans la bonne direction par les contractions parce que votre position ne le permet pas. Si cela vous arrive, essayez toujours d'avoir au moins une jambe bien pliée vers votre tronc et de vous assurer que votre position permet à votre colonne d'être bien allongée. Cela facilitera d'ailleurs votre respiration.

Alternez les positions verticales et les positions de repos. En fait, si le travail progresse rondement, n'importe quelle position fait l'affaire. Bien sûr, vous rechercherez les positions les plus confortables, mais vous aurez parfois à choisir entre les positions confortables et les positions efficaces pour faire avancer le travail. Ce ne seront pas nécessairement les mêmes! Il existe une petite règle facile: si le travail avance peu ou lentement, essayez de faire ce que vous redoutez le plus. Bougez, si vous préférez rester immobile. Restez immo-bile, si vous aimez mieux bouger sans arrêt. Vous verrez bien ce qui en résulte.

*Liette était semi-assise dans son lit depuis un bon moment. Elle était allée à la toilette, mais la position, beaucoup plus verticale, avait créé une pression sur son rectum qu'elle avait jugée très désagréable. Alors, elle était retournée aussitôt dans son lit. Deux heures plus tard, elle y était encore, sans grand progrès, mais avec des bonnes contractions qui la faisaient travailler fort! Je lui ai donc suggéré de se mettre debout, ou de retourner sur la toilette, bref, d'adopter une position qui justement créerait cette pression qu'elle avait détestée. «Non, non, m'a suppliée Liette, je ne serai jamais capable!» «Oui, ça presse fort en bas, Liette, mais ton bébé passera forcément par là, et tu devras sentir cette pression à un moment donné. Tu peux choisir d'attendre un peu, mais tu ne peux pas choisir par où il va sortir.» «Je sais, je sais», me répond Liette, moitié riant, moitié craintive. «Je vais y aller.» Avec l'aide de Gilles, nous sommes allés avec elle dans la petite salle de bain. Les sensations étaient effectivement beaucoup plus fortes, et elle avait encore plus besoin de notre aide. Nous ne l'avons pas quittée un instant. Ce n'était pas facile! Mais en peu de temps, le réflexe de pousser s'est installé. Son bébé avait besoin de la gravité pour franchir cette étape.*

Bouger régulièrement stimulera votre circulation, votre énergie, votre humeur même. On peut parfois changer complètement l'atmosphère et même la cadence d'un accouchement en bougeant.

*Line était roulée en boule dans son lit. Extrêmement concentrée. Un peu grelottante sous les couvertures. Et plutôt souffrante. Après un moment, nous lui avons suggéré de venir marcher avec nous. L'idée de se lever et de bouger ne lui souriait pas du tout. Encore une fois, c'est le prétexte d'aller à la toilette qui en a donné l'occasion. De fait, c'est important, pendant tout le travail, de vider régulièrement sa vessie, aux deux heures peut-être, pour qu'elle ne gêne pas la descente du bébé ni ne crée un inconfort supplémentaire. Les premiers pas ont été difficiles: elle était ankylosée, et chaque muscle lui faisait mal. Une contraction, deux contractions debout. En pliant les genoux, en bougeant le bassin, en se berçant de gauche à droite dans les bras de son conjoint. L'énergie de l'accouchement en a été transformée. Line se sentait plus active, plus présente, moins terrassée par les contractions. Plus capable de les prendre «face à face». Plus disponible aussi au soutien de son compagnon, parce que plus ouverte.*

Le mouvement ne rebute pas toujours, au contraire. C'est en bougeant sans arrêt que certaines femmes ont l'impression d'être capables de vivre les contractions. Elles cherchent continuellement la position dans laquelle elles n'auraient pas mal mais, bien sûr, cette position n'existe pas! Au début, elles ont tout simplement l'impression de chercher un peu de confort mais, à la longue, après quelques heures, cela peut devenir une tentative de fuir la sensation. Elles doivent alors s'abandonner au fait que les contractions seront douloureuses, où qu'elles aillent, et qu'il n'y a pas de position magique. Ce sera moins fatigant et plus efficace d'utiliser plutôt leur énergie à les apprivoiser. Les quelques premières contractions seront difficiles à prendre, surtout si les femmes se sont servies du mouvement pour ne pas les sentir. Après quelques minutes, leur immobilité pourrait les aider à plonger directement dans la sensation, à s'y abandonner... et à faire progresser le travail.

## BOUGER... À L'HÔPITAL

Certaines femmes, pour des raisons médicales (ou parfois seulement à cause de procédures rigides), doivent vivre leur tra-vail avec un surcroît de contraintes: le moniteur fœtal continu, le soluté, l'interdiction de se lever du lit, la présence dans la chambre d'appareils électroniques qui réclament plus de soins que la femme elle-même, etc. Dans de telles circonstances, rester active tout au long de l'accouchement vous prendra beaucoup de détermination, de patience, de souplesse, de créativité et d'humour. N'oubliez pas que le meuble principal de la chambre, c'est le lit. Tout concorde à nous proposer la position couchée (ou semi-assise, proche de l'horizontale) comme étant la plus évidente. Chaque examen interne demande aussi qu'on se couche. Relevez-vous après un examen. Revenez à la position qui vous a fait progresser, ou profitez-en pour en trouver une autre. Ne restez couchée que si vous pensez que c'est vraiment la position la plus appropriée pour vous, à ce moment-là du travail. Demandez à votre conjoint de constamment vous le rappeler. Vous ne pouvez pas marcher? Mettez-vous debout près du lit, les bras autour du cou de votre conjoint et bercez-vous avec chaque contraction. Bouger dans

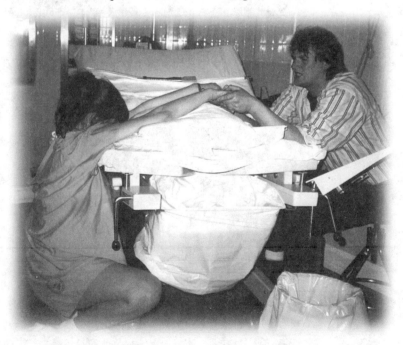

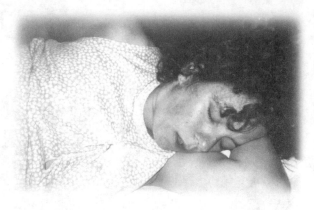

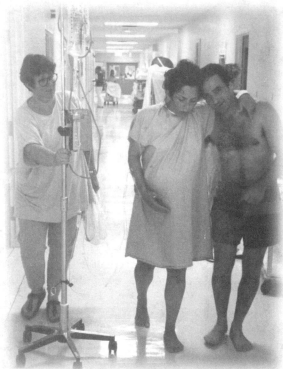

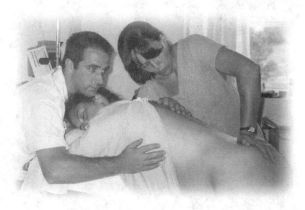

une chambre d'hôpital est déjà un défi, ce l'est encore plus «branchée» de partout! Mais c'est encore ce qui fera avancer le travail plus rapidement. Vous devrez être créative! Utilisez votre sac de voyage ou la valise pour poser les pieds (n'y mettez rien de fragile). Utilisez toutes les fonctions du lit électrique, les tabourets, les chaises, les oreillers. Adaptez la chambre à vos besoins plutôt que le contraire.

## Boire et manger

Il est important de continuer à boire et à manger aussi longtemps que possible pendant le travail. Vous avez besoin de protéines, de sucres, de sels minéraux et de liquides. Mangez ce qui vous tente, voilà la règle principale! Des aliments faibles en gras, peu acides et faciles à digérer semblent les mieux tolérés. Si vous n'avez pas vraiment faim, assurez-vous de boire régulièrement des jus de fruits, des tisanes sucrées à votre goût ou simplement de l'eau. L'état d'épuisement engendré par la déshydratation et l'hypoglycémie (une baisse importante du niveau de sucre dans notre sang, en raison de l'absence de nourriture) n'est absolument pas normal et rend extrêmement vulnérable.

Certaines femmes supportent mal la nourriture en travail. Si le travail est très intense et très court, il arrive que l'organisme préfère concentrer son énergie à faire naître ce bébé en comptant refaire ses forces un peu plus tard. L'estomac est très sensible au bouleversement qu'amène le travail, ce qui s'exprime parfois par des spasmes ou des vomissements: ils n'en seront que plus pénibles si votre estomac est vide! La prise d'une préparation anti-acide apaise parfois ces symptômes déplaisants. Alors n'hésitez pas à manger. Allez-y graduellement si vous êtes incertaine. Habituellement, un peu d'eau prise par petites gorgées, entre chaque contraction, s'absorbe facilement.

La plupart des hôpitaux ne permettent que de croquer quelques glaçons, mais pas de boire de l'eau. Les glaçons étant eux-mêmes composés d'eau, la logique de cette règle m'échappe tout à fait. Il est impensable d'accomplir un travail aussi exigeant qu'un accouchement en étant déshydratée et affamée. La raison officielle de ce règlement, c'est qu'en cas d'anesthésie générale, lors d'une éventuelle césarienne d'urgence, le contenu de l'estomac pourrait être aspiré dans les poumons et causer de graves problèmes. Mais les recherches ont démontré qu'il est impossible de garantir par le jeûne que l'estomac soit vide au moment d'une hypothétique anesthésie, peu importe le temps écoulé depuis le dernier repas[1].

L'imposition de ce règlement à toutes les femmes en travail est la cause directe d'un très grand nombre de cas d'épuisement, suivis d'interventions médicales pour y remédier, puis de complications résultant des interventions, pour finalement aboutir en césariennes, ce qui semble confirmer le postulat de base! Certains hôpitaux ont maintenant adouci ou éliminé complètement cette contrainte. Si ce n'est pas le cas là où vous accouchez, n'hésitez pas à manger à votre faim. Au besoin, faites-le quand vous êtes seuls dans la chambre, en mangeant les aliments qui seront «officiellement» destinés aux gens avec vous. Dans une Maison de naissance, vous aurez tout le loisir de manger la nourriture de votre choix: on sait que les femmes ont besoin d'énergie pour accoucher!

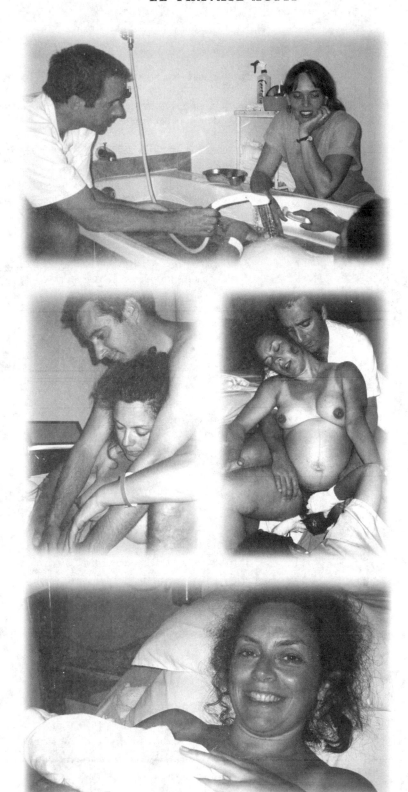

---

**Pour s'y retrouver avec les positions**

Si tout va bien, que le travail progresse bien: «écoutez votre corps!» S'il y a un blocage dans la dilatation ou la descente du bébé ou si ça fait trop mal:

• Favorisez l'élongation du dos, pour ouvrir le chemin au bébé (donc pas de dos creux ni de dos rond);
• Conservez un angle plus petit que 90° entre les cuisses et le dos;
• Favorisez le passage de chaque niveau dans le bassin:

　　1) au début, pendant l'engagement: accroupissez-vous contre un mur ou prenez des positions similaires;

　　2) pendant la descente du bébé: adoptez des positions penchées vers l'avant, les pieds plus écartés que les genoux pour favoriser la rotation de la tête du bébé.

　　3) pour la sortie du bébé: prenez une position qui ressemble à celle accroupie, pour que le sacrum aide la tête du bébé à se relever.

---

# L'énergie de l'accouchement

Chaque accouchement est unique par sa forme, son déroulement et son histoire secrète. Le passage de la grossesse à la maternité, comme un rituel d'initiation, a ses étapes, ses moments forts, qui toucheront différemment les femmes qui les traverseront. Ces étapes ne sont pas rigidement départagées ou définies. Elles ont, toutefois, chacune leurs caractéristiques, leurs demandes, leur énergie propre. L'obstétrique moderne se fie presque exclusivement aux centimètres/heure pour déterminer le bon déroulement d'un accouchement. Pourtant, la progression du travail n'est pas linéaire et l'accouchement suit son cours avec sa propre logique. Le corps a certainement des raisons que la raison ne connaît pas! Il arrive parfois qu'un certain passage demande un peu plus de temps, parce qu'on a parfois besoin d'intégrer à notre rythme les sensations et les émotions et de se préparer à plonger dans l'étape suivante.

On utilise souvent le nom de «transition» pour parler de la période entre sept et dix centimètres. Elle est présentée comme étant une période particulièrement difficile pour la mère, accompagnée de toutes sortes de symptômes, comme des tremblements, des vomissements, des frissons, de la mauvaise humeur, etc. En fait, le travail et l'accouchement ne sont qu'une longue suite de transitions. Il est certainement impossible d'établir une règle générale déterminant laquelle est la plus difficile pour toutes les femmes. Plusieurs femmes m'ont dit que ce sont les premiers centimètres qu'elles avaient trouvé les plus pénibles à vivre. Ce n'est pas parce que ces contractions étaient objectivement les plus douloureuses, mais parce qu'elles n'avaient pas encore trouvé comment les vivre en s'abandonnant à la sensation, jusqu'à ce qu'elles s'y plongent enfin. Pour d'autres, le grand saut se fait ailleurs.

J'ai longtemps été décontenancée par cette remarque au sujet de la mauvaise humeur associée à cette période de transition, aux derniers centimètres de la dilatation. On en parlait souvent dans les livres, mais je ne l'observais jamais aux accouchements auxquels j'assistais! Jusqu'au jour où j'ai compris, parce qu'on m'en a raconté des exemples, comment certaines femmes réagissent avec colère quand on fait preuve d'un manque total de sensibilité à ce qu'elles vivent dans ces moments-là. Au plus intense de leur travail, au moment où le processus de la naissance les emporte au-delà d'elles-mêmes, les remarques déplacées, les questions triviales deviennent presque des insultes. Elles protestent! Par leur colère, elles demandent un peu de respect. On les comprend.

Il est difficile de parler de l'énergie de l'accouchement sans que cela paraisse ésotérique. C'est beaucoup plus simple que cela. En étant sensible à ce qui se passe, on la sent facilement. Comme on perçoit aisément l'ambiance d'une rencontre, par exemple: c'était chaleureux et vivant, ou guindé et sans intérêt. Dans un accouchement qui va bien, l'énergie circule continuellement. Une atmosphère lourde, où on a l'impression d'être oppressé, de manquer d'air, est causée par le fait que l'énergie ne circule plus. Il vaut peut-être mieux alors se tourner vers l'extérieur pour quelques instants: changer d'air, sortir de la pièce, écouter de la musique, ou n'importe quoi qui vous passe à l'esprit pour changer l'humeur générale. Servez-vous de l'humour pour conjurer les peurs ou autres fantômes qui essaient d'assombrir l'atmosphère: ils détestent ça!

*Mariana était en travail depuis des heures. Ça avançait plus que lentement! Une sorte d'apathie générale pesait sur nous. Elle commençait à parler de prendre une péridurale, plus par découragement que parce que la douleur lui était intolérable. L'atmosphère était pénible. À un certain moment, elle m'a demandé de lui donner un remède homéopathique qu'elle avait apporté avec elle pour l'aider à supporter la douleur: «Je ne crois pas qu'il te convienne», lui ai-je dit. «En fait, on le donne plutôt aux femmes que la douleur enrage, qui en sont furieuses. Ce n'est pas ton cas.» Ma réponse l'a mise en colère! Elle s'est mise à taper du pied dans la chambre, et à tout bousculer. Tout à coup, on découvrait une autre femme, pleine d'énergie, de cran, de puissance finalement. Tout le contraire de l'apathie qui régnait jusque-là! «Ah, tu te dévoiles enfin!» lui avons-nous dit en riant gentiment. Mariana riait avec nous, malgré elle. «Je sais maintenant ce dont tu es capable! C'est comme ça que ton bébé veut te rencontrer: déchaînée, furieuse, vivante!» À partir de ce moment-là, tout a changé: le rythme du travail, sa progression... et nous avons ri jusqu'à la fin, émerveillés de cette métamorphose totale!*

On observe quelquefois la situation inverse: l'énergie devient dispersée, comme si l'attention était complètement éparpillée vers toutes sortes de détails. Le va-et-vient continuel de gens, le bruit, les conversations qui se poursuivent même pendant les contractions laissent la femme qui accouche en dehors de ce qui se passe. Il faut alors reprendre contact avec elle, faire le silence et, s'il le

faut, demander aux personnes qui se sentent inutiles de quitter temporairement la pièce, pour mieux revenir quand la mère les réclamera et qu'elles se sentiront centrées. J'ai vu des gens toucher physiquement la femme en travail pendant de longues minutes, sans bouger, pour se reconnecter à elle. En quelques instants l'atmosphère se transformait: on sentait désormais la solidarité, le rassemblement autour de la naissance qui se préparait. L'intensité d'un accouchement dépasse de loin ce que nous sommes amenés à vivre dans la vie courante. Sans compter combien cela replonge chacun de nous dans nos racines, notre lien à la vie, les grandes questions primordiales. Il n'est pas rare que les personnes présentes ressentent le besoin

de se distancer provisoirement de cette intensité, pour reprendre des forces. Elles devraient simplement sortir pour un moment et revenir quand elles se sentent prêtes.

Accoucher à l'hôpital implique presque toujours de s'accommoder des bruits, des allées et venues, des examens multiples, des changements de personnel. Michel Odent a longuement fait des observations à ce sujet, après avoir été pendant plus de vingt ans directeur de la maternité de Pithiviers, en France. Trop peu de recherches scientifiques, dit-il, s'intéressent à cette question vitale: «Qu'est-ce qui favorise l'accouchement normal?» L'hôpital moderne n'a certainement pas été conçu avec cette priorité: fournir un environnement idéal aux femmes pour leur accouchement. L'intimité, la pénombre, le chuchotement, la présence exclusive de personnes familières et respectueuses ne sont malheureusement pas typiques du département d'obstétrique conventionnel. Le nombre de machines et de personnes extérieures à l'intimité de ces femmes et de leur conjoint ne diminueront jamais l'intensité de ce qui se vit pour eux, ni la nécessité de le faire ensemble. Cela leur demandera en revanche de resserrer encore plus le cercle de leur attention. Plus que jamais, c'est à l'intérieur de ce cercle que le travail se vivra. Quand cette intimité existe, on peut presque la palper dans la chambre. Et elle exerce une extraordinaire attraction sur le personnel qui entre en son contact. Parlez aux infirmières. Dites-leur combien c'est fort, combien cela vous demande toute votre énergie, combien vous appréciez qu'elles soient à vos côtés pour vous aider. Touchez-les. Un accouchement plus humain se passe d'abord entre des personnes et les personnes ont tellement besoin d'être touchées!

# Les plateaux et les transitions

On vit parfois une sorte de «plateau», pendant lequel le progrès du travail est momentanément interrompu. Cela peut parfois être en raison des facteurs d'ordre physiologique dont j'ai déjà parlé: difficulté d'engagement de la tête du bébé, arrêt de sa rotation ou autre. Souvent, aussi, il s'agit d'une sorte de pause qu'on se donne, juste avant de faire le saut dans ce qui nous fait peur, dans l'inconnu. Ne pas reconnaître l'existence de ces plateaux, quand on les vit, peut nous amener à les voir comme des complications, des pathologies, alors qu'il s'agit de mécanismes de protection.

Si votre travail semble stagner dans sa progression, prenez quelques instants pour faire le tour de votre jardin. Demandez-vous s'il existe une résistance de votre part qui vous empêche de passer à l'étape suivante. Ne soyez pas sévère pour vous-même. Regardez simplement! Cette résistance est probablement bien légitime! Elle essaie de vous protéger de cette immense vulnérabilité qui est celle de la femme qui accouche, en utilisant les moyens qui vous servent habituellement à vous sortir d'une situation de stress. C'est souvent le moment où l'on se dit: «Je n'en peux plus». C'est vrai, on ne peut plus rester là, il faut que cela change. Parfois même, il faut que *vous* changiez. Une attitude ou un comportement souhaitable et efficace dans d'autres domaines (le perfectionnisme, la gentillesse, par exemple) peut parfois déranger le travail, le ralentir ou l'arrêter. Le déroulement de l'accouchement peut être complètement transformé si on se permet provisoirement de l'abandonner pour une autre attitude, plus appropriée.

*Danielle était depuis plusieurs heures à quatre centimètres. Pourtant, les contractions étaient régulières et elle les prenait en respirant aussi tranquillement que possible, comme une bonne fille. D'ailleurs, Danielle est une «bonne fille», gentille, charmante et toujours prête à plaire aux autres. C'est l'image qui m'a frappée soudainement, à l'observer pendant ses contractions. Comme elle était sage et réservée! Nous nous sommes assises ensemble dans la cuisine et je lui ai dit combien je pensais qu'elle faisait là un travail extraordinaire. Et aussi, tout doucement, comment, dans mon expérience, je pouvais voir que Danielle-la-sage aurait sans doute de la difficulté à s'adapter à la force qui s'en venait, comment il lui faudrait peut-être donner la permission à Danielle-la-sauvage, l'excessive, l'extravertie, la folle, de prendre le dessus. Pour aujourd'hui seulement. Entre ses respirations douces et la panique, il y avait probablement un très grand espace à explorer. D'ailleurs, on ne la laisserait pas seule. Marc était avec elle, attentif et aimant. Je me suis retirée un peu pour les laisser essayer des choses nouvelles. Bientôt, j'ai pu les entendre faire toutes sortes de sons bizarres pendant les contractions, Danielle était accrochée au cou de Marc, qui lâchait tout pour elle à chaque fois. Rapidement, les contractions sont devenues plus efficaces. Le plus curieux, là-dedans, c'est le changement dans l'attitude de Danielle. «J'aime beaucoup mieux ça comme ça, disait-elle, même si c'est plus fort.» Elle était constamment étonnée d'elle-même et elle en riait de bon cœur. «Je ne m'étais jamais donné cette permission-là, m'a-t-elle dit le lendemain. Je suis fière de moi!»*

La plupart des femmes enceintes avoueront aisément qu'elles ont peur de la douleur. Pour ma part, j'ai observé au moins aussi fréquemment que nous sommes encore plus nombreuses à avoir peur de perdre le contrôle. Le contrôle est une aptitude que nous avons cherché à développer toute notre vie. Nous en avons eu besoin pour conquérir notre autonomie, pour accéder au marché du travail et faire face à nos responsabilités. Mais cette extraordinaire faculté nous nuit toutefois lorsqu'on accouche, parce qu'elle va directement en sens contraire de cette demande d'abandon, de lâcher prise qu'exige le travail. Il est parfois angoissant de laisser tomber quelque chose qui nous est si utile dans toutes sortes d'autres occasions. Il est difficile de croire qu'on pourra être bien et en sécurité sans elle. Cette peur est souvent celle-là même qui nous empêche de nous abandonner à l'intensité du travail, à sa force quasi animale. Elle nous freine précisément au moment où nous aurions avantage à plonger dans l'inconnu qui s'ouvre devant nous, si vertigineux soit-il. À croire avec confiance que la violence qui nous traverse a un chemin tout tracé vers la naissance; et nous en serons le vaisseau plutôt que le capitaine. La peur de perdre le contrôle nous empêche d'avoir accès à la douceur du monde de l'abandon, des endorphines, de la sérénité qui vient quand on se laisse porter par ce qui est plus fort que nous.

La puissance du travail nous confronte à l'inévitable: on ne contrôle pas un accouchement! On ne contrôle pas la vie qui vient, ni quand elle vient ni comment. On en est l'instrument, non pas le maître. Au moment où une femme décide de faire le grand saut et d'accepter cette si totale vulnérabilité, quelque chose de très grand et de très paradoxal se passe. Elle devient puissante, de toute la puissance qui l'habite et qui mettra son petit au monde avec elle.

On s'enferme parfois dans des comportements stéréotypés qui nous épargnent temporairement d'avoir à faire face à des moments difficiles de notre vie. On est à peu près tous sujets à ça. Avec le temps, on se permet de s'éloigner un peu de ces comportements rigides et de faire l'expérience des émotions dont ils nous protégeaient. Se sentir victime de ce qui arrive en est un bon exemple, et Dieu sait que l'accouchement peut nous en donner une bonne occasion! Les contractions viennent, nous font mal et on n'y peut rien. On les subit, on se sent agressée et on se jure que c'est la dernière fois! On est malheureuse. Comment peut-on se sentir blessée et en même temps s'ouvrir à notre bébé qui s'en vient, qui veut naître? Il faut alors reprendre le rôle principal dans ce qui se passe, en redevenir le sujet plutôt que le contenant malmené et se dire «C'est moi qui choisis et je choisis de m'ouvrir. Chaque contraction qui vient je l'accueille et je lui donne la permission de faire son travail.»

*Linda est en travail depuis sept ou huit heures, mais toujours à quatre centimètres. Elle est de plus en plus ulcérée que cela prenne autant de temps. Dans sa famille, on accouche rapidement. Sa sœur, venue l'aider, lui a déjà dit à quelques reprises, en toute candeur, combien c'est curieux que ce soit si long, alors qu'elle a accouché en quatre heures. Cela n'aide pas! Linda marche de long en large, les poings enfoncés dans les poches de sa robe de chambre et se retient de taper du pied entre chaque contraction. Elle respire et respire, et cela ne fait pas de différence! Elle ne veut toujours pas qu'on la touche. L'atmosphère n'est pas gaie et les heures passent lentement. Elle commence à être fatiguée. On se relaie auprès d'elle et on se sent impuissants.*

*Pendant que Sylvain sort prendre de l'air, pour se régénérer un peu, je suggère à Linda de s'allonger sur le côté et je m'installe tout près d'elle, dans son dos. Je lui chuchote à l'oreille: «Je sais que tu n'es pas contente, Linda, et que tu en as assez. Mais ton bébé n'est pas encore né, il faut encore un bout de travail. Si tu veux, tu pourrais, à la prochaine contraction, la laisser venir aussi forte qu'elle veut, puisqu'elle vient t'aider à finir. Tu pourrais lui dire 'oui' à chaque respiration, tout haut, parce qu'il y a des parties de toi que tu dois probablement convaincre. Je sais que tu ne veux pas être touchée, mais si tu veux, je vais mettre ma main ici, sur ta cuisse, sans bouger. Juste pour que tu sentes que je suis avec toi.»*

*Rien n'avançait et Linda n'avait plus rien à perdre. À la contraction suivante, elle s'est mise à dire «oui», avec chaque expiration, oui... oui... oui. Même quand elle devenait plus pointue, plus difficile. Oui... oui... oui. Dans sa voix, je sentais la bataille entre Linda-qui-voulait et Linda-qui-résistait. Et le «oui» dans chaque souffle. Et Linda qui s'adoucissait. La contraction finie, ma main s'est mise à la masser doucement, à la caresser. Nous avons pris ensemble quelques contractions de la même façon. De retour de sa marche, Sylvain est entré dans la chambre en lui demandant d'un ton inquiet si elle allait bien. «C'est merveilleux», dit Linda en lui tendant la main pour qu'il s'approche, et oui... oui... oui... dans la contraction qui commençait. En quelques secondes, et sans comprendre ce qui s'était passé de si miraculeux, Sylvain a joint sa voix à la sienne et, ensemble, ils ont parcouru le reste du travail... qui n'a pas tardé. Sur les photos de l'accouchement, Linda a les joues roses, les yeux brillants, la mine joyeuse et pleine d'énergie. Comme si on pouvait voir le grand «oui» qu'elle avait choisi de dire.*

On a parfois des nœuds dans le cœur qui nous empêchent de nous ouvrir à la naissance de nos bébés. La maternité n'est pas un chemin facile. Devenir mère réveille parfois de vieux démons qu'on croyait endormis. Les larmes, la colère et l'expression d'une ambivalence ont parfois redémarré un travail plus sûrement que ne l'aurait fait une bonne dose d'hormones synthétiques. Les nœuds d'émotions qui peuvent ralentir ou arrêter le progrès ont souvent tourné autour de questions comme: je ne suis pas vraiment prête à être mère; je ne serai pas capable d'y arriver; j'ai peur de perdre mon conjoint; je ne me sens pas en sécurité ici. Quoi que vous ayez sur le cœur, dites-le. Parlez-en. Même si cela ne semble pas avoir de rapport avec l'accouchement. Si vous y pensez maintenant, c'est que votre cœur, lui, le voit le rapport.

*Fiona était complètement dilatée depuis un moment, mais n'avait plus de contractions. Tout s'était bien déroulé jusque-là. Le bébé se présentait bien. Elle avait marché, s'était accroupie. Rien. «À quoi penses-tu, Fiona?» lui a-t-on demandé. Fiona avait quitté le père de son bébé très tôt dans la grossesse. Elle était seule, étudiante, sans grand argent, et se demandait comment elle arriverait avec un bébé. Bien sûr, elle avait déjà organisé un certain nombre de choses, mais là, tout de suite, alors que le bébé devait faire son entrée dans sa vie d'un instant à l'autre, une sorte d'incertitude, de vertige la retenait. «Je n'y arriverai pas.» Alors nous en avons parlé un moment, et aussi du fait que le bébé allait venir de toutes façons. Il allait venir simplement, avec des bonnes contractions comme depuis le début, ou moins simplement, avec des interventions lourdes. Mais il allait venir, c'était certain. Au fond, est-ce que s'inquiéter déjà pour son bébé n'était pas une preuve de son amour pour lui? Et qu'avec cet amour-là, elle trouverait bien ce dont ils avaient besoin tous les deux? Quand Joël est né, un peu plus tard, sans intervention, Fiona n'avait pas encore trouvé toutes les réponses. Elle avait seulement confiance qu'elle les trouverait en temps et lieu.*

*Francine était à cinq centimètres depuis plusieurs heures. Les changements de position, le mouvement, rien n'avait fait changer les choses. À un moment donné, on s'est assises ensemble dans un petit coin et on a jasé, entre les contractions. «Qu'est-ce qui se passe, Francine?» je lui demandais. «Je ne sais pas.» Alors on a laissé la question là, entre nous. Quelques minutes plus tard, Francine s'est mise à me parler de ses avortements. La vie et l'imperfection des méthodes de contraception avait fait qu'elle avait eu plusieurs avortements. Elle pensait les avoir résolus mais, aujourd'hui, alors que son col devait s'ouvrir une fois de plus, toutes sortes d'idées lui traversaient l'esprit: «Je ne peux pas être une bonne mère cette fois-ci, puisque j'ai refusé de l'être les autres fois. La dernière fois que j'ai senti une douleur là, au col, j'étais en train de perdre un bébé qu'au fond j'aurais aimé pouvoir garder. J'ai peur aujourd'hui de le laisser ouvrir encore. Je ne serai pas capable de sentir ça une fois de plus.» Il y a eu des larmes, des paroles, des silences et d'autres larmes. Puis Jean, son compagnon, et ses deux amies qu'elle avait invitées se sont approchés. «Il y a un grand chagrin accroché là, à ton col, Francine, mais tu peux le traverser. Pas le nier ni l'oublier. Juste vivre avec et t'ouvrir. Nous t'aiderons, nous resterons près de toi.» Les heures qui ont suivi ont été extrêmement intenses pour tout le monde. Il y avait plein de cris, de larmes, de gémissements à laisser sortir. Et d'amour aussi. Évidemment, le bébé aussi a pu sortir. Francine était glorieuse, radieuse, transformée et guérie.*

Il n'est pas rare que des femmes revivent, pendant leur travail, des émotions liées à des avortements antérieurs: cette fois-là aussi, le col a dû s'ouvrir mais, tellement plus tristement. Toutes n'ont pas gardé des sentiments de culpabilité ou de regret, mais quand ils sont présents, ils pèsent lourd sur le cœur. Les femmes ne le savent pas toujours, mais l'avortement, dans sa déchirure, dans sa violence, est quand même une décision qu'on prend par amour. Par amour pour un enfant qui pourrait venir un jour et dont on voudrait nourrir la petite existence de tout ce qu'on sent essentiel, on choisit de ne pas laisser vivre ce petit être-ci. Parce que les conditions, *comme on les perçoit à ce moment-là*, ne le permettent pas. Notre société n'honore pas encore ce pouvoir qu'ont les mères sur la vie

qui se pointe dans leur ventre. Notre vieille morale chrétienne continue de véhiculer l'idée qu'on a pris la vie d'un enfant et que rien ne peut vraiment le justifier. Même celles qui croient dans le libre choix conservent parfois, à leur insu, ce jugement sévère sur elles-mêmes. Refouler ce souvenir en espérant qu'il ne refera pas surface au mauvais moment pourrait vous jouer des tours. Prenez le temps, pendant votre grossesse, de vous rappeler cet enfant que vous avez un jour refusé. Dites-lui: «Au revoir». Faites-en le deuil. Respectez le choix que vous avez fait alors et celui, différent, que vous faites cette fois-ci. Vous n'avez pas de prix à payer ni de punition à subir. Cela n'enlèvera pas la tristesse de n'avoir pu accueillir ce bébé comme vous l'auriez voulu. Et si, pendant le travail, vous reconnaissez cette tristesse, laissez-la venir, mais ne vous laissez pas emporter par elle. Aujourd'hui, vous avez choisi de donner la vie, de tout votre cœur. Vous vous ouvrez avec tout ce que vous êtes, tout ce que vous portez.

*Geneviève attendait son premier bébé. Quand elle est arrivée à la Maison de naissance, sa sage-femme lui a annoncé, toute contente pour elle, qu'elle était déjà à neuf centimètres et, tout de suite, elle s'est affairée aux préparatifs pour la naissance. Mais, pour Geneviève, cette annonce a fait l'effet d'une mauvaise nouvelle: «Ça ne se peut pas, pensait-elle, c'est trop rapide, ce n'est pas normal, il doit y avoir quelque chose qui ne va pas avec mon col. Il s'ouvre trop rapidement. C'est sûrement à cause des trois avortements que j'ai subis.» Contre toute attente, les heures qui ont suivies n'ont amené aucune progression: on attendait la naissance d'un instant à l'autre, mais elle ne venait pas. Sa sage-femme l'a aidée à s'installer dans sa petite bulle, à trouver des positions favorables... rien n'y faisait. Jusqu'à ce qu'elle ait le sentiment qu'il se passait quelque chose à l'intérieur auquel elle n'avait pas accès. Elle a laissé Geneviève tran-*

*quille, seule avec son conjoint, tout le temps qu'il a fallu pour qu'elle trouve son chemin vers la naissance de son bébé. Ce n'est que le lendemain que Geneviève lui a confié ce qui l'avait habitée pendant ces heures où elle a cru qu'il lui fallait «payer» de son corps, de sa souffrance, pour ces décisions qu'elle avait prises. Dans un contexte plus normatif, où l'on aurait voulu qu'elle progresse «normalement», ce moment d'arrêt aurait pu inviter une série d'interventions médicales qui auraient peut-être accéléré l'accouchement, mais qui n'auraient pas dissous les nœuds du cœur.*

Si votre accouchement est long, difficile ou même désespérant, vous pourriez faire des découvertes importantes en vous tournant du côté des émotions. Ouvrez votre cœur à ce qui pourrait venir vous parler des profondeurs, de ce qui a peur d'ouvrir, de changer, de devenir mère. Mais, s'il ne vient rien, c'est qu'il n'y a rien! On découvre parfois, lors d'une césarienne, que le bébé qui «ne voulait pas descendre» avait deux tours de cordon qui se seraient serrés dangereusement s'il l'avait fait! Ouvrez-vous à vos émotions, mais prenez garde de «psychologiser» votre accouchement et de vous rendre coupable du péché d'avoir «retenu votre bébé» ou autre interprétation péjorative du genre. Vous vous feriez mal pour rien. Vous ne découvrirez peut-être pas pourquoi les choses se sont passées comme elles se sont passées. «Pourquoi?» est une question qui part de l'idée erronée qu'on peut contrôler nos vies. C'est une question qui sème le doute et récolte le blâme, pour vous-même ou pour les autres (l'hôpital, la sage-femme, votre conjoint). Demandez-vous plutôt comment vous voulez traverser cet accouchement difficile. «Comment?» nous demande de choisir où l'on veut mettre notre énergie, parce que nos choix façonnent notre vie.

# Le soutien

J'ai toujours cru au pouvoir qu'ont les femmes de mettre leurs enfants au monde. Ces dernières années m'ont toutefois amenée à comprendre différemment mon rôle de sage-femme. J'ai aidé des centaines de femmes à accoucher. Plusieurs d'entre elles devaient traverser des heures de travail difficile, dans un contexte où l'intimité et la sécurité n'y étaient pas. Elles avaient un incroyable besoin de soutien. J'ai mis tout mon cœur à trouver avec elles, avec les hommes qui les aiment, les gestes de tendresse qui soulagent et les mots qui donnent du courage. Avec le temps, j'ai compris combien le travail d'accompagner les femmes est bien différent lorsqu'elles partent «sur leur propre planète», lorsqu'elles se laissent posséder par l'énergie de la naissance et les hormones qui circulent dans leur corps. Plonger dans ce monde-là n'est pas facile. Quand elles se sentent suffisamment en sécurité, elles osent suivre ce que leur corps leur dicte pour faciliter l'accouchement, qu'elles vivent alors de façon autonome. Doucement, mon rôle s'est transformé.

Michel Odent a écrit à ce sujet un article provocateur dont pourtant chaque mot sonne juste. Il l'a intitulé: «Pourquoi les femmes en travail n'ont pas besoin de soutien[2]». J'ai d'abord éclaté de rire: c'est un peu dur à prendre quand ça fait des années qu'on y passe des heures et des nuits complètes! Mais il a raison, et ses remarques concordent avec ce que j'observais depuis des années sans avoir les mots pour le décrire.

> *Imaginez, dit-il, une petite fille qui n'arrive pas à dormir sans sa mère. Imaginez ensuite un 'expert' qui explique que la petite fille ne peut pas s'endormir sans la présence d'une 'personne-soutien'. Vous penseriez probablement que l'expert ne comprend rien à ce qui se passe. C'est ainsi que je me sens, dit-il, quand j'entends les mots support, guide, coach (aide, patiente, et 'accouchée par'), en relation avec les femmes qui accouchent. Ces mots suggèrent tous l'idée qu'une femme n'a pas le pouvoir de donner naissance sans être dépendante de quelqu'un d'autre.*

Où se trouve donc le rôle de ceux qui accompagnent une femme qui accouche? Plus que jamais, je me vois comme la gardienne de son espace intime. Je dirais privé comme dans «vie privée». Puisqu'il faut qu'elle se sente en sécurité pour s'abandonner aux forces de la naissance, je mets toute mon ingéniosité et ma tendresse pour aider à la création et au maintien de la «bulle» dont j'ai parlé plusieurs fois. C'est parfois facile, et parfois pas du tout. Vus de l'extérieur, les gestes peuvent paraître les mêmes. L'esprit qui les anime est différent: il sait plus clairement encore ce qu'il recherche, cet état presque magique de sécurité où une femme peut plonger et se faire confiance. Le fait de connaître la femme que j'aide me permet de croire dans ses capacités *à elle* de mettre son bébé au monde.

La présence de gens qu'elle connaît et qu'elle aime aide une femme à atteindre cet état, mais aussi des gestes doux, des mots choisis qui rassurent et qui, en même temps, parlent de force. Aucun de ces gestes ne peut remplacer le rôle complexe et si merveilleusement bien pensé des hormones du travail quand elles fonctionnent bien. Mais ils peuvent aider à détendre, à faire descendre considérablement le niveau de stress ou même le niveau de douleur et permettre alors ce glissement dans le flux, le courant du travail.

## Le toucher

En travail, le toucher est un moyen privilégié de communication. Le toucher peut être une nourriture, une caresse. En étant touchée par des mains qui nous aiment, on se sent revitalisée et on a plus de facilité à s'ouvrir, à se détendre. Vous n'avez pas besoin d'être un expert en massage pour toucher de la bonne façon. Il ne faut que de la douceur, beaucoup d'écoute et la volonté de communiquer par les mains. Il arrive souvent qu'une femme n'accepte pas d'être touchée lors d'un accouchement. Ceci désole souvent le conjoint qui veut l'aider. Il se peut que la femme ait besoin de se retirer un moment en elle-même. Lorsque cette solitude est nourrissante, il n'y a pas de problème. Si ce n'est pas le cas, si vous la sentez en détresse, il faut alors essayer de la rejoindre doucement. Parfois une femme, dans la portion la plus intense de son travail, est déconcentrée par le toucher. On la respecte, bien sûr, en gardant contact autrement, même dans le silence.

*«Ne me touche pas, disait Marie, mais ne t'en va pas non plus!»*

Il arrive enfin que le toucher du conjoint soit nerveux, fébrile ou trop vigoureux. Pour beaucoup de femmes, la présence de la main de leur conjoint pendant une contraction sera réconfortante, à condition qu'il ne la bouge pas et qu'il ne l'enlève pas non plus, tant que la contraction ne sera pas complètement terminée! Souvent, les pères ont tendance à faire des mouvements, à «frotter» à l'unisson avec leur perception de l'intensité de la contraction, mais peu de femmes supportent ce surcroît de sensation. Comme la femme a besoin de toute son énergie pour prendre sa contraction, elle n'a pas toujours le temps ou la possibilité de rajuster le tir avec lui.

Lorsque le conjoint se sent nerveux ou intimidé, il pourrait s'arrêter un instant, respirer, reprendre contact avec lui-même, avec ses propres émotions. Le fait d'en prendre conscience calmera de moitié sa fébrilité. Il pourra toucher moins pour un moment et se rappeler que plus de calme et moins de gestes soulageront probablement beaucoup plus sa conjointe. Quand il se sentira prêt, il pourra commencer par déposer ses mains sur un endroit moins vulnérable, moins central, comme les jambes ou les épaules. Il pourra les laisser là sans bouger afin de sentir la respiration de sa femme, jusqu'à ce qu'il la sente confortable en sa présence. Lorsque le contact est fait, il sentira s'il doit bouger ou non, en suivant son instinct et ses signaux à elle.

## Les compresses chaudes

La chaleur humide, comme celle d'une débarbouillette (un gant de toilette ou un petit essuie-mains) bien chaude, a la propriété extraordinaire de diminuer la sensation de douleur.

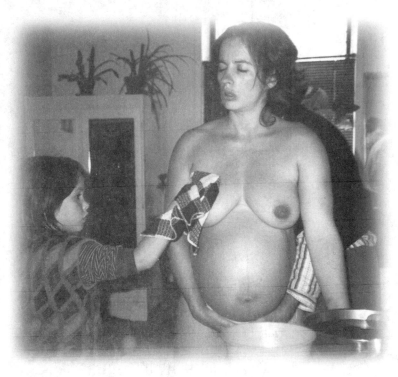

C'est simple, cela ne coûte rien et c'est très efficace pour la grande majorité des femmes.

*«C'était ma péridurale!» s'exclamait Brigitte, après qu'on lui eut fait tellement de compresses chaudes, dans la période la plus intense de son travail, qu'on en avait les mains fripées!*

Apportez près de la mère un grand bol d'eau très chaude. Trempez-y un linge assez épais que vous tordez et que vous mettez là où elle a mal: dans le bas du ventre, du dos ou même sur la vulve, plus tard dans le travail. Cela demande un peu de coordination: lorsque la contraction commence, on enlève la compresse précédente et on la remplace par une nouvelle, toute chaude et bienfaisante. La douleur ne disparaît pas, mais elle devient plus tolérable. Avec le temps, les compresses perdent de leur effet bienfaisant. Interrompez-les et reprenez-les peut-être un peu plus tard, à une autre étape du travail.

## Le bercement

Toutes les grands-mères du monde le savent: bercer réconforte, console, endort, apaise. Si votre compagne est couchée sur le côté, essayez, entre les contractions, une main sur la hanche, l'autre sur l'épaule, de la bercer doucement. Le secret: poussez seulement, son corps fera de lui-même le mouvement de retour. Un tout petit mouvement suffit. Pratiquez-vous un soir qu'elle a de la difficulté à s'endormir!

## Les sons

Gémir, chantonner en expirant, en allant chercher les sonorités graves «du ventre», vous aidera à la fois à exprimer l'intensité et à la laisser passer. Les sons graves ouvrent le bassin et sont tout indiqués pendant le travail d'ouverture du col et de descente du bébé, qu'ils soient «chantés» par le père, à l'extérieur, ou par la mère, de l'intérieur. Les sons qui viennent du fond des entrailles aident à pousser le bébé mais, attention, pas les sons aigus qui viennent de la gorge: ceux-là freinent la poussée et fatiguent tout en irritant

sérieusement la gorge. Pendant le travail, l'idéal, souvent, c'est que le père commence à faire des «ô» et des «â» tranquilles et graves, juste pour soutenir sa femme. Quand elle en aura besoin, elle «embarquera» en faisant les sons elle-même. Souvent les femmes en ont envie, mais elles ne se le permettent pas. Avoir quelqu'un à côté qui ose est souvent très invitant à se laisser aller.

## Le rire

Le rire détend, dédramatise, change l'atmosphère et réunit. Les sages-femmes que je connais ont l'habitude de dire qu'il faut parfois se dilater la rate complètement avant de dilater le col! Un rire amoureux, évidemment, joyeux, complice, familier, non blessant. Si vous n'êtes pas sûre de votre humour, commencez par faire des blagues sur vous-même!

## La parole

Cela peut avoir l'air évident, mais ça ne l'est pas. Pris dans le cours des événements, on oublie parfois de simplement prendre des nouvelles l'un de l'autre. «Comment te sens-tu maintenant? Est-ce que ça se passe comme tu voudrais? Je suis contente que tu sois avec moi. Je t'aime. Je suis content d'avoir un bébé avec toi. Je t'aime bébé, j'ai hâte que tu sois là.» Le père peut chuchoter des mots qui aident, avec la main sur le bas du dos ou sur la cuisse de sa femme (un geste inspiré de l'haptonomie): «Laisse descendre le bébé dans ma main, reste avec lui. Sens ma main, reste avec moi, dans ma main.»

*Dans un moment particulièrement difficile de son travail, Diane est venue à un cheveu d'arrêter de respirer doucement, pour se mettre à hurler, à tout lâcher. J'essayais de trouver les paroles qui l'encourageraient mais, déjà, François s'était mis à lui dire des mots*

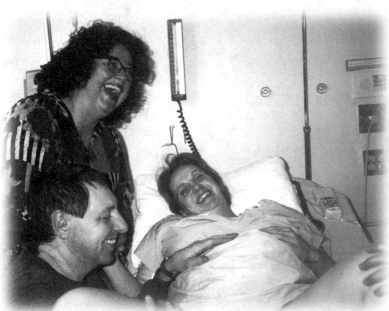

*d'amour dans l'oreille: «Je t'aime, mon amour, tu es merveilleuse, tu es tellement extraordinaire, tu es la meilleure mère que j'aurais pu trouver pour notre petit bébé...» Du coup, Diane est revenue avec nous, prête à respirer encore un peu, à s'ouvrir encore un peu. La contraction suivante s'est amorcée avec la même intensité sauvage. «Parle-moi, parle-moi, parle-moi, a crié Diane à François, dis-moi n'importe quoi mais parle-moi.» Et jusqu'à la naissance de David, François a passé toutes les contractions à répéter des mots d'amour dans son oreille, en une suite qui manquait parfois de sens ou de logique... sauf pour Diane qui entendait exactement le message qu'il y avait dedans: l'amour de son homme, au moment où elle en avait besoin.*

## L'intimité et les caméras

Maintenant que j'ai longuement parlé de l'importance, pour les femmes, de leur espace privé, protégé, où elles ne doivent se sentir ni jugées ni observées, cela place la question de la caméra dans un éclairage bien particulier. Il m'est arrivé de prendre moi-même des photos à un accouchement à l'hôpital pour m'entendre dire par la mère, après la naissance: «C'est dommage, tu n'as pas eu le temps de prendre des photos tel que prévu!» J'en avais pris 36! Quand la mère est bien plongée dans son monde, il y a de bonnes chances qu'elle ne remarque pas les prises de photos, si c'est fait discrètement. J'ai vu tout aussi souvent des moments gâchés par l'apparition inopinée de la caméra vidéo. La mère s'en trouvait complètement déconcentrée et déconcertée. Pour ma part, je fais très attention lorsque je manipule des caméras pendant un accouchement: ce sont des armes à double tranchant. Elles peuvent créer de merveilleux souvenirs, mais elles peuvent aussi troubler le présent.

Soyez extrêmement prudents avec les appareils photos et les caméras vidéo. Le père n'est pas la meilleure personne pour prendre des photos ou filmer pendant l'accouchement (après la naissance, je vous fais confiance: les laboratoires de photos font fortune avec nos petits adorés!). Ce n'est pas pour rien qu'on dit «être derrière la caméra». Quand on est derrière, on n'est pas dedans, avec la femme qu'on aime, à ses côtés. Bien des femmes se sont senties abandonnées au profit de souvenirs futurs dont elles n'avaient que faire dans cet instant de la naissance. De plus, si le moment est gâché, à quoi sert de s'en souvenir? J'ai souvent vu une infirmière, ou la deuxième sage-femme, accepter de prendre quelques photos pour les parents, ce qui permettait au père de rester près de sa femme. Vous pourriez avoir à sacrifier les souvenirs visuels qui dérangent pour d'autres, plus profonds, et tout de même inoubliables.

## La présence du compagnon

Lorsqu'on accompagne une femme dans son travail, la chose la plus difficile à vivre, c'est l'impuissance. Notre incapacité à lui donner un répit, à en faire un bout pour elle, à diminuer sa douleur. Je le vis aussi quand j'accompagne une femme. Mais j'ai déjà accouché et je sais qu'elle le peut aussi. J'imagine comment se sent l'homme qui est aussi surpris que sa femme de l'intensité du travail. «Faites quelque chose pour elle, ça n'a pas de sens.» Lui aussi doit traverser les mêmes barrières qu'elle: avoir confiance, reprendre courage, ne pas attendre de solutions toutes faites de l'extérieur mais les créer ensemble. Le fait d'accepter, comme elle doit le faire, de traverser ce que le travail aura de plus difficile pour lui, en s'oubliant pour la soutenir, renforcera le lien qui existe entre eux. Il y a là un voyage qui vaut bien, parfois, celui que fait le bébé pour naître. D'ailleurs, il en naîtra un père.

# La durée du travail

Quand on demande des nouvelles d'un accouchement, le nombre d'heures qu'il a duré nous est très souvent donné comme une sorte de résumé de son déroulement. «Ça m'a pris 24 heures», dit-on, avec la grimace qui va avec une telle révélation. «Ça m'a pris juste cinq heures», comme si, du coup, elles avaient été faciles, voire négligeables. On n'a pas tout dit quand on a calculé les heures. Cinq ou six heures où l'on se sent seule, négligée, bousculée, ignorée dans nos besoins premiers peuvent être bien pires que 24 heures d'un travail intense où l'on se sent entourée, aimée et respectée. Ce qui est important, c'est surtout comment on se sent pendant ces heures!

*«Les gens trouvent ça long, dix-neuf heures, disait Anne. Mais pour moi, ç'a été dix-neuf belles heures de défi.»*

La durée du travail varie d'une femme à l'autre et dépend de raisons physiques, hormonales et psychologiques: le nombre d'accouchements précédents, la position et la grosseur du bébé, la force des contractions, la souplesse des tissus, la facilité à se laisser aller dans l'énergie de la naissance et de nombreux autres facteurs. On s'accorde généralement pour dire qu'au premier bébé le travail actif (après trois centimètres) dure en moyenne douze à quinze heures. Par contre, un travail actif de 24 heures est tout aussi normal, tout comme un travail de quatre heures. Malheureusement, on a parfois tendance à confondre la moyenne et la normale. L'évolution de la dilatation n'est absolument pas linéaire, prévisible ou calculable avec une règle de trois («Si ça m'a pris trois heures pour dilater de un centimètre,

ça me prendra x heures pour dilater à dix centimètres!»). La naissance de votre bébé ne suivra certainement pas une courbe statistique tracée dans un livre.

L'énergie dépensée à se préoccuper des heures qui s'écoulent ralentit le travail en causant une tension superflue. Ne vous en préoccupez pas. Le travail s'arrêtera quand le bébé sera né. Et ils naissent tous, sans exception! Restez dans le moment présent. Vous avez une contraction? Respirez-la doucement en restant aussi détendue que possible. Vous avez une pause? Profitez-en pleinement. Chaque instant vous rapproche de votre bébé.

## Un très long travail

Un très long travail réclame qu'on en fasse une minutieuse évaluation: y a-t-il un problème dans la présentation du bébé? Est-ce que les contractions sont efficaces? Est-ce qu'un obstacle quelconque empêche le bébé de bien descendre? J'ai déjà donné des pistes de solutions à plusieurs de ces situations moins favorables (changements de positions pour la mère, etc.). Parfois, il n'y a rien de particulier à trouver. C'est juste long parce que c'est long! Ne laissez jamais l'atmosphère devenir décourageante et désespérée. Votre conjoint pourrait revoir les moyens qui peuvent aider le travail à progresser et garder, malgré tout, le climat de l'accouchement positif et dynamique.

La définition d'un très long travail est certainement subjective. Ce sont moins les heures qui comptent que le sentiment persistant d'avoir dépassé, dans le temps, les limites qu'on croyait les siennes. Un long travail vient certainement mettre à l'épreuve notre endurance, notre patience et notre courage. On doit garder le moral, sous peine de devenir très vulnérable à la première suggestion de tout lâcher. Si votre travail est très long, vous traverserez probablement des périodes de grande fatigue et des «coups de barre». On donnerait son royaume pour un bon lit et quelques heures, quelques minutes même, de sommeil! On peut avoir l'impression d'avoir atteint l'absolue limite de nos capacités. Ce sont des moments où les femmes sont particulièrement prêtes à accepter des interventions qu'elles ne voulaient pas, même si elles ne sont pas vraiment nécessaires.

Je connais bien ce phénomène: je le vis souvent aux petites heures du matin et je le perçois chez les femmes que j'aide à accoucher: on n'a plus d'énergie, plus une goutte, on donnerait son royaume pour pouvoir dormir, on ne peut imaginer continuer comme ça, même pas une autre demi-heure! C'est ce que les marathoniens appellent le «mur», un phénomène qu'ils connaissent bien et qui se présente assez tôt dans l'épreuve, quand ils ont épuisé leur réserve «ordinaire» d'énergie. Elle dure une heure, parfois deux, et peut aussi toucher les gens qui sont avec vous. Elle est particulièrement courante dans les quelques heures avant le lever du soleil, comme si cette nuit-là ne devait plus avoir de fin! Sachez que cette sensation est temporaire. Nous avons tous un second souffle et souvent, aussi, un troisième et un quatrième. On ne connaît pas ses réserves avant d'avoir eu besoin de les utiliser! Restez centrée sur le moment présent, n'essayez pas d'envisager les étapes qui s'en viennent, prenez les contractions une à la fois. Après un moment, vous en serez sortie... et vous serez contente de ne pas avoir cédé au découragement.

Si vous avez l'impression d'avoir déjà traversé plusieurs fois cette baisse d'énergie, et que vous sentez cette fois qu'il n'y a pas d'autre souffle à espérer, la péridurale pourrait être une solution à envisager. Elle permet parfois, quand rien d'autre n'a marché, de faire progresser un travail devenu interminable. On ne comprend pas toujours pourquoi les choses ne progressent pas bien, même quand les femmes y ont mis tout le courage et toute la bonne volonté du monde. Acceptez simplement cette aide que la technologie rend possible. Vous êtes allée aussi loin que vous le pouviez par vous-même. Vous seule savez où est votre vraie limite. À l'impossible, nul n'est tenu.

# Le bébé en postérieur

L'une des raisons physiologiques les plus courantes qui expliquent qu'un travail soit plus long, c'est le fait que le bébé se présente «en postérieur». Il ne faut pas confondre cela avec le «siège», où le bébé se présente les fesses en premier. Un bébé se présente en postérieur lorsque, dans le bassin, son visage est tourné vers le ventre de sa mère, plutôt que vers son dos. J'ai expliqué dans la section sur la physiologie du travail pourquoi cela rendait le travail plus difficile: le bébé se présente dans un angle moins favorable qui l'empêche de bien fléchir sa tête, et fait en sorte qu'il présente un plus large diamètre. C'est un peu comme mettre un pied gauche dans un soulier droit: même si c'est un soulier de la bonne grandeur, les angles sont aux mauvais endroits et inconfortables!

La meilleure position pour le bébé est de s'engager dans le bassin en oblique, en regardant vers l'arrière. Il doit alors faire une petite rotation de 45° pour sortir et la forme du bassin le guide parfaitement. Lorsque le bébé regarde vers l'avant, au départ, comme il semble que ce soit le cas dans près du tiers des accouchements, il devra tourner de 135° (soit trois fois plus!) pour se retrouver dans le bon angle. Cette opération supplémentaire, en désaccord avec la forme du bassin, rend le travail souvent plus long, plus difficile et aussi particulièrement douloureux pour le dos de la mère, car c'est la partie dure de la tête du bébé qui appuie justement là, dans le bas du dos. Plusieurs bébés n'arrivent pas à compléter la plus longue rotation, celle qui corrige l'«erreur» de départ, surtout chez les

femmes qui passent leur travail immobiles et couchées, et cela explique un certain nombre de césariennes ou de forceps. Un petit nombre de bébés (3%) se mettent quant à eux à tourner dans l'autre sens directement vers le dos de leur mère et se retrouvent «à l'envers». Ils naissent ainsi, le nez vers le haut.

Je ne veux pas vous inquiéter inutilement si vous sentez, en me lisant, un petit dos qui se tient vers l'arrière! Le fait que le bébé se présente en postérieur ne pose pas toujours un problème. Il arrive d'ailleurs qu'on s'en rende compte, par hasard, en palpant sa tête alors que la mère est à huit ou neuf centimètres, dans un accouchement qui se déroule très bien. Certains bébés se tournent docilement quand les contractions se font plus insistantes et que l'accouchement progresse bien. Cependant, puisque cette position est une composante fréquente dans les accouchements longs et difficiles, je voudrais partager avec vous les connaissances que j'ai accumulées au fil des années pour que vous puissiez travailler avec votre corps et utiliser la force des contractions pour transformer cette position moins favorable.

Quand le bébé est en postérieur, le travail est souvent caractérisé par des contractions douloureuses, mais irrégulières en durée et en intensité. C'est que la tête appuyant mal sur le col, celui-ci ne peut pas adéquatement jouer son rôle de stimulateur des contractions. La douleur est souvent localisée dans la région lombaire, elle s'accentue encore avec les heures, au point que plusieurs femmes remarquent à peine la douleur des contractions dans le ventre, tant celle du dos est éprouvante. Le bébé descend peu ou pas du tout. La dilatation stagne souvent vers les quatre ou cinq centimètres. Le col est alors souple, facilement

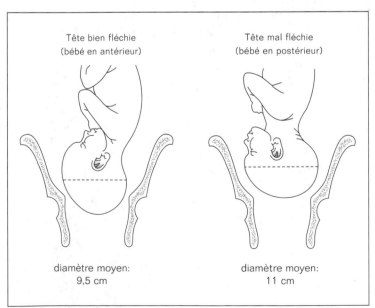

Tête bien fléchie
(bébé en antérieur)

Tête mal fléchie
(bébé en postérieur)

diamètre moyen:
9,5 cm

diamètre moyen:
11 cm

étirable, mais aucune pression de la tête du bébé, quelques centimètres plus haut, ne vient le solliciter. Il arrive parfois que le col enfle, plus tard, comme si la pression exercée vers le bas par les contractions, incapable de faire descendre le bébé, pressait plutôt un excès de liquide dans les tissus, créant ainsi une congestion. Parfois la dilatation se rend à huit ou neuf centimètres, mais alors elle reste stationnaire, souvent avec ce qu'on appelle une «bande de col» qui n'arrive pas à passer parce que c'est le plat du dessus de la tête qui ouvre le chemin, plutôt que le sommet conique, qui favoriserait le glissement et la disparition du col. Parfois, c'est à la poussée que se produit l'arrêt de progression. Le bébé ayant entamé sa rotation a maintenant la tête qui regarde vers la gauche, mais les poussées le pressent contre les os du bassin, vers le bas, alors qu'il aurait besoin d'espace pour bouger latéralement.

## *Votre bébé est-il en postérieur?*

Un bébé n'est «en postérieur» que quand sa tête s'engage au début du travail. Cependant, on peut parfois observer en fin de grossesse des indices qui laissent penser que c'est ainsi qu'il entrera dans le bassin.

- Dans les dernières semaines, ces bébés se tiennent le plus souvent le dos à droite (pour des raisons anatomiques, la grande majorité des bébés en postérieur ont le dos à droite, comme la grande majorité des bébés en antérieur ont le dos à gauche).
- Vu de profil, quand la mère est sur le dos, le sommet du ventre est situé au-dessus du nombril, alors que la partie sous le nombril a l'air plate.
- Le bébé a tendance à rester bien haut, à ne pas entrer sa tête dans le bassin.

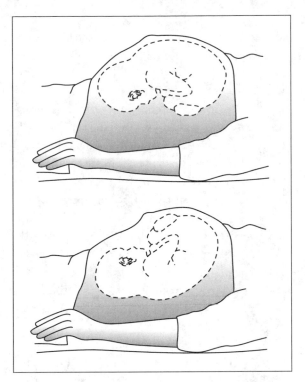

- On entend souvent le cœur du bébé assez loin sur le côté, et il est parfois plus difficile à trouver, plus lointain à l'oreille.
- On a l'impression d'avoir tous ses petits membres sur le devant.

Une personne expérimentée pourra identifier sa position à la palpation.

Pour l'aider à bien se placer à la fin de la grossesse, retournez voir les conseils donnés au chapitre 5 sur la présentation du bébé (*voir page 108*). Vous pouvez aussi, trois fois par jour pendant une vingtaine de minutes, prendre une position génupectorale, c'est-à-dire à quatre pattes avec les épaules plus basses que les fesses, directement sur le lit ou l'oreiller. Comme alternative, vous pouvez vous placer sur le dos, les fesses surélevées par quelques coussins. Bien que pas terriblement confortables, ce sont des positions qui encouragent le bébé à remonter dans le ventre pour mieux se placer, avant que la gravité et les contractions ne le fassent descendre dans le bassin.

### PENDANT LE TRAVAIL

Vous reconnaîtrez peut-être les caractéristiques du travail «en postérieur» que j'ai décrites plus haut. Quand le travail ne progresse pas bien, les sages-femmes accordent généralement beaucoup d'importance à bien déterminer la position du bébé, pour pouvoir aider la mère à prendre des positions qui favoriseront le processus physiologique de rotation. Ce n'est pas toujours le cas à l'hôpital. Il est très fréquent qu'on s'intéresse surtout, sinon uniquement, à la dilatation (qui reste stationnaire ou progresse très lentement).

À l'examen interne, on peut palper les sutures et les fontanelles de votre bébé (les lignes de démarcation des os de son crâne). Leur orientation dira dans quel angle sa tête est placée. Il faut cependant que la dilatation soit suffisante pour permettre un tel examen, qui demande d'aller plus en profondeur. Plusieurs femmes le trouvent particulièrement inconfortable pour cette raison, mais s'il aide à déterminer les positions que vous prendrez ensuite pour aider sa rotation et vous éviter des heures de travail pénibles, cela vous donnera du courage.

Cette information, donnée à la mère, lui permet de comprendre *pourquoi* le progrès est stationnaire et *comment* elle peut travailler à changer les choses. Cela fait toute la différence quand on comprend le rôle actif de la mère dans l'accouchement. Si vous n'obtenez pas de réponse à la question «mon bébé est-il en postérieur?» et que le travail en donne plusieurs signes, faites comme s'il l'était. Cela pourrait tout changer. S'il est bien placé, cela ne lui nuira pas.

## *Pour aider le bébé à tourner*

- Essayez de passer 30 à 45 minutes en position génupectorale, les genoux et les épaules sur le lit ou, encore, sur le dos, les fesses surélevées. C'est plus facile si le travail n'est pas trop avancé.

- Prenez vos contractions couchée sur le côté opposé au dos du bébé (probablement à gauche, donc), avec le genou du dessus soutenu par deux oreillers et bien replié pour être plus haut que votre hanche, le tronc tourné de façon à être presque à plat ventre. Si rien ne bouge, essayez la même chose, mais couchée de l'autre côté.

- Ne laissez pas rompre les membranes tant que la position du bébé ne s'est pas corrigée. Le petit coussin de liquide devant sa tête l'aide à se tourner.

- Les positions penchées en avant sont encore favorables: assise à cheval sur une chaise avec les pieds surélevés, assise sur le bord du lit, les bras autour de la taille de votre partenaire, à quatre pattes, etc.

- Mettez-vous debout, un pied sur une chaise (le pied du côté du dos du bébé). Pendant la contraction, déplacez votre poids sur le pied surélevé. Cela vous pliera le genou. Gardez la position quelques secondes puis revenez et recommencez. Votre conjoint devra s'assurer que vous ne perdiez pas l'équilibre.

- Basculer le bassin vous aidera. Par exemple, si on vous masse le dos pendant la contraction, faites une petite «danse» du bassin, pour que votre dos aille presser contre la main qui masse. Ou encore, accroupie, les pieds parallèles, le dos contre un mur, pressez-y le bas de votre dos. Vous augmenterez l'espace entre vos épines sciatiques, pour aider votre bébé dans sa rotation, en gardant vos pieds plus écartés que vos genoux.

Parfois, ce n'est pas parce que le bébé regarde vers l'arrière que le processus est plus difficile: il peut regarder dans la bonne direction, mais avec sa tête penchée sur le côté vers son épaule, ce qui a aussi pour effet d'augmenter le diamètre nécessaire à son passage. C'est ce qu'on appelle l'asynclitisme. Tous les conseils précédents pour encourager l'ouverture du bassin l'aideront à se replacer.

Il arrive que, malgré tous les efforts, les mouvements, la volonté d'y arriver... les bébés ne trouvent pas comment s'orienter et n'arrivent pas à passer. Personne n'est à blâmer! Encore une fois, les mystères de la naissance dépassent de très loin toutes les explications mécaniques. Les heures passées à chercher ensemble le passage ne sont pas perdues, même si l'accouchement devait se terminer avec des forceps ou même une césarienne. Pourrait-on s'atteler à la tâche avec moins de conviction et de persévérance que nos bébés alors qu'eux aussi, de l'intérieur, cherchent inlassablement? Aller aussi loin qu'on peut, malgré l'incertitude, l'effort, la difficulté, est le plus magnifique des cadeaux de naissance à nos enfants.

Mettre un bébé au monde est toujours un défi, mais celui-là pourrait être encore plus exigeant. Vous aurez peut-être besoin de doses incroyables de patience et de confiance, de pressions dans le dos, de compresses chaudes et d'encouragement. Mais rappelez-vous: la grande majorité des bébés font exactement ce qu'ils doivent faire: ils se tournent... et ils naissent! Patience et courage!

# Les circonstances particulières

## Vivre un accouchement seule

Bien des conjoints s'impliquent activement dans la préparation de l'accouchement. Ils se sentiraient injustement exclus si un livre comme celui-ci ne les mentionnait qu'accessoirement. Inversement, cela peut être difficile pour une femme seule de lire des descriptions de l'accouchement où le conjoint aimant soutient sa femme à toutes les pages. Les femmes seules n'ont pas besoin, en plus, de se sentir une espèce à part, uniques dans leur situation.

Pour certaines femmes, la grossesse et l'accouchement se vivront sans le père du bébé. Que ce soit par choix ou non, qu'il s'agisse d'un éloignement physique seulement ou d'une absence totale parce qu'il y a eu rupture de la relation, il y a là un manque à combler. Être seule ne devrait pas signifier être isolée, encore moins abandonnée. Trouvez dans votre entourage une amie, une sœur qui aurait envie de vous aider à vivre votre accouchement. Prenez du temps ensemble pour vous y préparer. L'important, c'est la confiance, la tendresse des petits gestes qu'on reçoit pendant le travail. Dans la réalité, même les femmes ayant un conjoint n'ont pas toujours ce soutien amoureux de tous les instants. Certaines doivent aussi trouver une alternative. L'absence d'un conjoint dans la vie quotidienne avec un bébé a des implications multiples qui dépassent mon propos ici. Pendant l'accouchement, ce dont vous aurez surtout besoin, c'est d'être bien entourée de personnes affectueuses en qui vous avez confiance.

## Accoucher dans la tempête

Certaines femmes accouchent très rapidement, en moins de deux heures. Un travail si rapide est souvent extrêmement intense, exigeant, sans période d'adaptation, et peut faire regretter un accouchement un peu plus lent! On a l'impression de traverser un orage violent, d'où la nécessité de trouver une bouée, un paratonnerre, un point d'ancrage solide.

Ce travail réclame de l'entourage une organisation rapide et efficace: gardienne, transport, valises, il faut aller à l'essentiel. Dans la mesure du possible, une personne devrait se consacrer exclusivement au soutien de la mère, en l'aidant à reprendre son souffle entre les contractions, en l'encourageant et en respirant avec elle. Votre conjoint pourra enrôler les voisins, si nécessaire: ils peuvent garder l'aîné en attendant que grand-maman vienne le chercher. Les conversations ne sont probablement pas appropriées: ce sont plutôt le toucher, les sons, la respiration, le regard les yeux dans les yeux et quelques paroles rassurantes qui serviront de pôles dans la tempête. Beaucoup de femmes qui expérimentent ce genre de travail pensent: «Je ne pourrai jamais continuer des heures comme ça!» Elles ont raison: le bébé s'en vient probablement dans quelques minutes. Plus que jamais vous devrez rester dans le «ici et maintenant». Chaque instant compte, dans le peu de temps que vous aurez pour sentir venir votre bébé.

## Accoucher à la maison... involontairement!

Dans certains cas, heureusement rares, l'accouchement est tellement rapide que le bébé naît avant le départ pour l'hôpital ou pour la Maison de naissance, ou avant l'arrivée de la sage-femme s'il était prévu à la maison. Bien que ce soit difficile à prévoir, cela risque plus de se produire lorsque les accouchements précédents ont été très courts. Discutez à l'avance avec votre sage-femme ou votre médecin de ce que vous feriez. Si vous devez (ou voulez) rester chez vous, voyez quel équipement de base devrait être prêt (des couvertures pour le bébé, des ciseaux stériles, par exemple) et discutez des gestes que vous pourriez avoir besoin de poser. Appelez une ambulance, qui arrivera peut-être avant le bébé ou, en tout cas, tôt après, et qui aura à son bord le matériel d'urgence dont vous n'aurez probablement pas besoin, mais qui sera plus que précieux s'il s'avérait nécessaire! Si tout s'est bien passé, vous n'êtes pas obligée de vous rendre à l'hôpital après la naissance, mais la présence des ambulanciers parfois accompagnés d'un médecin assure, si besoin est, un transfert rapide et l'accessibilité à de l'équipement d'urgence. Dans tous les cas, demeurez calme et profitez au maximum de cette expérience. La plupart des accouchements qui vont très vite vont aussi très bien!

## Vivre un Avac

Toutes les femmes en travail ont besoin de soutien. Mais il existe des femmes qui en ont besoin encore plus: celles qui ont vécu une césarienne lors d'un précédent accouchement. L'AVAC, comme on appelle l'accouchement vaginal après césarienne, était tout bonnement une hérésie au début des années 80. Ce n'est plus l'exploit que c'était alors, Dieu merci! Dans la plupart des régions il est encouragé et son taux de succès est très intéressant (*voir l'AVAC, page 322*). Plus les hésitations du système médical tombent, plus les femmes se donnent le soutien dont elles ont besoin (en particulier en retenant les services d'une sage-femme ou d'une accompagnante), plus elles obtiennent le genre d'accouchement qu'elles désirent. La littérature médicale montre qu'entre 75 et 90% des femmes qui tentent un accouchement vaginal après une césarienne le réussissent, contre des taux de 50 à 75% dans la décennie précédente.

Se préparer à vivre un AVAC est souvent plus exigeant, empreint d'une angoisse de plus «de ne pas y arriver». C'est que ces femmes ont fait déjà l'expérience d'un travail qui ne s'est pas déroulé comme elles l'avaient espéré, ou d'une condition particulière qui les a empêchées d'entrer en travail et de sentir ce qu'est une contraction. Pour mener leur projet à bien, lors de cette grossesse-ci, elles ont parfois eu à affronter l'inquiétude de leur conjoint et la réticence ou l'incompréhension de leur entourage qui ne comprend pas toujours pourquoi elles se donnent tant de mal alors que «ce serait si simple d'avoir une autre césarienne». La plupart d'entre elles ont longuement préparé cet accouchement, mais le fait d'avoir déjà vécu un processus interrompu par une opération chirurgicale ébranle la confiance de plus d'une. Souvent, au moment où elles ont eu la césarienne à l'accouchement précédent (à trois ou à huit centimètres, ou à la poussée), elles sont d'une extrême vulnérabilité. Elles font maintenant face à l'obstacle qui n'a pas été surmonté la première fois et qu'elles devront aujourd'hui franchir pour arriver à accoucher elles-mêmes de leur bébé. C'est aussi vrai pour celles qui ont vécu un accouchement avec des forceps ou une ventouse, et qui ont le trac quand approche le moment de la poussée. La qualité du soutien qu'elles reçoivent à ce moment-là est primordiale.

Beaucoup de femmes ont été guidées par leurs contacts avec une sage-femme et par la lecture de quelques excellents livres au sujet de l'AVAC[3]. Leur démarche les conduit parfois très loin dans la confiance qu'elles doivent développer dans la normalité de la naissance et dans leur propre compétence. Certains conjoints cheminent avec elles et acceptent de se tenir à leurs côtés dans les moments plus difficiles. Nous saluons leur courage et leur détermination.

**Notes**
[1] ENKIN, KEIRSE, NEILSON, CROWTHER, DULEY, HODNETT & HOFMEYR. *op. cit*, p. 259.
[2] Michel ODENT. «Why Labouring Women don't Need 'Support'», *Mothering*, n° 80, 1996. (traduction de l'auteure)
[3] Hélène VADEBONCŒUR. *Une autre césarienne? Non, merci! L'accouchement vaginal après césarienne*, Montréal, Éditions Québec-Amérique, 1989.

## Pour aider sa compagne en travail

La place du conjoint, ou de la personne choisie par la mère, a été mentionnée de nombreuses fois dans le déroulement de l'accouchement. Voici, rassemblées, quelques façons d'aider sa compagne, son amie en travail.

- Si le travail commence la nuit et qu'il est encore léger, encouragez-la à somnoler ou à se reposer entre les contractions en l'aidant à s'installer confortablement et en la massant doucement, surtout dans le bas du dos.

- S'il commence le jour, allez avec elle dans un endroit où vous vous sentez bien et intimes et travaillez avec elle à vous habituer aux contractions.

- Aidez-la à rester active et à manger aussi longtemps que possible et préparez-lui des choses qu'elle aimerait manger;

- Restez en contact physique étroit avec elle;

- Respirez avec elle;

- Aidez-la à se détendre pendant les contractions en touchant doucement les parties de son corps qui ont le plus de difficulté à se relaxer;

- Encouragez-la à faire les sons qui lui viennent, à se laisser aller avec ses contractions;

- Aidez-la à se détendre complètement entre les contractions, à ne penser à rien d'autre;

- Organisez l'espace physique pour elle, trouvez-lui des endroits pour s'appuyer, se suspendre, s'agenouiller, s'accroupir;

- Encouragez-la à bouger, à changer de position, à se lever pour aller à la toilette;

- Gardez l'éclairage au minimum et toujours indirect; demandez au personnel de travailler avec un minimum de lumière;

- Veillez à ce que toutes les personnes en contact avec elle respectent l'atmosphère dont elle a besoin;

- Décrochez du moniteur fœtal et gardez votre attention sur votre compagne: c'est elle qui est en travail, pas lui!

- Faites-lui des compresses chaudes au besoin;

- Si elle est fatiguée ou découragée, donnez-lui un massage revigorant sur tout le corps ou faites-lui un massage vigoureux de la plante des pieds;

- Si vous avez besoin d'aller vous reposer un moment, trouvez quelqu'un qu'elle aime pour vous remplacer;

- Si le travail est long, sortez de la pièce les personnes fatiguées, vidées. Envoyez-les dormir une heure et appelez quelqu'un dont l'énergie neuve viendra recharger vos batteries. Mieux vaut alterner les sources de soutien et ne pas en manquer!

- Dites-lui des mots d'amour, même à la fin du travail quand d'autres personnes seront dans la pièce;

- Rappelez-lui que tout ce travail sert à faire naître votre bébé; aidez-la à garder le contact avec le bébé, en pensée, en mots ou en le touchant quand vous commencerez à voir le sommet de sa tête;

- Vivez chaque toucher comme une rencontre avec votre femme et votre bébé. Soyez dans l'écoute et l'invitation, qu'elle puisse venir à votre contact.

- Dites-lui combien elle fait un travail extraordinaire en reconnaissant l'effort et la générosité qu'elle y met plutôt que sa performance;

- Prenez-la dans vos bras et bercez-la pendant ou entre les contractions;

- Regardez-la, faites en sorte qu'elle puisse toujours aller chercher votre regard quand elle en a besoin.

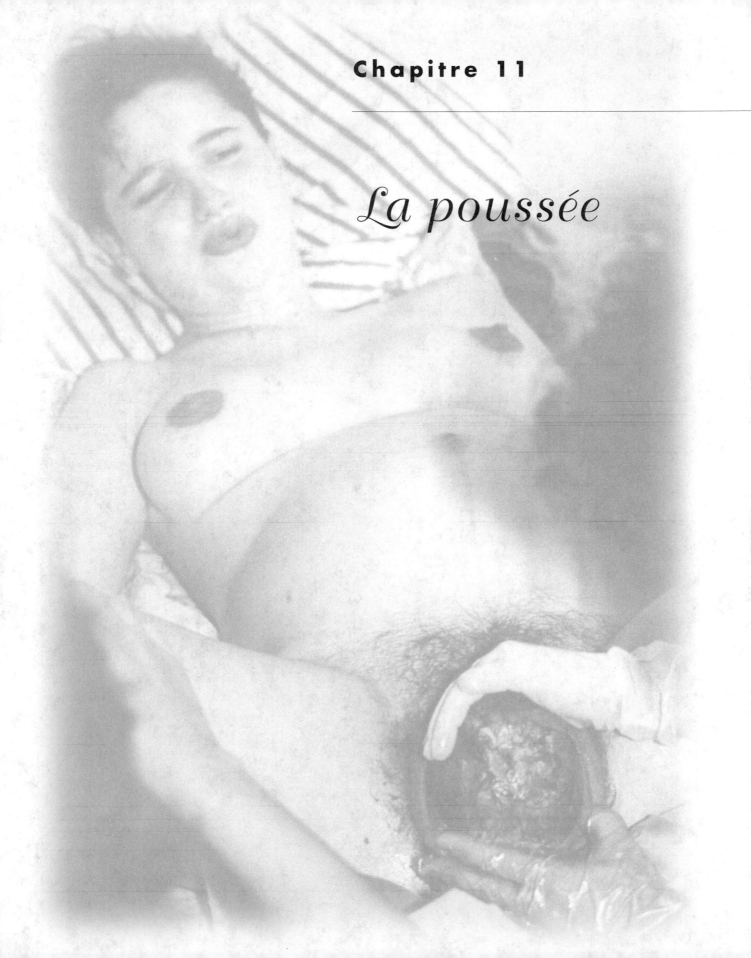

# Chapitre 11

# La poussée

# L'énergie de la poussée

L'énergie de la poussée puise sa source dans l'ouverture. Le col, qui a protégé votre bébé pendant neuf mois, s'est effacé et ouvert. Maintenant, ce qui formait «un» se fractionne pour devenir «deux». C'est le grondement, le tremblement avant l'éruption, le chaos avant la création, le mouvement inévitable et irrésistible vers la naissance. La descente de la tête du bébé étire les muscles autour du vagin, stimule les terminaisons nerveuses au fond du bassin et déclenche l'arrivée supplémentaire d'ocytocine, qui provoque les puissantes contractions de la poussée. C'est le réflexe spontané par lequel l'utérus va chercher l'assistance de la mère pour aider le bébé à naître.

C'est immense, un bébé qui passe dans notre vagin! Pour lui, vous vous ouvrirez plus grand que vous ne l'auriez jamais cru possible. C'est la naissance de votre bébé, mais c'est aussi la mort de votre grossesse, la mort de vous-même-avant-ce-bébé-là. La «petite fille» devra disparaître pour laisser la place à la femme, à la mère. Ce passage peut réactiver des émotions primordiales. De nombreuses femmes disent avoir pensé à la mort en accouchant, non pas comme un danger réel imminent, mais plutôt comme l'envers de la vie qu'elles s'apprêtaient à donner et dont elles n'avaient peut-être jamais été aussi proches. On n'est jamais aussi puissante qu'à l'instant où l'on donne la vie, ni aussi vulnérable, aussi totalement ouverte, dévoilée, entièrement consacrée à cette seule et immense tâche: mettre notre bébé au monde.

## Retour à la physiologie

Revenons un instant à la physiologie, pour bien comprendre ce qui se joue à ce moment-là. Les contractions ont fait descendre le bébé et l'ont amené tout contre le sacrum, bien profondément dans le bassin. Le col a disparu complètement, tiré vers le haut, laissant ainsi le champ libre au bébé qui peut descendre encore plus bas, jusqu'à sa naissance. Il y a, en fait, deux phases dans ce qu'on appelle un peu à tort «la poussée». À tort parce que souvent, dans la première partie, on ne pousse pas encore: c'est plutôt le moment où le bébé achève de s'orienter et descend suffisamment pour déclencher le réflexe de poussée, qui n'est pas encore présent. La mère ressent la pression que cela exerce et y répond en bougeant. Toute son énergie demeure dans l'ouverture. Elle s'ouvre à son bébé, aux sensations puissantes que son passage provoque.

La deuxième partie est la poussée proprement dite, qui mènera à la naissance du bébé. Le bébé est descendu jusqu'à venir appuyer sur les muscles profonds du périnée, ce qui déclenche alors un réflexe de poussée irrésistible et la production d'un surcroît d'ocytocine. Chaque poussée fait descendre le bébé encore un peu plus. À la fin de la contraction, puisqu'il n'est plus maintenu dans le vagin par la pression de la poussée, le bébé remonte vers l'utérus. Ce mouvement de recul peut donner momentanément l'impression que «ça n'avance pas» mais, en fait, il permet aux tissus de se remettre de l'étirement extraordinaire qui leur est imposé et favorise un bon retour de la circulation sanguine. Finalement, une contraction amène le bébé assez loin pour qu'il ne puisse plus revenir en arrière. Les poussées réflexes des dernières contractions serviront alors à distendre le périnée et à ouvrir la vulve pour laisser passer le bébé.

## Le réflexe de poussée

La plupart des femmes ressentent la descente du bébé comme une pression sur leur anus, de l'intérieur. Une sensation très curieuse qui peut ressembler à celle ressentie lors du passage d'une selle. Elles ont l'impression que c'est par là que le bébé va sortir! Cette sensation va s'amplifier jusqu'à la fin, alors que s'y rajoutera celle de l'étirement de la vulve au moment même de la naissance. Cela peut être particulièrement envahissant et donner l'*envie* de pousser vers le bas, comme pour s'en débarrasser. Le *réflexe* de poussée s'en distingue toutefois par le fait qu'il commande une poussée *involontaire et irrésistible*. Tout comme les réflexes d'éternuement, de toux ou de vomissement, celui-ci est tout à fait indépendant de notre volonté. Quand on demande à une femme en travail: «Est-ce que tu as envie de pousser?» c'est qu'elle n'y est pas encore! Si elle avait le réflexe, la poussée aurait répondu avec force à la question devenue inutile!

Le réflexe de poussée provoque l'action même de pousser. Les femmes y réagissent presque invariablement en s'exclamant: «Ça pousse tout seul». Le «ça» exprime bien à quel point la poussée n'est pas l'effet d'une volonté, mais bien un réflexe. Au début de la contraction, elles prennent quelques respirations parfois accélérées, comme sous l'effet d'une excitation. Puis les femmes poussent généralement de trois à cinq reprises lors d'une contraction, pendant quelques secondes à chaque fois, entre lesquelles elles respirent à nouveau, puis l'envie disparaît jusqu'à la prochaine contraction. Parfois elles laissent sortir de l'air en poussant, et parfois non. La durée et l'intensité des poussées augmentent à mesure que le bébé approche.

## Apprivoiser la poussée

La poussée, tout comme le début du travail, peut s'amorcer de plusieurs façons. Chez certaines femmes, cette envie irrésistible de pousser arrive soudainement et avec impétuosité. Elle provoque des sons hors de l'ordinaire, incontrôlables, qui souvent les étonnent. Pour d'autres, l'envie de pousser est plus tardive ou plus subtile et

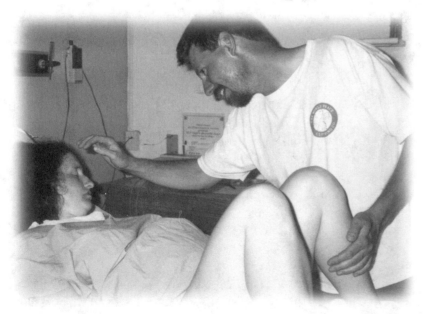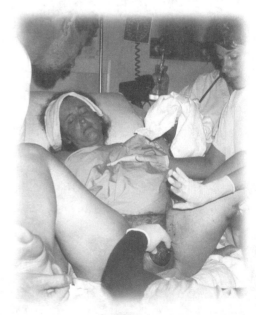

peut arriver longtemps après la dilatation complète. Elle peut aussi se faire sentir graduellement ou par intermittence, présente à certaines contractions, absentes à d'autres. Enfin, certaines femmes ne la ressentent jamais vraiment, pour des raisons dont je parlerai plus loin et dont certaines pourraient être corrigées. Ces variations s'expliquent en partie parce que la descente du bébé ne se fait pas au même rythme et de la même manière pour toutes.

Que la poussée arrive doucement ou avec fougue, les sensations qu'elle amène sont nouvelles, puissantes et chargées. Les premières contractions de poussée vous serviront à expérimenter les inéluctables sensations physiques de cette ouverture et de cette puissance. Si la force des contractions vous en donne la possibilité, laissez-vous glisser ou plonger au rythme qui vous convient dans ces sensations de pression. Vous seule sentez ce qu'elles évoquent pour vous. Toutes les façons d'aborder la poussée sont légitimes et méritent qu'on les respecte totalement. On les accueille ou on les refuse, on hésite ou on plonge dedans, on saute puis on recule ou on y goûte peu à peu. Seul un danger pour le bébé pourrait justifier que des consignes extérieures vous y bousculent contre votre gré. Souvenez-vous que, bien que ce soit le temps de la poussée, c'est dans l'ouverture que votre bébé viendra. Pousser de toutes ses forces sans avoir pris la peine de penser à s'ouvrir, même en ayant un peu peur, serait rapidement épuisant et frustrant. C'est à votre propre rythme que vous frayerez un chemin dans le secret de votre corps. De l'intérieur, vous ouvrirez le passage qui laissera naître votre bébé!

## La progression de la poussée

La durée de la poussée dépend d'un ensemble de facteurs et peut prendre quelques contractions seulement ou s'étaler sur plusieurs heures. Pour un premier bébé, la durée moyenne se situe autour d'une heure de poussée active, parfois deux heures (en excluant la période d'apprivoisement), et de 20 à 30 minutes pour un deuxième bébé. Attention, «moyenne» et «normale» ne sont pas synonymes! À la lumière des plus récentes recherches, il apparaît que tant que la mère et le bébé se portent bien, et tant qu'il y a un progrès, aussi minime soit-il, on ne devrait pas imposer de limite à la durée de la poussée[1].

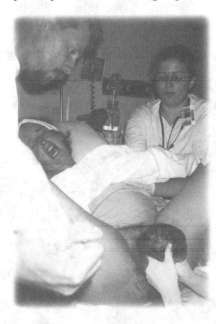
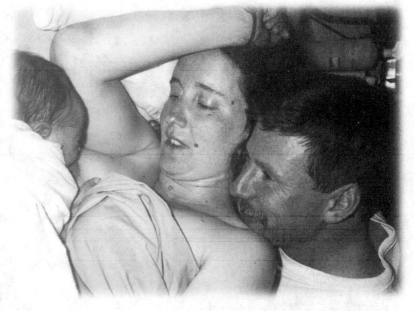

Les facteurs qui déterminent la durée et la facilité relative de la poussée sont, entre autres, la grosseur de la tête du bébé, sa présentation (l'angle dans lequel la tête arrive), la capacité de ses os à se mouler au bassin (à se chevaucher légèrement pour offrir un plus petit diamètre), les positions de la mère, la flexibilité des articulations de son bassin, l'usage de la gravité, la force du réflexe de poussée, la synchronisation et la bonne orientation des efforts volontaires, la détermination de la mère, sa capacité à se détendre et la résistance de ses tissus musculaires. Certains de ces facteurs sont absolument indépendants de votre volonté. Votre compréhension et votre participation active à la naissance de votre bébé peut en influencer plusieurs autres.

Il arrive, surtout lorsqu'il ne s'agit pas d'une première grossesse, qu'on aperçoive le sommet de la tête du bébé dès les premières poussées. Ceci s'explique du fait que la tête ne rencontre pas de résistance particulière dans le passage des os du bassin. Il ne reste plus qu'à étirer les tissus du périnée et de la vulve, ce qui se fait parfois en une ou deux contractions. Pour d'autres femmes, particulièrement celles dont c'est le premier bébé, le passage dans la partie la plus étroite du bassin peut être plus longue. Il se peut que la descente du bébé

prenne un bon moment, avant même d'apercevoir le bout de sa tête. Même quand les mères s'entendent dire: «Allez-y, oui, il est bientôt là», le fait de voir le sommet de sa tête ne veut pas dire que le bébé sera là à la contraction suivante. Cela peut s'avérer décevant ou décourageant si elles s'attendaient à voir leur petit d'une minute à l'autre. Patience et courage, voilà encore ce dont on a besoin à ce moment-là.

Depuis que le monde est monde, notre corps et ses dimensions ont évolué en s'adaptant à la naissance de nos bébés. Notre bassin a même une forme spécialement arrondie pour créer l'espace dont notre bébé aura besoin. Il existe des exceptions, bien sûr, et elles sont exceptionnelles, justement. Ne vous laissez pas impressionner par des mesures ou des estimations de grandeur et de poids, les vôtres ou celles de votre bébé. Les seules vraies mesures du bassin d'une femme, par rapport à son bébé, se prennent dans l'action, pendant le travail, alors que l'un et l'autre travaillent à compléter la naissance.

La force qu'une femme peut avoir à déployer pour faire naître son bébé dépend de tout ce qui a été mentionné plus haut. Par le fait même, cela varie à l'infini d'une femme à une autre. Du halètement pour tenter de

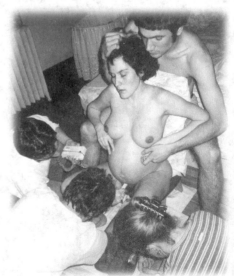

ralentir un bébé qui arrive à toute allure, aux poussées modérées, à l'effort musclé et soutenu, jusqu'aux efforts deux fois plus grands que ce que vous croyiez possible pour un être humain, tout peut arriver!

*Pendant des semaines après l'accouchement de Mélissa, son conjoint se promenait partout en disant à qui voulait l'entendre: «Ma femme, c'est mon héros!» Il ne croyait pas encore ce qu'il avait pourtant bel et bien vu. Cent fois elle avait cru pousser déjà à son maximum. Cent fois, à la contraction suivante, elle s'était ouverte à l'idée de pousser peut-être un tout petit peu plus et elle y était arrivée.*

Pendant tout le travail, on surveille régulièrement les battements de cœur de votre bébé. Dans la période de poussée, on l'écoute encore plus fréquemment et il est tout à fait normal d'observer une certaine baisse de sa fréquence pendant les contractions: c'est sa façon à lui de se protéger. Ne vous en inquiétez pas. Si votre médecin ou votre sage-femme juge que ces variations dépassent la réaction normale et signalent plutôt une fatigue ou une détresse, ils vous feront les suggestions nécessaires pour corriger la situation et hâter sa naissance.

## Le soutien pendant la poussée

Soutenir une femme qui pousse demande de respecter totalement ce qu'elle et son bébé vivent physiquement et psychiquement. Pour elle comme pour lui, ce sont des instants cruciaux de leur vie. Il faut savoir être patient, faire confiance, dire les mots justes, et aussi parfois se taire. On doit également accepter qu'être témoin de ce passage peut raviver les émotions de son propre passage. Cela demande de s'en distancier et de choisir les paroles qui nous sont directement inspirées par cette femme et ce bébé, maintenant. Les généralités, les recettes, les techniques ont bien peu de place quand il s'agit d'aider un enfant à naître et sa mère à le mettre au monde. Surtout que, pour certaines femmes, la poussée est une libération, alors que pour d'autres ce sera le moment le plus difficile à vivre de leur accouchement!

Certaines femmes sont spontanément à l'aise et «efficaces» dans la poussée: l'énergie de la femme et de la contraction sont à l'unisson, l'une dans l'autre, l'une avec l'autre. Chaque contraction fait exactement ce pour quoi elle a été conçue. Soutenir cette femme, c'est lui être complètement disponible: lui dire combien elle est magnifique dans son abandon et sa force, lui confirmer que la puissance de ce qu'elle ressent correspond à l'avancée de son bébé, lui dire qu'on l'aime ou peut-être... rester silencieux et l'aimer.

Plus concrètement, les hormones de la poussée donnent soif, tandis que l'effort donne chaud! Presque toutes les femmes apprécient la gorgée d'eau et de l'eau fraîche sur le visage, le cou et la nuque, entre chaque contraction. Bien souvent, la mère est tellement concentrée qu'elle a l'impression qu'elle ne peut plus bouger ni se soutenir: certaines positions ou changements demandent donc de l'encouragement et un soutien physique. Le conjoint apprécie souvent ce contact physique par lequel il peut plus facilement participer et transmettre son amour.

*«Je t'aime, mon amour, tu es merveilleuse», dit Eduardo à Guylaine, toute concentrée dans son travail de poussée. «Laisse faire 'merveilleuse' et passe-moi la débarbouillette», lui répond Guylaine, à l'éclat de rire général! Un peu plus tard, elle lui a avoué avoir beaucoup apprécié le «je t'aime», mais ne pas s'être sentie merveilleuse du tout, simplement très occupée!*

Pour certaines femmes, le début de la poussée est si soudain qu'il équivaut à essayer de sauter sur un cheval déjà au galop. Pour d'autres, il s'agit plutôt de monter le cheval et d'essayer de le convaincre de partir au trot, ce qui peut s'avérer tout aussi difficile! Le soutien pourra alors être plus spécifique, plus précis, plus proche du travail d'un guide. Il est impossible de savoir exactement ce que la femme éprouve lorsque la tête de son bébé descend et presse très fort dans son vagin et sur son anus. L'aider, c'est procéder par suggestions, par petites touches, en lui laissant le soin de les intégrer à son rythme, sans la déconcentrer et sans lui faire perdre le contact précieux qu'elle a avec ses sensations intérieures, qui devraient toujours être le guide premier. Les suggestions devraient attirer son attention sur certaines sensations, plutôt que lui donner des ordres à suivre, car l'intensité de ce qu'elle vit peut l'empêcher de bien sentir et de reconnaître les signaux qui lui sont envoyés.

«Si tu veux, à la prochaine contraction, tu pourrais essayer de trouver exactement l'endroit où tu ressens la pression.» «Si tu veux, tu pourrais essayer de relâcher tes jambes et tes cuisses, et vraiment essayer de sentir l'énergie de ta contraction dans ton vagin, là, en bas» ou encore «Essaie de remarquer comment tu réagis quand ça presse très fort sur ton anus. Peut-être que tu pourrais juste essayer de vivre cette sensation-là quelques secondes, pour t'y habituer graduellement». Le fait de lui suggérer doucement un changement de position ou d'attitude peut aider la femme à trouver sa propre manière de faire, sans pour autant lui en imposer une et lui dérober son pouvoir sur ce moment de l'accouchement. On peut par exemple lui suggérer d'ouvrir le chemin devant la tête du bébé, juste ouvrir, sans imposer *la* manière. C'est en comprenant bien la physiologie et la psychologie de ce moment-là du travail qu'on peut choisir comment rassurer, encourager, proposer, de manière à faciliter un déroulement le plus proche possible du corps et du cœur.

## Encore le mouvement!

Certaines femmes ont envie de bouger, presque de danser pendant leurs contractions, de basculer leur bassin, de l'étirer à gauche, à droite, de s'accroupir et de se relever, de se suspendre, de s'étendre, de s'asseoir et de se lever, de se mettre à genoux et se redresser. Elles répondent ainsi à des pressions, à des sensations qui leur viennent du plus profond d'elles-mêmes. C'est ce qu'elles doivent faire, un point c'est tout! On ne devrait pas restreindre une femme dans ses mouvements à un moment où tout devrait lui être ouvert, où toutes les contraintes devraient s'incliner devant les exigences de la vie qui s'incarne à travers elle. Encore une fois, il est plus logique et infiniment plus simple de respecter le processus physiologique en favorisant la liberté de mouvement et en encourageant la spontanéité des réponses de la mère aux sensations intérieures. Toutefois, il peut arriver que le mouvement soit plutôt une manière de ne pas entrer dans la sensation de poussée: encourager la mère à se recentrer sur son bébé l'aidera à traverser ce moment d'hésitation bien compréhensible.

On peut avoir envie d'être debout ou accroupie lors d'un accouchement, tout simplement parce que c'est ce qui nous convient à ce moment-là. Parfois, un changement de position devient essentiel pour faire progresser la descente du bébé. Avant d'en venir aux interventions (ventouse, forceps, césarienne) pour cause d'arrêt de progrès du travail, les femmes devraient être encouragées à bouger!

*Après deux heures et demie de poussée, semi-assise, le médecin de Sylvie lui a annoncé qu'il fallait faire une césarienne. Le bébé n'était même pas assez bas pour utiliser des forceps. Sylvie était consternée. À quelques reprises, elle avait demandé d'essayer «autre chose», de s'accroupir peut-être. À chaque fois, on lui avait répondu qu'elle était probablement trop fatiguée pour ça, argument auquel elle se rendait facilement, car c'était vrai. Mais là, alors qu'il n'y avait plus rien à perdre, je lui ai demandé si elle ne voulait pas essayer, pour quelques contractions seulement. Son médecin a accepté, «si ça peut vous faire plaisir», a-t-elle dit gentiment, bien qu'incertaine de l'utilité de la tentative. Sylvie s'est accroupie à terre, face au lit, suspendue aux mains de son compagnon, de l'autre côté du lit. Était-ce le déplacement, l'«énergie du désespoir»? Je ne sais pas. À la troisième contraction, la tête était là et le bébé est né quelques instants après!*

Les avantages d'une position donnée peuvent varier selon que vous êtes au début ou à la fin de la poussée, simplement parce que le bébé, n'étant pas au même endroit dans le bassin, a besoin d'un espace différent pour continuer sa descente. Lorsque la poussée est un peu longue, permettez-vous d'essayer à nouveau une position qui n'a peut-être pas produit de changement plus tôt ou que vous n'avez pas aimée: elle conviendra peut-être exactement au stade où vous en êtes, surtout si vous êtes fatiguée et que les choses avancent lentement! C'est le moment où il est impératif de ne pas vous épuiser à pousser dans une position qui vous donne le moins de chance d'arriver à mettre votre bébé au monde par vos propres moyens. Les positions proposées un peu plus loin pourraient être adoptées à n'importe quel moment de la poussée, du tout début jusqu'à la naissance même.

# Les positions physiologiques

Dans un environnement libre ou dans un contexte culturel où une femme est encouragée depuis le début du travail à suivre les impulsions de son corps, on aurait probablement moins besoin de suggérer des positions pour la poussée. Mais la chambre de naissance est meublée d'un lit qui propose déjà une position, et nos images d'accouchement ne sont pas neutres non plus. Dans quelle position se trouvaient les femmes que vous avez vues accoucher dans les films, ou à la télévision? À moins qu'il ne s'agisse d'un documentaire sur des peuples «primitifs», il y a de bonnes chances qu'elles aient toutes été couchées sur le dos ou, au mieux, semi-assises. Repeuplons notre imaginaire d'images de femmes qui donnent naissance dans toute leur puissance, à genoux, debout, accroupie, suspendues au cou de leur homme. Recréons une culture de la naissance qui nous ressemble: fortes, différentes, libres. Voici donc quelques idées pour meubler votre imagination et vos projections. Toutes ces positions peuvent aussi être utilisées à n'importe quel autre moment du travail.

## Accroupie

Depuis la nuit des temps, cette position a été instinctivement adoptée par un grand nombre de femmes de diverses cultures dans le monde. De nombreuses images de la naissance, même mythologiques, nous montrent des femmes accroupies. Dans cette position, le bassin est bien ouvert, la pression répartie également autour de la vulve, le sacrum libre et la gravité mise à contribution. Pour cela cependant, les pieds doivent être parallèles et les genoux ouverts moins largement que les pieds. Sinon, le trop grand écartement des cuisses se trouve à refermer le périnée et à serrer les ischions, ces protubérances osseuses sur lesquelles on s'assoit. Vous pouvez d'ailleurs l'expérimenter en pressant les doigts dessus au moment où vous changez l'ouverture de vos cuisses: vous le sentirez clairement.

S'accroupir peut être fatigant pour celle qui n'en a pas l'habitude (soit la très grande majorité d'entre nous!). Vous pouvez donc vous accroupir pour le temps de la contraction seulement, en vous asseyant ou vous relevant dès qu'il y a une pause, pour vous accroupir à nouveau quand l'autre contraction commence. Vous aurez besoin pour cela de l'aide des gens qui vous accompagnent. Sur un lit d'hôpital, réglé à son plus bas, la femme peut pousser accroupie en passant ses bras autour du cou de deux personnes de chaque côté d'elle. Une barre ou quelqu'un placé devant elle peut aussi aider à la soutenir. Même si elle peut devenir fatigante à la longue, cette position est tellement efficace qu'elle vaut la peine d'être essayée, surtout si la progression semble ralentie ou arrêtée, ne serait-ce que pour deux ou trois contractions. L'étude de radiographies a montré que la position accroupie augmentait de 0,5 à 1,5 centimètre les mesures du bassin[2]! Quelquefois, le bébé a besoin d'un espace supplémentaire pour ajuster sa position, terminer sa rotation, ou juste pour «négocier une courbe» plus serrée. Une fois son avancée redémarrée, d'autres positions plus confortables peuvent être adoptées.

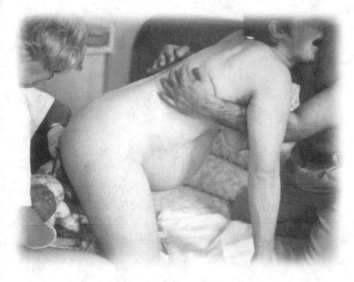

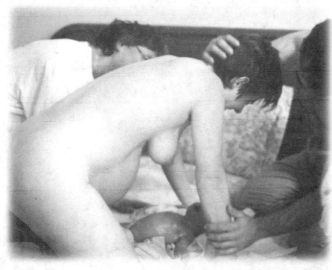

## *À genoux, à quatre pattes*

Voici une position qui n'attire que très peu de femmes avant l'accouchement mais qui, le moment venu, s'avère souvent être «celle qui marche», à la fois solide, toute proche du conjoint et permettant un bon repos entre les contractions. Dans les faits, l'inclinaison du torse varie du début à la fin, d'une contraction à l'autre, de la poussée au temps de repos, si bien que l'appui sur les genoux est en fait le point commun de toutes ces variations. Les femmes qui poussent à genoux utilisent la gravité et libèrent le sacrum de toute pression vers l'intérieur. Certaines s'appuient sur une pile d'oreillers, sur le gros ballon peut-être utilisé plus tôt ou sur le haut du lit, où elles se reposent entre les contractions. D'autres font face à leur partenaire, à genoux sur le lit devant elles ou debout à côté du lit, et se tiennent à son cou pendant la poussée, ce qui est aussi une belle façon de se rapprocher! La mère peut aussi déposer un pied à plat sur le lit et garder l'autre genou sur le lit, comme pour une génuflexion. Rappelez-vous combien l'asymétrie est parfois bienfaisante. C'est une bonne idée de masser les jambes à l'occasion pour encourager une bonne circulation sanguine. Étant donné que le poids du bébé repose contre le ventre de la mère, cette pratique est particulièrement indiquée si le bébé doit encore finir sa rotation à ce stade de l'accouchement.

Cette position a l'avantage supplémentaire de laisser le périnée très souple, puisqu'il n'est pas sollicité par la pesanteur. Lorsque la mère donne naissance à genoux, la pression de la tête sur la vulve est répartie également, ce qui facilite l'étirement des tissus. Son bébé atterrira doucement devant

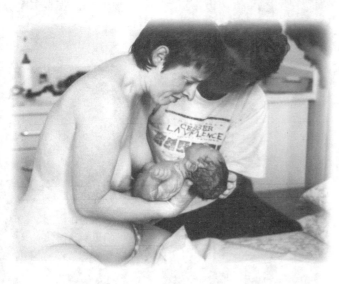

elle, sur le lit. Pour cela, la sage-femme ou le médecin fait décrire au bébé un arc de cercle en sortant (comme de la vulve au ventre de sa mère) et le dépose sur le lit entre ses jambes. Personne ne lui «donne» son bébé: elle le découvre elle-même. Le premier contact avec le bébé est particulier dans cette position et toujours très touchant. Les mères voient leur bébé, le regardent avant de le toucher du bout des doigts, puis de toute la main, pour enfin le prendre dans leurs bras. C'est aussi une position extraordinaire pour aider soi-même son bébé à naître, puisqu'il est facile de le recevoir et de le déposer devant soi sur le lit pour le découvrir à son aise.

## Le banc de naissance et les autres positions assises

Il existe plusieurs modèles de bancs de naissance. Généralement, ce sont des bancs dont le siège est ouvert en U, comme un banc de toilette. Les plus bas sont les meilleurs, puisqu'ils reproduisent presque la position accroupie, tout en soutenant les fesses. Si le banc est placé contre le lit, le conjoint peut s'asseoir derrière sa femme, ce qui a l'avantage d'être confortable pour elle et de les mettre en contact très étroit. Les bras de la mère reposent sur les cuisses du conjoint et lui permettent de se suspendre, jusqu'à un certain point, quand elle prend appui sur ses bras. Les mêmes considérations que pour la position accroupie s'appliquent: il faut garder les pieds parallèles et les genoux légèrement moins ouverts que les pieds. Il est aussi bien important de s'asseoir de telle sorte que le sacrum ne soit pas appuyé et donc bloqué contre la partie arrière du siège.

Si vous n'avez pas accès à un banc de naissance, le siège de toilette constitue une

alternative tout à fait acceptable, dans la première partie de la poussée, quand le plus gros du travail consiste à laisser descendre le bébé et à s'habituer aux sensations qui viennent avec. Ce n'est pas très poétique mais, après tout, la toilette est un endroit intime où vous avez l'habitude de vous «laisser aller». Le siège étant plus haut qu'un banc de naissance, prenez soin de trouver quelque chose (ou quelqu'un) sur quoi poser les pieds pour conserver un angle de moins de 90° entre les cuisses et le tronc. N'ayez pas peur d'échapper le bébé: quand la tête du bébé étirera votre vulve, vous serez la première à sentir la différence! Mais, de toute manière, ayez quelqu'un auprès de vous qui pourra à la fois juger de la descente et vous aider à vous déplacer au bon moment. Une autre variante de cette position consiste à s'asseoir sur les

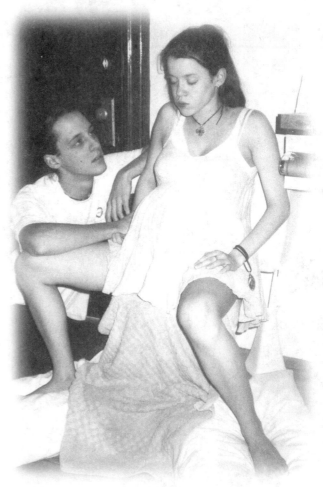

cuisses légèrement écartées du conjoint, les pieds à l'extérieur des siens.

## Couchée sur le côté

Cette position n'utilise pas la gravité, mais certaines femmes ont ainsi des contractions de poussée plus fortes et donc plus efficaces. Pour d'autres qui ont tendance à accoucher très rapidement, c'est une position qui peut ralentir l'arrivée du bébé, histoire d'y aller un peu plus doucement pour lui, pour sa mère et pour le périnée. De plus, la femme qui accouche sur le côté peut se reposer entre les contractions. En se penchant un peu, elle peut voir son bébé arriver et venir le chercher elle-même. Quelqu'un soutiendra sa jambe supérieure pendant qu'elle pousse, bien repliée, en gardant la cheville plus élevée que le genou. Si le père peut s'asseoir à la tête du lit, ils pourront être plus proche physiquement: sa femme pourrait poser la tête sur ses cuisses et l'entourer de ses bras, tandis qu'il pourrait lui masser le dos au besoin.

## Debout, genoux fléchis

La femme peut s'appuyer sur un meuble, au mur, au cou de son conjoint ou poser ses mains sur ses propres genoux. Elle peut alors se laisser aller complètement et, en même temps, puiser de la force dans l'enracinement de ses pieds au sol. Cette position est particulièrement efficace quand le conjoint soutient sa femme sous les bras, en se tenant derrière elle, parce que la suspension effectue une élongation de la colonne qui aide le bébé à se placer au mieux pour descendre et protège aussi le périnée.

## L'accouchement dans l'eau

J'ai déjà discuté des avantages de l'eau pendant le travail. Si l'équipement est présent, que le cours des choses s'y prête et que votre médecin ou votre sage-femme est à l'aise avec l'idée, il se pourrait que votre bébé arrive dans l'eau. Il est raisonnable de sortir sa tête de l'eau sans tarder pour permettre sa première respiration, mais sans rien précipiter non plus. Lorsque l'eau est à la température du corps (ce qui devrait être le cas pour maximiser la sécurité), le bébé ne respirera qu'au contact de l'air.

J'adhère à l'attitude de Michel Odent qui refuse de collaborer à un projet *ferme* d'accouchement dans l'eau, c'est-à-dire à un plan entièrement organisé autour du fait que la femme *devra* se trouver dans l'eau au moment de la naissance. Le seul fait d'avoir un objectif aussi précis me paraît contraire à la souplesse que demande le fait de suivre les besoins du corps pendant le travail. Des femmes qui avaient souhaité et organisé un accouchement dans l'eau, momentanément sorties du bassin alors que rien n'évoluait, ont accouché au sec en quelques minutes... Se donner la chance d'y passer de longs moments du travail et garder ouverte la possibilité d'y accoucher respecte mieux le déroulement spontané de l'accouchement qu'un projet trop rigide. De nombreux livres ont été consacrés à l'accouchement dans l'eau, et je vous laisse vous y référer.

# Quand ça ne coule pas si simplement

La poussée couronne et achève un processus complexe et extraordinaire, où de multiples composantes, physiques, émotives, psychiques, anatomiques entretiennent les unes avec les autres des liens complexes. Donner naissance, c'est tellement plus que franchir la suite des étapes énumérées dans les livres d'obstétrique! Dans quelques instants, vous deviendrez mère de cet enfant qui vient agrandir votre famille. Désormais, votre vie ne sera plus la même. C'est donc là, si près de la rencontre avec notre bébé, que plusieurs d'entre nous auront à défaire les derniers nœuds du cœur. Pour d'autres, elles auront à faire le grand plongeon dans l'intensité des sensations du passage du bébé dans le vagin. Si ce n'est déjà fait, ce sera la dernière occasion de corriger l'axe du bébé qui ne serait pas tout à fait juste et empêcherait qu'il glisse jusque dans vos bras. C'est aussi le moment où les sages-femmes ou l'infirmière et le médecin se rapprocheront pour veiller au bon déroulement de l'arrivée de votre bébé et partager ce moment avec vous. À un moment aussi crucial d'ouverture et de vulnérabilité totales, ils peuvent influencer le déroulement de l'accouchement par la qualité de leur présence, la perception de leur rôle à ce moment-là, leur compréhension du processus physiologique en cours, leur respect de ce que vous vivez, leur flexibilité quant aux politiques de l'établissement où vous êtes.

Tous ces éléments (ou quelques-uns d'entre eux) peuvent s'entremêler et vous affecter. Si vous voulez, pour plus de clarté, essayons de comprendre ce qui peut être source de difficulté pendant la poussée, et comment vous pouvez, encore une fois, trouver votre chemin vers la naissance.

## Les résistances du corps
### LA «BANDE DE COL»

Il arrive qu'au lieu de se dilater également tout autour de la tête du bébé, une mince bande de col, comme une petite «languette», persiste à l'avant, juste dessous l'os du pubis. C'est un phénomène courant. L'espace disponible entre la tête du bébé et le pubis étant bien étroit, le col a de la difficulté à glisser derrière et il se retrouve momentanément coincé. À la pression de chaque contraction, la languette de col peut même gonfler légèrement. Cela pose rarement problème mais peut retarder un peu la progression. Se coucher sur le côté, ou encore se mettre à quatre pattes, facilite souvent sa disparition. Parfois, quelques minutes d'oxygène au masque le feront disparaître aisément, bien qu'on ne comprenne pas très bien par quel mécanisme. Il est aussi possible, avec votre participation, de repousser, avec les doigts, cette petite bande derrière la tête de votre bébé pendant une contraction, en vous demandant exceptionnellement de pousser, même en l'absence du réflexe. Bien que ce soit assez désagréable (certaines diront même franchement douloureux), cette manœuvre simple peut vous épargner plusieurs contractions. Si vous le préférez ou si la tentative n'a pas réussi du premier coup, vous pouvez attendre que la bande disparaisse toute seule ou réessayer cette manœuvre un peu plus tard.

Quand la bande de col persiste, c'est souvent un signe que la tête est mal fléchie ou légèrement penchée sur le côté (en asynclitisme). Si le bébé est en postérieur, par exemple, c'est le dessus de sa tête qui se présente, avec un plus large diamètre, et dont la forme plate ne favorise pas le glissement du col autant que le sommet de la tête qui, lui, se présente comme un petit cône. Les femmes dont le bébé se présente ainsi peuvent parfois passer de longs moments tout près de la dilatation complète sans sembler y parvenir. Il faut alors aider le bébé à se placer correctement et changer souvent de position, malgré l'inconfort que représente chaque mouvement. La douleur de ces contractions-là est causée en bonne partie par la résistance de cette bandelette de col. Plus vite elle aura disparu, plus vite vous serez soulagée: cela vaut bien le désagrément du changement de position. La dilatation sera complète lorsque la tête du bébé aura pivoté et se sera fléchie en réponse à la pression des contractions. Il pourra alors continuer à descendre dans votre bassin et entamer la dernière partie du voyage: la poussée.

## LE RÉFLEXE «PRÉCOCE» DE POUSSÉE

Le réflexe de poussée peut se présenter en fin de dilatation, vers huit ou neuf centimètres, et quelquefois aussi tôt qu'à quatre ou cinq centimètres. C'est probablement que le bébé est très bas et qu'il appuie déjà sur les terminaisons nerveuses qui le déclenchent. Il arrive que les femmes disent: «J'ai envie de pousser» pour exprimer que la descente du bébé leur occasionne une désagréable sensation de pression sur le rectum. C'est bien différent du réflexe. Elles devront apprendre à accueillir cette sensation comme un signe de la progression de leur bébé, avec laquelle leur corps veut collaborer. Pour d'autres, c'est vraiment le réflexe qui, à chaque contraction, les fait pousser sans qu'elles puissent s'en empêcher.

Si le col est souple et prêt à répondre à cette sollicitation supplémentaire, il réagira favorablement à la poussée en terminant rapidement la dilatation. Lorsque vous sentez que «ça pousse tout seul», laissez faire votre corps, sans y ajouter aucun effort volontaire. Laissez aller, laissez descendre, laissez pousser doucement. Soufflez en même temps que vous ressentez l'envie de pousser. Pensez avant tout à laisser s'ouvrir l'endroit même où se trouve votre bébé.

Les petites poussées involontaires sont parfois douloureuses au bas du ventre, juste au-dessus de l'os du pubis. Cela peut tout simplement signifier que la poussée des muscles abdominaux ajoutée à la contraction met trop de pression sur le col, déjà au maximum de son élasticité. Le message du col est clair: «Ne m'en demandez pas trop à la fois. Je peux me dilater avec la contraction, mais *graduellement*». Ce n'est pas encore le temps de pousser. Cherchez des positions où vous sentez le moins de pression, quitte à vous déplacer à nouveau dans quelques instants, lorsque cette étape sera franchie. Une respiration superficielle (haletante, très légère) ou une longue expiration (la plus douce possible) peuvent vous aider à restreindre la force de la poussée, à condition de rester dans un mouvement de laisser-aller. Ne vous inquiétez pas si vous poussez un peu malgré vous: haleter sert à adoucir et non pas à retenir la poussée.

Il y a quelques années, on interdisait formellement aux femmes de pousser avant d'être complètement dilatées, peu importe la puissance du réflexe de poussée, sous peine de déchirer leur col, ou encore de le faire enfler suffisamment pour qu'il devienne un obstacle au passage du bébé et oblige à une césarienne. On les contraignait alors à haleter «en petit chien», des heures durant s'il le fallait. Au moment où on leur annonçait qu'elles étaient maintenant complètement dilatées et qu'elles pouvaient y aller, *aucune* de ces femmes ne ressentaient plus le réflexe de poussée qu'elles avaient dû si absurdement combattre avec tant d'efforts. Et *toutes* les femmes disaient ensuite que cela avait été le moment le plus difficile de leur accouchement, et de loin! Dès les débuts de leur pratique, les sages-femmes ont questionné ces consignes parce qu'il paraissait insensé de demander à une femme de lutter contre quelque chose de si impérieux venant du

fond d'elle-même. Après toutes ces années de pratique, je peux dire que je n'ai jamais vu ces sombres prédictions se réaliser. Ni moi ni mes collègues sages-femmes. Si un problème persiste, c'est celui de la mauvaise position du bébé, pas du col lui-même.

Les pratiques ont changé dans plusieurs hôpitaux. Il arrive de plus en plus souvent qu'une infirmière ou un médecin «tolère» les poussées spontanées d'une femme. Ce sont d'ailleurs les recommandations les plus récentes de la Société des gynécologues-obstétriciens du Canada. Elles ne sont pas encore appliquées partout et cela dépend encore en grande partie du personnel présent. Alors choisissez pour vous-même. Rappelez-vous qu'on peut vous donner n'importe quelle consigne: ne pas pousser, haleter, n'importe quoi. Mais il n'y a que vous-même qui pourrez décider de ce que vous ferez à ce moment-là. Encore une fois, votre conjoint pourra vous aider en agissant comme «tampon» entre vous et la personne qui pourrait être trop insistante, si cela vous dérange.

Pour les femmes dont le bébé se présente en postérieur, quand la tête n'a pas terminé son mouvement de rotation et que l'envie de pousser se présente avec force, c'est l'arrière de la tête du bébé, évidemment plus dure que son visage, qui appuie trop tôt et trop fort sur les terminaisons nerveuses. Pousser avec les contractions pourrait empêcher votre bébé de compléter sa rotation en le faisant buter contre les os du bassin dans un angle qui ne lui permet plus de mouvement. Continuez de rechercher les positions qui encourageront votre bébé à tourner et où vous sentirez le moins d'envie de pousser. On ne peut pas savoir à l'avance quelle position (ou quelle combinaison) aidera votre bébé à tourner. Vous devrez travailler de concert avec la personne qui peut juger de la position de votre bébé et de la progression de votre col. Elle pourra vous guider.

## QUAND LE RÉFLEXE N'Y EST PAS

Plusieurs facteurs peuvent perturber ou empêcher l'arrivée du réflexe de poussée: si on fait pousser la mère avant que le réflexe ne soit bien installé parce que son bébé n'est pas assez descendu, si on lui demande de pousser simplement parce qu'elle est à dix centimètres, ou si on l'en empêche alors que le réflexe est présent, s'il y a soudainement trop de monde autour de la mère et, enfin, quand la mère est sous péridurale. Pousser alors qu'on est sous l'effet d'une péridurale exige qu'on cherche à reproduire les conditions et les réflexes physiologiques qui ne sont plus présents, parce qu'on n'a plus de sensations. J'en discuterai un peu plus loin.

Permettez-moi d'expliquer ce phénomène de l'absence du réflexe de poussée par un autre, très similaire physiologiquement, quoique pas très poétique. Il s'agit de l'envie d'aller à la selle, envie qui mobilise exactement le même groupe de terminaisons nerveuses. Donc, vous ressentez une envie d'aller à la selle. Sérieusement! Mais les circonstances vous empêchent d'y aller maintenant. Vous vous retenez donc, ce qui vous demande pas mal d'attention et d'effort pour les premières minutes. Finalement, votre corps comprend qu'il n'est pas autorisé à y aller tout de suite et, graduellement, il va réduire l'intensité de son message. Bientôt, vous ne le sentirez même plus. Un peu plus tard, enfin libérée de vos obligations, vous vous rendez aux toilettes. Mais l'envie n'y est plus! Ce n'est que plus tard qu'elle reviendra, parfois même le lendemain seulement. Elle ne viendra que

quand ça lui conviendra. Pas à votre convenance à vous. Même chose si, prévoyant ne pas être disponible à votre heure habituelle, vous tentez d'y aller une heure plus tôt, en «prévision». Car cette envie obéit à un ensemble de conditions internes de relâchement et de mouvement qui ne se commandent pas.

Nous avons appris à répondre à nos obligations plutôt qu'à nos sensations physiques, à continuer de parler à nos invités ou à s'occuper des enfants. C'est probablement plus facile dans la vie en société. En prévision de votre accouchement, vous pourriez essayer de procéder autrement, spécialement si la constipation est pour vous un problème occasionnel ou chronique. Essayez d'être attentive aux tous premiers signes de votre envie d'aller à la selle, et suivez-les, en interrompant votre activité courante, quelle qu'elle soit. Vous observerez probablement, en y allant à ce moment-là, comment il n'y a pas d'effort à faire: les selles viennent spontanément par un travail involontaire du corps. Vous pourriez faire de même avec l'envie de dormir qui, elle aussi, suit un cycle organique qui n'obéit pas à nos commandes: on a sommeil pendant un moment, mais si on n'y va pas maintenant, on devra patienter avant de s'endormir.

Quand le bébé est bien descendu et bien placé et que le réflexe de poussée est présent et puissant, aucun mode d'emploi n'est vraiment nécessaire! Il en est autrement quand l'un de ces éléments n'est pas au rendez-vous. Si on vous demande de pousser et que le réflexe n'y est pas, dites-le. D'ailleurs, je vous suggère de toujours répondre «non» à la question: «Est-ce que vous avez envie de pousser?» simplement parce que ce sera tout à fait évident quand le réflexe sera là et que cela vous donnera le temps nécessaire pour que votre bébé descende bien avant qu'il ne soit soumis à une poussée trop précoce. Pour la même raison, il peut être prudent de retarder les examens internes vers la fin parce que l'annonce du «dix centimètres» risque fort de déclencher l'envahissement de la chambre et le début de la poussée dirigée, qui peuvent bien attendre un peu!

### POUR AIDER LE BÉBÉ À DESCENDRE AVANT DE POUSSER

Si l'on vous dit qu'il faut pousser et que vous ne le ressentez pas encore, essayez d'obtenir qu'on vous laisse souffler un peu.

Évidemment, je présume que le bébé va bien et qu'il n'y a pas d'urgence! Dans le cas contraire, la situation serait évaluée par votre médecin ou votre sage-femme et pourrait donner lieu à une conduite différente. Si tout va bien, vous pourriez vous reposer un peu, parce que vos contractions, ne pressant plus sur le col, sont moins douloureuses que celles que vous venez de traverser. Vous pouvez prendre des positions qui encourageront la descente de votre bébé et l'apparition de cette envie impérieuse de pousser. Par exemple:

• Assise, penchée vers l'avant, sans cambrer le dos.

• Assise sur vos talons, soutenue en avant par vos mains sur le lit, toujours sans cambrer le dos.

• Assise, avec le haut du corps tourné vers votre conjoint et appuyé sur lui.

• Couchée sur le côté, le genou bien replié, le pied plus haut que le genou par rapport au lit.

• À quatre pattes.

• Si vous devez rester sur le dos: ramenez les jambes sur la poitrine le plus possible (quelqu'un pourrait les soutenir) sans trop écarter les cuisses. Demandez à ce qu'on vous place un objet sous une fesse, ou les deux, pour dégager votre sacrum du lit: par exemple, deux poches de soluté ou deux serviettes épaisses bien roulées.

J'ai souvent parlé de l'importance d'être penchée vers l'avant. Bernadette de Gasquet, une médecin française qui a consacré ses recherches au périnée, à la poussée et à l'accouchement en général, a écrit un livre très intéressant que je vous recommande. Pour bien sentir l'effet de cette position sur le bassin, elle suggère le petit exercice suivant: «Placez vos doigts sur la pointe des os sur lesquels vous êtes assise, les ischions (Ceux-là même qui nous font mal après une longue sortie en vélo! Note de l'auteure). Observez leur position lorsque vous êtes assise le dos rond. Allongez le dos et penchez-vous en avant... Sentez alors comment les ischions s'écartent, laissent libre l'espace de descente, à l'arrière[3].»

### POUSSER SANS LE RÉFLEXE SPONTANÉ

Il se peut que le personnel autour de vous ne veuille pas, ou parfois ne puisse pas, attendre que votre réflexe de poussée vienne de lui-même. Parfois aussi, même après avoir attendu un certain temps, il ne vient toujours pas. Est-ce que le réflexe viendrait finalement si on était assez patients? Est-ce que certains bébés ont malgré tout besoin qu'on les pousse pour se mettre en bonne position? Je ne peux pas vous répondre. Il y a seulement quelques années, il était impensable dans les milieux médicaux de laisser durer la phase d'expulsion plus de deux heures (ou moins, même) sans intervenir. Maintenant, les pratiques ont changé et, selon les praticiens et les endroits, les limites sont beaucoup plus élastiques. Dans quelques années, nous pourrons peut-être répondre un peu mieux à cette question, après avoir observé des centaines et des milliers de femmes dont le processus n'entre pas «dans la moyenne» sans cesser toutefois d'être normal. Pour l'instant, vous accoucherez dans un milieu qui fonctionne avec ses connaissances et ses standards.

Donc, si vous devez pousser sans que le réflexe soit présent, vous avez intérêt à le faire d'abord dans des positions qui favorisent la descente de votre bébé. Tant qu'on ne voit pas les cheveux du bébé, adoptez les positions vers l'avant, à quatre pattes ou

accroupie ou sur le petit banc d'accouchement. Quand il sera plus bas dans votre bassin et qu'on pourra commencer à l'apercevoir, essayez d'étirer le dos et de basculer le bassin en remontant le pubis pour que sa tête appuie bien sur le sacrum: c'est ce qui le fera déplacer vers l'arrière pour libérer le plus d'espace possible. Enfin, vous voudrez reproduire le mieux possible la poussée spontanée. Attendez que la contraction prenne de la force, puis expirez en rentrant les muscles abdominaux avec force. La poussée sera encore plus puissante si vous freinez l'air, comme en mettant votre poing devant la bouche, par exemple. Expérimentez-le maintenant, alors que vous avez l'esprit libre pour observer comment vous en ressentez l'effet. N'ayez pas peur de faire descendre votre bébé: il est encore bien au chaud dans votre utérus, pas dans votre vagin!

De toute manière, le mot principal est: expérimenter. La respiration, la position, la façon d'utiliser vos muscles abdominaux. Explorez l'effet que produit telle ou telle façon de pousser. Si l'infirmière vous presse de suivre sa méthode, votre conjoint pourrait vous aider en lui demandant de respecter votre besoin de concentration, par exemple, ou en disant que vous essayez de suivre ce qu'il vous dit, mais que vous avez besoin d'un peu de silence et de temps pour y arriver. Quand j'accompagne une femme à l'hôpital, je trouve toujours extrêmement important de ne pas superposer mes recommandations, à celles, souvent fort nombreuses, qu'on lui adresse déjà à haute voix. Entre les contractions, je lui chuchote à l'oreille de suivre ce qu'*elle* ressent, et je l'encourage à se reposer et à rester centrée. Une recherche récente a montré qu'on obtient des résultats similaires (durée de poussée, santé du bébé, etc.) en encourageant la mère plutôt qu'en lui donnant des directives. Les études scientifiques ont démontré, hors de tout doute, que la méthode conventionnelle «inspirez-bloquez-poussez» a des répercussions néfastes sur l'état de santé du bébé et le périnée de la mère. Il n'y a pas de raison de l'utiliser d'emblée[4].

### DES CONTRACTIONS INSUFFISANTES

Dans la dynamique de la poussée, la contraction utérine elle-même fournit la plus grande part de la force d'expulsion, celle de vos muscles abdominaux s'y rajoutant dans une moindre proportion. Pour toutes sortes de raisons, que ce soit la fatigue, l'inhibition des hormones par le fait d'être dérangée ou autre chose, vos contractions pourraient avoir diminué d'intensité, suffisamment pour que vous ayez l'impression de fournir, par vos efforts volontaires, pratiquement toute la force de poussée. C'est rapidement épuisant, et rarement efficace. J'ai déjà expliqué comment susciter le réflexe de pousser en laissant descendre le bébé. Mais je suppose ici que vous avez dépassé ce stade, ou qu'il n'a pas été possible d'attendre.

Plutôt que de décupler vos efforts pour faire progresser les choses, il pourrait être bien utile de stimuler les contractions. Si vous avez l'intimité nécessaire ou que vous vous sentez à l'aise, la stimulation des mamelons fonctionne parfois très bien. Il pourrait aussi être tout à fait justifié d'utiliser de l'ocytocine, l'hormone synthétique qui stimule les contractions. Son usage, à ce moment-ci du travail, n'a pas du tout les mêmes conséquences que plus tôt. Voici un moment où, physiologiquement, votre corps sécrète spontanément plus d'ocytocine pour vous donner des contractions non pas plus douloureuses, mais plus efficaces. Si l'énergie n'y est plus,

n'hésitez pas. Vous n'en reviendrez pas de la différence, quand c'est la contraction qui fait pousser plutôt que votre décision à vous.

## Les retranchements du cœur

Les nouvelles sensations qui viennent avec la poussée créent un effet fort différent d'une femme à l'autre. Pour certaines, surgit avec chaque poussée une force et un sentiment de satisfaction que rien ne laissait présager. Cela n'enlève pas l'intensité des dernières sensations, quand la tête du bébé étire la vulve à l'extrême mais, c'est difficile à exprimer clairement, le plaisir de la poussée est plus fort que tout. J'emploie le mot *plaisir* à dessein, même s'il peut paraître incongru, parce qu'il s'approche probablement le plus de ce que je tente de décrire: un paroxysme, oui, mais où la décharge d'endorphines qui l'accompagne peut aussi faire place à la joie, à la jouissance du moment.

Pour beaucoup d'autres femmes, la poussée est au contraire le moment qu'elles trouvent le plus ardu, particulièrement celles qui se sont adaptées somme toute assez facilement à l'intériorité de la période de dilatation, à cette vigilance de chaque instant où le corps accueille l'ouverture. La puissance de la poussée les bouscule, parfois même les terrifie, et elles sont craintives de s'y abandonner. C'est le dernier grand saut dans l'inconnu, et celui-là leur fait vraiment peur. Elles ne peuvent pas croire, si on peut dire, que le bébé devra *vraiment* passer par là! N'y aurait-il pas un autre moyen? Un autre trajet? J'ai vu des femmes hésiter pendant de longs moments. Dès qu'une poussée spontanée plus forte que les autres fait descendre leur bébé là où elles ne l'ont jamais senti encore, dans leur vagin, elles s'empressent de se refermer. D'un mouvement probablement bien involontaire de leurs muscles, elles remontent la tête là où elles peuvent tolérer sa présence, plus haut, dans leur ventre. Cette ambivalence leur fait parfois l'effet d'une déchirure, tant elles se sentent incapables de créer, d'elles-mêmes, cette douleur qu'elles ne peuvent supporter. Il leur semble qu'elles aimeraient mieux la subir des mains de quelqu'un d'autre: «Sortez mon bébé, venez le chercher», réclament-elles parfois. Un geste tout à fait possible techniquement, la ventouse et les forceps servant exactement à cela, mais pas si bénin cependant! La naissance imminente de leur bébé leur propose le défi d'accepter de sentir les derniers moments de son passage.

Bien sûr, quand la mère et le bébé vont bien, l'un et l'autre peuvent prendre le temps de s'adapter à cette nouvelle étape. Elle demandera à la mère d'aller chercher profondément en elle le courage de sentir ce qui vient, d'en être l'actrice principale plutôt que de le subir. Nul ne sait ce que cette acceptation changera dans sa façon de vivre cette naissance, d'accueillir son bébé. Nul ne peut juger, non plus, celle qui choisirait de se faire aider de l'extérieur. Il est des étapes qui ne peuvent se franchir à l'intérieur d'un seul accouchement. Une autre fois, peut-être, au prochain bébé, la même femme sentira le courage de s'y risquer. L'obstétrique est pleine d'histoires de naissances par forceps ou par césarienne que ni la position du bébé ni les mesures du bassin ne peuvent expliquer, d'histoires où l'on aurait pu croire que le «refus» de la mère expliquait l'échec de la poussée… pour trouver après coup plusieurs tours de cordon, ou une petite main mal placée qui gênaient la descente, ou tout autre raison parfaitement physique. Permettez-vous d'explorer les peurs qui pourraient se trouver là, à quelques instants, à

quelques centimètres de la naissance de votre bébé. C'est peut-être le cadeau qu'il veut vous faire, si vous êtes prête à le recevoir et si ce sont vraiment elles qui ralentissent son arrivée.

Ce moment d'hésitation au début de la poussée n'a pas qu'une seule explication, au contraire. Certaines y vivent là les derniers soubresauts de leur ambivalence à devenir mère. Je sais, c'est un peu tard pour y penser, mais ce n'est pas comme ça que les émotions fonctionnent: elles se révèlent là où elles prennent tout leur sens, pas là où l'on peut encore changer le cours des choses de façon raisonnable! Le phénomène est si commun, qu'il a été reconnu et décrit dans des recherches. D'ailleurs, la Société des gynécologues-obstétriciens du Canada recommande maintenant aux médecins de prendre le temps de reconnaître ce moment de peur, de le laisser s'exprimer pour permettre à la femme de retrouver sa confiance en elle et sa force pour mettre son petit au monde[5].

Le vagin et la vulve sont au cœur de nos organes sexuels et cachent parfois des émotions extrêmement puissantes. Lorsque le bébé emprunte ce passage, il peut arriver qu'il bouscule des émotions contenues là depuis longtemps: la colère, la peine, l'humiliation, la peur, la douleur, la honte, des émotions reliées à des événements difficiles qui n'ont pas pu être exprimées ni parfois même identifiées. Ce sont les émotions pénibles qui restent nouées là, sans issue, parce qu'elles peuvent être si difficiles à reconnaître et à exprimer. Vous pensez peut-être que la naissance de votre bébé n'est pas le moment idéal pour laisser ces émotions s'exprimer, mais vous n'avez pas vraiment le choix. Votre bébé prend toute la place et il pousse devant lui les choses qui obstruent le chemin, y compris vos peurs. Vous ne pourrez peut-être pas nommer l'émotion que vous vivez, mais vous pouvez lui donner la permission de sortir. Si elle veut prendre toute la place, prenez le temps de la regarder, de la reconnaître pour vous la réapproprier à un moment plus opportun.

*Marie-Claude était venue me parler après une rencontre avec un groupe de femmes où nous avions discuté de l'ouverture si essentielle pendant un accouchement, de la nécessité de laisser le bébé descendre. «J'en suis complètement bouleversée», me dit-elle, «tu comprends, j'ai vécu l'inceste quand j'étais jeune adolescente. Pendant ma grossesse, je souhaitais que le bébé 'nettoie tout ça' en passant, si tu vois ce que je veux dire. Mais là, pendant le travail, j'ai senti tellement fort que je ne pouvais pas demander ça à mon bébé. Je ne pouvais pas lui demander d'aller là où je me sentais encore tellement souillée par cette expérience d'inceste. De fait, après des heures où le bébé restait toujours trop haut, j'ai eu une césarienne. Ce n'est qu'aujourd'hui que je comprends que c'est pour ça que je ne l'ai pas laissé descendre. Même que je me refuse depuis des années d'avoir un autre enfant, parce que je ne sais pas comment réparer ça.» Ce n'est pas toi qui est salie, Marie-Claude, mais lui, cet homme qui t'a blessée. Prends le temps de soigner ta peine et la honte injuste qui t'habite encore et que je comprends. Sous cette blessure, tu es belle, entière, pleine d'amour et tout à fait capable d'ouvrir pour tes bébés un passage vers la vie.*

Le jeu des émotions qui se déploient au moment de la poussée, quand nous sommes complètement et littéralement ouvertes à la vie, n'est pas un signe que quelque chose ne va pas, mais la manifestation la plus vraie de notre nature humaine. La preuve, s'il en fallait une, que nous sommes de chair et de sang, de cris et de secrets, de puissance et de grands vertiges. Pour ce moment incroyable de leur naissance, nos bébés nous demandent de nous mettre à nu et de leur faire cadeau de notre humanité la plus profonde: celle de notre imperfection. C'est comme ça qu'on façonne un petit être humain.

# *Les contraintes hospitalières*

## *La «conduite» obstétricale de la poussée*

Dans l'optique (discutable, je vous l'accorde) où l'accouchement est un acte médical, il est logique d'en diriger le déroulement. Dans la poussée particulièrement, du moment où elle débute à la façon de pousser, aux positions et au temps pour le faire, tout a été revu et corrigé par l'obstétrique «moderne». Cette vision médicale a modifié radicalement, en quelques décennies, la façon dont les femmes accouchent. Mais les choses changent. L'étude combinée du comportement humain pendant l'accouchement et des recherches récentes ont conduit la Société des gynécologues-obstétriciens du Canada à faire des recommandations extrêmement respectueuses du processus spontané de la poussée. Voici quelques exemples de lignes de conduite suggérées:

- La définition du début du deuxième stade (la poussée) devrait tenir compte de la dilatation complète mais aussi de facteurs individuels et physiologiques comme la présentation du bébé et la présence du réflexe de poussée.

- En l'absence du réflexe de poussée, il est recommandé d'attendre et de n'encourager la poussée que quand la tête est à la station 0 à +1 (c'est-à-dire, bien descendue dans le bassin).
- On pourrait permettre aux femmes de pousser quand le col est souple et à huit ou neuf centimètres et que les conditions pour la descente du bébé sont idéales.
- On devrait encourager les poussées physiologiques (plusieurs petites poussées sans retenir sa respiration).
- Les femmes devraient pouvoir choisir leur position pour la poussée et la naissance.
- La durée du deuxième stade devrait être évaluée de façon individuelle afin de ne pas intervenir s'il y a progrès et que la mère et le bébé se portent bien.
- La surveillance du cœur du bébé devrait se faire selon les normes de la SOGC. Si le tracé du cœur fœtal ou d'autres éléments sont inquiétants, un test supplémentaire (l'analyse du Ph du cuir chevelu du bébé) devrait être fait pour confirmer une détresse fœtale. Si le résultat de ce test est normal et que le tracé inquiétant persiste, il devrait être refait toutes les 30 minutes.
- L'épisiotomie ne devrait être utilisée que pour hâter la naissance en cas de détresse du bébé ou de détresse maternelle et d'absence de progrès.
- La naissance de la tête devrait se faire doucement et progressivement sur plusieurs contractions, pour permettre aux tissus de se détendre et minimiser les risques de traumatismes au périnée.
- On devrait respecter les sentiments de peur et d'ambivalence reliés au fait de devenir mère que peuvent éprouver certaines femmes et qui peuvent parfois freiner le début de la poussée.

Ces recommandations, suivies dans toute leur flexibilité et le respect des différences individuelles, offrent un guide, plus qu'un cadre rigide, et la garantie que la vigilance requise est présente sans être envahissante. Dans les faits, elles ne sont appliquées que partiellement et, encore, pas dans tous les établissements. À bien des endroits, les naissances sont encore «gérées» comme elles l'ont été ces dernières années, à quelques différences près: la position semi-assise a pris le dessus sur la position couchée et ses étriers, on est un peu plus patient quant aux limites de temps. L'obstétrique occidentale doit encore se défaire d'une courte mais trop longue histoire de contrôle total du déroulement de la naissance. Quand vous irez accoucher dans un hôpital, vous arriverez à un moment particulier de l'évolution de cette histoire... peut-être pas très loin des conditions dans lesquelles votre mère a accouché, peut-être plus près de la liberté et du soutien suggérés dans les recommandations de la Société des gynécologues-obstétriciens du Canada. Vous pourrez réclamer (je suis tentée d'écrire: *vous devriez*) des adoucissements, des ajustements aux politiques de l'hôpital où vous accoucherez, afin qu'elles suivent mieux le déroulement physiologique mais aussi votre rythme, vos besoins affectifs. Ce sera votre manière d'écrire une page de l'histoire de la transformation des pratiques médicales entourant la naissance.

Étant donné cette grande variation dans l'évolution des pratiques, il est difficile de parler de la poussée dans son déroulement physiologique pour vous préparer à accoucher dans un hôpital «moyen», c'est-à-dire pas spécialement à l'affût des changements dont je viens de parler. La naissance est un processus instinctif et efficace, mais facilement dérangé dans son bon déroulement si on ne le comprend pas bien. Plus tôt dans le travail, comme la plupart des femmes, vous passez la majeure partie du temps seule avec votre conjoint, ce qui permet bien des libertés. Mais à partir du moment où l'on vous annonce que vous êtes à dix centimètres (ou complètement dilatée), une infirmière est présente dans la chambre de façon constante et généralement, on attend d'elle qu'elle vous montre comment pousser.

D'abord, on vous installe «confortablement». Le lit d'accouchement à multiples positions n'offre cependant, dans la pratique, que quelques variations de la position semi-assise, l'une des pires, parce que le sacrum n'a plus aucune mobilité alors qu'il devrait pouvoir basculer vers l'arrière. Au début de la prochaine contraction, on va vous dire comment pousser. Le nombre de consignes que j'ai entendues lors de ces cours de poussée en accéléré dépasse l'entendement: «Prends un grand respire, bloque-le, pousse, la bouche fermée, le menton baissé, les mains sur les poignées, les coudes levés, encore, encore, compte jusqu'à dix, lève la tête, arrondis le dos, reprends de l'air, plus vite, plus fort». À la contraction suivante, on recommence. Le jeu complexe et délicat des hormones du travail bascule en un instant dans l'«accouchement dirigé», l'apothéose du contrôle total de l'accouchement par d'autres que la mère.

La médecine a voulu améliorer la poussée en imposant aux femmes une cadence, une pression et une méthode prétendument supérieures à ce que la nature avait prévu. La façon dont on fait pousser les femmes dans la majorité des accouchements à l'hôpital («inspirez... bloquez... poussez... encore») trouble la physiologie de l'accouchement. Elle nie et bouscule les sensa-

tions et les réflexes de la mère. Elle fait subir un stress inutile et même néfaste au plancher pelvien (c'est ainsi qu'on nomme l'ensemble des muscles autour de l'urètre, du vagin et de l'anus) et prédispose à l'épisiotomie et aux déchirures. Certains bébés sont ainsi obligés d'amorcer leur descente dans le bassin avant d'avoir une flexion adéquate de la tête ou d'avoir complété leur rotation, et d'autres supportent difficilement la compression continue qui leur est imposée. Plusieurs études, dont celle de Caldeyro-Barcia[6], ont démontré les effets néfastes de ces procédures sur la mère et sur le bébé: chute de pression artérielle pour la mère, décélérations du cœur fœtal et manque d'oxygène pour le bébé. Comme ces effets s'observent pendant la poussée même, ils donnent l'impression de confirmer que c'est un moment dangereux de l'accouchement qu'il vaut mieux expédier le plus rapidement possible. Surtout, on ne respecte pas le rythme naturel qu'aurait chaque mère pour donner naissance, et chaque bébé pour naître.

Je le redis tout de suite: certaines infirmières laissent la mère y aller spontanément, autant dans sa respiration que dans ses positions, mettant plus leur énergie à l'encourager. Certains médecins aussi. Mais la norme demeure trop souvent le contrôle. Même ceux qui s'efforcent de dire *gentiment* à la mère comment pousser ne semblent pas conscients de l'impact de leurs commandes sur un processus fait pour fonctionner spontanément! La nature n'a pas prévu le voyage de l'ovule fécondé jusqu'à l'utérus, le développement du placenta, la croissance du bébé, le déclenchement du travail et la dilatation du col de l'utérus pour ensuite abandonner la naissance aux bons soins d'une personne extérieure qui dirigerait la poussée!

## Les positions à l'hôpital

C'est le roi Louis XIV qui, le premier, a imposé la position couchée à sa femme, pour pouvoir observer l'accouchement de derrière un rideau! Aujourd'hui, les positions proposées à l'hôpital viennent d'aussi loin: elles découlent de l'utilisation de l'ameublement disponible, lui-même un vestige de temps anciens, où le lit d'hôpital représentait déjà un progrès sur la salle d'accouchement. Même si les lits «de naissance» à commande électrique présents dans toutes les chambres permettent une variété de positions (parfois illustrées sur une affiche au mur), les femmes y accouchent presque toutes assises ou même couchées, et les autres positions sont rarement utilisées. Encore là, certains hôpitaux font montre de plus de souplesse et d'ingéniosité que d'autres.

### COUCHÉE SUR LE DOS, LES PIEDS DANS DES ÉTRIERS

Voici une position qu'aucune femme n'a jamais adoptée spontanément et que l'histoire retiendra comme la plus absurde pour accoucher. Dans cette position, l'utérus risque de compresser la veine cave qui ramène le sang du placenta vers le cœur, réduisant ainsi l'apport en oxygène au bébé et pouvant entraîner une chute de la tension artérielle pour la mère. De plus, la femme se trouve à pousser son bébé vers le haut, à l'encontre de la gravité, et la position entraîne une pression exagérée sur le périnée. Enfin, elle est la seule personne en position horizontale dans la pièce, ce qui rend la communication et la participation aux décisions pratiquement inexistantes ou, en tout cas, inégales. Beaucoup de femmes, d'ailleurs, trouvent cette position humiliante. Alors que nous sommes dans un acte de force et de puissance, on nous place

sur le dos, les jambes écartées. Une femme me faisait un jour remarquer «que c'est la position qu'on fait prendre aux chiens pour les obliger à la soumission et leur signifier clairement qui est le maître». Inutile de rajouter qu'elle en a cherché d'autres pour mettre ses enfants au monde!

Heureusement, cette vision obstétricale de la poussée évolue. À cet égard, la Société des gynécologues-obstétriciens du Canada recommande d'abandonner les consignes rigides et potentiellement néfastes pour la mère et le bébé, de laisser celle-ci trouver ses propres ressources, de guider la poussée de manière flexible et adaptée à chaque situation. Qu'une instance professionnelle prestigieuse et influente se prononce clairement en faveur d'un plus grand respect du processus physiologique de la naissance est porteur d'espoir, même si ses recommandations prendront encore plusieurs années avant d'être appliquées dans chaque hôpital, dans chaque chambre de naissance. Les humains sont des êtres d'habitude et il est difficile d'abandonner les certitudes qu'on a apprises et mises en pratique pendant des années. Mais chaque femme qui désire plus de liberté et plus d'espace au moment de son accouchement pourra le demander en sachant que les recherches scientifiques et les recommandations des plus hautes instances obstétricales au pays l'appuient dans ses revendications.

### SEMI-ASSISE

C'est la position habituelle dans les chambres de naissance. On a certainement voulu améliorer la position couchée, qui comporte tant de désavantages. Au point, d'ailleurs, que les recherches à ce sujet démontrent très clairement la supériorité d'être semi-assise sur la position de «litho-tomie», c'est-à-dire couchée sur le dos, les pieds dans les étriers. Vous conviendrez qu'il n'était pas difficile de faire mieux! Elle assure le confort de l'accoucheur, une bonne visibilité du périnée et du progrès de la tête du bébé. Elle donne moins d'espace au bébé pour descendre et réduit considérablement la mobilité du bassin si importante à ce moment-là. Au moment de la dilatation complète (soit lorsqu'on s'attend à ce que vous commenciez à pousser), l'infirmière enlève le tiers inférieur du lit, dévoilant la présence de deux appuie-pieds. Comme il faut avoir les fesses sur le bord du lit, pour laisser de l'espace au bébé, on se retrouve souvent avec un creux dans les reins qui nous pousse à nous affaler de nou-veau, pour le combler.

Le désavantage majeur de cette position est que le poids de la femme repose sur son sacrum, ce qui gêne considérablement le mouvement de ce dernier vers l'arrière et diminue d'autant l'espace disponible pour le bébé. La force de la poussée est dirigée vers la partie arrière du périnée, plus épaisse, plutôt que vers l'ouverture elle-même. Cela augmente la résistance des tissus et le risque de déchirures. Enfin, on demande souvent à la mère de se redresser un peu à chaque con-traction et de poser le menton sur la poitrine. Ces deux actions lui font arrondir le dos, ce qui projette l'utérus vers l'avant et fait buter le bébé contre l'os du pubis, puisqu'il lui est difficile de passer plus vers l'arrière. Il arrive que les efforts de la mère demeurent vains lorsqu'elle est assise, alors qu'une autre posi-tion, dégageant son sacrum, fait bien descen-dre son bébé. Évidemment, quand les dimen-sions respectives du bassin de la mère et de son bébé sont harmonieuses et que l'angle de la tête est parfait, la position ne pose pas de problème. Il en est autrement si la naissance exige le maximum de capacité du bassin, comme c'est souvent le cas pour les femmes qui ont leur premier bébé, par exemple.

Si vous êtes limitée à cette position, vous pouvez l'améliorer en laissant un vide sous votre sacrum, comme en glissant des linges roulés sous chaque fesse. Assurez-vous que l'angle entre vos cuisses et votre tronc est de moins que 90°, quitte à ce qu'on vous aide à tenir vos jambes pendant que vous poussez. Rappelez-vous que vous n'avez pas besoin d'écarter largement les genoux: votre bébé n'est pas si gros, et ce mouvement, au contraire, réduit l'espace dans votre bassin.

# *Laisser passer, laisser ouvrir*

Depuis quelques contractions déjà, on aperçoit une petite tache sombre entre vos lèvres quand vous poussez. C'est votre bébé. Si vous y touchez, ne vous surprenez pas d'en trouver la texture étonnante: le passage dans le vagin crée des replis de son cuir chevelu, qui se replaceront dès sa sortie, mais qui donne une curieuse impression de «mou» sur sa tête! À partir du moment où, au sommet d'une contraction, on peut voir la tête de votre bébé grand comme une petite clémen-tine, son passage à travers le bassin osseux est probablement terminé. Le reste du travail consiste maintenant à étirer les muscles du périnée et du vagin. Cela peut encore demander de la force mais, plus que jamais, c'est le temps de l'ouverture.

D'ici quelques contractions, votre bébé ne remontera plus vers l'intérieur. Une fois la contraction finie, il restera visible, bien appuyé, et votre périnée devra composer avec sa présence continue! Contrairement aux étapes antérieures de votre accouchement, vous pouvez maintenant toucher votre bébé, le voir, vous dire que sa naissance est une question de minutes et non plus d'heures. Désormais, votre bébé doit étirer des muscles, ceux de votre vagin et de votre périnée, pour franchir la dernière étape. On ne parle toujours que du périnée, mais c'est toute la vulve qui s'ouvre, et la sensation d'étirement se fait sentir tout autour aussi, dans les lèvres et jusque dans la région du clitoris. Vous sentirez l'étirement sous la forme d'une sensation de chaleur, de brûlure. Certaines femmes la décrivent comme inconfortable, d'autres comme franchement insupportable, «une brûlure au 10° degré», me disait une mère! N'ayez pas peur de cette sensation. Ce n'est pas une sensation de déchirure, au contraire, c'est celle de l'étirement.

Plus que jamais, vous aurez besoin de vous détendre, de prendre une longue respiration profonde alors même que vous ressentez cette brûlure. Parlez à votre bébé qui sera dans vos bras dans quelques instants, imaginez chaque fibre des parois de votre vagin qui s'étire au maximum de sa capacité, comme elle ne l'a jamais fait auparavant. Un linge mouillé et chaud (ou frais) sur la vulve, entre chaque contraction, amène presque toujours des soupirs de soulagement. Demandez-le si on ne le fait pas déjà. Chaque petite détente vous amène plus proche de l'ouverture qui convient exactement à votre bébé.

Vos tissus ont évidemment besoin de s'adapter graduellement à cet étirement extraordinaire. Aussi, à partir du moment où vous ressentez cet échauffement, essayez d'ajuster la force de votre poussée et sa durée aux sensations que vous recevez, si l'intensité du moment vous le permet. Lorsque vous ressentez une brûlure plus vive, poussez plus doucement pour quelques instants, le temps que vos tissus s'habituent, haletez légèrement si cela vous aide, puis reprenez la poussée, graduellement toujours, sans coups brusques. Prendre le temps de s'y adapter est différent

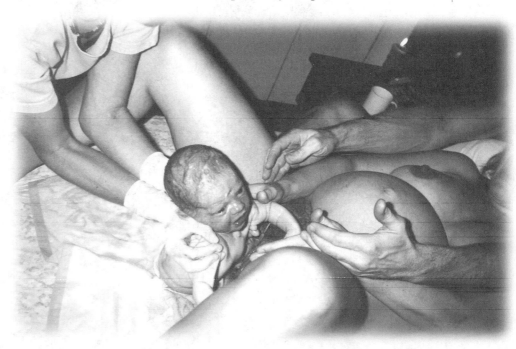

de s'en retirer. Les personnes qui vous accompagnent et qui observent la progression de votre bébé pourront aussi vous guider. Les sages-femmes, en particulier, ont développé des techniques de soutien du périnée pour éviter les déchirures. Vous pourriez avoir à utiliser maintenant nettement moins de force que tout à l'heure, alors que votre bébé devait passer entre les os de votre bassin. Quelquefois, la poussée de la contraction elle-même est suffisante, sans qu'on ait à rajouter celle de nos muscles abdominaux.

Des mains amicales pourraient masser doucement, avec un peu d'huile, soutenir, stimuler la circulation sanguine ralentie par l'étirement extrême. Des mains douces et apaisantes. Vous vous ouvrez un peu plus grand, encore un peu plus. Votre vagin s'étire pour votre bébé qui passe. Encore un peu plus grand, dans un instant, un instant seulement, il sera dans vos bras. Encore un peu plus grand. Encore un peu... Voici son front, ses yeux, son nez, sa bouche, son menton... Et c'est la naissance!

**Notes**

[1] ENKIN, KEIRSE, NEILSON, CROWTHER, DULEY, HODNETT & HOFMEYR. *op.cit.*, p. 292.

[2] R.J. LOOMIS et B.I. TAYLOR. «Squatting in Childbirth. A New Look at an Old Tradition», *JOGNN*, sept.-oct. 1985. Cité dans les recommandations de la SOGC, 1999.

[3] Bernadette de GASQUET. *op. cit.*

[4] MARTINEZ-LOPEZ. *Comparison of Two Methods of Bearing Down during Second Stade*. Paper presented at the 31st Meeting of the Society for Gynecologic Inv. 21-24 Mars 1984. Cité dans les recommandations de la SOGC, 1999.

[5] S. MCKAY et T. BARROWS. «Holding Back: Maternal Readiness to Give Birth». *MCN*, vol. 16, sept.-oct. 1991. Cité dans les recommandations de la SOGC, 1999.

[6] CALDEYRO-BARCIA. «The Influence of Maternal Bearing Down Efforts During Second stade on Fetal Well-Being», *Birth*, vol. 17, n° 21, printemps 1979.

# Chapitre 12

# Réflexion sur la douleur, le courage et la tendresse

# Réflexion sur la douleur

Depuis la nuit des temps, la douleur est au centre de l'expérience de l'accouchement. Il n'y a pas une femme qui ne se soit demandé si elle saurait passer au travers et comment. Cette réalité vieille comme le monde est maintenant totalement bousculée par la possibilité d'y échapper avec la péridurale. Car celle-ci soulève maintenant une nouvelle question: pourquoi une femme devrait-elle se soumettre à cette épreuve, alors que la technologie moderne lui permet maintenant de s'en libérer? Je ne remets pas en cause l'utilisation de la péridurale lors d'accouchements difficiles: elle a, bien sûr, tout à fait sa place. Je questionne plutôt son usage systématique, son importance démesurée dans le soutien offert aux femmes qui accouchent, quand ce n'est pas carrément l'unique moyen proposé.

## Souffrir n'est plus à la mode!

Les choses ont changé depuis que j'ai écrit *Une naissance heureuse* en 1991. La péridurale était certes présente, et ce, comme une option parfois envahissante. Maintenant, dans les hôpitaux des grandes villes, elle est devenue la norme. Au Québec, pour l'année 1997-1998, on comptait entre 50 et 70% de péridurales[1] (et à peu de choses près, les mêmes proportions s'observent presque partout dans le monde occidental). Cela veut dire que plus de la moitié des femmes jugent qu'il ne leur est pas possible de vivre la naissance de leur bébé sans une aide pharmacologique. C'est énorme! Et cela me porte à me demander comment nous nous sommes rendues là. Accoucher par nous-même est-il devenu au-dessus de nos forces? Filles et petites-filles de femmes qui ont accouché, dans cette chaîne sans fin des générations, avons-nous atteint le temps, le siècle où nous n'en serons plus capables par nos propres forces? Est-ce anodin, insignifiant? La douleur est une expérience si profondément humaine, si universelle. Peut-on l'éliminer de notre condition humaine sans sacrifier notre capacité de ressentir, notre conscience, notre liberté?

Nous vivons dans une société programmée pour fuir la douleur. Une société qui croit masochiste la personne qui endure un mal de tête sans aspirine et qui ne laisse qu'aux sportifs le droit d'avoir mal noblement. La douleur est pourtant insérée dans le quotidien de millions de gens, mais on a choisi d'y répondre collectivement par l'usage illimité de tonnes d'analgésiques, une solution strictement chimique et efficace à court terme seulement. Notre culture porte un message très particulier au sujet de la douleur de l'accouchement, message qui nous influence, chacune, quand nous faisons nos choix pendant la grossesse, et parfois même pendant le travail. Cette notion de l'inutilité de la douleur de l'accouchement et donc de la futilité de la ressentir a aussi influencé les choix d'un système de santé qui a privilégié l'accessibilité à la péridurale plutôt qu'à une présence humaine expérimentée, chaleureuse et continue dont elle sait pourtant qu'elle réduit très significativement le besoin d'anesthésie.

La question de la douleur de l'accouchement est extrêmement complexe, éminemment personnelle et, en même temps, profondément influencée par les représentations sociales. Je suis stupéfiée par l'insouciance générale envers le sens profond de la douleur dans notre condition humaine. Je suis consternée par la négation du féminin dans la douleur de l'accouchement. Mais je suis aussi grandement troublée à l'idée de blesser quelque part, un jour, une femme qui lirait ces mots et se sentirait accusée de lâcheté. Qui pourrait se blâmer d'avoir choisi une péridurale comme voie d'évitement. Je suis convaincue que chaque femme qui accouche essaie de trouver ce qu'il y a de mieux pour elle et son bébé. On n'est pas responsable individuellement des politiques de département d'obstétrique qui privilégient l'anesthésie plutôt que l'accompagnement. Nous ne sommes pas non plus coupables de vivre dans la culture qui est la nôtre. J'éprouve seulement le besoin de m'attarder avec vous pendant quelques instants sur ce qui entoure le traitement de la douleur de l'accouchement dans notre monde occidental.

Nous assistons à l'abaissement de notre seuil collectif de tolérance à la douleur. Cela affecte chaque femme qui va accoucher, parce que cela nie vigoureusement qu'il y ait un sens à cette douleur. Avant même d'avoir commencé, cela rabaisse le courage à une sorte de position idéologique candide et un peu ridicule. Plusieurs femmes m'ont dit qu'elles se demandaient, ou qu'on leur avait demandé, si elles n'étaient pas masochistes de vouloir vivre cette douleur-là. C'est grave! Surtout que, pour une femme, être masochiste, ce n'est pas anodin. Cela veut dire s'enfoncer dans un rôle de victime et se diminuer, volontairement. Souffrir «pour le fun». Pour jouer à la martyre. Dans ce con-

texte, on comprend que cela soit difficile d'inviter les femmes à vivre intégralement la douleur de leur accouchement et de les convier par là à une prodigieuse découverte d'elles-mêmes. Ce n'est pas très à la mode! Maintenant que la péridurale est devenue la norme, ce sont celles qui choisissent de *ne pas* la subir qui doivent à présent s'en justifier auprès de leur entourage. «Tu veux dire que tu veux accoucher à froid?» leur demande-t-on, incrédule!

Je vais tout de suite vous dire ce que je pense de la péridurale: c'est un outil magnifique! Elle permet à des femmes de

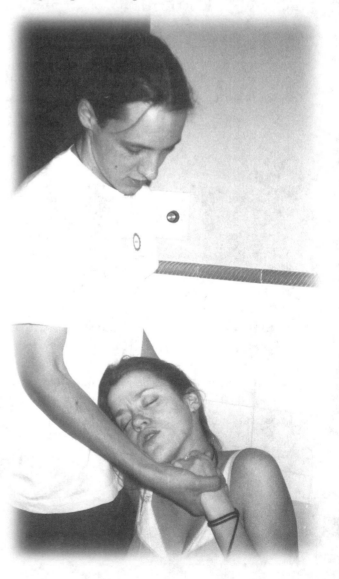

passer à travers un accouchement excessivement difficile et leur donne la possibilité de reprendre contact avec elles-mêmes et avec leur bébé. Elle peut être un chemin de liberté quand une femme se sent emprisonnée dans une douleur qui devient destructrice. Elle transforme l'expérience de la césarienne, et les femmes qui doivent la subir peuvent maintenant accueillir leur bébé, immobiles, certes, mais présentes et conscientes. C'est un instrument exceptionnel pour répondre à des situations exceptionnelles. Entre ces situations-là et celles qu'on pourrait qualifier de normales se situe l'expérience personnelle de chaque femme. Une vraie histoire avec des contractions qui ne s'arrêtent plus... «*Ça fait trop mal, je ne sais plus quoi faire, il est quatre heures du matin, ça dure depuis si longtemps et je n'en peux plus, aidez-moi, donnez-moi quelque chose!*» Mais qui est auprès d'elle pour lui répondre, pour l'aider? N'y a-t-il qu'un anesthésiste?

## La douleur fait partie de l'accouchement

La douleur de l'accouchement physiologique est l'expression normale d'un travail extraordinaire. Il s'agit, littéralement, de la douleur de la séparation, du jeu de deux grandes forces: celle qui retient et celle qui veut laisser aller. L'utérus contracte et presse la tête du bébé sur le col, dont les fibres doivent alors s'étirer de façon extraordinaire pour s'ouvrir et créer ainsi la place demandée. L'utérus cherche à faire naître l'enfant, et le col doit peu à peu abandonner sa mission de rester bien fermé, pour protéger le bébé jusqu'à ce que les conditions soient idéales. L'utérus presse le bébé dans le vagin, et le vagin tient à sa forme habituelle.

Les contractions pressent le bébé contre le périnée, et le périnée ne peut pas croire qu'il devra s'ouvrir si grand. Tout au long de ce voyage, notre corps sent le passage de notre bébé dans chacune de nos fibres, chacune de nos cellules. Entre la fin de la grossesse et la naissance de notre enfant, on respire, on sent, on ouvre, on laisse passer notre bébé. C'est toute une sensation! Quand les femmes demandent la péridurale en si grand nombre, c'est que ce travail est vécu comme une bataille, une agression, une détresse plutôt que comme ce jeu de forces où l'on apprend à donner la vie. Pourquoi? Quelle femme s'est fait parler de la douleur en ces termes pendant qu'elle était enceinte? Qui, d'ailleurs, en parle? N'est-ce pas là une réalité occultée?

## Douleur-lésion versus douleur-travail

Lors d'un congrès dont le thème était «La douleur de l'enfantement[2]», un anesthésiste donnait une définition générale de la douleur, soit «toute sensation désagréable liée à une lésion réelle ou potentielle». Suivant cette définition, le lien entre douleur et lésion justifie tous les comportements d'évitement et de protection qui sont spontanément mis en marche pour la diminuer ou l'éliminer. Cet énoncé m'a estomaquée: cette définition médicale, probablement très juste pour toutes les autres douleurs, ne décrit absolument pas la celle de l'accouchement qui, toute intense qu'elle soit, ne correspond pas à une lésion ou à une destruction. Elle a une spécificité à elle dont on n'entend pas assez parler. En l'absence d'une compréhension plus juste de ce qu'elle est, on la place au même rang que la douleur des cancéreux, des grands brûlés, des malades chroniques. En toute logique, on propose de la soulager, de la diminuer, de la contrôler et, en cas d'échec, de l'anesthésier tout simplement. On ne développe pas, collectivement, un savoir de ce qui constituerait un large éventail de réponses d'adaptation à ce type très particulier de douleur. La compétence à gérer la douleur-lésion, complètement inadaptée à l'accouchement, devient une impuissance à vivre la douleur-travail.

## L'apprentissage de la douleur

Au tout début de leur accouchement, la plupart des femmes passent par une étape où prévaut, justement, la réponse spontanée d'évitement de la douleur. C'est tout à fait normal! Elles bougent, grimacent, se soulèvent et utilisent en fait toutes sortes de tactiques personnelles, apprises ou inventées à mesure, pour diminuer la sensation de douleur. Cette réaction fait partie de nos réflexes de survie, mais pour s'ouvrir à la naissance, on doit en apprendre une autre, plus adaptée à ce qui se passe à l'intérieur, celle d'aller avec, de laisser la pression ressentie faire son travail de dilatation, d'ouverture d'un passage pour notre bébé qui veut naître. Pour certaines, la transition est aisée, mais d'autres prendront des heures à trouver, au plus profond d'elles-mêmes, dans leur chair, le «comment» de ce travail conjoint du corps et de l'esprit. Ces longues heures de résistance involontaire expliquent pourquoi plusieurs femmes les décriront comme les plus difficiles à vivre, même si elles n'en étaient encore qu'aux «petites» contractions. D'ailleurs, c'est bien souvent là, en début de travail, que les femmes demandent la péridurale, avant qu'elles n'aient découvert, pour elles-mêmes, comment travailler avec leurs contractions.

## Le contrôle: mission impossible

Trop souvent, les femmes se sont préparées à «contrôler» la douleur, une entreprise qui, dans la plupart des cas, me semble vouée à devenir une mission impossible. Elles ne passent donc pas ces premières heures du travail à chercher un abandon aux forces de l'accouchement qui sont à l'œuvre. Elles s'emploient plutôt à utiliser toutes les techniques apprises en espérant tenir les contractions dans la zone contrôlable. Mais par définition, l'accouchement est un processus incontrôlable. Les femmes qui accouchent gémissent, transpirent, vomissent parfois, émettent des sons bizarres et perdent le contrôle qu'elles ont habituellement sur leurs fonctions corporelles. Accoucher demande d'abandonner ses «bonnes manières». Malheureusement, j'ai vu trop souvent des femmes qui, en cherchant à contrôler la douleur, bloquaient inconsciemment l'évolution du travail en empêchant les contractions de devenir plus intenses, plus «folles», mais aussi... plus efficaces. La dilatation pouvait alors stagner de longues heures, pendant qu'elles s'épuisaient inutilement dans leur tentative de contrôle. C'est dans cet échec obligé, après avoir longtemps tenté de prendre le dessus sur la douleur, que se retrouvent beaucoup de femmes qui n'ont plus alors d'autres solutions que la péridurale. «Quand une douleur se manifeste dans le corps, la réaction la plus commune est de se fermer autour d'elle. La résistance, la peur, l'appréhension de la souffrance amplifient la douleur. C'est comme serrer le poing autour d'un charbon ardent.

Plus on serre, plus on se brûle... L'objectif de contrôle de la douleur, avec l'idée que la douleur est l'ennemie, intensifie la souffrance, fait serrer le poing[3].»

Quand l'être entier s'abandonne au processus, l'accouchement est douloureux, mais à la mesure de la femme qui accouche. Si elle y résiste, peu importe où se situe la source de sa résistance, dans son corps, dans ses émotions ou dans ses pensées, la douleur ressentie sera à la mesure de sa résistance! Au lieu d'agir sur un col détendu, enclin à s'étirer et à céder le passage, chaque contraction devra se battre avec des muscles rigides et tendus, qui s'oxygènent mal et se libèrent encore moins bien de leurs toxines. Ils demeurent alors douloureux même entre les contractions, empêchant la femme de se reposer et la conduisant bientôt dans une impasse dont seule la médication semblera pouvoir la délivrer.

## Les contraintes hospitalières

La plupart des femmes sont capables de traverser la douleur d'un accouchement normal. Mais combien d'accouchements sont encore normaux, physiologiques, c'est-à-dire où le corps fonctionne seul, où aucune intervention extérieure n'est nécessaire pour aboutir à la naissance? Un accouchement est un processus éminemment dynamique, qui demande une liberté de mouvement rarement favorisée à l'hôpital, bien au contraire. D'où des problèmes de bébés qui se présentent mal et dont la position ne pourrait se corriger qu'en bougeant. L'accouchement se prolonge, la lenteur de la progression les désespère. Les femmes ont mal à l'interdiction de se lever du lit, de bouger pour trouver la position

qui ferait progresser le travail, de pousser accroupie ou à genoux pour faire naître leur bébé. Elles ont mal à la ceinture du moniteur fœtal qui leur comprime le ventre, aux oreillers inconfortables et trop peu nombreux, à la température de la chambre qu'on ne peut ajuster à mesure que le travail les fait grelotter ou transpirer. Pour beaucoup de femmes, l'hôpital est un facteur important dans le fait que leur accouchement ne se passe pas de façon physiologique et soit donc beaucoup plus douloureux.

## La douleur est aussi ailleurs

Si le début de la contraction signale le début de la sensation douloureuse, cela ne veut pas dire que la douleur ne soit que physique, bien au contraire. Cette sensation si intérieure, si intime, à cet endroit précis de notre corps qui fait de nous une femme, éveille souvent des douleurs d'un tout autre ordre: la douleur d'une fausse couche dont le deuil n'est peut-être pas terminé, d'un avortement qui porte encore du regret et peut-être même du remord, de petits mépris quotidiens, de violence sexuelle au souvenir encore vif, d'une relation amoureuse décevante, de l'absence amère d'intimité affectueuse, de confiance mutuelle, d'entente du corps et du cœur. Parfois, les femmes ont mal au manque d'amour de leur enfance, à l'absence d'écoute qu'elles y ont connu et qui trouve parfois écho dans la façon dont elles sont traitées en ce moment, pendant leur travail, alors que le tracé du moniteur fœtal semble susciter plus d'intérêt que ce qu'elles ressentent. Elles souffrent du manque total d'intimité, alors qu'à chaque instant la porte de la chambre peut s'ouvrir devant encore une autre personne inconnue.

Elles souffrent de l'insécurité de leur conjoint, de l'intrusion dans la chambre où elles accouchent de visiteurs qui ne sont pas véritablement avec elles, dans ce qu'elles vivent, qu'ils soient des membres du personnel hospitalier, ou des gens qu'elles avaient elles-mêmes invités mais qui ne savent pas comment l'accompagner et encombrent la chambre de leurs conversations anxieuses. Elles ont mal au peu d'espace accordé à leur cri, à leur parole.

Alors qu'elles deviennent mère, les femmes ont mal à tout ce qui meurt en elles, à tout ce qui ne sera plus jamais pareil, ni dans leur cœur ni dans leur corps ni dans l'ordre des choses. La douleur physique sert de catalyseur à toutes ces émotions qui se vivent à ce moment-là. Dans un contexte qui ne propose pas d'écoute, c'est beaucoup plus facile de dire: «Je veux une péridurale» que de dire: «Écoute-moi, aide-moi, j'ai mal, j'ai peur, je me sens seule et perdue», un aveu de vulnérabilité qui demande bien plus qu'une anesthésie pour y répondre. Du coup, les femmes y perdent la parole, le pouvoir de dire ce que c'est que d'accoucher, de donner naissance à un bébé et à une mère tout à la fois. Pas seulement dilater jusqu'à dix centimètres et pousser un bébé à l'extérieur, mais *accoucher*, donner soi-même la vie.

La péridurale soulage à condition que ce soit bien dans le corps que se situe la souffrance. Voici ce qu'en disait Jeanne Weiss-Rouanet, lorsqu'elle était anesthésiste à la Maternité des Lilas, à Paris:

> *Souvent, on sent que la douleur physique n'a pas la part prédominante dans ce qui amène à avoir recours à la péridurale. Évidente paraît l'importance de l'environnement, calme ou bruyant, de la présence ou de l'absence du ou des accompagnants, de l'affinité avec l'équipe, des conflits latents, de l'ambiguïté du désir d'être mère à mesure que l'instant s'en approche, de la peur, en gros de tout ce qui est facteur de 'souffrance'. C'est peut-être la somme de cette souffrance et de la douleur physique qui rend cette dernière intolérable, alors que réduite à elle-même, elle resterait dans les limites de ce que beaucoup de femmes s'attendent à vivre[4].*

# Trouver un sens à la douleur

La douleur de l'accouchement n'est pas une vertu, mais elle n'est pas une ennemie non plus. Elle est une invitation à une quête de sens, dans cette expérience si profondément et si exclusivement féminine de l'accouchement. Évidemment, il existe des occasions de découverte de soi ailleurs que dans la maternité, mais cette expérience de création, par sa place dans la vie, par son inscription puissante dans le corps, devient une métaphore pour toutes les autres.

C'est tellement important, pendant qu'on accouche, de trouver un sens à la douleur véhémente des contractions. Vous pensez peut-être qu'il s'agit d'un exercice un peu futile, cette histoire de sens, d'une sorte de luxe de l'esprit, à un moment où c'est le corps qui écope, si je peux dire. Qu'est-ce que ce devoir de philosophie vient faire dans une chambre où une femme gémit et peine à mettre au monde son petit? C'est peut-être que la transmission de la vie n'est pas que biologique. Pendant un accouchement, ce qu'on vit psychiquement, émotionnellement, impressionne littéralement le petit être doué d'âme et d'émotion qu'on met au monde. À mesure que l'on apprend à connecter ce qu'on ressent avec le mouvement de notre bébé qui se fraie un chemin vers sa naissance, et qu'on accepte qu'il le fraie à travers soi, dans notre chair même, les contractions se prennent mieux. Elles n'ont plus seulement une existence inévitable et imposée, elles ont une signification. La douleur n'est plus un signal d'alarme, mais un signe qui annonce le besoin de protection, d'intimité, de sécurité pour l'accouchement qui s'en vient.

La douleur, c'est la sensation puissante, dans notre corps, du passage de notre bébé. De son appel, de sa demande d'un espace pas plus grand que lui, mais exactement grand comme lui. Étant donné notre nature, notre forme, les limites habituelles de notre corps, cette demande toute simple exigera une transformation exceptionnelle. Pas seulement au passage du col de l'utérus ni dans l'étirement des tissus de notre vagin, de notre vulve, mais une transformation de

toute notre vie: de qui nous sommes, du couple qui a engendré cet enfant, de notre rapport aux choses et à la vie, de notre place dans la chaîne des générations, dans l'histoire de notre famille et, ma foi, de l'humanité. Cela porte un sens qui n'est pas le même pour chacun, chacune. La douleur physique de l'accouchement contient, littéralement, l'expérience de cette transformation. La vivre, la rencontrer dans le tumulte de la contraction, dans l'indulgence de la pause qui lui succède, nous donne accès aux autres portes qui s'ouvrent en même temps que le col de notre utérus.

C'est dans le travail très physique de l'accouchement que s'accomplissent les transformations qui viennent avec la naissance: couper le cordon avec notre bébé, mais aussi avec notre propre mère, passer pour toujours dans l'autre génération, celle qui veille désormais sur les enfants, notre enfant. On se détache de soi-même toute petite, on accepte de perdre l'insouciance d'être un enfant. On perd le bébé imaginaire qu'on portait pour s'attacher désormais à l'enfant réel qui va naître. C'est un travail de maturité, pas celui d'une petite fille, ni même d'une femme, peu importe son âge, qui n'aurait jamais été totalement responsable d'une autre vie que de la sienne. On accouche et on se met au monde soi-même dans notre nouvelle incarnation de mère.

L'accouchement est le moment où se vit sur tous les plans, physique, émotionnel, psychique et social, un double mouvement de détache-

ment/attachement. C'est la tension entre ces directions opposées qui crée la douleur. Pourtant, se détacher de notre enfant est indispensable après neuf mois de grossesse, pour qu'il puisse vivre, pour que naisse une personne unique qui sera un jour responsable de sa propre existence. S'y attacher est tout aussi indispensable, parce que c'est de cette relation d'amour qu'il se nourrira pour y arriver. Notre perception de ce détachement, de cette rupture primordiale qui n'a d'équivalent que dans l'expérience de la mort, n'est pas que physique. C'est pourquoi les solutions strictement physiques comme l'anesthésie engourdissent la douleur, mais aussi notre emprise sur la transformation de notre existence à ce moment-là.

## L'accouchement est une initiation

L'accouchement marque très puissamment la rupture de la relation biologique et symbiotique entre la mère et son enfant. C'est une initiation: un passage entre la grossesse et la maternité aussi significatif que les rites de passage entre l'enfance et l'âge adulte qui existent dans de nombreuses sociétés. Pour l'individu comme pour la communauté, l'initiation vient marquer le passage d'une période de la vie à une autre et stimuler, souvent de façon spectaculaire, les ressources personnelles qui seront sollicitées à l'avenir et qu'il doit aujourd'hui mettre à l'épreuve.

C'est un événement qui annonce et prépare le changement, un événement provocateur parce qu'il vient bouleverser l'état habituel des choses pour laisser place à l'inconnu, à l'imprévisible de la nouvelle relation entre la mère et son enfant. Bien sûr, ils se connaissent déjà, mais les mécanismes

biologiques pour répondre aux besoins de chaleur, de protection, de nourriture du bébé ne seront plus automatiques et seront maintenant remplacés par les gestes volontaires de sa mère. D'où l'importance de l'attachement entre les deux, seule garantie que la mère se gardera disponible et attentive pour voir à combler ses besoins vitaux.

Quel rapport avec la douleur? Elle prépare ce passage. Elle vient briser les schémas habituels de comportement, «déséquilibrer» la mère au moment où elle doit en effet abandonner le *statu quo* de la vie courante pour plonger dans la transformation majeure que représente l'arrivée de son bébé dans sa vie. La maternité exigera mille fois d'une femme qu'elle rassemble ses forces et se dépasse, qu'elle aille puiser profondément en elle-même la confiance et le courage nécessaires pour passer à travers ce que la vie avec son enfant lui réserve. L'accouchement, par la puissance des mécanismes physiologiques et psychiques sollicités, par l'attrait intense que représente le moment de rencontre avec le bébé qui s'en vient, est un moment charnière qui permettra à la nouvelle mère, au nouveau père, d'exprimer sa force, son endurance, sa patience, son amour pour son enfant.

Au-delà de cette découverte de la mère qu'elle devient, une femme qui accouche rencontre son féminin. C'est plus complexe que jamais, alors que les femmes ont réclamé et obtenu en bonne part plusieurs droits et libertés réservés jusqu'ici aux hommes. Souvent, les réalités physiques et émotionnelles des dernières semaines de grossesse ont déjà ébranlé nos notions d'indépendance, d'autonomie, de compétence. Dans l'accouchement, on doit carrément abandonner l'illusion, si on l'a jamais entretenue, que les hommes et les femmes sont «égaux», dans le sens d'«identiques». S'il y a une sphère de la vie où cette évidence crève les yeux, c'est bien dans tout ce qui touche la reproduction. Cela ne nous enlève pas le droit ni la capacité de puiser dans ces deux mondes du féminin et du masculin, mais pour mettre un enfant au monde, on doit assumer sa féminité. Et cela ne représente pas le même travail pour chacune d'entre nous.

## La douleur a un sens... et une direction

Je ressens profondément, auprès d'une femme qui accouche, comment le sens de sa douleur veut aussi dire sa «direction». Elle n'a pas simplement besoin de savoir ce qu'elle veut dire, cette douleur, mais aussi de savoir vers où elle s'en va. Laissez-moi comparer le travail avec le cours d'une rivière, plutôt joyeuse et légère au début, mais qui deviendra bientôt un torrent impétueux. Imaginez un instant cette eau déferlante: c'est la pente dans le sol qui lui donne une direction, qui la laisse couler. Autrement, l'eau reste sur place et stagne. C'est justement quand on cède, quand on accepte de créer cette pente que la contraction peut couler et s'éloigner. Cette image me semble bien dépeindre comment, quand la douleur a une direction, elle coule comme de l'eau, elle s'écoule hors de la femme qui la vit. Quand la contraction est finie, une minute plus tard, la douleur est évacuée. Cela explique en partie, je crois, ce phénomène par lequel bon nombre de femmes qui viennent d'accoucher affirment que la douleur est déjà oubliée (alors qu'elles criaient peut-être il y a tout juste un moment). Je pense sincèrement que leur douleur s'est écoulée à mesure. Elle n'est

plus là, elle est déjà loin. Elle n'est pas amassée en un lac immense et immobile qui les submerge, qui pourrait les noyer, et qui n'a pas de brèche par où se vider.

C'est ça le secret: la douleur a besoin d'un sens pour s'évacuer. Sinon elle est retenue dans le corps et dans le cœur, elle s'accumule, elle augmente, elle devient intolérable, insensée et cruelle. Le sens de cette douleur a probablement des points communs pour les femmes du monde entier. C'est la boussole qui oriente l'accompagnement d'une femme en travail. Parce que la douleur peut être envahissante au point de nous déboussoler, justement. Nous avons besoin de nous rappeler pourquoi et pour qui nous les avons, ces contractions. Nous les femmes, mais aussi chacune de nous. Car la douleur porte aussi un sens très particulier pour chacune d'entre nous, qui reflète exactement les creux, les buttes et l'inclinaison de notre terrain, de notre vie.

Je ne sais pas pourquoi il me vient à l'esprit cette conversation très touchante que j'ai eue avec un ami récemment. Il venait tout juste de perdre sa mère, âgée et malade, et avait passé les derniers jours auprès d'elle, y compris le moment même de sa mort. Cela n'avait pas été facile. Il était complètement bouleversé mais, aussi, totalement ouvert, réceptif et, à mon grand étonnement, je dirais aussi serein et rayonnant. «De toute ma vie, je ne me suis jamais senti si totalement et si exactement à ma place, là où je devais être, auprès de ma mère en train de mourir», me disait-il.

On a profondément besoin de cette cohérence totale entre ce qu'on vit physiquement et psychologiquement. Sans doute, elle est plus exigeante sur le moment, cette cohérence, mais elle est généreuse. Elle nous donne accès aux liens entre les choses, elle met en rapport des émotions qui, autrement, continueraient de nous affecter et d'errer en cherchant leur source, leur sens, leur résolution. Elle nourrit notre âme.

## Faire le voyage avec notre bébé

Dans un accouchement, la cohérence ne se vit pas qu'entre son corps et ses émotions. Elle est le fil, et pas le moindre, qui nous lie à notre bébé. Si vous pensez qu'un bébé ne ressent rien, les lignes qui suivent ne sont d'aucun intérêt. Mais si vous croyez, comme moi, à leur présence entière, à leur sensibilité, à leur totale ouverture aux vibrations les plus subtiles, alors demandons-nous, pour un instant, comment vont les bébés quand ils quittent pour toujours le ventre de leur mère. Quand ils laissent derrière eux cet environnement connu et relativement tranquille pour une joyeuse tempête de sensations, le long d'un trajet obscur qu'ils découvrent à mesure qu'ils y progressent. Leur expérience n'est pas identique à celle de leur mère, mais elles ont des points communs, elles résonnent, alors qu'ils cheminent dans l'inconnu, l'un vers l'autre. Le courage dont font preuve les bébés qui se lancent dans la grande aventure de la naissance est une source d'inspiration pour chaque femme qui accouche.

La sérénité que la plupart des bébés affichent à leur arrivée semble indiquer que non, ils ne souffrent pas pendant le travail. Mais que ce soit intense, ça oui! Qu'éprouvent les bébés quand, sous péridurale, leur mère ne sent plus rien alors qu'eux continuent de sentir toute l'intensité du passage? Parce que la péridurale, c'est pour les mères, pas pour eux.

Être sous péridurale ne signifie pas pour autant qu'on ne peut pas être connectée à ce que vit notre bébé. Mais quand on n'a pas un minimum d'indices dans sa propre chair de ce qu'il peut ressentir, c'est plus difficile de l'accompagner. On se rejoint au bout de l'accouchement, mais on n'a pas fait le même voyage!

## Tant qu'il y a un sens

Parfois, dans la difficulté de vivre la naissance, la douleur n'est plus un lieu de rencontre avec soi-même, un signal qui dit: «Tiens, là, il y a un endroit qui ne veut pas, qui a peur... va l'ouvrir». Elle n'est plus un lieu de connaissance de soi où l'on sent ce qui se passe et où l'on peut choisir de dire oui. Quand une femme n'arrive plus à la vivre comme exigeante, mais positive et féconde, la douleur peut devenir blessante, destructrice. Le chemin de la découverte de soi n'a de sens... que s'il a un sens, justement. «Endurer» un travail vécu comme agressant, simplement parce qu'on espère un trophée à la fin, n'a pas de sens. Juger celles qui ont parcouru le chemin aussi loin qu'elles le pouvaient, aussi longtemps qu'il s'inscrivait dans leur signification à elles avant de demander l'aide d'une péridurale, n'a pas de sens non plus. Si la péridurale vient au bout de longues heures de travail, quand ce n'est plus possible d'avancer sans cette aide de l'extérieur, je suis sûre que les bébés comprennent que leur mère a besoin de reprendre son souffle, son énergie. Ils sont prêts à se reconnecter à elle lorsque, un peu plus reposée, elle pourra l'accompagner dans le travail de sa naissance.

# L'accompagnement: en avoir ou pas

Il devient de plus en plus évident que l'obstétrique s'organise autour de l'absolue disponibilité de la péridurale. Il pourrait bientôt être illusoire de s'imaginer une infirmière qui aurait du temps à passer avec une femme qui a besoin d'elle. Pas parce qu'elle ne le désire pas, mais parce que cela ne fait pas partie des priorités de sa tâche. Les recherches continuent pourtant de confirmer que le besoin de recourir à la péridurale diminue de façon significative et que la satisfaction des parents augmente lorsque les femmes ont le soutien d'une personne d'expérience tout au long de l'accouchement. Or, on a plutôt réduit le nombre d'infirmières et augmenté leurs tâches. Une recherche effectuée dans un hôpital de Toronto a établi à moins de 10% le temps que les infirmières en obstétrique passent à soutenir les femmes qui accouchent. Une étude semblable dans un grand hôpital de Montréal est arrivée au chiffre incroyable de 6%[5]! Pendant ce temps, l'utilisation de la péridurale est devenue la norme, ce qui augmente évidemment les coûts directs et indirects reliés à cette intervention: les honoraires des anesthésistes, l'augmentation de l'utilisation des forceps, des césariennes, des séjours prolongés par les complications qui s'ensuivent. Les mêmes budgets pourraient-ils assurer la présence de cette personne connue et expérimentée qui rend l'accouchement plus facile à vivre et plus satisfaisant pour les parents?

Les taux d'utilisation de la péridurale ne vous intéressent probablement que très peu. C'est bien compréhensible: vous vous préparez à vivre une naissance la plus heureuse possible, pas une performance qui ferait pencher les statistiques d'un côté plutôt que de l'autre. Mais des statistiques... ce sont des femmes, des bébés, des pères, des histoires de naissance qui parlent de la quasi impossibilité, par les temps qui courent, de vivre un accouchement dans sa douleur et sa joie, dans son exigence et sa satisfaction. Les femmes qui traversent un travail qu'elles trouvent difficile, long ou trop douloureux, et qui demandent une péridurale, vivent une situation unique: leur propre accouchement, qui n'a rien à voir avec les politiques d'obstétrique ou le nombre d'infirmières dans le département ce jour-là. Elles éprouvent leur propre détresse, leur sentiment d'être rendues aussi loin qu'elles peuvent et veulent aller. Elles ont tout à fait le droit de demander une péridurale. Mais quand on connaît les conditions dans lesquelles elles vivent leur accouchement et, surtout, les conditions dans lesquelles elles pourraient le vivre, on comprend que les choses pourraient parfois être différentes.

Personne n'a le droit de juger de la décision d'une femme en travail quand elle choisit d'avoir une péridurale. On peut toutefois critiquer la structure et l'approche de l'hôpital pour ne pas lui avoir apporté tout le soutien et tout l'espace nécessaires pour mener à bien son accouchement. La décision du système de santé de *ne pas* fournir aux femmes, systématiquement et en priorité, ce dont elles ont besoin pour bien vivre leur accouchement les oblige à se plier aux nouvelles valeurs médicales et sociales:

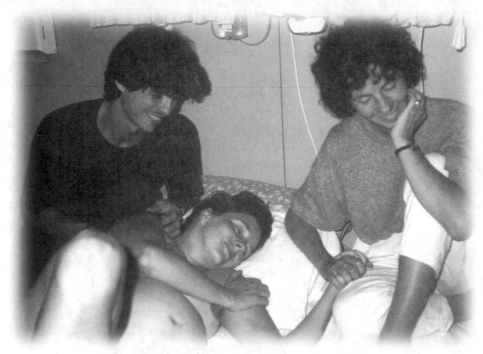

la douleur devient alors un obstacle à abattre et l'on se doit d'adopter les comportements qui y correspondent, c'est-à-dire l'éliminer. Celles qui voudraient résister à ce mouvement sont coupables d'anachronisme, de résistance au progrès et d'attachement romantique à des valeurs désuètes.

«L'accouchement est une île qu'on ne devrait pas visiter seule!» Voilà un cri du cœur que j'affectionne, d'une femme que j'ai un jour aidée à accoucher. Il est grandement temps que la présence auprès d'une femme qui accouche d'une personne connue, expérimentée et chaleureuse soit considérée comme la norme, le minimum vital, et que cette présence soit accessible pour toutes. Cette conviction profonde est d'ailleurs au cœur du mouvement d'humanisation de la naissance et de légalisation de la profession de sage-femme au Québec depuis les années 70. Elle continuera d'alimenter la flamme de ceux qui croient que les femmes

sont capables de mettre leur bébé au monde, mais qu'elles ont aussi besoin de protection, de tendresse et de solidarité.

On a besoin de préserver ce qu'il y a de si profondément humain dans le travail de la mise au monde. Toute personne qui accompagne la naissance doit accepter de porter, au plus profond d'elle-même, un questionnement vivant sur le sens de la douleur, de l'accouchement, de la vie. Ensuite, dans la petite histoire de chaque naissance, c'est dans l'écoute, dans l'accueil, qu'on aide une femme à accepter l'épreuve du travail, à affronter le grand passage de la maternité. Cet accompagnement du cœur, cet espace qui donne la permission de ressentir et de dire, augmente littéralement la tolérance à la douleur. Le fait d'y trouver un sens abaisse le seuil de tolérance à la douleur, ce qui permet d'en prendre plus et, curieusement, d'en ressentir moins, d'avancer dans le travail et d'aller encore plus loin en soi-même dans cette quête de sens, cette découverte... jusqu'à la naissance.

Il peut venir un temps où la femme estime qu'elle ne peut pas aller plus loin. C'est toujours elle le dernier juge, cela va de soi. Mais il arrive que le rôle de la sage-femme ou de celle qui l'accompagne soit de témoigner de la force du processus qu'elle traverse, de l'aider à rencontrer ce «mur» dont parlent les marathoniens qui se dresse devant elle et qui semble infranchissable, mais qu'il est pourtant possible de crever et de dépasser. J'ai souvent dû soutenir le regard de femmes qui ne pouvaient pas

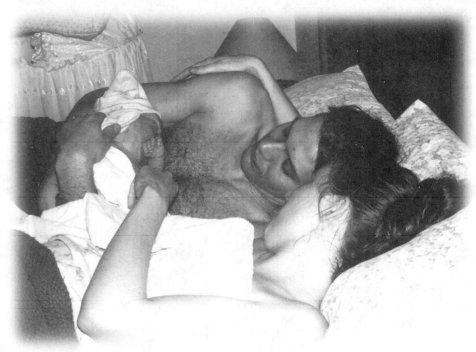

croire que la douleur irait si loin, si follement au-delà de leurs prévisions ou en tout cas de leurs secrets espoirs. Pour elles comme pour leur conjoint, notre présence replace l'expérience de l'accouchement dans une capacité de tolérer la douleur que les femmes du monde et de l'histoire portent collectivement: «Oui, pouvons-nous dire, voilà ce que ressentent les femmes quand leur bébé descend en pressant dans leur bassin et quand leur col s'ouvre au maximum de sa capacité». C'est encore à la mère à décider si elle veut connaître cette sensation. Mais il revient à celle qui l'accompagne, sage-femme, infirmière ou accompagnante, de lui confirmer que cette douleur qui semble si sauvage, si inhumaine, est au contraire parfaitement humaine et fait partie de l'expérience universelle d'être «une femme qui devient une mère». Les femmes qui osent aller dans cet inconnu, qui osent se faire confiance et croire qu'elles pourraient bien être capable de vivre ce que tant de femmes avant elles ont vécu, ces femmes en ressortent souvent fortes d'une puissance qu'elles ne croyaient pas détenir.

**Notes**

[1] Ministère de la Santé et des Services Sociaux. *Fichier Med-Écho*, Direction de l'évaluation, Québec, 1997-1998. (Les taux plus bas en région s'expliquent la plupart du temps par le manque d'anesthésiste. Note de l'auteure). On parle ici des accouchements vaginaux seulement, excluant donc l'usage de la péridurale lors des césariennes.

[2] Le Congrès de Sages-femmes International, tenu à Biarritz en 1995.

[3] Stephen LEVINE. *Who Dies, An Investigation into Conscious Living and Conscious Dying*, New York, Anchor Books, 1982. Traduction de l'auteure.

[4] Jeanne WEISS-ROUANET. «En avoir ou pas», *Maternité en mouvement*, Grenoble et Montréal, Presses universitaires de Grenoble et Éditions Saint-Martin, 1986.

[5] Patricia McNIVEN, Ellen HODNETT, Linda O'BRIEN-PALLAS. «Supporting Women in Labor: a Work Sampling Study of the Activities of the Labor and Delivery Nurse», *Birth*, vol. 19, n° 1, mars 1992; Anita J. GAGNON, Kathy WAGHORN. «Supporting Women in Labor: a Work Sampling Study of the Activities of the Labor and Delivery Nurse», *Birth*, vol. 23, n° 1, mars 1996.

[6] Julie BONAPACE. *Du cœur au ventre*, Rouyn-Noranda (Québec), Éditions JBE, 1997.

### Répondre à la douleur

La douleur se vit toujours dans un contexte qui influence la façon dont elle nous atteint. Parmi les facteurs qui en augmentent la perception, on retrouve la peur, le stress, la tension, la fatigue, le froid, la faim, la solitude, le bouleversement émotif, l'ignorance de ce qui se passe, un environnement étranger, le fait d'appréhender les contractions. Parmi ceux qui semblent la réduire, on trouve la relaxation, la confiance, une bonne information, le contact continu avec des personnes familières et amicales, le fait d'être active, reposée et bien nourrie, dans un environnement familier et confortable, le fait de rester dans l'instant présent et de prendre les contractions une à une. Les femmes et ceux qui les accompagnent peuvent modifier plusieurs de ces éléments pour les rendre plus favorables. Les femmes ne sont donc plus des victimes qui subissent la douleur, des «patientes», mais des participantes actives, un changement d'attitude qui, à lui seul, a le pouvoir de changer le cours des choses. Tout au long des chapitres sur l'accouchement, j'ai mentionné les gestes et les attitudes qui aident à vivre la douleur. Laissez-moi les résumer.

### Faire des sons

Les femmes qui s'expriment vocalement pendant leurs contractions ont souvent plus de facilité à les vivre. Personne n'est obligé de gémir, mais celles qui en ressentent le besoin et le font y trouvent un soulagement et une voie d'expression importante. On a trop souvent appris que la relaxation ne s'atteignait qu'en silence, que les gémissements équivalaient à la panique. Or, au contraire, faire des sons aide le corps à produire ses propres remèdes à la douleur: les endorphines. Michel Odent a démontré, par son travail à la Maternité de Pithiviers, comment la production d'endorphines est encouragée par la pénombre, le chuchotement, le contact de l'eau et la permission de faire des «bruits d'accouchements». Ces sons ressemblent étrangement à ceux qu'on produit en faisant l'amour, ce qui explique peut-être le malaise de certaines personnes et leur préférence pour les femmes silencieuses! Se donner la liberté d'émettre des sons pendant le travail est un excellent exemple d'une réponse à la douleur qui en transforme l'expérience.

### Se reposer

Quand on parle de la douleur de l'accouchement, on oublie qu'en travail on passe le plus clair du temps à ne pas avoir mal! Le corps s'est préparé pour un gros travail, mais il s'est aussi prévu des pauses: la plupart des contractions durent une minute, mais les intervalles de repos durent de deux à cinq minutes! Chaque intervalle devrait être un moment de repos infini, de régénérescence. Quand on donne la vie, on doit aussi se nourrir, se remplir à même chaque respiration, chaque regard échangé, chaque parole et chaque geste. Êtes-vous prête à profiter de chaque seconde de paix?

### Respirer

La respiration a gagné ses lettres de noblesse comme moyen de soutien pendant l'accouchement depuis les travaux de Lamaze et de Dick-Read au début des années 50. Le principal mérite de ces méthodes est d'avoir permis le retour des pères à l'accouchement (comme «coach») et le refus des anesthésies générales alors courantes. Dans leur forme la plus stricte, ces méthodes, qui sont principalement des techniques de distraction, n'ont plus vraiment leur place. Elles travaillent à l'encontre de toute tentative de plonger dans le travail en maintenant le cap sur le contrôle de la respiration. En fait, laissée à elle-même, sans consigne spécifique, la respiration change et s'adapte tout au long du travail. Le yoga, la relaxation et toutes les approches qui visent à rendre la respiration plus consciente, plus pleine, plus vivifiante sont toutes d'excellentes préparations à l'accouchement... ainsi qu'à tous ces moments de la vie d'une mère où elle aura parfois besoin de toutes ses ressources pour conserver son calme.

### Bouger

La liberté de bouger est essentielle! Marcher, se bercer, bouger le bassin en rotation ou autrement, s'asseoir, s'étendre, se relever et s'étirer au besoin sont des droits fondamentaux en tout temps, et encore plus quand on accouche! Mais quand avez-vous vu, au cinéma par exemple, une femme prendre ses contractions en marchant pour se soulager? ou accoucher debout? Les images courantes d'accouchement nous ont tellement habitués à voir les femmes clouées à leur lit, incapables de bouger, qu'on a accepté peu à peu cette immobilité imposée aux femmes, sans se rendre compte qu'elle multiplie inutilement la douleur ressentie. Seules des indications médicales très sérieuses pourraient justifier qu'on limite vos mouvements.

### Se faire toucher

Le toucher est une façon extraordinaire d'aider une femme pendant son travail. Un toucher conscient, attentif et présent, en correspondance souple avec les sensations de celle qui accouche. Souvent, je chuchote au père ému et fébrile qui veut aider sa femme en la massant: «Mets du calme dans tes mains». Quand les sensations sont très intenses, les femmes préfèrent souvent la présence immobile et chaude des mains plutôt qu'un mouvement de friction qui distrait ou envahit. C'est un langage qui gagne à être exploré petit à petit tout au long de la grossesse et pendant le travail.

### S'entourer

Les femmes qui accouchent ont besoin de contact humain, chaleureux, familier. Il a été clairement et plusieurs fois démontré que la présence continue d'une sage-femme ou d'une *doula* pendant un accouchement diminue le besoin des femmes de recourir à des médicaments pour soulager la douleur. Combien de femmes se souviendront toute leur vie de la tendresse de leur infirmière ou de leur sage-femme à leur côté pendant le travail? Et de la présence amoureuse de leur homme?

### Visualiser

La visualisation est un moyen efficace de faciliter le travail et de favoriser la détente. Imaginer le col qui s'ouvre, le bébé qui descend, appuyer son ventre contre quelqu'un au plus fort de la sensation et lui «envoyer» une partie de la douleur, imaginer un endroit de repos et de paix où aller se réfugier entre les contractions pour se régénérer, sont autant de façons de s'harmoniser au travail.

### Se servir de l'eau

La possibilité d'aller dans un bain ou un bain tourbillon accomplit tout simplement des miracles, aux dires de certaines femmes («c'était ma péridurale», disent-elles en riant). Plusieurs infirmières et sages-femmes en ont observé les bienfaits. D'abord, le bain est l'endroit où l'on va spontanément se relaxer après une dure journée! Mais surtout, l'eau a le pouvoir de nous mettre en contact avec un aspect plus primitif de nous-même, plus instinctif. Cela ne peut que faciliter le processus de l'accouchement.

### Les endorphines: un cadeau du ciel!

Soumis à une stimulation extrême des récepteurs de douleur, notre corps réagit en produisant des endorphines, ces hormones «magiques» qui engourdissent les sensations. Pour que cette production démarre, on doit d'abord basculer dans le mode de fonctionnement non rationnel régi par l'hémisphère droit du cerveau, l'opposé de l'hémisphère qui pense, calcule les heures qui restent, essaie de prévoir la suite et répond poliment aux questions. La pénombre, l'usage d'un minimum de paroles, le chuchotement, le contact de l'eau et le fait d'émettre des sons aident le corps à produire ses propres remèdes à la douleur. Toute stimulation intempestive du cérébral diminue et peut parfois même stopper la production des endorphines pour un moment, d'où l'importance de créer et de protéger une atmosphère propice, surtout à l'hôpital. Les techniques de préparation qui utilisent des pressions sur les points déclencheurs d'endorphines peuvent vraiment apporter une aide appréciable, conjointement avec ce mouvement de plongée vers l'intérieur que fait la mère[6].

**Chapitre 13**

# Les interventions médicales

La naissance d'un petit être humain est le point culminant d'un processus perfectionné depuis des millénaires, dont nous commençons à peine à bien comprendre les mécanismes. Aussi, la plus grande prudence s'impose quand il s'agit d'intervenir dans son déroulement, même avec les meilleures intentions du monde. Si l'on veut protéger l'intégrité de l'expérience humaine de la naissance, on ne peut accepter un usage désinvolte des interventions, surtout de routine.

Vous trouverez probablement ce chapitre plus aride que les précédents. Il fait appel à des notions de risques, de probabilités, de pourcentages, bien loin de votre réalité, pensez-vous. Je crois qu'il est important de comprendre comment l'organisation de l'obstétrique crée un enchaînement de situations qui peut mener les femmes à un point où l'intervention est inévitable. Presque comme un scénario de film qui met tous ses éléments en place et dont vous pouvez déjà prévoir la grande finale. Le manque d'accompagnement et de présence auprès des femmes à l'hôpital, par exemple, conduit à un besoin accru de péridurales, qui mènent à une augmentation des césariennes et des accouchements par forceps. C'est bien longtemps avant qu'un médecin suggère la césarienne qu'il faut agir. Dans ce guide des interventions, l'analyse des enjeux vous parlera de leur impact sur les accouchements *en général*. Vous aurez à vivre un accouchement, unique, à un moment donné de votre vie à tous les deux. Vous serez alors l'une de ces femmes, et c'est avec tous les choix que vous ferez d'ici là que vous pourrez vous donner les meilleures conditions possibles pour vivre une naissance heureuse.

# *Accoucher ou se faire accoucher*

La reproduction est un processus physiologique normal dans le cycle de la vie, essentiel à la survie de l'espèce humaine. Comme n'importe quelle autre sphère de la vie, elle connaît parfois des imperfections et, de tout temps, les humains ont cherché à y pallier. L'histoire millénaire de la pratique des sages-femmes et celle, plus jeune, de l'obstétrique, illustrent cette recherche constante pour remédier aux problèmes pouvant survenir lors d'un accouchement. Nous avons le privilège de vivre à une époque où la chirurgie, la découverte des antibiotiques et de certains médicaments ainsi que le développement de techniques de diagnostic ont permis de sauver des mères et des bébés qui auraient été condamnés il y a à peine quelques décennies.

Parallèlement à ce progrès, l'histoire récente de l'obstétrique montre un glissement inquiétant dans l'usage routinier d'interventions prévues au départ pour venir en aide aux femmes et aux bébés en difficulté. Des organismes aussi prestigieux que l'Organisation mondiale de la santé ont abondamment analysé et critiqué cette tendance. D'exceptionnelles (puisque les vrais problèmes sont rares), les interventions sont devenues courantes, banales et inévitables. Moins de 12% des femmes qui accouchent au Québec en ce moment ne subissent aucune intervention pendant leur accouchement[1]! Les interventions médicales sauvent des vies lorsqu'elles sont appropriées. Dans le cas contraire, elles vont à l'encontre du serment d'Hippocrate prononcé par tout médecin: *Primum, non nocere*, c'est-à-dire: «Premièrement, ne cause aucun dommage». Car les interventions chez les mères et les bébés qui n'en ont pas besoin sont fréquemment des sources d'effets indésirables et de complications.

Cette multiplication des interventions a atteint des sommets dans les années 80. Le taux de césariennes au Québec a grimpé à près de 20% et plus encore dans certains hôpitaux, alors qu'il était à 9% dix ans auparavant! Ces années ont aussi vu les femmes réclamer bien légitimement leur juste place dans la société, le droit à l'éducation, à un salaire égal et l'accès au marché du travail. Dans le courant féministe qui a transformé le Québec, bien des femmes ne pouvaient plus accepter le contrôle de la médecine sur leur corps et leur vie. Les abus de l'obstétrique et le manque d'accompagnement dans les accouchements ont suscité un large mouvement pour l'humanisation de la naissance. En 1980, les colloques «Accoucher ou se faire accoucher[2]» ont mobilisé près de 10 000 femmes venues réclamer la démédicalisation de la naissance, la création de Maisons de naissance comme alternative à l'hôpital, et des sages-femmes pour les accompagner au long du processus de maternité. La renaissance de la profession de sage-femme au Québec est donc, curieusement, l'un des résultats directs de ces excès. Ce mouvement d'humanisation de la naissance est encore bien vivant et souhaite que se recrée un équilibre entre l'accompagnement et la vigilance éclairée que réclament les grossesses et les accouchements normaux, largement majoritaires, et l'expertise technologique et médicale nécessaires en cas de pathologies. Le tout, dans le respect des femmes et des hommes qu'elles aiment, de leurs choix, de la diversité de leurs expériences et de leurs attentes.

## Les interventions atteignent aussi le cœur

Les interventions obstétricales affectent les femmes qui les subissent, qu'elles soient indispensables ou non. C'est que la naissance d'un bébé coïncide avec celle d'une nouvelle mère. Quiconque travaille de près avec de nouvelles mères ressent facilement la fragilité qui résulte d'un accouchement «technologique». L'omniprésence des interventions médicales lors de l'accouchement, d'une certaine manière, place le début de l'expérience de mère sous le signe de l'incompétence. Cela se mesure difficilement, mais plusieurs recherches en font état, dont l'étude qualitative d'Anne Quéniart[3]. À l'occasion, certaines interventions causent des blessures profondes qui trouvent difficilement à s'exprimer. Comment peut-on s'ouvrir le cœur sur la souffrance d'avoir eu une césarienne, si notre entourage ne veut pas l'entendre et s'enferme derrière des affirmations comme «c'était la meilleure solution» et «ce n'est pas grave, l'important c'est d'avoir un bébé en santé»? Cela peut être tout à fait vrai, mais il n'empêche qu'on peut avoir de la peine! Et quel est le sens de cette souffrance quand on sait que, parmi toutes ces césariennes, certaines auraient pu être évitées? Comment le savoir? Trop de femmes croient, au contraire, que «dans leur cas» elles n'y seraient pas arrivées sans cette foison d'interventions. Nous devons travailler à briser la cohérence malsaine de cette chaîne de raisonnement.

## L'usage approprié de la technologie

Ce ne sont pas les interventions qui sont à dénoncer, mais leur usage abusif et systématique, ce qui est fort différent. Une intervention utilisée pour les mauvaises raisons, en remplacement d'un soutien personnel et chaleureux, met en danger la qualité des soins et l'accueil du bébé. Une intervention appropriée, accompagnée de tout le soutien émotionnel nécessaire, dans le respect du droit de la mère à décider pour elle-même, contribue à sa santé, à celle de son bébé et à la qualité de l'expérience de toute la famille.

Malheureusement, l'usage de plusieurs interventions obstétricales s'est développé de façon anarchique, sans étude systématique de leur utilité, de leurs effets secondaires, de leurs indications véritables. C'est ce qui a permis à l'épisiotomie, par exemple, de devenir l'intervention chirurgicale la plus pratiquée aux États-Unis. Pourtant, quand on s'est intéressé à mesurer son efficacité, les recherches ont démontré qu'elle ne remplit aucune de ses prétentions sinon celle d'accélérer l'accouchement quand l'état du bébé l'exige. Son taux d'utilisation devrait donc se situer en deçà de 10%, alors qu'il a déjà été près de 95% au Québec chez les mères d'un premier bébé!

## La pratique médicale basée sur la recherche scientifique

Aujourd'hui, la tendance au développement arbitraire des interventions se renverse. On se tourne maintenant vers une pratique médicale justifiée par la recherche scientifique. Des organismes comme la Société des gynécologues-obstétriciens du Canada révisent des façons de faire qu'ils jugent inutilement rigides et s'engagent à transformer l'obstétrique vers une pratique à la fois plus scientifique et plus à l'écoute des femmes et des familles.

L'abandon de l'arbitraire dans l'utilisation des interventions au profit d'une pratique basée sur les résultats de recherche représente un progrès certain pour les femmes. Mais la recherche scientifique comporte certaines limites et ne peut pas gouverner notre vie comme si elle était infaillible et plus importante que toute autre valeur. D'abord, bien des aspects de la naissance et de l'obstétrique n'ont encore jamais fait l'objet de recherches: on ne connaît pas, par exemple, l'effet à long terme chez la mère et le bébé des médicaments utilisés pour la péridurale, une intervention pourtant largement répandue et réputée «sans danger». D'autre part, dans un domaine d'activité humaine comme la naissance, les questions qui se posent sont complexes et touchent toutes les facettes de la vie. La presque totalité des recherches n'étudient que des accouchements à l'hôpital, sans chercher à savoir comment ils se dérouleraient dans un environnement complètement différent. Par exemple, les recherches montrent qu'il n'y a pas plus de césariennes chez les femmes dont on rompt les membranes au début du travail que chez celles où on les laisse se rompre spontanément. Mais il ne faut pas perdre de vue que la très grande majorité de ces recherches s'effectue auprès de femmes accouchant dans un milieu non familier, qui n'a pas été conçu d'abord pour faciliter un processus physiologique. Les résultats seraient-ils identiques si on avait inclus des femmes qui accouchent chez elles ou en Maison de naissance, soutenues et encouragées à bouger par une sage-femme qu'elles connaissent bien? Nous n'en savons rien. Les résultats obtenus dépendent donc de la question posée et du biais inévitable des chercheurs, qu'ils reconnaissent eux-mêmes d'ailleurs.

## La transformation du milieu hospitalier

Malgré ces quelques bémols, ce choix d'évoluer vers une pratique plus rigoureuse demeure une excellente nouvelle pour les femmes et les bébés. Sur le terrain, c'est-à-dire dans chaque hôpital, là où les femmes accouchent, elles devront encore se faire entendre, faire valoir leurs besoins, exiger des réponses à leurs questions. Car les normes scientifiques, toutes rigoureuses qu'elles soient, ne peuvent se substituer au choix des femmes qui auront à subir les interventions proposées. Le milieu hospitalier doit se transformer s'il veut offrir un choix réel. À quoi sert une information juste sur les risques de la péridurale si les femmes n'ont toujours pas accès à un soutien adéquat et continu, dans un contexte familier où prime la confiance dans leur capacité à mettre leur petit au monde? Tant que ce milieu et cet accompagnement ne seront pas disponible pour toutes les femmes, il faudra pallier aux problèmes créés par l'insécurité, l'insuffisance du soutien, le manque de confiance en soi, le non-respect du déroulement physiologique de l'accouchement. Heureusement, l'éventail des choix possibles s'élargit, l'information circule un peu plus et les pratiques s'assouplissent. Chacune d'entre vous, à sa manière, aura l'occasion de contribuer à l'avènement de cette obstétrique nouvelle au service des femmes, des bébés, de la naissance.

## Éviter les interventions inutiles

Certaines interventions sont vraiment nécessaires au bien-être de la mère et de son enfant. La question est de savoir lesquelles et dans quelles situations! La culture dominante de la naissance a tout à fait absorbé l'idée qu'elles étaient inévitables et même souhaitables dans la grande majorité des accouchements, même normaux. Au point que bien des femmes pensent qu'elles font partie du déroulement normal d'un accouchement. Cette conception n'est pas universelle: pour les Hollandaises par exemple, l'accouchement, tout en faisant l'objet de soins particuliers et d'une vigilance exemplaire, est vraiment considéré comme naturel. Les taux combinés de césarienne et de forceps/ventouse atteignent à peine 21% contre 35% ici, pour des taux de mortalité périnatale comparables[4]. Si nous voulons diminuer le taux d'interventions obstétricales au Québec, nous devons avant tout changer les mentalités: celles des professionnels du système de santé, bien sûr, mais aussi la nôtre.

La crainte d'être entraînées contre leur gré dans une enfilade d'interventions non désirées pousse plusieurs femmes à investir toute leur énergie dans le combat et les arguments. Les infirmières de salle d'accouchement connaissent bien ce genre de situation où une femme arrive avec une longue liste de ce qu'elle ne veut *pas* subir comme interventions, pour se retrouver quelques heures plus tard à les subir toutes ou presque, quand ce n'est pas à les demander elle-même! Misez sur ce que vous voulez faire pour vous-même plutôt que sur ce que vous ne voulez pas qu'on vous fasse. Si vous ne deviez lire qu'une partie de ce livre en espérant éviter les interventions inutiles, je vous suggérerais d'omettre celle-ci et de lire plutôt sur l'accouchement normal. Nous avons besoin de réapprendre ce que c'est et comment on y travaille, contraction après contraction. Il nous appartient de nous construire, à l'hôpital ou ailleurs, un îlot d'intimité, de tendresse et de respect où il fait bon accoucher. C'est cette énergie-là qui fait naître les bébés et rend les interventions inutiles. Ne vous donnez pas pour mission de prouver que vous pouvez accoucher sans interventions. Le stress de la performance vous rendrait plus vulnérable encore. L'accouchement n'est pas un examen de fin de session, mais une magnifique occasion d'apprendre.

## Le calcul des risques

Oui, il y a des risques à toute intervention médicale. Quelques-uns sont relativement faciles à éviter, d'autres sont plus graves, et généralement plus rares aussi. Plusieurs sont difficiles à mesurer, parce que leur impact est très large: le déroulement de l'accouchement, l'utilisation de plusieurs autres interventions, l'estime de soi, le degré de satisfaction des parents, les conséquences à long terme sur le lien avec le bébé. C'est pourquoi il faut toujours examiner la question des risques dans le contexte même où le choix se pose, et les peser en rapport aux risques reliés au fait de *ne pas* subir l'intervention proposée: est-ce que choisir de «se faire provoquer» parce qu'on a hâte d'accoucher vaut les risques qui y sont rattachés? Est-ce que déclencher l'accouchement parce que des indicateurs de la santé du bébé montrent qu'il va moins bien justifie les risques qui y sont reliés? Votre médecin ou votre sage-femme doit être prêt à discuter de ces risques avec vous, en toute honnêteté, et

dans des mots que vous comprenez (je ne sous-estime pas votre intelligence, mais le jargon médical est exactement cela: un jargon, incompréhensible à l'extérieur du milieu médical!).

Pour justifier les interventions, le personnel médical évoque parfois des dangers, même très lointains et sans les définir de façon bien précise. Ce n'est ni par méchanceté ni à la suite d'une conspiration malintentionnée, mais surtout parce que, pour eux, ces interventions sont banales et quotidiennes. On a l'habitude de faire les choses ainsi, et ce serait plus simple de procéder! Mais les arguments de danger peuvent créer de l'inquiétude et de la confusion chez les parents. Quelle mère ou quel père refuserait de sauver leur bébé menacé? Si on a un point vulnérable quand on accouche, c'est bien celui-là! En même temps, plusieurs parents se demandent s'ils peuvent faire confiance à l'interprétation de la situation telle qu'on la leur présente: les choses sont-elles aussi graves que le personnel le prétend? Le fait d'exagérer la gravité de la situation pour obtenir un consentement agit parfois dans le sens inverse pour certains parents. Ils perdent toute confiance dans le personnel médical, une situation qui ne peut mener qu'à une impasse dans la communication, regrettable pour tout le monde.

Vous trouverez en encadré une courte liste des signes clairs de danger qui peuvent se présenter lors d'un accouchement normal au départ (je ne discute pas ici des conditions médicales pathologiques diagnostiquées précédemment: retard de croissance intra-utérin, prééclampsie, etc.). Ils sont rares, heureusement. En leur absence, vous vous sentirez peut-être plus à l'aise de discuter de l'utilité d'une éventuelle intervention,

## Les signes de danger pendant le travail

Si l'un de ces signes se manifeste pendant que vous êtes à la maison, avertissez votre sage-femme ou la salle d'accouchement de l'hôpital et allez-y sans tarder. Si vous y êtes déjà, avertissez quelqu'un sans délai.

- Des saignements rouges, clairs et abondants, plus abondants qu'un premier jour de menstruations, par exemple. Sinon, il pourrait ne s'agir que des petits saignements provenant du col et être causés par la dilatation;
- Une douleur au ventre extrême et soudaine (pas une contraction);
- La présence du cordon ombilical dans le vagin ou à l'extérieur du vagin;
- Un liquide amniotique vert ou brunâtre et épais, causé par la présence importante de méconium. Si le liquide n'a qu'une légère teinte jaunâtre ou verdâtre, la signification est moins claire, mais avisez tout de même la sage-femme ou le médecin;
- Le rythme cardiaque du bébé baisse ou augmente beaucoup, longtemps, ou encore il ne montre aucun signe de variation. Normalement, ce n'est pas vous bien sûr, mais le personnel qui surveille le tracé du cœur fœtal. Vous pourriez cependant être seuls dans la chambre au moment où le tracé montre des signes inquiétants. C'est un signe difficile à évaluer, et qui doit être interprété en conjonction avec d'autres données qui seraient trop complexes à détailler ici. La personne qui interprétera les résultats pourra en discuter avec vous;
- Le travail commence avant 37 semaines de grossesse (plus vous en êtes loin, plus le risque est grand).
- Vous sentez des signes d'infection (frissons, fièvre, abattement, etc.) qui ne sont pas reliés à des symptômes évidents de rhume ou de grippe. Il pourrait s'agir d'une infection du liquide amniotique.

sachant que vous n'êtes pas, à ce moment-là, dans une situation d'urgence. N'oubliez pas que certains de ces signes annoncent la possibilité plus grande d'une complication et non pas la complication elle-même. Avisez le médecin ou l'infirmière et attendez de comprendre ce qui en est avant de vous en inquiéter sérieusement. En l'absence de ces signes, faites-vous expliquer précisément les effets potentiels de l'intervention qu'on vous propose et les conséquences possibles de ne pas y recourir.

Lors d'une véritable urgence, on doit pouvoir faire confiance aux professionnels qu'on a choisis. Il n'y a cependant aucune raison pour qu'ils ne prennent pas le temps d'expliquer ce qui se passe, au moins brièvement, pour vous rassurer même s'il faut agir vite. Beaucoup de pères ont vécu dans la détresse totale et souvent muette, la panique du personnel, l'expulsion inexpliquée de la salle d'accouchement et l'attente solitaire, en se demandant s'ils reverraient leur femme et leur bébé vivants. L'anxiété que l'on peut ressentir quand on subit des interventions sans les comprendre, que l'on est confrontés à des appareils rébarbatifs, à des conversations indéchiffrables peut atteindre des niveaux inconcevables. Cette anxiété est inutile et même nocive pour quiconque, et encore plus pour une femme en travail! Si le cours des choses fait qu'on doit avoir recours à une intervention, il vaut mieux la comprendre et accepter de travailler avec elle, plutôt que la subir à son corps défendant. Mieux vaut, bien sûr, avoir la possibilité de la choisir en toute connaissance de cause.

# Description des interventions médicales

Ce guide des interventions les plus courantes vise à vous donner une meilleure vue d'ensemble et à vous informer suffisamment pour que vous puissiez poser les bonnes questions, comprendre les réponses qui vous sont données et faire les choix qui vous conviennent. Les interventions les plus communes sont décrites avec leurs indications, leurs risques ainsi que leurs alternatives possibles. Cette liste est basée sur les recherches les plus récentes et sur l'expérience de plusieurs sages-femmes. Elle n'est pas exhaustive, puisqu'il existe des situations pathologiques complexes demandant des interventions particulières qu'il est impossible de discuter ici.

## L'admission à l'hôpital

L'admission à l'hôpital est une procédure administrative et non une intervention médicale, mais l'impression qu'elle laisse aux femmes, souvent extrêmement vulnérables à leur arrivée, justifie qu'on en parle. En allant à l'hôpital, vous allez à la rencontre d'un personnel que vous ne connaissez pas. Cette première impression reste gravée dans le souvenir de bien des femmes, et c'est tout à fait compréhensible. Cela fait des mois, peut-être des années que vous attendez ce moment-là. Il est chargé de tous vos espoirs, de vos craintes aussi. Un accueil anonyme et froid peut facilement vous désemparer. L'infirmière la mieux intentionnée doit mettre à profit tout son doigté et sa sensibilité pour créer un accueil chaleureux, réconfortant, attentif à vos préoccupations, alors qu'elle ne vous connaît pas. C'est si important que tous les efforts doivent être faits pour s'en approcher le plus possible. Déjà, le changement de lieu, d'éclairage, de niveau sonore, de style d'interactions et la rencontre avec des personnes nouvelles peuvent ébranler momentanément la concentration et la confiance en elles de bien des femmes. À cela s'ajoute, pour certaines, un malaise inexplicable, une crainte qui les assaille dès qu'elles entrent dans un hôpital pour quelque raison que ce soit. Aucun autre endroit n'exige que nous nous départissions de nos droits habituels autant que l'hôpital. L'obligation de se rendre à la salle d'accouchement en chaise roulante (moins courante aujourd'hui, Dieu merci!) ou de revêtir le vêtement anonyme fourni ou de ne plus sortir du département d'obstétrique sont autant de messages subtils confirmant que désormais, on devra se conformer aux règlements. Le ton est donné!

Ne laissez pas les procédures de votre arrivée à l'hôpital vous faire oublier que vous n'êtes pas malade et que vous restez la mieux placée pour savoir ce qui vous convient. Votre conjoint pourrait rester avec vous le temps qu'il faut pour que vous vous sentiez à l'aise et en sécurité, avant d'aller remplir les formalités de l'admission. Les questions de routine pour établir un dossier sont peut-être inévitables. On peut cependant demander qu'elles respectent autant que possible le rythme de vos contractions. Permettez-vous de porter votre robe de nuit ou tout autre vêtement confortable et de marcher à l'extérieur de la chambre, si vous en avez envie. La flexibilité dans les règlements commence toujours par la pression des clients!

**Avant toute intervention, faites-vous expliquer clairement:**

- en quoi elle consiste;
- comment on procède;
- pour quelle raison on choisit de la faire;
- si elle est essentielle, utile ou de routine;
- ses effets possibles sur vous, votre bébé et le déroulement du travail;
- quelles seraient les conséquences de la retarder;
- quelles pourraient être les alternatives.

Prenez le temps d'y penser quelques instants, d'en discuter avec votre conjoint et peut-être même avec votre infirmière ou votre sage-femme, avant de prendre une décision. C'est d'autant plus important dans les moments de fatigue, de découragement, de vulnérabilité.

## Le rasage

Heureusement abandonné presque partout maintenant, le rasage est un bel exemple de certitude médicale dont on a démontré qu'elle était sans fondement scientifique[5]. «Dans mon temps», on rasait complètement le pubis en pensant désinfecter la région et éliminer les risques d'infection. Or, les recherches ont plutôt démontré que le rasage *augmentait* les risques d'infection à cause de l'irritation et des petites coupures qu'il infligeait à la peau, créant ainsi une porte d'entrée aux bactéries. Pour les femmes, l'effet sur l'image de soi était catastrophique et la repousse particulièrement pénible. Longtemps inséparable de l'accouchement à l'hôpital, cette pratique est maintenant tombée en désuétude presque partout. Seuls quelques hôpitaux ou médecins exigent encore le «mini-rasage», qui élimine les poils au bas des lèvres et près du périnée. Son utilité est tout aussi douteuse!

### ALTERNATIVES

Dites non!

## Le lavement

Cette procédure était anciennement obligatoire en entrant à l'hôpital pour accoucher. Comme la précédente, j'ai même pensé ne pas la mentionner, mais certains endroits la proposent encore! Il peut être particulièrement humiliant et inconfortable entre deux contractions! On administre environ 250 millilitres de liquide, par l'anus, dans le but de vider les intestins pour essayer d'éviter les «accidents» à la naissance. Dans les faits, le lavement ne vide que la dernière partie de l'intestin. Si l'accouchement devait avoir lieu plusieurs heures plus tard, de nouvelles matières fécales pourraient quand même se trouver dans cette dernière portion de l'intestin. Une petite quantité de selles apparaît occasionnellement lors d'un accouchement, poussées indirectement par la tête du bébé à travers la paroi du vagin, et ce, *qu'un lavement ait été administré ou non*. Il n'y a aucune manière de contrôler ou de retenir cela. Pour le personnel, c'est banal et courant et il a les gants et le matériel pour en disposer, mais ce ne l'est pas autant pour la femme qui accouche: c'est un acte extrêmement intime, qu'on n'a pas l'habitude de partager avec qui que ce soit. Certaines femmes s'en sentent humiliées et toute remarque ou grimace indélicate à ce moment-là peut être extrêmement blessante.

### ALTERNATIVES

Dites non! À moins d'être constipée et que ce soit une source d'inconfort, si vous pensez qu'il pourrait vous être utile.

## L'asepsie

On nomme ainsi l'ensemble des méthodes utilisées pour prévenir la propagation des infections par contact. Les gens qui touchent une femme en travail doivent s'assurer de ne pas la contaminer, en particulier avec les bactéries qui proviennent du milieu où ils travaillent. Ils doivent aussi se protéger des infections qu'eux pourraient contracter par contact avec des liquides organiques comme le sang. Cela oblige donc le personnel à porter des gants, par exemple, et à être très conscients des possibilités de contamination. Pour les interventions où l'on doit s'introduire dans l'organisme, comme les points de suture au périnée, par exemple, le personnel utilisera des techniques stériles encore plus sévères. Cependant, cela ne justifie pas que l'on vous empêche de vous toucher pendant l'accouchement ou de toucher la tête de votre bébé encore dans votre vagin. Vos bactéries normales et celles de votre conjoint ne vous sont ni étrangères ni dangereuses. Elles vivent avec vous sans vous rendre malades et votre bébé y est déjà habitué! Pour la même raison, le port obligatoire de survêtements (casques, masques, etc.) pour le père n'a pas sa place dans la chambre de naissance, contrairement à la salle d'opération.

## L'interdiction de boire et de manger

Cette règle est extrêmement répandue, quoique à des degrés divers. J'en ai déjà parlé dans la section sur le travail actif. Certains hôpitaux permettent de croquer des glaçons, mais pas de boire de l'eau! D'autres commencent à permettre les liquides, mais aucun solide. Cette règle tente de prévenir une complication réelle, grave et heureusement rare: l'aspiration d'une partie du contenu de l'estomac par les poumons pendant une éventuelle anesthésie générale. Comme l'usage de ce type d'anesthésie a été remplacé dans la très grande majorité des cas par la péridurale, le risque en question a diminué d'autant pour devenir rarissime. Même si cette complication demeure préoccupante, le problème est surtout que les recherches montrent clairement que le jeûne forcé est impuissant à la prévenir! Aucun intervalle de temps entre le dernier repas et l'anesthésie ne garantit que l'estomac sera vide. D'autre part, les solutions intraveineuses glucosées ou salines, en excès, peuvent affecter négativement le métabolisme de la mère et de son bébé. Beaucoup de femmes n'ont pas envie de manger pendant le travail, mais d'autres ont faim et soif, et ce jeûne forcé, en plus d'être désagréable, peut conduire à des états inquiétants de déshydratation et d'hypoglycémie. Pourquoi ne pas simplement laisser la mère boire et manger suivant son désir[6]?

## La surveillance du cœur du bébé

L'objectif poursuivi par la surveillance du bien-être du bébé est évidemment de dépister les signes de problème pour intervenir à temps et éviter des conséquences graves sur sa santé ou sa vie. La principale façon de le faire pendant le travail est de surveiller les variations de ses battements cardiaques. Cela semble tout simple, mais ça ne l'est pas du tout! Recueillir de l'information sur les battements du cœur du bébé est une chose, l'interpréter en est une autre. L'avènement du moniteur fœtal, capable d'enregistrer en permanence le cœur fœtal, augmente la quantité d'information dont on dispose pour juger de son état. Son interprétation est très complexe, et il existe de grandes différences d'opinion au sujet de la conduite à tenir devant un tracé donné, même parmi les experts. Ce n'est pas que le cœur fœtal donne une information négligeable, mais plutôt qu'elle doit être comprise dans son contexte, en s'aidant au besoin des autres données disponibles.

Pourquoi un tracé «inquiétant» ne veut-il pas automatiquement dire que le bébé ne va pas bien? C'est qu'un bébé réagit, en ajustant sa fréquence cardiaque, tout au long de sa petite vie intra-utérine, mais surtout pendant son voyage vers la naissance. Il réagit au stress, dans le sens très physique du mot (mais aussi au stress de sa mère, par exemple). Il réagit à la compression créée par les contractions, ce qui diminue momentanément, et tout à fait normalement, la circulation sanguine vers son placenta. Pour un bébé à terme et en bonne santé, ce surcroît de stimulations n'a rien de négatif, au contraire: il déclenche la production des hormones qui le préparent à sa nouvelle vie, démontrant son immense capacité d'adaptation. Mais le bébé peut parfois «s'adapter» au point, par exemple, où il diminue la fréquence de ses battements cardiaques à des niveaux qui donnent le frisson! C'est pourquoi aussi il n'est pas rare de voir naître, après une césarienne d'urgence pour détresse fœtale présumée, un bébé vigoureux, en pleine forme, qui ne comprend probablement pas ce qui lui arrive! Il est pratiquement impossible alors, à moins d'une cause bien visible, de déterminer si la césarienne était inutile ou si elle a été faite juste avant qu'un problème ne s'aggrave et l'affecte sérieusement. On pourrait faire des césariennes chaque fois que le cœur montre quelque vari-

ation inhabituelle: c'est ce qui a été fait, au Québec et ailleurs dans les années 80, au début de l'utilisation du moniteur fœtal de routine. Cela donna comme résultat une augmentation importante des risques associés pour la mère, sans aucune amélioration de la santé des bébés!

On en est donc, aujourd'hui, à essayer de perfectionner l'interprétation des tracés de moniteur, à y joindre des informations complémentaires, à développer d'autres manières de connaître l'état de santé du bébé. Par exemple, l'évaluation de la présence de méconium dans le liquide amniotique (par observation, tout simplement) ajoute une information utile, ainsi que l'évolution du travail, la présentation du bébé, etc. En présence d'un tracé inquiétant, la Société des gynécologues-obstétriciens du Canada recommande d'y ajouter l'analyse de quelques gouttes de sang prélevées sur le cuir chevelu du bébé et de répéter cet examen à toutes les 30 minutes, au besoin. Entre-temps, on doit continuer à utiliser au mieux les moyens dont on dispose, même si, à l'occasion, on interprète comme des signes de détresse ce qui ne constitue que des variations inhabituelles mais bénignes chez des bébés en bonne santé.

Voyons en pratique comment ça se passe. La surveillance du cœur du bébé se fait de façon intermittente, à l'aide d'un fœtoscope manuel ou électronique, ou de façon continue avec un moniteur fœtal externe ou interne, tous deux électroniques.

## Le fœtoscope manuel

C'est un stéthoscope spécialement conçu pour écouter le cœur du bébé, qui s'applique sur le ventre de la mère et n'utilise aucun mécanisme d'amplification du son.

C'est l'instrument dont les sages-femmes se servent le plus souvent dans la deuxième moitié de la grossesse. En Europe, le fœtoscope le plus fréquemment employé est un cornet tout simple, de métal ou de bois.

## Le fœtoscope électronique manuel

C'est probablement l'instrument que votre médecin ou votre sage-femme a utilisé pendant le suivi prénatal, à tout le moins au début, quand le cœur du bébé est encore trop petit pour être audible grâce au fœtoscope manuel. C'est un appareil à ultrasons qui tient dans le creux de la main et qu'on dépose sur le ventre de la mère après y avoir appliqué un peu de gelée conductrice. Le son peut être retransmis dans toute la pièce ou seulement dans les oreilles de l'examinateur, par des écouteurs. Pendant le travail, il a l'avantage de bien rendre le son du cœur, quelle que soit la position de la mère, ce qui n'est pas le cas du fœtoscope manuel.

## Le moniteur électronique externe

C'est un appareil à peine plus gros qu'un magnétoscope, habituellement déposé sur une petite table à roulettes ou accroché au mur. Il est muni de boutons, de cadrans, de voyants lumineux et parfois d'un écran qui donne une représentation graphique du cœur du bébé, ainsi que d'une fente par laquelle sort régulièrement la bande de papier quadrillé sur laquelle s'inscrivent deux lignes continues. La première représente la fréquence des battements de cœur du bébé et la deuxième dessine une représentation approximative des contractions. Ces mesures sont obtenues grâce à deux capteurs déposés sur le ventre de la mère et maintenus en place par deux ceintures. L'un des capteurs réagit au changement de pression dans le ventre lors d'une contraction, ce qui dessine une vague apparaissant toutes les X minutes. Cette courbe donne une bonne idée de la fréquence et de la durée des contractions, mais *pas de leur intensité*, parce que l'amplitude est influencée par l'endroit où est placé le capteur, par les mouvements de la mère, les éclats de rire ou, simplement, la tension mise sur la ceinture. L'autre capteur utilise des ultrasons et enregistre les battements de cœur du bébé. Lorsque des chiffres bizarres apparaissent sur le cadran de l'appareil, c'est probablement qu'il a capté au passage d'autres bruits internes. Habituellement, un petit clignotant lumineux confirme si c'est bel et bien le cœur qui est enregistré, sinon il faut replacer le capteur. Le personnel médical recueille les bandes de papier, en interprète les courbes et les garde dans votre dossier.

## Le moniteur électronique interne

Plutôt que de procéder avec un capteur sur le ventre, on utilise une électrode qui se présente sous la forme d'une petite spirale fine de métal, qu'on insère dans le cuir chevelu du bébé, lors d'un examen vaginal. Elle est reliée à un fil branché au moniteur qui reçoit les signaux électriques et les retransmet sous forme de graphique. Contrairement au

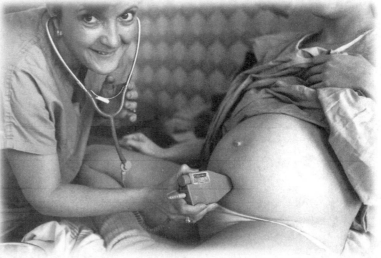

Photo: Pierre Crépô

capteur externe, la lecture est indépendante des mouvements de la mère ou des contractions.

### INDICATIONS

• Pour surveiller le cœur du bébé pendant le travail. Dans la réalité, toutes les variantes se côtoient et pourraient se retrouver dans un même accouchement: une écoute continue ou intermittente, de routine ou seulement pour les accouchements qui présentent des risques plus élevés.

• Pour faire un tracé de quinze à trente minutes lors de l'arrivée à l'hôpital. Plusieurs hôpitaux ont adopté cette pratique dont on pense qu'elle permet de découvrir quels bébés seraient déjà en difficulté et auraient besoin de plus de surveillance. Les mères des bébés qui vont bien pourraient avoir par la suite un monitoring intermittent, moins dérangeant.

• Pour suivre en continu les bébés dont l'état soulève des inquiétudes sérieuses, comme en présence de méconium épais. Il est toujours employé lors de l'administration d'ocytocine synthétique (*voir Le déclenchement artificiel du travail, page 295*) ou d'autres médicaments ainsi que pendant la péridurale, à cause de leurs effets possibles sur le bébé. On a particulièrement besoin, à ce moment-là, de juger de la variabilité du cœur du bébé en corrélation avec le début et la fin des contractions, ce qui est impossible avec l'auscultation intermittente.

Le monitoring continu n'est *pas* indiqué pour les femmes qui vivent un accouchement normal: l'écoute intermittente suffit. De courts épisodes peuvent être une alternative acceptable au monitoring continu.

### RISQUES

• L'usage du monitoring continu pour les femmes qui ont un accouchement normal varie beaucoup d'un hôpital à l'autre. Dans certains établissements, il est obligatoire; ailleurs on a adopté le tracé de 20 à 30 minutes dès l'arrivée et on choisit le mode de monitoring selon le niveau de risques; ailleurs encore, on emploie l'écoute intermittente du cœur, comme à la maison et en Maison de naissance. Inventé au départ pour surveiller les accouchements à haut risque, l'utilisation du moniteur fœtal s'est rapidement généralisé. «Si c'est bon pour les grosses à très haut risque, cela devrait être bon pour toutes les femmes», a-t-on pensé. Ce raisonnement est aussi faux que si on prétendait que les médicaments pour les malades cardiaques feraient du bien à tout le monde! Dans une situation où l'on s'inquiète du bébé, le besoin de connaître son état de façon constante a certainement préséance sur d'autres considérations. Les niveaux de risques ne s'équivalent pas tous: un niveau modéré pour-

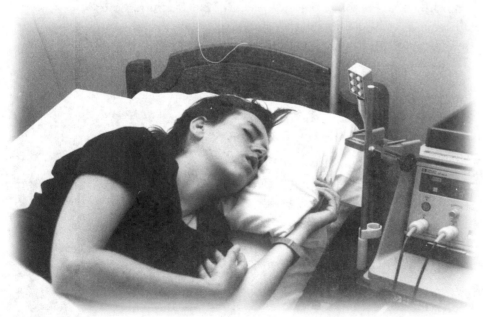

rait, par exemple, permettre à la femme d'être débranchée par intervalles, pour pouvoir jouir d'une plus grande mobilité. Chaque situation doit être évaluée individuellement et avec votre participation.

- Le monitoring continu diminue la mobilité et peut conséquemment augmenter l'inconfort causé par les contractions et la longueur même du travail. Au moins dix recherches impliquant 17 000 femmes ont été rapportées, comparant le moniteur de routine et l'auscultation intermittente. Le recours à des césariennes et aux forceps ou ventouses était plus élevé dans le groupe qui avait subi un monitoring continu. La mortalité des bébés était égale dans les deux groupes, ainsi que le besoin d'avoir recours à la pouponnière de soins intensifs[8].

- L'accroissement du nombre de césariennes augmente proportionnellement le nombre d'infections postpartum de la mère.

- Le moniteur interne exige la rupture des membranes, avec les risques associés, et augmente le risque d'une infection de la mère ou du cuir chevelu du bébé. Cependant, il permet à la mère de se déplacer à sa guise, contrairement au moniteur externe. Si le cours du travail exige beaucoup de mobilité de la part de la mère, entre autres pour aider son bébé à tourner, cet avantage pourrait l'emporter sur les inconvénients.

- Le moniteur électronique crée parfois un sentiment trompeur de sécurité qui pourrait causé un relâchement de la fréquence à laquelle il faut vérifier les résultats du monitoring: l'appareil enregistre bien les résultats, mais il ne peut pas les interpréter ni donner l'alerte quand aucun intervenant n'est présent dans la pièce! En revanche, il peut créer de l'anxiété pour les parents qui se retrouvent seuls, témoins de courbes et de chiffres qui peuvent leur paraître très inquiétants, sans personne qui puisse les rassurer ou intervenir.

Dans un autre ordre d'idée, mais non sans importance, le moniteur crée souvent une déviation de l'intérêt du personnel et du conjoint vers l'appareil plutôt que vers la femme. Le moniteur fœtal a souvent le même effet qu'une télévision en marche dans une pièce: les yeux se tournent vers l'appareil et il y a moins d'interactions entre les personnes. Pour une mère qui a besoin de soutien, ce peut être catastrophique! Plusieurs hommes choisissent même de détourner l'appareil pour se consacrer entièrement à leur femme. L'auscultation intermittente est l'occasion d'une interaction et d'un toucher entre la femme qui accouche et l'infirmière. Ces contacts sont nettement diminués par l'utilisation de l'électronique, et quelques recherches ont reconnu l'impact de ce changement sur la quantité et la qualité des soins que les femmes reçoivent[7].

## ALTERNATIVES

L'utilisation sélective pour les femmes ayant une grossesse à risques est recommandée, mais il n'y a *aucune* justification à son utilisation généralisée et continue pour les femmes dont l'accouchement est normal. D'ailleurs, la Société des gynécologues-obstétriciens du Canada recommande d'abandonner son usage routinier pour les accouchements normaux[9]. Les recherches démontrent que l'auscultation intermittente minutieuse remplit adéquatement son mandat de surveillance du bébé lors d'accouchements normaux. Quand l'accouchement nécessite une surveillance plus serrée, le monitoring continu (à mi-temps, si c'est possible) peut pallier à certains désavantages, en particulier celui de la perte de mobilité. Si le monitoring doit absolument être continu, faites contre mauvaise fortune bon cœur. Réjouissez-vous de vivre à une époque qui dispose d'outils pour juger de la santé de votre bébé et pour l'aider, le cas échéant. Contournez les problèmes de mobilité que les différents fils vous posent et concentrez-vous sur votre travail: vous seule pouvez le faire.

Il existe de grands écarts dans les interprétations de relevés de monitoring fœtal, parce qu'elles sont extrêmement complexes, relativement subjectives, et ne représentent qu'une mesure imparfaite du bien-être du bébé. Le praticien consciencieux reste celui qui ne néglige aucune observation et qui emploie simultanément plusieurs sources de données pour se faire une idée juste de la situation. C'est la seule manière d'éviter des décisions intempestives qui pourraient mener à des interventions inutiles.

## La rupture artificielle des membranes

La plupart du temps, les membranes amniotiques se rompent spontanément, le plus souvent vers la fin de la dilatation. Le bébé peut même exceptionnellement naître dans ses membranes intactes, qu'on s'empresse alors d'ouvrir pour qu'il puisse respirer. Ce phénomène a longtemps été considéré comme un signe de chance, et c'est de là que viendrait l'expression «naître coiffé». Lors d'un examen vaginal, on sent bien la «poche des eaux» dans le col, devant la tête du bébé, formant parfois une sorte de petit ballon. Pour rompre les membranes, on doit le plus souvent attendre le début d'une contraction, pour que la pression gonfle bien ce petit ballon. Une contrepression du doigt peut réussir à les rompre, sinon on utilise un minuscule crochet placé au bout d'un long manche en plastique: on glisse la tige le long des doigts et on «égratigne» les membranes juste assez pour qu'elles se déchirent et que le liquide commence à couler. Les membranes ne comportant aucune terminaison nerveuse, la rupture est donc sans douleur. On sent tout de suite le liquide chaud qui s'écoule plus ou moins abondamment.

### INDICATIONS

• Pour installer un moniteur interne, si des indications sérieuses montrent qu'il faut une surveillance étroite du cœur fœtal et qu'on ne peut l'obtenir autrement.

• Pour vérifier la présence de méconium dans le liquide amniotique, si des décélérations du cœur fœtal suggèrent la possibilité d'une détresse fœtale. Le méconium est la première selle du bébé, faite surtout de mucus et de débris cellulaires. Elle est stérile et sans odeur, verte, presque noire et très collante. Ordinairement, le bébé relâche le contenu de ses intestins après la naissance, mais il arrive qu'il le fasse quand il est encore à l'intérieur. Cela peut être purement accidentel, mais peut aussi être le signe d'une détresse passée ou présente, chronique ou soudaine, surtout si le liquide est épais et très foncé. Une surveillance accrue est alors indiquée.

• Pour déclencher le travail (*voir Le déclenchement artificiel du travail, page 295*).

• Pour activer la progression du travail (*voir La stimulation artificielle du travail, page 300*).

RISQUES

- On considère généralement que tant que les membranes restent intactes, elles continuent de protéger le bébé en agissant comme une sorte de tampon, absorbant une partie de la pression suscitée par chaque contraction. Après la rupture, on se préoccupe de l'augmentation des risques de détresse fœtale en raison d'une plus grande compression possible du cordon, vu la diminution du volume de liquide amniotique. Même s'il n'a pas été clairement démontré, ce risque existe probablement, même s'il est assez rare.

- Pour que la rupture soit sécuritaire, il faut que la partie du bébé qui se présente soit bien engagée dans le bassin. On risquerait autrement de provoquer une procidence du cordon, une complication sérieuse où le cordon descend dans le vagin, entraîné par le liquide, où il peut rester coincé entre le bassin et la tête du bébé pendant qu'elle s'engage, le privant ainsi d'oxygène. La naissance par césarienne deviendrait alors la seule solution.

Voici un autre exemple d'intervention dont les effets sont à soupeser selon la raison pour laquelle on y a recours. Dans le cas, par exemple, où il importe de procéder à un déclenchement du travail, la rupture des membranes jointe à l'emploi d'ocytocine, l'hormone synthétique employée pour déclencher des contractions, est plus efficace que l'ocytocine seule. C'est-à-dire que ces deux interventions ensemble, rupture des membranes et ocytocine, ont de meilleures chances de mener à bien l'accouchement, sans complications ni interventions lourdes. Cet avantage l'emporte donc sur les inconvénients possibles.

De la même façon, si le rythme du cœur fœtal est inquiétant et que le capteur du moniteur externe n'en assure pas une lecture fiable, l'installation d'un moniteur interne a priorité sur les considérations par rapport à la rupture des membranes. En fait, si le motif invoqué est une possible détresse du bébé ou le déclenchement du travail pour des raisons médicales valables, l'indication a préséance sur les effets négatifs possibles.

## L'usage routinier

Dans la pratique obstétricale, on considère souvent comme une routine inoffensive le fait de rompre les membranes, souvent dès le premier examen à l'arrivée à l'hôpital. La rupture a la réputation d'accélérer la progression du travail. Son impact varie selon les femmes et le moment du travail où elle a lieu. C'est là où l'on peut se questionner sur sa véritable utilité. Plusieurs conséquences indésirables ont été attribuées à la rupture artificielle des membranes. Cependant, les recherches récentes démontrent qu'elle n'entraîne pas d'augmentation de détresse fœtale, d'utilisation de forceps et de ventouse, de césarienne ou de recours à des médicaments contre la douleur. Elle diminue même la nécessité d'avoir recours plus tard à de l'ocytocine, l'hormone synthétique utilisée pour stimuler les contractions. Elle raccourcirait la longueur du travail (statistiquement, toujours!) de une à deux heures.

Malgré ces conclusions, mon expérience me dicte la prudence. D'abord, n'oublions pas que les recherches mentionnées plus haut parlent toujours de femmes en travail à l'hôpital, dans des conditions où le déroulement physiologique n'est peut-être pas (disons... probablement pas?) encouragé. Dans ma pratique, la rupture des membranes ne s'avère que rarement utile avant la fin de l'accouchement, avec quelques exceptions. Je mise plutôt sur d'autres manières de faciliter le bon déroulement du travail, comme aider la femme à se sentir en sécurité, libre d'aller et venir et de bouger comme bon lui semble pour accommoder les sensations intérieures de la descente de son bébé. Je m'inquiète aussi que la rupture puisse être faite trop tôt, alors que la femme n'est pas encore véritablement en travail, à cause de la confusion possible entre la phase de latence et le travail actif, surtout avec une femme dont c'est le premier bébé. Les praticiens expérimentés reconnaissent tous que ce n'est souvent qu'*a posteriori* qu'on peut déterminer le moment où le travail actif a vraiment commencé. Les conséquences de rompre les membranes chez une femme en phase de latence, ou lors d'une «fausse alerte», ne sont pas les mêmes qu'au début de son travail actif, quand toutes les hormones sont bien en place. La rupture pourrait introduire un facteur irréversible qui obligera plus tard à intervenir pour hâter la naissance. Une autre observation que m'a enseignée l'expérience: quand on soupçonne le bébé d'être en postérieur, le fait que les membranes soient intactes augmente ses chances de tourner par lui-même pendant le travail.

On s'inquiète, avec raison, de l'augmentation possible du risque d'infection intra-utérine pouvant se propager chez le nouveau-né, puisque son milieu protégé est maintenant ouvert vers l'extérieur. Ce risque est directement proportionnel au temps écoulé entre la rupture et la naissance. À titre de prévention, on administre dans la plupart des hôpitaux un antibiotique par voie intraveineuse après

douze à dix-huit heures de rupture, qu'elle soit spontanée ou artificielle. À cause de ce risque d'infection, plusieurs médecins ne veulent pas dépasser un certain délai pour la naissance du bébé. À cette fin, d'autres interventions pourraient être utilisées, comme la stimulation du travail avec des ocytocines ou même la césarienne. Pour cette raison, en l'absence de toute indication particulière, il est essentiel de s'assurer que le travail actif soit clairement installé avant la rupture des membranes, au risque d'enclencher inutilement une suite d'interventions non souhaitables.

### ALTERNATIVES

Laissez vos membranes intactes si c'est possible! Si le but recherché est de stimuler davantage le col et d'accélérer la dilatation, vous pourriez plutôt vous accroupir pendant les contractions ou faire un bout de travail assise sur la toilette, ou encore travailler à refaire votre «bulle» avec la personne qui vous accompagne (*voir le chapitre 10*). Si ça ne donne pas l'effet recherché, il sera toujours temps de rompre vos membranes un peu plus tard. Cela pourrait, au bout du compte, être le petit coup de pouce qui manquait pour franchir le reste du travail. Vers la fin de la dilatation, leur rupture porte peu à conséquence.

## L'intraveineuse

C'est le nom général qu'on donne à toute solution, médicamentée ou non, administrée par voie intraveineuse. On insère, le plus souvent dans l'avant-bras, un fin tube de plastique relié à un sac contenant une solution de glucose ou d'électrolytes à laquelle on peut éventuellement ajouter un médicament. Le liquide s'écoule goutte à goutte directement dans la veine et le tube reste généralement en place jusqu'après la naissance.

## INDICATIONS

- Pour administrer la plupart des médicaments utilisés pendant le travail, en particulier le Syntocinon ou Pitocin (noms commerciaux de l'ocytocine synthétique), et en contrôler plus efficacement le dosage.
- Pour pallier à la déshydratation et à l'épuisement de la mère causés par le manque de nourriture, grâce à l'introduction directe de liquide et de glucose dans la circulation sanguine, surtout si le travail est très long.
- Pour traiter une hémorragie en remplaçant le volume de sang perdu. L'intraveineuse est parfois installée à l'avance, quand certaines indications laissent prévoir une augmentation de ce risque (s'il y a eu hémorragie importante à un accouchement précédent, lors d'un travail très long ou quand l'utérus est particulièrement distendu par une grossesse de jumeaux, par exemple).
- Pour contrer un effet secondaire possible lors d'une péridurale, comme la chute de pression.

## RISQUES

- Encore une fois, il faut bien distinguer indications précises et usage routinier. L'intraveineuse a longtemps fait partie des contraintes obligatoires, même dans un accouchement normal, la logique étant qu'une hémorragie pouvait toujours survenir par surprise. À cela s'ajoutait, bien sûr, l'interdiction de boire ou de manger. La perte de mobilité et la sensation d'être «malade» que produit l'installation d'une intraveineuse sont parmi les désavantages les plus courants et les plus nocifs. Comme on l'a déjà vu, la mobilité durant le travail et

une image positive et active de sa propre participation sont indispensables pour la femme, ce qui est beaucoup plus difficile à obtenir avec une intraveineuse.

- Une dose cumulative importante d'eau, de glucose ou de sels électrolytiques peut causer des débalancements métaboliques indésirables chez la mère et chez le bébé.
- L'accumulation de fluide crée une accumulation équivalente d'urine, qu'on doit parfois éliminer par un cathétérisme vésical (l'introduction d'une sonde dans la vessie) qui n'est pas sans risque non plus, en tout cas certainement pas sans inconfort.
- L'infiltration accidentelle de liquide dans l'avant-bras peut aussi être source d'inconfort.
- Une fois l'intraveineuse en place, il est beaucoup plus facile d'y introduire des médicaments, et ce, occasionnellement à l'insu de la femme et de son conjoint. Tout médicament doit cependant être noté ostensiblement sur le sac contenant la solution de base. Jetez-y un coup d'œil si vous n'êtes pas sûre.

## ALTERNATIVES

Plusieurs hôpitaux ont carrément abandonné son usage routinier. Si ce n'est pas le cas là où vous accouchez, essayez au moins d'en retarder l'installation le plus longtemps possible. On peut maintenant utiliser un petit tube inséré dans la veine et muni d'un capuchon de caoutchouc, maintenu en place par du ruban adhésif. Cela donne la «sécurité» d'avoir une veine ouverte, sans les inconvénients de réduire la mobilité et d'administrer des liquides en surdose. Cela peut être une alternative tout à fait acceptable chez celles dont le risque de faire une hémorragie est augmenté.

Buvez et mangez aussi longtemps que possible pour éviter la déshydratation pendant le travail. Une femme en santé a ce qu'il lui faut de fluides pour se protéger d'un éventuel état de choc et, le cas échéant, le personnel a généralement le temps d'intervenir adéquatement.

Si vous devez passer quelques heures de travail avec une intraveineuse, demandez à votre entourage de vous aider à rester aussi mobile que possible. C'est sans nul doute plus encombrant, mais ce n'est pas du tout impossible!

## Les antibiotiques

Plusieurs femmes reçoivent des antibiotiques par voie intraveineuse pendant le travail. Il s'agit habituellement de doses répétées à toutes les quatre à six heures d'un antibiotique reconnu pour être bien toléré par le bébé.

### INDICATIONS

• Pour réduire les risques d'infection après la rupture des membranes dépassé un certain délai, généralement de douze à dix-huit heures. Ce délai pourrait être plus court en présence de situations particulières: bébé prématuré ou qu'on présume plus fragile, présence d'infection chez la mère, etc.

• Pour prévenir l'infection néonatale à Streptocoque B. À l'heure actuelle, deux modalités de prévention sont recommandées: dépister la présence du Streptocoque B pendant la grossesse et traiter les femmes en travail qui sont porteuses et traiter pendant le travail les femmes qui présentent des facteurs de risque, sans savoir si elles sont porteuses ou non. Ces facteurs sont: accouchement prématuré, fièvre, infection urinaire à Streptocoque B pendant la grossesse, membranes rompues depuis plus de douze à dix-huit heures ou avoir déjà eu un bébé atteint d'une infection à Streptocoque B. Les protocoles de dépistage et de traitement varient selon les établissements et les pratiques, et sont régulièrement mis à jour conformément aux derniers résultats de recherches. Discutez-en avec votre médecin ou votre sage-femme.

• Pour traiter tout signe indiquant une possibilité d'infection: fièvre, tachycardie du bébé (accélération soutenue de son rythme cardiaque).

### RISQUES

• Les indications nommées plus haut visent à prévenir un risque d'infection. Ce risque est réel et, à l'occasion, touche de vrais bébés et de vraies mères. Dans le cas du Streptocoque B, la question des antibiotiques pendant le travail aura été discutée et décidée pendant la grossesse. Si elle se pose pendant votre travail, elle concerne probablement un risque «potentiel» dont il vous faut juger de la gravité et de la probabilité, en sachant que même si le risque n'est que de 1%, ce bébé-là sera atteint à 100%. Si la prise d'antibiotiques après une longue rupture des membranes permet à l'équipe obstétricale d'attendre patiemment le début du travail et son déroulement spontané jusqu'à la naissance, vous trouverez peut-être que cela vaut la peine. Il n'y a pas de réponse toute faite ni de «bonne» réponse. Discutez-en avec votre médecin ou votre sage-femme.

## Le déclenchement artificiel du travail (induction)

Voici l'une des façons les plus courantes et les plus radicales d'intervenir sur le déroulement de la grossesse: en décidant de l'interrompre avant que le travail ne se soit déclenché par lui-même. Les raisons pour provoquer la naissance vont de la plus triviale jusqu'à... sauver la vie du bébé. Les recherches sur l'induction (autre nom donné au déclenchement du travail) se sont penchées beaucoup plus sur l'efficacité des méthodes que sur les indications acceptables. Pourtant, elle comporte des risques potentiels pour la mère comme pour le bébé. La Société des gynécologues-obstétriciens du Canada rapporte par exemple que, pour une femme dont c'est le premier bébé, l'induction double le risque de césarienne si on la compare aux accouchements spontanés[10]. La question qu'il faut se poser en premier lieu est donc: est-il vraiment nécessaire de déclencher le travail? Si la réponse est positive, le choix de la méthode a son importance dans le bon déroulement de l'accouchement. Si elle est négative, le mieux est certainement de l'éviter!

### Avant l'induction

Le meilleur moyen de prédire le succès d'une induction est d'observer l'état du col: plus il est mûr, c'est-à-dire mou, souple, effacé et même légèrement dilaté, meilleures sont les chances que l'accouchement se termine bien, dans un délai raisonnable et sans autre intervention. Le degré d'engagement de la tête du bébé a aussi son importance: plus elle est engagée, mieux c'est! Une tentative d'induction quand le col n'est pas prêt peut donner comme résultat un taux élevé d'échecs, d'accouchements prolongés et épuisants, de césariennes, de complications comme des infections chez la mère ou des effets secondaires causés par les médicaments employés. Avant même de procéder à l'induction proprement dite, il est donc impératif d'évaluer l'état de votre col et d'aider sa maturation si besoin est. Rappelez-vous comment ça fonctionne quand le travail démarre tout seul: non seulement les hormones nécessaires sont-elles rassemblées, mais elles le sont dans une proportion spécifique (qu'on connaît encore mal, d'ailleurs). L'ocytocine, qui provoque des contractions, ne fonctionne bien que sur un col qui est prêt à les prendre, donc suffisamment imbibé de relaxine et de prostaglandines, entre autres. Je simplifie volontairement en suggérant que les hormones sont effectivement *dans* le col, mais le principe demeure le même, et mieux vaut essayer de copier ce que la nature avait prévu si, pour une raison ou l'autre, on doit la devancer ou y suppléer.

### La maturation artificielle du col

Il existe plusieurs manières d'évaluer la maturité du col, mais le plus souvent, on utilise un système appelé «l'indice de Bishop». Il tient compte de la consistance du col, de son effacement, de sa dilatation, de sa position (plus vers l'avant, prêt à ouvrir, ou encore orienté vers la partie postérieure du vagin) et de la descente du bébé dans le bassin. Le score obtenu selon ce système d'évaluation va de 0 à 12, et on considère qu'un score plus grand ou égal à 6 est favorable. S'il est nettement plus bas, faire mûrir le col avant de procéder à l'induction accroît de beaucoup les chances qu'elle se passe bien. Les moyens employés sont de deux ordres: mécanique ou hormonal.

### • Les méthodes mécaniques de maturation

On utilise une sonde (un tube de caoutchouc souple) munie à son extrémité d'un petit ballonnet gonflable. On insère la sonde dans le col et on emplit le ballonnet d'eau, à l'aide d'une seringue, jusqu'à former une petite sphère d'environ trois centimètres de diamètre. Elle est laissée en place, jusqu'à ce que la pression qu'elle exerce sur le col, de l'intérieur, le fasse graduellement dilater jusqu'à trois centimètres. Après quoi, plus rien ne la retenant, elle tombera d'elle-même. L'un de ses avantages est que la sonde peut être dégonflée et retirée à n'importe quel moment, si elle causait problème, ce qui n'est pas le cas avec un médicament une fois qu'il est administré. Même quand le ballonnet réussit à dilater le col, les recherches ne sont pas suffisantes à ce jour pour confirmer qu'il a un effet bénéfique sur les chances de succès de l'induction. Dans certains endroits, on utilise aux mêmes fins des tiges laminaires, d'origine naturelle (ce sont des algues), qui gonflent à l'humidité et dilatent le col. Dans les années qui viennent, on peut imaginer que de nouvelles méthodes mécaniques de mûrir le col se développeront.

L'insertion de la sonde peut être douloureuse, surtout quand le col est très fermé. La présence du ballonnet, pendant des heures, peut aussi être douloureuse, comme une sensation sourde de pression continue. Évidemment, les contractions spontanées pour passer de zéro à trois centimètres auraient probablement été douloureuses aussi. À l'occasion, certains médecins laissent la femme retourner chez elle, avec la consigne de revenir le lendemain, pour l'induction proprement dite... ou avant, si les contractions commençaient d'elles-mêmes. Si on vous propose ce moyen de faire mûrir le col, faites-vous bien expliquer comment on procédera et à quoi vous attendre dans les heures qui suivent. Trop souvent, les femmes sont mal renseignées sur le procédé lui-même, sur son action et les sensations qu'il peut engendrer. L'effet de l'anxiété n'est pas négligeable et les prédispose mal au travail qui devrait débuter dans les heures suivantes. Le plus important est de bien comprendre pourquoi et comment on utilisera ce moyen, et d'accepter, aussi curieux que ça paraisse, que ce petit bout de caoutchouc puisse vous aider à accoucher.

### • Les méthodes hormonales de maturation

On emploie une préparation de prostaglandine, sous forme de gel, appliquée sur le col ou dans le vagin. La prostaglandine agit en changeant la consistance et l'élasticité du col plutôt qu'en provoquant des contractions comme tel, quoiqu'elle en occasionne parfois quand même. Son utilisation n'est pas sans risques ni désagréments pour la mère. Elle peut entre autres provoquer une hyperstimulation de l'utérus et des symptômes d'irritation du système digestif (nausées, vomissements, diarrhée). Il a été démontré que la prostaglandine augmente les chances que le travail commence par lui-même dans les heures suivant son application et diminue les risques de césarienne, forceps ou ventouse. Les recherches rapportent que les mères préfèrent la prostaglandine à l'ocytocine, cette dernière étant considérée moins agréable et plus intrusive. Comme vous voyez, rien n'est simple! Ici encore, le sérieux de la raison pour laquelle l'induction est requise pèse dans la balance.

## Alternatives

Plusieurs moyens alternatifs existent pour favoriser le début du travail: la stimulation des seins, l'acupuncture, l'homéopathie, les herbes médicinales, etc. Leur action s'échelonne habituellement sur plusieurs jours. On doit donc les débuter un peu avant la date fatidique, quand la décision de déclencher est prévisible, pour leur donner le temps d'agir (*voir Favoriser le déclenchement du travail, page 163*).

### • Les méthodes mécaniques de déclenchement du travail

Le début des contractions peut être déclenché par des moyens mécaniques, comme le décollement ou la rupture des membranes, ou par l'administration d'hormones synthétiques.

Le décollement des membranes (ou «stripping» du col) est une manœuvre très commune. Lors d'un examen vaginal, le médecin ou la sage-femme glisse son doigt à l'intérieur du col, entre la membrane et la paroi de l'utérus, pour les décoller l'une de l'autre. Cela peut être douloureux et occasionner quelques saignements légers et bénins. Près de la date prévue de l'accouchement, certains médecins le font de routine, parfois sans avertir leur cliente, une pratique que je ne peux évidemment pas recommander, toute intervention exigeant nécessairement l'accord et la participation de la mère. Cette manœuvre est rarement utilisée seule comme moyen de déclenchement, et peu de recherches ont étudié son efficacité et les risques potentiels qu'elle peut comporter (comme rompre accidentellement les membranes, par exemple). L'expérience démontre qu'elle a occasionnellement un impact sur le moment du début du travail, et que moins de femmes dépassent leur terme au point d'avoir besoin d'une induction comme telle.

La rupture des membranes peut à elle seule déclencher le travail, surtout si le col est très favorable, mais ses chances de succès sont alors modestes. De plus, elle introduit une variable inconnue qui n'est pas sans importance: le délai entre la rupture et le début du travail, et donc la naissance, qui augmente les risques d'infection pour la mère et le bébé. Pour cette raison, l'administration d'ocytocine synthétique accompagne presque toujours la rupture des membranes. On la commence parfois en même temps, parfois à quelques heures d'intervalle. Cette combinaison est celle qui donne les meilleurs taux de succès, si on les compare avec la rupture ou les ocytocines seules.

### • Les méthodes hormonales de déclenchement du travail

L'administration d'ocytocine synthétique, par voie intraveineuse, tente de reproduire le travail spontané en augmentant artificiellement la quantité d'hormones en circulation dans le sang. Il faut surveiller ce travail de très près, car la mère et le bébé pourraient réagir défavorablement à un excès d'hormones. On procède d'abord à une période de monitoring fœtal pour s'assurer du bien-être du bébé avant de le soumettre au stress de l'induction médicamenteuse. On installe ensuite une intraveineuse dans laquelle on dilue l'ocytocine synthétique, aussi appelée Pitocin ou Syntocinon. La solution passe par une petite pompe électronique qui en calcule l'arrivée dans les veines à la microgoutte près. On commence avec une dose très faible, qu'on augmente graduellement, par intervalles, jusqu'à l'obtention de contractions régulières, aux trois à quatre minutes, de bonne intensité (cette dernière donnée étant difficile à mesurer de l'extérieur!). L'avantage de la pompe électronique est certainement de pouvoir doser avec précision et de réduire ou arrêter la perfusion si des effets secondaires nocifs se déclarent. L'ocytocine est habituellement administrée tout au long du travail, jusqu'après la naissance. Le monitoring électronique doit être continu ou très fréquent.

## INDICATIONS

• Pour hâter la naissance quand les membranes se sont rompues spontanément et que le travail ne commence pas à l'intérieur d'un certain délai.

• Pour interrompre la grossesse quand des conditions pathologiques particulières menacent la santé de la mère ou du bébé (toxémie de grossesse, retard de croissance et détresse fœtale, par exemple).

• Pour déclencher l'accouchement lorsque la grossesse a dépassé son terme de façon significative (*voir Trop tard?, page 162*).

• Il existe aussi de mauvaises raisons de déclencher le travail. Par exemple, pour des raisons de convenance: votre médecin est justement de garde lundi, ou pour faire concorder l'accouchement avec les dates de congé. Le fait de présumer, à la suite d'une échographie, par exemple, que le bébé serait déjà «trop gros» ne constitue *pas* une indication pour provoquer le travail: on n'a pas pu démontrer qu'on réduisait ainsi les risques parfois associés à la naissance des gros bébés[13].

## RISQUES

• L'usage d'ocytocine est relié à une augmentation du taux de détresse fœtale. C'est que l'effet secondaire le plus fréquent de l'ocytocine est de produire de l'hypertonie, c'est-à-dire que l'utérus n'arrive plus à bien se relâcher entre les contractions. Comme les vaisseaux sanguins qui se rendent jusqu'au placenta sont intimement «tricotés» avec les fibres de l'utérus, cette contraction continue ralentit de façon significative l'apport de sang et d'oxygène au bébé. D'où l'importance de surveiller de façon quasi constante comment il y réagit. Quand le bébé tolère bien les contractions et que la dose d'ocytocine est stable, le médecin permet parfois de relâcher un peu la surveillance et de n'exiger le moniteur que la moitié du temps, par exemple. La prudence est toutefois de mise: n'oublions pas que le bébé est placé dans une situation artificielle qui présente des risques pour lui.

• Le travail provoqué peut être plus douloureux et plus violent pour la mère. La comparaison est subjective et malaisée à faire, puisqu'une femme ne revivra jamais ce travail-là d'une autre manière. Dans l'expérience de plusieurs sages-femmes, les femmes ont plus de difficulté à intégrer ces contractions qui leur parviennent de l'extérieur. C'est très différent que de travailler avec ce qui vient de l'intérieur. D'où une utilisation accrue de médicaments, en particulier de la péridurale, pour soulager la douleur. C'est un exemple de la chaîne de médicalisation, où une intervention amène l'utilisation de plusieurs autres. Cependant, quand toutes les conditions favorables sont réunies, l'accouchement se passe parfois très bien, sans intervention supplémentaire autre qu'une surveillance additionnelle.

- L'utilisation d'ocytocine pendant le travail est associée à une augmentation de la jaunisse chez le nouveau-né, parce qu'après la naissance, son foie encore immature devra éliminer de son système ce qui reste du médicament.

- La césarienne devient parfois la seule alternative quand l'induction ne fonctionne pas, et, qu'après des heures de contractions sans progression, la mère et le bébé se retrouvent épuisés.

## L'usage approprié de l'induction

Cette intervention majeure est certainement justifiée quand des raisons sérieuses exigent de terminer la grossesse. Elle s'avère beaucoup plus lourde à porter si la raison première de l'induction est discutable. La première chose à faire si on vous propose d'induire votre travail est de vous faire expliquer longuement pourquoi. C'est de votre corps et de votre bébé qu'il s'agit et vous avez droit à toutes les explications et au temps nécessaire pour prendre une décision. Discutez-en avec votre conjoint et, au besoin, consultez les personnes-ressources de votre choix, avant de vous décider.

Le déclenchement pour des raisons de convenance, que ce soit celles de la femme ou celles du médecin, est difficilement acceptable si on pèse les effets pathologiques potentiels de l'induction par rapport au bénéfice recherché.

Dans le cas d'un «retard», la conduite à tenir fait l'objet de controverse en obstétrique, et aussi d'une certaine confusion. Entre autres, dans les recherches faites à ce sujet, le terme «post-terme» ne veut pas dire la même chose partout: certains le définissent comme 41 semaines complétées, d'autres, comme 42 semaines ou encore dix jours de retard. L'interprétation des résultats se ressent de ce manque de précision. D'autre part, il existe des risques à la postmaturité: le taux de mortalité périnatale est augmenté, ainsi que l'asphyxie du nouveau-né, un manque d'oxygène pendant l'accouchement entraînant des séquelles plus ou moins graves. L'augmentation des risques est plus complexe à analyser qu'elle n'en a l'air. En effet, dans certains cas par exemple, c'est un problème préexistant chez le bébé qui cause le retard, et donc une naissance précoce ne changerait rien au résultat. Si le déclenchement du travail a pour effet certain de raccourcir la durée de la grossesse, les recherches ne démontrent pas encore clairement que la santé des bébés qui naissent à la suite d'une induction en est améliorée.

À la lumière des recherches actuelles, il apparaît qu'on devrait *offrir* à la mère de déclencher le travail une fois que la grossesse atteint 41 semaines révolues[11]. Si elle choisit de poursuivre la grossesse, l'alternative est de se soumettre, après 41 semaines, à des tests qui permettent d'évaluer le bien-être du bébé, comme le test de réactivité fœtale et le profil biophysique (*voir page 129*). Autrement dit, en l'absence de signes de détresse de la part du bébé, il pourrait être raisonnable d'attendre. Bien que ces tests semblent efficaces à dépister les grossesses dans lesquelles quelque chose ne va pas, aucune recherche actuelle ne réussit à démontrer qu'ils réussissent à éliminer *tous* les risques reliés à la postmaturité.

Pour ce qui est de la conduite à tenir quand les membranes se sont rompues spontanément, après 37 semaines de grossesse, les résultats des recherches comparatives ne démontrent pas clairement l'avantage de l'induction précoce plutôt qu'une attente vigilante (sauf en présence de signes d'infection ou d'autres pathologies de la mère ou du bébé)[12]. Les deux options devraient être discutées avec la mère.

## La stimulation artificielle du travail

Il s'agit de l'utilisation d'ocytocine lors d'un travail déjà commencé. Le mode d'administration est le même que ce qui est décrit dans l'induction.

### INDICATIONS

• Pour donner des contractions plus fortes ou plus fréquentes, quand le rythme du travail n'a pas la cadence souhaitée. À l'occasion, le travail a commencé ainsi: avec des contractions relativement efficaces, mais très espacées, ce qui a pour effet d'en rallonger la durée et éventuellement de fatiguer la mère. Parfois, après avoir débuté à une cadence normale, les contractions s'espacent et s'affaiblissent, devenant donc inefficaces, ce qui ne les empêche pas d'être douloureuses quand même. Les heures passent, la mère s'épuise, se décourage et le travail progresse peu ou pas.

• Pour faire progresser un travail qui n'avance plus, même en présence de contractions qui semblent de bonne intensité et fréquence. L'efficacité des contractions et le niveau de douleur qu'elles suscitent pour la mère ne sont pas toujours exactement proportionnels. Certaines femmes se désespèrent d'entendre que leurs contractions douloureuses ne sont pas de «bonnes» contractions! Elles angoissent à l'idée qu'il leur en faut des

plus fortes, donc plus douloureuses, pensent-elles! Des contractions plus efficaces pourraient fort bien créer un surcroît de sensation assez modeste, tout en faisant progresser le travail de façon vraiment significative. C'est plus douloureux peut-être, mais cela a de bien meilleures chances de compléter l'accouchement.

### RISQUES

Ce sont les mêmes que dans la section précédente. Là encore, l'indication est de toute première importance. Il est clairement démontré, en obstétrique, qu'on ne doit pas poser un diagnostic d'arrêt de progrès avant que la femme ne soit dans la phase active, soit le col complètement effacé et à trois ou quatre centimètres si c'est son premier bébé, et partiellement effacé et à quatre ou cinq centimètres pour les bébés suivants[14]. Si elle est encore dans la phase de latence, l'emploi d'ocytocine n'est pas recommandé. On devrait plutôt procurer à la mère repos, hydratation et soulagement de la douleur par divers moyens, pharmaceutiques ou non (bain chaud, massage, analgésie ou autre).

## L'usage approprié de la stimulation du travail

Si le travail est lent, mais progresse tout de même, et que la mère et le bébé se portent bien, il n'est pas nécessaire de stimuler artificiellement le travail pour reproduire une courbe de progression standard. Même chose si la mère traverse une de ces périodes de plateau dont j'ai parlé dans le travail actif. Dans d'autres occasions cependant, le ralentissement aboutit à une véritable stagnation qui peut conduire à l'épuisement de la mère et du bébé et mener à utiliser des interventions encore plus lourdes. On est ici en présence de situations où l'appréciation de ce qui se joue émotionnellement pour la mère et de la dynamique même du travail amène à des décisions qui relèvent du jugement clinique, bien plus souvent que de règles strictes, clairement définies. C'est tant mieux, le travail de chaque femme et la situation qu'elle vit étant, par définition, éminemment individuels. Mais cela ouvre aussi à toute la subjectivité, la vision et l'expérience du professionnel avec l'aide duquel vous accoucherez.

Au Québec, jusqu'à 80% des femmes reçoivent de l'ocytocine à un moment ou l'autre de leur accouchement, un chiffre qui fait hausser les sourcils! Est-ce possible que tant de femmes n'aient pas les hormones nécessaires pour assurer elles-mêmes le bon déroulement de leur accouchement? Tout ralentissement dans la cadence espérée de la dilatation ou de la descente du bébé pendant la poussée peut être vu comme un problème. Or, il s'agit parfois du temps dont la mère a besoin pour intégrer l'intensité de tout ce qu'elle vit physiquement et émotionnellement dans un accouchement. Les chapitres précédents sont pleins d'idées pour faire redémarrer ou progresser le travail. D'ailleurs, les recommandations de la Société des gynécologues-obstétriciens du Canada, en cas d'arrêt de progrès, sont d'abord d'améliorer le soutien continu à la mère, d'encourager les positions verticales et la mobilité, de rompre les membranes et éventuellement de suggérer la péridurale *avant* de considérer l'ocytocine. Elle devrait donc être la dernière des solutions envisagées, même si elle peut, à l'occasion, s'avérer un facteur positif. Rien ne se tranche au couteau! L'expérience du médecin ou de la sage-femme, son respect du processus naturel, son évaluation réaliste et nuancée de la situation, doivent les guider dans leurs décisions, en collaboration avec les parents.

Si on vous propose de stimuler les contractions et que vous ne vous y sentez pas prête, il ne devrait pas être difficile de demander de retarder cette intervention, le temps d'essayer ce qui vous semble approprié (*voir le chapitre 10*). Il sera toujours temps de l'accepter un peu plus tard, si vous n'avez pas déjà accouché!

## L'épisiotomie

Il s'agit d'une incision du périnée pour élargir le vagin à la naissance. Elle peut être médiane (la plus courante), c'est-à-dire dirigée vers l'anus, ou médio-latérale, vers la cuisse. Elle se fait avec un ciseau, juste avant la sortie de la tête du bébé, la plupart du temps après une injection locale d'anesthésie. Son importance, comme celle d'une déchirure, est décrite en degrés: elle va d'un premier degré, où seules la peau et les muqueuses sont touchées, jusqu'au deuxième ou troisième degré, où les muscles du périnée sont coupés. Il n'est pas rare que la coupure se prolonge pour atteindre et même déchirer le sphincter de l'anus.

Jusqu'à tout récemment, c'était l'intervention chirurgicale la plus pratiquée en Amérique du Nord, et aussi la plus contestée par les femmes. Depuis le début du siècle, on lui a prêté (c'est vraiment le mot) plusieurs pouvoirs, comme prévenir d'éventuelles descentes d'organes (utérus et vessie), préserver l'intégrité des muscles du périnée et du sphincter anal, protéger la vie sexuelle future du couple, ou encore, guérir mieux qu'une déchirure. Mais la recherche consacrée à vérifier ces allégations, spécialement dans les vingt dernières années, n'a *jamais* pu les démontrer. Au contraire, les problèmes sont plus nombreux et plus importants dans les groupes où il y a eu épisiotomie de routine que dans ceux où l'on a réservé son usage à ses vraies indications. Depuis quelques années, l'absence de base scientifique justifiant l'épisiotomie de routine et les recommandations à l'effet d'abandonner cette pratique sont maintenant largement connues des médecins. Conséquemment, le pourcentage d'épisiotomies a significativement diminué: pour l'année 1998-1999, il se situait à 33,6%, avec des variations régionales allant de 25 à 50% (alors qu'il était du double il y a seulement une décennie)[15]. Réserver l'épisiotomie à ses seules indications médicales devrait en faire baisser l'utilisation autour de 10%. Les sages-femmes, quant à elles, connaissent depuis longtemps ces données et leur approche les incite plutôt à respecter la capacité du corps des femmes à s'adapter à la naissance. Leur taux d'épisiotomies se situe généralement autour de 5 ou 6%.

On pourrait craindre que la diminution du taux d'épisiotomies ait pour effet d'augmenter le nombre de déchirures simples ou sérieuses. Au contraire, la comparaison entre les différents types de pratiques partout dans le monde prouve clairement que, là où l'épisiotomie est largement répandue, le taux global de traumatismes au périnée est plus élevé que là où son usage est limité. Beaucoup trop de femmes se retrouvent donc avec une blessure et des points de suture alors qu'elles n'auraient pas déchiré si on s'était abstenu de couper et qu'on les avait guidées avec un peu de patience.

Il n'y a aucune raison de ne pas tout faire en notre pouvoir pour favoriser la naissance des bébés en laissant le périnée intact ou avec une déchirure minime «organique» qui guérira mieux et plus vite que sa contrepartie chirurgicale, l'épisiotomie.

## INDICATIONS

- Pour hâter la naissance, quand il y a des signes de détresse du bébé, montrant qu'il pourrait mal tolérer le délai nécessaire à l'étirement du périnée.
- Pour hâter la naissance quand il y a un arrêt de progrès dans l'étirement du périnée *et* détresse de la mère. Dans l'expérience des sages-femmes, cette situation ne se rencontre que rarement. Aussi longtemps que la mère et le bébé vont bien, l'attente est raisonnable. Le reste est affaire de patience.

Les usages suivants sont considérés comme raisonnables et dépendent du jugement du professionnel qui assiste l'accouchement:

- Pour faciliter les accouchements avec forceps ou ventouse, étant donné qu'ils excluent le temps nécessaire à l'étirement naturel du périnée et que, dans le cas des forceps, ils exigent plus d'espace.
- Pour faciliter la naissance de la tête dans un accouchement par le siège, un délai trop long après la naissance du corps pouvant causer des problèmes importants. Dans l'un ou l'autre cas, vous pourriez discuter avec votre médecin de la possibilité de ne pas la faire d'emblée, surtout s'il ne s'agit pas de votre premier bébé. Les recherches n'ont *pas* démontré son utilité lors de la naissance de bébés prématurés.

RISQUES

- Cela semble une lapalissade, mais l'épisiotomie diminue nettement les chances d'avoir un périnée intact à la naissance!
- Elle augmente significativement le risque de déchirures compliquées du troisième ou quatrième degré parce qu'elle a tendance à se prolonger jusqu'au sphincter anal et peut le déchirer aussi.
- Elle comporte tous les risques reliés à une chirurgie: infection, formation d'un abcès, etc. L'infection la rend encore plus douloureuse et demande une antibiothérapie en plus de compromettre la cicatrisation.
- Elle augmente significativement la perte de sang à l'accouchement (en moyenne de 300 millilitres) et prédispose à la formation d'un hématome.
- L'inconfort, la douleur et parfois même les complications de l'épisiotomie affectent les premiers jours de contact entre la mère et son bébé et ils peuvent aussi déranger le début de l'allaitement puisque la mère est moins à l'aise pour bouger et s'asseoir.
- Elle est plus difficile et plus douloureuse à guérir qu'une déchirure spontanée. Dans certains cas, l'épisiotomie et sa cicatrice affectent les relations sexuelles sur des périodes pouvant aller jusqu'à plusieurs mois.

ALTERNATIVES

La patience et la confiance. Les périnées sont faits pour s'étirer et laisser naître les bébés. Beaucoup de sages-femmes, et maintenant plusieurs médecins, encouragent une poussée graduelle, plus douce au moment de la sortie de la tête du bébé (quand c'est possible!), des positions favorables et des compresses tièdes qui favorisent une meilleure détente des tissus. Même si on comprend facilement la logique derrière ces gestes, aucune recherche n'est encore venue confirmer qu'ils ont un effet sur le nombre et l'importance des déchirures. Et il existe probablement autant de façons d'accompagner ce moment que de sages-femmes et de médecins.

Les médecins qui veulent diminuer le recours à l'épisiotomie reculent parfois devant un périnée qui semble «vouloir déchirer». Plusieurs femmes acceptent une épisiotomie quand on leur fait valoir qu'elle évitera une déchirure. Même en sachant que sa guérison est plus facile et moins douloureuse, on craint cette rupture anarchique dans cet endroit si intime et si sensible. Comme l'écrit si bien Gisèle Steffen, sage-femme: «Comme toute chose incontrôlée, la déchirure fait peur[16].» Si vous avez eu la chance de voir des photos ou des vidéos d'accouchement, vous avez pu voir combien le périnée s'étire de façon absolument incroyable et comment il a *toujours* l'air d'être tout près de déchirer, sans que ce ne soit nécessairement le cas. Vous pourriez peut-être faire confiance au vôtre? Les femmes qui «prennent le risque» de déchirer prennent aussi celui de ne pas déchirer. Toutes celles qui ont eu ce bonheur témoignent du plaisir de s'asseoir et de marcher sans souci et sans douleur dès le lendemain. Un bonheur que je vous souhaite!

**Le massage du périnée**

Un mot sur le massage du périnée, c'est-à-dire l'étirement manuel des muscles du vagin qu'on peut faire dans les dernières semaines de grossesse. Il nous vient de la pratique des sages-femmes des années 70 et 80.

Par un curieux retour des choses, certains médecins, dans une tentative louable de diminuer leur taux d'épisiotomie, le recommandent maintenant à leurs clientes. Après l'avoir elles-mêmes adopté avec enthousiasme, plusieurs sages-femmes l'ont maintenant abandonné. D'abord, son efficacité n'est pas vraiment claire: selon une recherche, elle semblerait diminuer le nombre de déchirures, mais modestement, et seulement chez les femmes accouchant de leur premier bébé[17]. Mais aussi, en voulant tout faire «pour que ça aille bien», trop de femmes ont intégré l'idée que leur périnée était inadéquat, à moins qu'on ne l'étire vigoureusement tous les soirs pendant des semaines. Ce stress-là, le malaise de plusieurs conjoints pas toujours enthousiastes, ainsi que l'aspect clinique du massage, me semblent aller à l'encontre de la détente et de l'ouverture qui président aux naissances sans déchirure.

Le massage du périnée et les exercices de contraction des muscles du périnée (ou Kegel), encore plus importants, pourraient être pour vous une belle occasion d'apprivoiser cette partie de votre corps. Mais, de grâce, ne vous soumettez pas à une autre «technique»! Les périnées sont faits pour s'ouvrir et laisser naître les bébés. À nous de bien les traiter. Tout geste, fait dans l'intimité ou à deux, qui vise à apprivoiser cette partie de votre corps, à jouer avec son élasticité (alors qu'on a toujours valorisé son étroitesse), à respirer avec elle, est bienvenu et probablement bénéfique. Il peut vous aider à apprivoiser la sensation d'étirement et à y répondre avec vos propres moyens de détente, comme la respiration. A-t-on songé à calculer l'effet des caresses amoureuses sur le taux d'épisiotomie?

## Les forceps et la ventouse

Les forceps ressemblent à deux grosses cuillères à salade en métal. Chaque cuillère épouse à la fois la courbe du bassin et celle de la tête du bébé. Les branches se posent l'une après l'autre dans le vagin et s'appliquent autour des tempes du bébé. On les utilise pour compléter la rotation de la tête, pour tirer le bébé vers l'extérieur ou encore pour aider à sortir la tête d'un bébé arrivé par le siège. La vessie de la mère doit être préalablement vidée pour lui éviter un traumatisme: on introduit donc une sonde dans l'urètre. On installe une intraveineuse, si ce n'est déjà fait, parce que l'utilisation des forceps augmente le risque d'hémorragie.

La ventouse ressemble à un petit verre de plastique flexible relié par un tube à un mécanisme capable de créer une succion par le vide (d'où son nom *vacuum* en anglais). On l'introduit dans le vagin et on l'applique sur la tête du bébé. Quand la succion est bien établie, ce qui peut prendre quelques minutes, le médecin exerce une traction pendant les poussées de la mère pour aider à l'expulsion. L'usage de la ventouse est de plus en plus répandu au Québec et tend à remplacer les forceps. Les forceps ne s'emploient que lorsque la dilatation est complète et que la tête du bébé est assez basse dans le bassin, alors que la ventouse est un peu plus flexible quant à ces prérequis. Ils nécessitent presque toujours une anesthésie locale, à moins que la mère ne soit déjà sous péridurale.

Au Québec, en 1998-1999, 16,3% des accouchements étaient assistés avec l'un ou l'autre moyen[18].

## INDICATIONS

Les indications sont approximativement les mêmes pour les forceps et la ventouse. Cependant, certaines particularités de la situation comme la dilatation du col, la station du bébé et l'expérience du médecin contribueront au fait qu'il choisisse l'un ou l'autre.

- Pour compléter la naissance rapidement en présence d'une détresse fœtale. Si le bébé n'est pas encore assez descendu dans le bassin, on optera plutôt pour la césarienne.
- Pour compléter la naissance quand il y a arrêt de progrès dans la poussée. Il n'y a pas longtemps, on considérait deux heures comme une limite à ne pas dépasser, pour un premier bébé. On recommande maintenant de ne pas utiliser de limite de temps fixe, en autant qu'il y ait un progrès, même lent. La décision d'intervenir devrait être basée sur l'état de la mère et du bébé et l'absence de tout progrès.
- Pour assister la rotation de la tête du bébé quand sa position l'empêche de progresser. Dans certains cas, une fois la rotation effectuée et la tête dans une position favorable, la mère peut continuer à pousser et mettre son bébé au monde par elle-même.

## RISQUES

### Pour la mère

- L'un ou l'autre peut causer des blessures locales à la mère, mais la ventouse en cause nettement moins que les forceps.
- Le risque d'hémorragie est augmenté.
- Le risque de déchirure importante est aussi augmenté.
- Les raisons pour lesquelles on utilise forceps ou ventouse, la détresse fœtale ou l'absence de progrès, sont des causes importantes d'anxiété pour les parents. Aussi, ils sont presque toujours utilisés dans un climat d'appréhension et d'inquiétude. Une bonne communication avec le personnel présent, des explications concises et claires diminueront cette anxiété. Malgré tout, l'intensité des sensations créées pour la mère, souvent après des heures de travail éprouvant, font que l'accouchement instrumental est souvent vécu comme traumatique et violent, même quand les parents constatent qu'il était impératif d'y avoir recours.

### Pour le bébé

- Les forceps peuvent occasionner des lacérations, des hématomes et, rarement, des séquelles à long terme pour le bébé.
- La succion créée par la ventouse sur la tête occasionne la formation d'une bosse séro-sanguine qui a l'apparence d'un petit chignon. C'est qu'il s'amasse, sous le cuir chevelu, une masse de sang et de sérum assez volumineuse. La bosse disparaît en quelque semaines, mais peut augmenter la jaunisse du nouveau-né, à cause de l'excès de globules rouges qui doivent être décomposés par son organisme.

Malgré cette nomenclature inquiétante, l'application minutieuse de l'un ou l'autre de ces instruments par un médecin expérimenté ne cause habituellement pas de dommages excessifs. Toutefois, puisque le risque demeure, ils ne devraient être utilisés que pour des indications médicales bien précises.

Bien que personne ne souhaite vivre un accouchement avec des forceps ou une ventouse, il arrive que la situation exige de les utiliser. L'interprétation de la situation par le médecin, les politiques de l'hôpital et plusieurs autres facteurs expliquent en partie les grandes disparités régionales et nationales dans l'utilisation des forceps et de la ventouse[19]. La définition d'une poussée «prolongée», par exemple, varie énormément d'un hôpital et d'un médecin à un autre. Dans ce cas précis, d'autres mesures correctives devraient être apportées avant le recours à des instruments: changements de position, ocytocine pour stimuler les contractions, etc. Plusieurs femmes ont donné naissance avec des forceps alors que leur bébé allait bien et qu'elles auraient voulu qu'on leur permette de pousser encore. Alors que d'autres, épuisées par un long travail et une longue poussée, peuvent vraiment avoir besoin qu'on les aide à faire naître leur bébé. Discutez-en à l'avance avec votre médecin. Un pourcentage d'utilisation des forceps et ventouses de 16%, est jugé totalement inacceptable par l'Organisation mondiale de la Santé, par toutes les instances de gestion de la santé au Québec, y compris par le Collège des médecins du Québec[20]. Malheureusement, les femmes qui doivent subir ces interventions n'ont pas toujours l'information nécessaire pour comprendre que, dans leur cas, elles n'étaient pas essentielles.

### ALTERNATIVES

Si les forceps ou la ventouse sont utilisés pour accélérer la progression dans la poussée, toutes les suggestions du chapitre sur la poussée sont valables pour y arriver autrement.

Souvent, lorsque la fatigue est en jeu, les contractions deviennent moins fortes, abandonnant aux seuls efforts *volontaires* de la mère le travail de faire descendre le bébé. Quelques gouttes d'ocytocine peuvent redonner aux contractions une intensité qui augmentera significativement l'efficacité de ses poussées et l'aidera à faire naître son bébé par elle-même.

Une raison assez fréquente d'utilisation des forceps est d'assister la rotation de la tête du bébé lorsqu'elle se présente en postérieur. Quand tous les efforts pour l'aider à tourner spontanément ont échoué (*voir Le bébé en postérieur, page 221*), le médecin pourrait alors compléter la rotation de la tête avec les forceps ou la ventouse, puis achever de le sortir. Si la mère le souhaite, il peut aussi, après la rotation, retirer les forceps et la laisser mettre son bébé au monde elle-même, à son rythme. Quand c'est possible, voilà un émouvant exemple où la technologie peut aider une femme à accoucher sans le faire à sa place.

La péridurale augmente de façon significative la nécessité d'intervenir au stade de la poussée. Il semble qu'on améliore ces statistiques en laissant descendre le bébé jusqu'à ce qu'il soit visible à la vulve avant de faire pousser la mère, même si on doit pour cela attendre une ou deux heures après la dilatation complète (un délai dont profiteraient aussi celles qui ne sont pas sous péridurale!).

## Les analgésies et anesthésies

D'un point de vue strictement médical, le soulagement de la douleur comporte des risques et des effets sur la mère, le bébé et le travail, qui méritent qu'on les considère sérieusement. Mais si c'est bel et bien une intervention médicale, le soulagement de la douleur de l'accouchement est aussi, dans bien des cas, le choix, chargé de toutes sortes d'émotions, de la femme en travail. En discuter sans référer à tout ce qui se vit autour de la décision d'y avoir recours peut sembler froid et sans âme. Vous trouverez, dans les chapitres sur le travail et dans celui sur la douleur, une réflexion sur ses aspects autres que médicaux, qui sont tout probablement ceux avec lesquels vous aurez véritablement à composer pendant votre travail.

Le contrôle pharmacologique de la douleur de l'accouchement remonte au XIXᵉ siècle, quand la reine Victoria, désobéissant à l'injonction biblique d'enfanter dans la douleur, réclama du chloroforme à l'un de ses accouchements. Personne n'osa la contredire. Il était désormais permis d'obtenir un soulagement pendant le travail! Les médicaments employés ont changé et continueront de le faire parce qu'on essaie toujours de produire des médicaments avec le moins d'effets secondaires possibles sur la mère, son bébé, et le déroulement du travail, tout en garantissant le meilleur soulagement possible. À suivre!

Les différents médicaments et les différentes méthodes d'utilisation ont des indications qui se recoupent, et leurs effets secondaires sont parfois spécifiques, parfois communs à toutes ces méthodes. Cela ne simplifie pas la discussion! Commençons d'abord par les définir.

## Les analgésiques

On les appelle dans le langage courant des calmants. Ce sont des médicaments dont le but est de réduire la douleur ou d'induire artificiellement un niveau de relaxation qui la rend plus tolérable. On les reçoit le plus souvent en injection.

## L'anesthésie

Elle peut être locale, comme lorsqu'on doit faire quelques points de suture au périnée, régionale comme la péridurale, ou générale, utilisée presque exclusivement pour la césarienne.

L'anesthésie locale consiste à injecter, à l'endroit même qu'on veut insensibiliser, un peu d'anesthésiant. L'effet se fait sentir en quelques minutes à peine et dure, selon le cas, de 20 à 30 minutes. C'est le type d'anesthésie qu'on subit chez le dentiste, en injection dans la gencive, lors de certains traitements.

L'anesthésie régionale comprend entre autres le bloc honteux et la péridurale. Dans un bloc honteux, on injecte un anesthésiant de chaque côté du col, au fond du vagin, généralement au début de la phase de poussée. Tout le vagin se trouve ainsi insensibilisé.

La péridurale est l'injection, entre les vertèbres lombaires, d'un anesthésiant qui insensibilise complètement de la taille aux pieds. La douleur disparaît et, selon la profondeur de l'anesthésie, une partie plus ou moins importante des sensations de pression ainsi que la motricité (on ne peut plus bouger les jambes). On la donne le plus souvent avec une dose de départ, puis en continu. L'anesthésiant coule goutte à goutte à l'aide d'une pompe électronique comme celle utilisée pour administrer l'ocytocine. Elle peut aussi être donnée en une dose, dont l'effet dure de une à deux heures, et qui peut être répétée au besoin.

Dans tous les cas, la péridurale est effectuée par un anesthésiste qualifié. Plusieurs hôpitaux, en régions éloignées entre autres, ne peuvent cependant assurer la disponibilité d'un anesthésiste 24 heures par jour, sept jours par semaine. Quand la péridurale n'est pas accessible, les autres moyens mentionnés sont employés. Il existe d'autres types d'anesthésies régionales, où le lieu d'injection de l'anesthésiant le long de la colonne vertébrale et les effets escomptés diffèrent de la péridurale. Ils sont plus souvent utilisés pour la césarienne. Le choix de l'une ou l'autre relève généralement de facteurs techniques.

## INDICATIONS

### L'analgésie

- Pour permettre à la mère de se reposer et peut-être même de dormir avant d'entreprendre le travail actif, lorsque la phase de latence est spécialement longue. Un usage judicieux d'analgésiques peut aider, alors que la péridurale n'est pas indiquée, au contraire.
- Pour soulager partiellement la douleur ou la tension pendant le travail. L'état d'engourdissement qu'elle crée aide parfois à faire fondre un surcroît de tension, mais pour certaines femmes, l'analgésie les met plutôt dans la situation passive de subir les contractions au lieu de travailler avec elles lorsqu'elles surviennent.

### Le bloc honteux

- Pour anesthésier le vagin et le périnée lors d'un accouchement avec des forceps ou une ventouse, parce que la pression extraordinaire qu'ils exercent et le surcroît de sensation engendrée justifient son usage. On l'utilise aussi quand la suture du périnée demande une insensibilisation plus importante que ce que l'anesthésie locale peut créer.
- Pour un accouchement normal, il est parfois offert d'emblée, comme s'il allait de soi qu'aucune femme ne voudrait ressentir la brûlure de l'étirement si elle en avait le choix. L'ennui, c'est qu'il nous empêche aussi de sentir quoi que ce soit. On le propose parfois sous prétexte qu'il servira à insensibiliser le périnée pour faire la suture après, mais l'anesthésie locale pourra se faire sans problème après la naissance.

### La péridurale

- Pour soulager la douleur. Certaines femmes choisissent, pendant leur grossesse, d'avoir d'emblée une péridurale, dès leur arrivée à l'hôpital. D'autres la gardent en réserve «au cas où», préférant miser d'abord sur leur capacité à vivre leur accouchement sans anesthésie. D'autres enfin n'envisagent de l'utiliser que si un problème majeur devait survenir. La détermination de chacune à y arriver et à en prendre les moyens varie grandement. L'intensité de leur travail, sa durée et ses particularités aussi. Les projets qu'on a faits pendant la grossesse peuvent se modifier dans un sens ou l'autre quand on fait face à la réalité du travail.
- Pour permettre de franchir une étape difficile et de compléter l'accouchement lorsque des particularités physiologiques ou anatomiques rallongent le travail ou le rendent exceptionnellement douloureux (comme une position défavorable de la tête, par exemple). Lorsqu'un arrêt de progrès est tel qu'on envisage la césarienne, il arrive que la péridurale remette en marche la progression du travail. Il n'est pas toujours possible de comprendre pourquoi: si c'est à cause du relâchement qu'elle produit ou simplement parce que le soulagement de la douleur permet de laisser les contractions faire leur travail quelques heures de plus,

alors que ce n'était plus envisageable autrement.

• Comme choix d'anesthésie lors d'une césarienne. Là où elle est disponible, l'usage de la péridurale a supplanté celui de l'anesthésie générale dans ce cas, parce qu'il a l'immense avantage de laisser la mère consciente.

### RISQUES

*Tous* les médicaments peuvent avoir des effets secondaires indésirables sur la mère, le bébé ou le déroulement du travail. On cherche à les minimiser en développant de nouvelles substances et on dispose même, dans certains cas, d'antidotes qu'on peut administrer pour tenter d'en contrer les effets. Bien que les conséquences graves restent rares, les effets produits par l'utilisation de médicaments entraînent souvent d'autres interventions. Il est donc essentiel de peser le pour et le contre avant d'avoir recours à ces médicaments, dont voici quelques effets secondaires courants:

Le bébé souffre des effets secondaires des complications vécues par la mère, comme un ralentissement des battements de son cœur si sa mère fait une chute de tension, parce qu'il reçoit moins de sang oxygéné. Malheureusement, trop peu de recherches s'intéressent aux effets à moyen et long terme, pour le bébé comme pour la mère[21].

### Les analgésiques

• Les médicaments contre la douleur peuvent causer une chute de tension artérielle, une impression d'être «droguée», une somnolence extrême, des nausées, ou une combinaison de ces effets. Ils n'ont parfois qu'un effet minime sur la douleur.

• Ils peuvent occasionner des variations anormales du cœur fœtal et, après la naissance, de la somnolence chez le bébé, des troubles du réflexe de succion et des troubles respiratoires. On doit alors lui administrer un antidote et le surveiller de façon particulière.

• Selon les médicaments et le moment du travail où ils sont administrés, ceux-ci peuvent ralentir ou même arrêter les contractions et réduire de façon significative la participation de la mère, notamment pendant la poussée. Trop peu de recherches ont été faites à ce jour sur les effets de l'analgésie ou de l'anesthésie obstétricales sur la rencontre mère-enfant et le développement futur de l'enfant.

### La péridurale

• Le risque le plus courant est celui d'une chute importante de la tension artérielle. Ce risque explique la surveillance importante dans l'heure qui suit l'administration de la péridurale et l'obligation de recevoir une bonne dose de liquide en intraveineuse au préalable, pour aider à maintenir une tension artérielle normale. Cette hypotension engendre souvent de la nausée et des vomissements.

• Plusieurs femmes frissonnent de façon incontrôlée pendant un certain temps après la péridurale.

• On remarque fréquemment une rétention d'urine qui oblige alors à vider la vessie avec une sonde.

• La péridurale occasionne parfois des maux de tête violents et presque immédiats, à la suite d'une atteinte accidentelle de la dure-mère (l'enveloppe de la moelle épinière). L'anesthésiste peut corriger ou améliorer la situation par une manœuvre assez simple dont on ne connaît cependant pas les effets à long terme.

• La péridurale a souvent, sur le travail lui-même, l'effet de le ralentir ou même de le désorganiser complètement, surtout si elle est pratiquée trop tôt (c'est-à-dire avant quatre ou cinq centimètres). Même après cette dilatation, on doit plus souvent suppléer aux contractions par de l'ocytocine, mais cela n'arrive pas toujours à redonner aux contractions le rythme, l'ampleur et l'intensité qui feraient avancer le travail. L'arrêt de progrès est plus fréquent, ainsi que sa solution éventuelle: la césarienne. Dans l'ensemble, la période de dilatation est plus longue.

• La péridurale augmente le risque d'utilisation de forceps et de ventouses de plus du double. Elle augmente aussi la durée de la phase d'expulsion. C'est qu'elle réduit la mobilité de la mère et diminue le réflexe de poussée, quand elle ne l'élimine pas complètement. Le relâchement des muscles profonds du périnée perturbe la rotation de la tête, indispensable pour que le bébé puisse descendre dans le bassin. Quand ils ont toute leur tonicité, le travail de ces muscles consiste à guider la tête vers la rotation qu'elle doit effectuer. Le risque de forceps et de ventouse peut probablement être réduit si l'anesthésiste règle le dosage de la péridurale pour obtenir un bon soulagement de la douleur, tout en laissant un maximum de sensation de pression et de capacité de mouvement: un équilibre complexe et difficile à obtenir.

• La péridurale augmente le risque de césarienne.

• Certaines femmes ont rapporté des problèmes chroniques de dos, des sensations d'engourdissement ou d'insensibilité dans les jambes, et d'autres problèmes. La médecine n'a pas encore acquis une certitude hors de tout doute quant au lien entre ces problèmes et la péridurale.

• La péridurale peut, dans de rares cas, provoquer des séquelles neurologiques, des réactions toxiques aux drogues utilisées, de l'insuffisance respiratoire.

• Enfin, certaines femmes ne sont pas des candidates à la péridurale, parce qu'elles présentent des conditions médicales particulières, comme certaines chirurgies à la colonne vertébrale, des problèmes de coagulation, etc. Si vous comptiez sur la péridurale, mieux vaut sans doute le savoir avant.

Dans un tout autre ordre d'idées, la péridurale que l'on choisit pendant un accouchement *normal* crée une rupture de sensations entre la mère et son bébé qui, lui, n'est pas sous péridurale. Ces heures de travail qui restent avant la naissance, il les vivra dans toute leur intensité, séparé de l'expérience de sa mère par cette anesthésie qui la coupe, elle, de sa douleur et le laisse seul dans ce voyage plein d'inconnu. Je ne parle pas ici de ces travails qui ne progressent plus, où la souffrance et l'épuisement de la mère, depuis un moment déjà, ont à toutes fins pratiques interrompu, faute d'énergie, le lien de pensée entre elle et son bébé. Après une période de récupération, la péridurale lui permettra, au contraire, de se recentrer sur son bébé et de l'aider, physiquement et psychiquement, à franchir les dernières étapes de sa naissance. Aucune recherche ne s'est attardé, à ma connaissance, à comparer le processus d'attachement des mères et de leur bébé selon qu'elles avaient eu ou non une péridurale. Comment cette rupture se vit-elle pour les bébés? Quel est l'impact, pour la mère, de la coupure entre ses sensations physiques et la réalité psychique de la séparation qu'elle vit avec son bébé?

### L'anesthésie générale

• Elle comporte des risques connus, comme des problèmes respiratoires ou une aspiration accidentelle du contenu de l'estomac. Lors d'une césarienne, elle crée, en plus, un risque de manque d'oxygène pour le nouveau-né.

### ALTERNATIVES

La principale raison pour laquelle les femmes réclament ou acceptent des médicaments contre la douleur est qu'elles ont épuisé les autres ressources disponibles. Il est donc important de multiplier ces ressources et de fournir à chaque femme, peu importe où elle accouche, un environnement paisible, qui encourage le déroulement physiologique de son travail et respecte ses besoins. Toutes les suggestions faites dans les chapitres sur le travail aident à retarder ou à éviter le besoin d'un soulagement médicamenteux.

Le respect de tout ce qu'une femme vit pendant son travail devrait aller de soi. Chacune devrait donc pouvoir trouver l'écoute, le soutien, la patience dont elle a besoin pour intégrer cette immense transformation. Car la demande de péridurale camoufle parfois une autre souffrance, qui n'est pas physique cette fois. Or la péridurale soulage quand c'est bien dans le corps que se situe le cœur de la douleur. Elle ne traite pas l'inquiétude, la peine, la solitude, la déception ou les autres

émotions que l'on ressent parfois pendant un accouchement.

Une recherche extrêmement éclairante a eu lieu dans un grand hôpital américain: on a comparé le taux de péridurale entre trois groupes de femmes: un premier groupe accompagnées de leur conjoint, comme à l'habitude, un deuxième avec en plus une personne-ressource connue qui pouvait les aider pendant tout le travail et, enfin, un groupe avec une personne-témoin assise dans la chambre, mais qui ne devait avoir aucune interaction avec la mère, une sorte de présence placebo, en quelque sorte! Le taux de péridurale se situait à 55,3% dans le premier groupe, 7,8% dans le deuxième et, curieusement, à 22,6% dans le groupe où cette personne-témoin ne faisait absolument rien[22]! Il me semble que ces résultats en disent beaucoup sur la solitude et le désarroi que vivent trop de femmes et leur conjoint pendant le travail. La peur, l'angoisse et l'impression d'être étrangère à tout ce qui nous entoure sont encore trop souvent des composantes de l'expérience d'un accouchement à l'hôpital, malgré la bonne volonté des membres du personnel souvent surchargés de travail. Des changements en profondeur s'imposent pour améliorer les conditions générales d'accouchement.

Beaucoup de femmes ont demandé une péridurale dans un moment temporaire de panique, ou alors qu'elles étaient tout près de la fin, à ce stade précis où presque toutes les femmes ont momentanément l'impression qu'elles n'y parviendront jamais! Une présence chaleureuse, rassurante, qui viendrait leur dire combien elles sont proches de la naissance, éviterait à quelques-unes d'avoir travaillé vaillamment pendant des heures pour être finalement anesthésiée pour la dernière demi-heure.

Je voudrais dire un mot, ici, sur les péridurales «qui n'ont pas marché». Un certain nombre de femmes se plaignent de ne pas avoir été soulagées du tout, ou pas assez. Dans plusieurs cas, il s'agit d'un problème technique de dosage ou de diffusion du médicament dans les tissus, que l'anesthésiste peut corriger rapidement. Parfois, rien n'y fait: la mère continue de se plaindre qu'elle sent toujours la douleur des contractions. D'abord, sachez que c'est possible. Comme dans le cas de l'anesthésie chez le dentiste, la péridurale enlève la douleur, mais ne supprime pas la sensation de pression (pendant la descente du bébé), qui d'ailleurs sera essentielle au stade de la poussée. Bien que considérablement diminuée, la douleur ne disparaîtra peut-être pas complètement. Si vous sentez encore les contractions, et après que l'anesthésiste ait vérifié que la péridurale fonctionne aussi bien que possible, profitez du répit que la diminution de la douleur vous procure et restez centrée sur le travail et sur votre bébé. Autrement, vous n'éprouverez que de la frustration et un sentiment d'avoir été flouée… pas très plaisants ni l'un ni l'autre. Assez souvent, je crois que ce problème d'épidurale «inefficace» s'explique plus aisément par les attentes qu'on a, à savoir qu'elle éliminera *toute* sensation. Plusieurs femmes qui m'avaient raconté avoir eu l'une de ces péridurales «ratées» à l'accouchement précédent sont restées estomaquées après avoir vécu la naissance de leur deuxième bébé sans aucune anesthésie: «C'est maintenant que je réalise à quel point j'étais anesthésiée, malgré tout», disent-elles après coup.

## La révision utérine

Il s'agit d'une manœuvre où, après la naissance, le médecin introduit sa main dans l'utérus pour l'examiner.

### INDICATIONS

• Pour vider l'utérus des caillots ou débris de placenta qu'il contiendrait encore et qui peuvent causer une hémorragie importante.

• Certains médecins font des révisions utérines de routine, même en l'absence d'hémorragie et même quand l'examen minutieux du placenta montre qu'il est complet. Extrêmement intrusive et qualifiée de «plus douloureuse que tout le reste de l'accouchement» par les femmes qui ont eu à la subir, la révision utérine de routine n'a aucun bénéfice connu et introduit un risque d'infection. Certains médecins pensent qu'elle s'impose dans le cas d'un accouchement après césarienne, pour s'assurer qu'il n'y a pas eu de rupture de la paroi utérine, mais aucune recherche scientifique n'endosse cette croyance. En l'absence de tout symptôme alarmant, la révision risque d'aggraver une petite déchirure anodine et, au mieux, de ne rien leur apprendre de neuf[23].

### ALTERNATIVES

En l'absence d'hémorragie et si on ne peut vous fournir une bonne raison, dites non!

## La césarienne

La césarienne est l'intervention chirurgicale par laquelle le bébé est extrait de sa mère par l'incision de son abdomen et de son utérus. Elle est faite le plus souvent sous anesthésie péridurale mais aussi sous anesthésie générale, surtout quand l'urgence de la situation laisse peu de temps. La césarienne peut être planifiée pendant la grossesse, comme dans le tiers des cas (on l'appelle alors «élective»), ou décidée lors du travail selon le cours des événements. La césarienne dite d'urgence ne compte que pour 3 à 4% de toutes les césariennes.

À cette définition froide et technique de la césarienne correspond aussi et surtout une expérience humaine qui touche la vie et le cœur des femmes qui la subissent. C'est une transformation majeure de l'expérience de la naissance pour la mère, mais aussi pour le bébé et le père. C'est une coupure, une convalescence, une cicatrice. Un détour extraordinaire de la trajectoire plus que millénaire de la naissance. En moins d'un siècle, la césarienne est passée du statut de prouesse remarquable mais éminemment risquée, réservée aux situations exceptionnelles à une intervention routinière, banalisée, juste une *autre* façon de venir au monde[24]. On se réjouit de vivre à une époque où elle est sécuritaire et peut sauver des vies. Mais si souvent? Tant de femmes ne parviendraient pas à donner naissance autrement?

La césarienne est une intervention bien connue des femmes: nous connaissons toutes, dans notre entourage, une ou plusieurs femmes dont l'accouchement s'est terminé ainsi. Ce n'est pas étonnant quand on sait que le taux de césariennes a progressé constamment au Québec jusqu'au milieu des années 80, alors qu'il dépassait 19%, pour diminuer depuis quelques années et se stabiliser maintenant autour de 16-17%, (avec des différences significatives entre les régions, allant de 12 à 18, voire 20%). Cette baisse s'explique principalement par la diminution du nombre de césariennes faites en répéti-

tion de la précédente[25]. Celles qu'on décide en cours de travail sont aussi nombreuses qu'avant.

Le taux de césarienne diffère grandement d'un pays à l'autre, allant de 5 à 25% des accouchements. Cette grande variation dans les pays industrialisés montre bien qu'il existe de multiples façons de résoudre les problèmes qui peuvent se présenter lors d'un accouchement. Rappelons, par exemple, que les Pays-Bas comptaient 10,9% de césariennes en 1999, pour des taux de mortalité et de morbidité comparables aux nôtres, alors que notre taux était de 17,3% pour la même année[26]. On sait aussi qu'à partir d'une certaine proportion (certains chercheurs disent 7%), l'augmentation des taux de césariennes n'apporte aucune amélioration à la santé des mères et des bébés[27].

Je ne veux pas vous assommer avec ces statistiques et ne les lisez pas si elles vous embêtent. Mais pratiquement chaque femme qui a dû subir une césarienne croit que «dans son cas, c'était vraiment nécessaire». Je l'ai entendu mille fois. Fréquemment, quand l'histoire de l'accouchement suit, je peux entrevoir des moments où les choses auraient *peut-être* pu se passer autrement. Surtout, je connais des endroits, des approches, des pratiques où ces cas «vraiment nécessaires» se présentent nettement moins souvent, pour des raisons qu'il serait bien intéressant de connaître!

Dans un accouchement, on ne vise pas un chiffre, une statistique, une coche dans une colonne plutôt qu'une autre. On travaille à créer les conditions qu'affectionnent les naissances heureuses et on espère que la vie y mettra un peu du sien. Il n'est pas question de sacrifier la sécurité à «un trip» d'accouchement, mais vous serez sans doute d'accord avec moi que les problèmes qui justifient les césariennes arrivent à des vraies personnes, les inquiètent, compliquent leur vie, les mettent en danger et, généralement parlant, sont quand même moins gais que les accouchements qui se passent bien. Comment font-elles, celles qui rencontrent moins souvent de pépins pendant leurs accouchements? C'est une bonne question à poser, et je continuerai à citer des statistiques ici et là quand je penserai (à tort peut-être) qu'elles peuvent vous aider à mieux comprendre pourquoi et à améliorer *vos* chances à vous de vivre une belle naissance.

Dans un autre ordre d'idées, la césarienne peut être une opération très «propre». La femme est immobilisée et insensibilisée. Le médecin et ses assistants agissent avec précision, dans l'ordre. La coupure est nette. L'atmosphère est calme, on blague même. Père et mère sont côte à côte, tous deux spectateurs. Le bébé est extrait de l'utérus, aspiré et essuyé. L'utérus est vidé du placenta, sorti du ventre et déposé sur l'abdomen pour le recoudre, puis replacé à l'intérieur pour les dernières sutures. Il n'y a ni bavure ni hésitation, ni cri ni sueur, ni gémissement. La vitesse d'exécution est entièrement entre les mains de l'équipe médicale. Comparativement à un accouchement, c'est un autre monde! Et dans notre culture qui aime le contrôle et la performance, je peux comprendre ce que la césarienne a de séduisant.

### INDICATIONS

Il existe des indications absolues de césarienne, c'est-à-dire qu'on s'entend pour les considérer comme pratiquement inévitables. Certaines découlent de conditions con-nues pendant la grossesse, comme une présentation du bébé rendant l'accouchement impossible ou trop dangereux (s'il se présente par une épaule ou par les pieds) ou l'implantation du placenta directement sur le col (*placenta praevia*). D'autres résultent de conditions anormales qui se sont aggravées à la toute fin de la grossesse comme une toxémie de grossesse devenue sévère et incontrôlable. Enfin, d'autres surviennent pendant l'accouchement comme une procidence du cordon, un décollement prématuré du placenta (*abruptio placenta*), ou tout autre condition où la vie et la santé de la mère ou de son bébé sont sérieusement menacées. Mais toutes ensemble, ces conditions graves comptent pour moins d'une césarienne sur dix.

Au Québec, quatre indications sont à elles seules à l'origine des autres césariennes, celles qui ne sont pas urgentes, les neuf autres sur dix (en fait elles comptent pour plus de 90% du total des césariennes). Ce sont la césarienne antérieure (c'est-à-dire le simple fait d'avoir déjà eu une césarienne), l'arrêt de progrès pendant le travail (appelé dystocie), la présentation du bébé en siège et la souffrance (ou détresse) fœtale. Contrairement à l'idée répandue qu'une césarienne n'est faite qu'en bout de ligne, «quand tout a été essayé», la grande majorité des césariennes sont faites pour des indications relatives, dont les frontières sont très floues. C'est-à-dire que différents obstétriciens, devant la même situation, envisageraient et appliqueraient des solutions différentes. Par exemple, il n'existe pas de critères de diagnostic précis et universels pour reconnaître la détresse fœtale et l'arrêt de progrès, deux des raisons les plus souvent invoquées pour faire une césarienne. Là où un obstétricien pense qu'il est grand temps d'intervenir, un autre pourrait décider d'attendre encore quelques heures, aussi longtemps que mère et bébé se portent bien, pour éventuellement assister un accouchement vaginal! Voici donc, par ordre de fréquence, une brève description de ces quatre indications les plus fréquentes.

• **La deuxième césarienne**
**(appelée aussi itérative)**

Je la nomme en premier parce que c'est la raison la plus fréquente. C'est la césarienne faite en répétition de la précédente. Lors d'un congrès d'obstétriciens tenu en 1916, alors que les césariennes étaient exceptionnelles, le Dr Craigin prononça le désormais célèbre «Césarienne un jour, césarienne toujours». Bien qu'il ait été contesté dès 1917 par des sommités en obstétrique, ce slogan s'est rapidement répandu et a scellé le sort de millions de femmes qui ont dû subir une deuxième et même une énième césarienne pour l'unique raison qu'elles en avaient déjà subie une. Cette pratique, répandue dans toute l'Amérique du Nord, n'a jamais été très populaire en Europe où les femmes pouvaient accoucher naturellement de nouveau, sans problème. Ces dernières années, l'augmentation rapide des césariennes primaires (la première) a fait de la répétition «obligatoire» la première cause de césarienne en Amérique du Nord. Au Québec, elle comptait pour 33% du nombre total de césariennes en 1998-1999[28].

• **La dystocie du travail**

C'est le nom général donné à tout arrêt de progression pendant le travail. On l'impute soit à une disproportion suspectée entre le bébé et le bassin de sa mère, le plus souvent causée par une mauvaise position de sa tête (la dystocie céphalo-pelvienne ou fœto-pelvienne, en jargon médical), ou encore à une dystocie utérine, où l'utérus ne semble pas fournir la qualité de contractions nécessaires pour faire naître le bébé. La dystocie est la première cause des césariennes décidées pendant le travail. Très variable dans sa définition selon les médecins et les politiques hospitalières, l'arrêt de progression peut s'appliquer à des femmes qui ont passé deux ou huit heures à la même dilatation. La dystocie était à l'origine de 31% des césariennes en 1998-1999[28].

• **La présentation par le siège**

Dans 3 à 4% des cas, les bébés se présentent par le siège, c'est-à-dire par les fesses. La moitié d'entre eux sont prématurés, parce qu'ils naissent avant d'avoir eu le temps de se retourner pour se présenter la tête en bas. Au Québec, 86,7% des bébés en siège naissent par césarienne, pourcentage qui montre bien que c'est la pratique nord-américaine courante. On a pensé que la césarienne évitait au bébé les risques particuliers à l'accouchement par le siège. Or, la comparaison des résultats obtenus lors de recherches contrôlées a démontré que les bébés en siège courent *moins* de risques en naissant vaginalement que par césarienne, sauf dans des situations très spécifiques (s'ils se présentent par les pieds ou si leur poids estimé dépasse quatre kilogrammes). La pratique obstétricale générale ne reflète toutefois pas encore ces conclusions, et la césarienne pour cause de siège est encore très courante: elle comptait pour 17% de toutes les césariennes en 1998-1999. En fait, la césarienne pour cette indication ne fait qu'augmenter: sur dix bébés en siège, neuf naissent par césarienne, comparativement à sept sur dix dans les années 80.

• **La souffrance fœtale**

Un diagnostic de souffrance fœtale entraîne une césarienne dans environ 20% des cas. Le monitoring fœtal continu pour les accouchements normaux a nettement augmenté la fréquence de ce diagnostic et le nombre de césariennes, sans pour autant diminuer la mortalité et la morbidité qui y sont associées. La souffrance fœtale véritable existe cependant bel et bien et, dans la majorité des cas, plusieurs conduites à tenir autres que la césarienne s'offrent au médecin qui supervise l'accouchement. Ce diagnostic était à l'origine de 9,6% des césariennes faites au Québec en 1998-1999.

### La décision de faire une césarienne

De nombreux facteurs pèsent dans la décision de faire une césarienne. J'écarte d'emblée l'hypothèse du médecin «sans cœur» qui a hâte de retourner à sa partie de golf ou qui veut «faire plus d'argent», des idées que j'entends parfois de la part de gens qui simplifient l'obstétrique en divisant les médecins entre les «bons» et les «mauvais». La réalité est plutôt que la pratique de l'obstétrique et l'organisation des salles d'accouchement ne se sont pas développées pour favoriser l'accouchement normal. Les femmes n'obtiennent toujours pas le soutien dont elles ont besoin en plus de celui de leur conjoint. J'ai déjà abondamment discuté des conséquences de ces choix sur les femmes et les accouchements en parlant d'augmentation du taux de forceps, de stimulation du travail, du besoin de péridurale lors d'accouchements normaux. C'est vrai aussi pour les césariennes.

La réalité est aussi que des professionnels consciencieux, formés selon cette approche et travaillant dans ces milieux, sont affectés, à des degrés divers, par des mentalités, des politiques de département, par la crainte de poursuites légales (qui, après avoir particulièrement frappé l'Amérique du Nord, semble maintenant contaminer la pratique européenne), et par des considérations organisationnelles et autres. Les habitudes acquises, les conditions dans lesquelles les femmes accouchent sans vraie politique de soutien entraînent trop souvent des situations inextricables, qu'on ne peut dénouer que par une césarienne. La situation d'un petit hôpital où il n'y a pas d'obstétricien-gynécologue, par exemple, peut obliger le médecin généraliste à avoir recours plus rapidement aux services du chirurgien pour régler certains problèmes par une césarienne. Ou au contraire l'amener à être plus patient, selon sa formation ou l'approche de l'endroit où il pratique. Quand on regarde les statistiques québécoises par région, on remarque des décalages surprenants. À titre d'exemple, pour l'année 1998-1999, les femmes d'Abitibi-Témiscamingue avaient des césariennes dans une proportion de 12,8%, et celles habitant la Côte-Nord, 18,9%! C'est un décalage qui ne peut manifestement pas s'expliquer par des conditions liées au corps des femmes, mais plutôt par des politiques et des pratiques différentes.

### RISQUES

### Pour la mère

•La césarienne comporte tous les risques reliés à une intervention chirurgicale majeure: infection (jusqu'à 25% dans certains hôpitaux), risques reliés à l'anesthésie, et même décès dans de très rares cas (4 femmes sur 10 000, soit quatre fois plus que lors d'un accouchement vaginal)[29]. Parmi les conséquences indésirables, la convalescence est plus longue et plus pénible pour la mère, le séjour à l'hôpital est rallongé (de deux jours en moyenne), la dépression postnatale est plus fréquente, et enfin, le début de l'allaitement peut être perturbé par les douleurs abdominales, l'infection ou les médicaments utilisés pour pallier à l'un ou l'autre problème.

### Pour le bébé

• Les bébés nés par césarienne souffrent plus souvent de détresse respiratoire que ceux qui sont nés par le vagin. Les césariennes programmées causent parfois des naissances prématurées lorsqu'il y a eu erreur dans le calcul de la date prévue de l'accouchement.

## Pour diminuer le nombre de césariennes

Depuis quelques années, les associations médicales et les instances gouvernementales se sont jointes aux groupes de femmes qui s'inquiètent des hauts taux de césariennes et de leurs effets sur la santé des femmes et des bébés. La Politique de périnatalité du Québec recommande de diminuer le taux de césarienne à un pourcentage entre 12 et 15% d'ici 2003, dans l'ensemble du Québec et dans chacune de ses régions[30]. De nombreuses recommandations médicales circulent sur les moyens d'y parvenir. Voici, résumées, celles qui s'appliquent aux indications les plus courantes de césariennes où il existe, justement, d'autres manières de faire.

### • La deuxième césarienne (appelée aussi itérative)

On recommande d'augmenter le recours à l'accouchement vaginal après césarienne pour toutes les femmes qui y sont admissibles (*voir l'AVAC, page 322*).

### • La dystocie du travail

Aucun diagnostic de dystocie ou d'arrêt de progrès ne devrait être posé avant le travail actif: trop de césariennes ont lieu alors que la femme est encore en phase de latence. Si cette étape est longue et épuisante, on devrait plutôt veiller à soulager la mère et à lui procurer repos et encouragement. Dans la poussée, aucune limite rigide de temps ne devrait être imposée, aussi longtemps qu'il y a une descente progressive de la tête du bébé. En 1991, le Cesarean Birth Planning Committee de l'Ontario a révisé la littérature scientifique et ajouté quelques recommandations intéressantes pour prévenir l'arrêt de progrès, responsable d'une bonne proportion de césariennes: n'admettre une femme au département d'obstétrique que lorsqu'elle est en travail actif et assurer la présence d'un professionnel pour *chaque* femme en travail actif. Les personnes qui accompagnent la femme, conjoint et autres, ne remplacent pas cette présence professionnelle continue auprès de la mère.

### • La présentation par le siège

Selon le Collège des médecins du Québec: «environ la moitié des cas de présentation par le siège devraient pouvoir accoucher par voie vaginale[31].» Ce serait une nette amélioration par rapport au pourcentage actuel, soit 13,5% en 1998-1999! La SOGC, quant à elle, recommande de

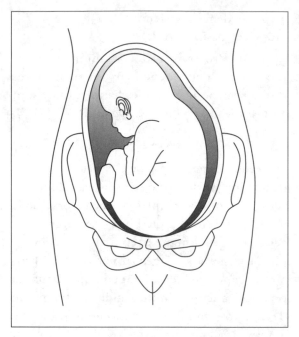

favoriser l'accouchement vaginal quand le poids estimé du bébé est de moins de quatre kilogrammes, que ce soit un premier bébé ou non, après une évaluation minutieuse de sa présentation exacte par échographie ou rayons X (sa tête doit être bien fléchie et ses pieds plus hauts que ses hanches). La progression harmonieuse du travail est un bon indicateur de succès. Le fait que le bébé soit en siège n'empêche pas l'usage prudent d'ocytocine ou de la péridurale si elles s'avéraient nécessaires, pas plus qu'il n'oblige à y avoir recours. La version externe du bébé en siège (*voir page 110*) doit être encouragée parce qu'elle a un bon taux de réussite, entre 50 et 80% selon le degré d'expérience du professionnel, et contribue donc directement à diminuer le nombre de césariennes.

### • La souffrance fœtale

Bien que cette catégorie, par sa définition même, soit perçue comme incompressible, la souffrance fœtale constitue, au contraire, une indication dont la définition est extrêmement floue, et pour laquelle il existe de nombreuses conduites de surveillance et d'intervention. D'abord, ce diagnostic souvent posé à partir du tracé de moniteur fœtal seul devrait toujours inclure l'analyse de quelques gouttes de sang du cuir chevelu du bébé, qui mesure exactement son niveau d'oxygénation et donc l'urgence ou non d'intervenir. Par ce test, on se rend compte que plusieurs variations préoccupantes du rythme du cœur fœtal s'avèrent bénignes, le bébé étant parfaitement oxygéné. D'autres situations alarmantes se résoudront simplement avec des mesures, comme déplacer la mère en la faisant coucher sur un côté ou sur l'autre, lui donner de l'oxygène, ou arrêter l'ocytocine si elle est en cours.

### • L'herpès

Bien que ne comptant que pour un très petit nombre de césariennes, les femmes qui se savent atteintes d'herpès passent souvent leur grossesse avec cette épée de Damoclès suspendue au-dessus de leur tête. L'intérêt porté à l'herpès est justifié par la gravité de la maladie lorsqu'elle s'attaque au nouveau-né, bien que cela n'arrive que dans un cas sur 2500 à 10 000. Dans le passé, avant qu'on ne comprenne mieux ses mécanismes de transmission, on a pratiqué un bon nombre de césariennes pour cause d'herpès, même chez des femmes qui n'avaient pas eu de lésions depuis longtemps. À la lumière des recherches les plus récentes, la conduite à tenir en cas d'herpès s'est précisée. D'abord, on ne recommande *plus* d'examens de routine dans les dernières semaines de grossesse. En cas de lésion active à la vulve ou dans la région située sous la ceinture (à l'aine, par exemple), on recommande d'attendre cinq jours après la guérison avant que l'accouchement vaginal soit considéré sécuritaire. Pour les femmes qui ont des lésions très fréquentes, on commence à expérimenter l'usage de certains médicaments dans les dernières semaines de grossesse pour diminuer les risques de lésion active au moment où le travail se déclenche.

## La banalisation de la césarienne

La césarienne est maintenant tellement courante que les intervenants en parlent de plus en plus comme d'une autre façon d'accoucher, pour ne pas traumatiser ou culpabiliser les mères qui auront à la vivre. Devant les vitres des pouponnières, les familles s'exclament devant les petits bébés à la «belle tête ronde» qui n'ont pas eu à traverser le bassin de leur mère. On dit même, maintenant, «l'accouchement vaginal», comme s'il y en avait une autre sorte! La césarienne est devenue la naissance de choix pour les bébés «précieux», ceux dont la conception a été obtenue par des moyens extraordinaires, ou conçus tardivement. Comme si tous les bébés n'étaient pas précieux.

Nous sommes plusieurs à nous inquiéter de la culpabilité et du sentiment d'échec que vivent bien des femmes qui ont eu des césariennes. Mais ce n'est pas en banalisant leur expérience ni en la ramenant à une intervention parmi d'autres que nous les aiderons à guérir. Le sens du travail et de l'accouchement se perd, au point qu'une opération douloureuse, qui laisse une cicatrice, nécessite une convalescence, atteint l'intégrité corporelle et change l'accueil du bébé, semble une solution attrayante pour un nombre grandissant de femmes. Aucune n'est à

blâmer individuellement, puisque chacune cherche, pour elle-même et surtout pour son petit, ce qu'il y a de mieux.

Dans sa recherche sur la césarienne, Maria De Koninck s'est longuement questionnée sur les changements sociaux qui se cachent derrière sa banalisation[32]. L'une des tendances qu'elle a notée et que j'ai occasionnellement perçue est cette notion que la césarienne sous péridurale constitue un progrès, «parce qu'elle permet à l'homme et à la femme de vivre ensemble la naissance de leur bébé». Voilà qui est extraordinaire: restreindre la portée de l'expérience de la mère pour que celle de son conjoint puisse s'y comparer! Comme si on ne pouvait partager un événement aussi riche que l'accueil d'un bébé qu'à la condition de vivre une expérience identique (ou prétendue identique). Dans la même ligne de pensée, l'alimentation au biberon donne l'illusion de transformer l'allaitement en une fonction parfaitement unisexe. Or, dans un cas comme dans l'autre, le prix à payer pour obtenir cette équivalence artificielle des expériences, c'est une perte importante pour la mère, et pour le bébé. La grossesse n'est pas encore mise en cause, vu la complexité technique de la remplacer ou de la répartir entre les parents! Mais peut-on imaginer un jour pas si lointain où hommes et femmes, main dans la main, viendront au laboratoire contempler leur petit fœtus produit *in vitro*. J'hallucine? Peut-être pas. Le sens profond de notre condition humaine se joue dans certaines des nouvelles technologies de reproduction appliquées aux humains. La banalisation totale de la césarienne dans l'imaginaire populaire, alors qu'il s'agit pourtant d'une chirurgie majeure avec des risques pour la mère et l'enfant, constitue un pas vers ce monde déshumanisé où un enfant naîtrait d'un laboratoire plutôt que du désir de ses parents et du ventre accueillant de sa mère. En perdant collectivement notre capacité d'accoucher par nous-mêmes, nous perdons beaucoup plus, nous les femmes et nous l'humanité.

## L'expérience des mères, des bébés, des familles

Les changements importants que la césarienne provoque dans la façon de vivre la naissance d'un enfant ont des répercussions profondes chez les femmes, les couples, les enfants et les relations qu'ils ont entre eux. La douleur des premiers jours transforme complètement le début de la relation avec le bébé, l'expérience de l'allaitement et le retour à son corps «d'avant». Des conséquences à plus long terme s'installent aussi, comme en témoignent de nombreuses femmes: un sentiment d'échec, d'incapacité, une image de soi diminuée, une blessure profonde qui guérit difficilement, la culpabilité, le sentiment d'avoir été agressée physiquement et psychiquement, qui expliquent aussi l'augmentation des dépressions postnatales. Tous ces sentiments peuvent être mêlés d'une profonde ambivalence du fait que la césarienne a été présentée ou vécue comme essentielle pour sauver l'enfant, donc providentielle. Comment s'en plaindre, maintenant qu'on a cet enfant dans les bras et qu'on l'aime? «C'est tout ce qui compte, n'est-ce pas?» D'autres femmes vivent une ambiguïté du fait qu'elles ont accepté et peut-être même demandé cette intervention dans un moment de détresse qu'elles regrettent par la suite, mais qui ne semblait pas avoir d'autre issue à ce moment-là.

*Nathalie et Daniel attendent avec bonheur leur premier bébé. Cette nuit-là, Nathalie commence à sentir des contractions qui, 24 heures plus tard, ne l'ont encore menée qu'à... un centimètre. Quand son médecin lui parle de césarienne, le ciel pourrait aussi bien lui tomber sur la tête: elle ne s'attendait pas à ça! Dans les jours qui suivent, Nathalie fait des épisodes d'angoisse-panique à l'hôpital, pendant lesquels on lui conseille d'arrêter l'allaitement. Une fois à la maison, une hémorragie importante nécessite une réhospitalisation d'urgence. Pendant ce temps, son entourage tente de la réconforter en l'assurant que «ce n'est pas grave!» Peut-être bien, mais Nathalie n'en fait pas moins une longue dépression qui colore tristement ses premières années de vie avec son bébé et qui lui demandera deux ans de thérapie pour y voir clair. Elle adore son bébé, mais se remet difficilement du choc.*

*Nous en reparlons, quatre ans plus tard, alors qu'elle attend un deuxième enfant. Elle se sent complètement désemparée, affolée à l'idée d'avoir une autre césarienne et de revivre cet enfer, et tout aussi terrifiée de tenter à nouveau un accouchement naturel dont elle n'attend que l'échec. Au cours de longues conversations mouillées de beaucoup de larmes, Nathalie se rappelle d'autres événements douloureux de sa vie où les autres lui ont imposé ce jugement réducteur «c'est pas grave», dans des moments où elle souffrait et ne pouvait pas en parler puisqu'on considérait sa douleur comme insignifiante. À travers bien des émotions et bien des bouleversements, Nathalie a reconquis son droit de juger de ce qui est important pour elle. Elle a demandé à son conjoint de respecter sa peine, a quitté son médecin qui ne la soutenait pas dans son projet d'accouchement et a décidé, cette fois-ci, de s'entourer différemment. Dans cette confiance encore nouvelle et fragile, elle a donné naissance à Laurie, après de longues heures de travail. Franchement, elle est si radieuse depuis qu'on ne la reconnaît pas!*

La césarienne se vit très différemment selon le moment où elle intervient: tôt dans l'accouchement ou après de longues heures de travail, ou même sur rendez-vous, avant toute contraction. «J'ai deux enfants, dit cette femme le cœur serré, et je ne saurai jamais ce que c'est que d'avoir une seule contraction.» Une autre dira: «Ils m'ont laissé souffrir pendant vingt heures, avant de m'annoncer que ça prenait une césarienne», sans qu'on ne lui ait expliqué que ce n'est pas par négligence qu'on ne prend pas la décision vingt heures plus tôt, mais parce que seul un déroulement défavorable du travail conduira à y avoir recours. Dans le choix des mots, on entend combien chaque heure a été empreinte de solitude et d'amertume, et le verdict final vécu comme une trahison. On n'y sent ni le respect ni la chaleur ni la solidarité humaine qu'on voudrait présents à chaque accouchement.

Nancy Cohen, auteure du premier livre sur l'accouchement vaginal après césarienne, *Silent Knife*, a elle-même subi une césarienne pour son premier bébé[33]. Depuis des années, elle donne des conférences et des ateliers partout aux États-Unis, devant des salles pleines de femmes qui pleurent, qui sanglotent et qui souffrent. Cette douleur des femmes qui ont eu une césarienne, les sages-femmes la rencontrent régulièrement. Il suffit de parler de naissance, d'effort, de douleur, de paroxysme et d'émerveillement pour qu'elles viennent au bord des larmes. Certaines disent avoir été engourdies pendant des années avant d'être capables de ressentir vraiment leur blessure. Ces femmes ont mal à leur césarienne. Elles ont mal au mépris de leur capacité, à l'absence de soutien qui aurait rendu leur accouchement possible, à la peur et

l'ignorance qui les ont empêchées de protester, de réclamer. Elles ont mal à la «bonne raison» de faire une césarienne, qui ne leur en a pas moins coupé le ventre. La césarienne a détourné à jamais la grande caresse que fait le corps d'une femme à son bébé dans l'accouchement. Elles ont mal au vide.

Il y a aussi, bien sûr, des femmes qui ont été soulagées d'avoir une césarienne, ou peut-être un peu déçues, mais vite réconciliées. Elles n'ont pas moins raison que les autres. Aucune femme ne devrait être contrainte au silence quand il s'agit de dire son expérience. Mais je crains que la banalisation généralisée de la césarienne ait non seulement coupé la parole aux femmes mais également leur perception de ce qui s'est véritablement passé pour elles. J'ai peur que la détresse dans laquelle on laisse trop souvent les femmes en travail soit telle que n'importe quoi, même se faire couper le ventre, apparaisse comme une bénédiction! D'ailleurs, elles sont nombreuses les femmes qui ne veulent même pas tenter d'accoucher naturellement après leur césarienne, même quand leur médecin essaie de les y encourager. «Recommencer cet enfer? Vous voulez rire!» Je regrette l'absence d'information et de vraies ressources qui fait qu'elles ne peuvent pas espérer que les choses soient différentes cette fois-ci. Et je les comprends de ne pas vouloir s'y faire prendre à nouveau!

## ALTERNATIVES

Ce n'est pas votre rôle de réformer l'organisation des départements d'obstétrique de votre région, cela va de soi. Vous pouvez cependant diminuer votre risque d'avoir une césarienne en étant mieux informée, mieux préparée. C'est rarement au moment où se prend la décision de faire une césarienne qu'il faut parler d'alternatives, mais longtemps avant, lorsqu'on va chercher l'information dont on a besoin, lorsqu'on choisit l'endroit où l'on veut accoucher et qu'on décide de s'entourer de soutien. C'est aussi plusieurs heures avant, quand on veille à créer et protéger la «bulle» où naîtra notre bébé, lorsqu'on ose manger, bouger, gémir pendant le travail. Tout ce qui peut vous entourer de l'intimité et de la confiance dont vous aurez besoin pour accoucher est une alternative à la césarienne. L'arrêt de progression est trop souvent une métaphore de ce qui nous fait peur dans le fait de devenir mère. La détresse fœtale est trop souvent une réponse des bébés à la détresse de leur mère. Relisez les chapitres de ce livre qui concernent le travail et l'accouchement, vous y trouverez de nombreuses suggestions pour faciliter la bonne progression du travail et aider votre bébé à naître. Lisez l'excellent livre d'Hélène Vadeboncœur, *Une autre césarienne? Non, merci!* (qui aurait aussi bien pu s'appeler «Une césarienne? Non, merci!»), qui rassemble recherches, statistiques, discussions et témoignages de femmes et de couples[34].

Si, pour une raison médicale, vous devez subir une césarienne décidée à l'avance, discutez avec votre médecin de la possibilité d'entrer spontanément en travail. À prime abord, beaucoup de femmes n'en voient pas l'intérêt. Mais après avoir compris l'effet bénéfique des contractions sur le bébé, l'intensité de ce qui se vit pendant le travail, son importance dans l'accueil fait au bébé, pourquoi pas? Vous n'avez pas à vivre des heures et des heures de travail. Juste assez pour savoir que la naissance se passe au moment prévu par votre organisme et celui de votre bébé, et juste assez pour goûter à la saveur de ce voyage ensemble que vous devrez terminer autrement.

La césarienne doit redevenir une intervention exceptionnelle. Nous pourrons alors nous réjouir de son existence. Nous pourrons aussi bercer les femmes blessées, entendre leur peine et les aider à guérir.

## L'accouchement vaginal après césarienne

L'AVAC est l'alternative par excellence à la césarienne itérative, qui n'a aucune raison scientifique ou médicale de constituer la norme. On le sait maintenant: l'idée que les femmes ne peuvent plus accoucher normalement après une césarienne est basée sur une fausse croyance. Depuis de nombreuses années, les résultats de recherches s'accumulent pour mieux éclairer les médecins et le public en général sur les risques véritables associés à la césarienne itérative, comparés à ceux liés à un AVAC. En fait, le taux de succès et la sécurité d'un AVAC sont tels que certains chercheurs considèrent qu'il devrait être obligatoire de l'offrir aux femmes quand il n'y a pas de contre-indications.

Aux États-Unis comme au Canada, des comités d'étude ainsi que les associations nationales de gynécologie-obstétrique publient des recommandations au sujet de l'AVAC depuis 1986. Pourtant, on continue toujours de faire des césariennes pour la seule raison qu'elle est la deuxième (et pour certaines femmes, la troisième, la quatrième!). En 1998-1999, seulement 37,7% des femmes ont eu un AVAC au Québec, une légère *diminution* par rapport à l'année précédente, alors que ce nombre pourrait aisément être doublé[36]. Les pratiques changent lentement:

## Les contre-indications à l'AVAC

- Quand l'incision lors de la césarienne est autre que ce qu'on appelle transversale basse, soit la «coupe bikini», comme les médecins l'ont surnommée, parce que, justement, elle serait cachée par la culotte du maillot en question. Attention: c'est l'incision de l'utérus qui compte, pas celle de la peau. Votre dossier médical contient ces précisons. Dans les cas d'incisions verticales ou autres, les risques de la rupture sont plus graves et aussi plus fréquents.
- Quand il y a déjà eu une chirurgie à l'utérus (autre que la césarienne).
- Quand il y a déjà eu rupture de l'utérus.
- Et bien sûr, quand il existe des conditions graves, indépendantes de la césarienne antérieure, qui rendent l'accouchement naturel impossible ou dangereux.

## Les recommandations pour l'AVAC[35]

- On doit encourager les femmes qui ont déjà eu une césarienne à vivre leur prochain accouchement comme n'importe quelle autre femme (à moins de contre-indications).
- Même chose pour les femmes qui ont eu plus d'une césarienne, bien que la littérature scientifique ne soit pas aussi abondante à ce sujet. Le risque d'une rupture de la cicatrice est légèrement plus élevé, mais considéré comme acceptable. Chaque situation doit être évaluée individuellement.
- N'importe quel hôpital qui donne des services d'obstétrique peut offrir cette option aux femmes. Nulle obligation d'être suivie par un médecin spécialiste.
- Au besoin, on peut déclencher le travail ou le stimuler, notamment avec de l'ocytocine, pourvu qu'on procède prudemment, comme cela devrait toujours être le cas, d'ailleurs (la remarque n'est pas de moi!). L'usage du monitoring continu est alors conseillé, alors qu'il peut être intermittent si on n'utilise pas d'ocytocine.
- Le fait d'attendre des jumeaux ou un bébé en siège n'empêche pas de tenter un AVAC, pas plus que le fait d'attendre un «gros» bébé (c'est-à-dire plus de quatre kilogrammes).

depuis 1994, la proportion d'AVAC plafonne autour de 37%. Les médecins et les politiques hospitalières ne sont pas seuls responsables de cette timide transformation. Dans bien des cas, ce sont les femmes elles-mêmes qui veulent une autre césarienne, par peur, par manque d'information sur les risques véritables, parce qu'elles croient qu'elles n'ont pas la force requise, ou pour éviter la douleur ou l'échec qu'elles ont connus la première fois. Nous devons contribuer à faire circuler cette information dans notre entourage, tenir tête aux médecins qui préféreraient s'en tenir au *statu quo*, encourager et soutenir les femmes qui hésitent et celles qui osent.

### LES RISQUES

La santé des bébés nés après une tentative d'AVAC (même si elle devait se terminer par une césarienne) se compare favorablement à celle des bébés nés après une césarienne itérative. Pour les mères, les risques pour la santé sont nettement réduits: moins d'infections, de complications d'anesthésie, de pneumonies, de transfusions sanguines, etc. Le risque d'une rupture significative de la cicatrice lors d'un AVAC, celui-là même qu'on a pensé éviter en refaisant une césarienne, est de 0,09 à 0,22%. Il pourrait requérir une césarienne d'urgence, c'est vrai. Pour comprendre son importance relative, disons que le risque d'avoir besoin d'une césarienne d'urgence, pour n'importe quelle autre raison, est 30 fois plus élevé!

Les chances de réussite de l'AVAC varient de 50 à 80% selon les recherches et, de l'avis de tous, cela dépend beaucoup du milieu où se déroule l'accouchement et de la confiance autant des parents que des professionnels impliqués. Ce taux de succès est presque indépendant de la raison donnée pour la première césarienne, avec quelques nuances: les meilleures chances vont à celles qui ont eu une césarienne pour présentation de siège, et à celles qui ont déjà vécu un accouchement vaginal (encore plus s'il a eu lieu après la césarienne). Les femmes qui ont eu une césarienne alors qu'elles étaient à dilatation complète semblent avoir de moins bonnes chances de parvenir à vivre un AVAC (mais courage! elles *ont* des chances d'y parvenir). Mon expérience m'a appris que les femmes qui sont déterminées à vivre un AVAC et l'ont bien préparé, avec une sage-femme, ont pratiquement les mêmes chances qu'une autre d'accoucher vaginalement.

Toute femme enceinte après une césarienne se doit, à elle-même comme à son bébé, d'aller chercher l'information nécessaire afin de poser les choix qui lui conviennent. Elle devra poser des questions spécifiques au professionnel avec qui elle compte vivre son accouchement sur son attitude au sujet de l'AVAC et sur les politiques de son établissement. De nombreuses femmes, rassurées en début de grossesse par l'apparente souplesse de leur médecin, ont dû modifier leurs plans dans les dernières semaines alors qu'elles étaient soudainement confrontées à un net changement d'attitude en relation avec leur césarienne antérieure.

Il est grand temps que nous puissions accoucher avec un vrai soutien, entourées et encouragées par des gens qui nous aiment, dans des conditions qui respectent nos besoins, veillées par des gens qui connaissent les gestes à poser et la patience. Il est temps que nous nous permettions de gémir, de crier ou de chanter, d'accoucher debout, accroupies ou assises, que nous exigions des douches, des bassins d'eau chaudes, des lits doubles, de l'intimité, du temps.

**Notes**

[1] Ministère de la Santé et des Services Sociaux. *Fichier Med-Écho*, Direction de l'évaluation, Québec, 1998-1999.

[2] Organisés conjointement par l'Association pour la santé publique du Québec et le ministère des Affaires sociales du Québec.

[3] Anne QUÉNIART, *Le Corps paradoxal*, Montréal, Éditions Saint-Martin, 1988.

[4] Bureau central des Statistiques hollandaises. Taux des interventions obstétricales, 1999. Ministère de la Santé et des Services Sociaux. *Fichier Med-Écho*, 1998-1999.

[5] Croyez-le ou non, la première recherche à le démontrer date de 1922! ENKIN, KEIRSE, NEILSON, CROWTHER, DULEY, HODNETT & HOFMEYR. *op. cit.*, p. 259.

[6] *Idem*, p. 259.

[7] *Idem*, p. 270.

8 *Idem*, p. 272.

9 Société des gynécologues-obstétriciens du Canada. *Directives cliniques: La surveillance fœtale pendant le travail*, 1995.

10 «Déclaration de principe: Le déclenchement du travail», *Journal SOGC*, fév. 1997.

11 ENKIN, KEIRSE, NEILSON, CROWTHER, DULEY, HODNETT & HOFMEYR. *op. cit.*, p. 234.

12 *Idem*, p. 205.

13 Société des gynécologues-obstétriciens du Canada. *Directives cliniques: Dystocie*, 1995.

14 *Idem*.

15 Ministère de la Santé et des Services Sociaux. *Fichier Med-Écho*, Direction de l'évaluation, Québec, 1998-1999.

16 Gisèle STEFFEN. *L'épisiotomie prophylactique dite de routine est-elle justifiée.*, 1990.

17 E. EASON, M. LABRECQUE, G. WELLS & P. FELDMAN. «Preventing perineal trauma during childbirth: a sytematic review», *American Journal of Obstetrics and Gynecology*, mars 2000, vol. 95, n° 3, p. 464-471.

18 Ministère de la Santé et des Services Sociaux. *Fichier Med-Écho*, Direction de l'évaluation, Québec, 1998-1999.

19 *Idem*.

20 *Idem*.

21 ENKIN, KEIRSE, NEILSON, CROWTHER, DULEY, HODNETT & HOFMEYR. *op. cit.*, p. 326.

22 John KENNELL, Marshall KLAUS, Susan MCGRATH, Steven ROBERTSON et Clark HINKLEY. «Continuous Emotional Support during Labor in a US Hospital», *JAMA*, 1er mai 1991, vol. 265, n° 17.

23 ENKIN, KEIRSE, NEILSON, CROWTHER, DULEY, HODNETT & HOFMEYR. *op. cit.*, p. 367.

24 Un manuel publié au siècle dernier, *Guide pratique de l'accoucheur et de la sage-femme*, Paris, 1879, mentionne pour la césarienne des statistiques à faire dresser les cheveux sur la tête: «[...] cette opération tue 5 femmes sur 6 [...]». C'est vous dire combien elle devait rester exceptionnelle!

25 Société des gynécologues-obstétriciens du Canada. *Directives cliniques: Accouchement vaginal après césarienne*, 1997.

26 Bureau central des Statistiques hollandaises. Taux des interventions obstétricales, 1999. Statistiques nationales transmises à l'Organisation Mondiale de la Santé et Ministère de la Santé et des Services Sociaux. *Fichier Med-Écho*, Direction de l'évaluation, Québec, 1991.

27 ENKIN, KEIRSE, NEILSON, CROWTHER, DULEY, HODNETT & HOFMEYR. *op. cit.*, p. 318.

28 Ministère de la Santé et des Services Sociaux. *Fichier Med-Écho*, Direction de l'évaluation, Québec, 1998-1999.

29 ENKIN, KEIRSE, NEILSON, CROWTHER, DULEY, HODNETT & HOFMEYR. *op. cit.*, p. 362.

30 Ministère de la Santé et des Services Sociaux. *Politique de périnatalité*, Gouvernement du Québec, Bibliothèque nationale du Québec, 1993.

31 Collège des médecins du Québec, Exercice de l'obstétrique, 1996.

32 Maria DE KONINCK. «Multiplication des césariennes» dans Francine SAILLANT et Michel O'NEIL dirs. *Accoucher autrement*, Montréal, Éditions Saint-Martin, 1987.

33 Nancy COHEN et Loïs J. ESTNER. *Silent Knife, Cesarean Prevention & Vaginal Birth after Cesarean*, South Hadley (Massachussetts), Bergin & Garvey, 1983.

34 Hélène VADEBONCŒUR. *Une autre césarienne? Non, merci! L'accouchement vaginal après césarienne*, Montréal, Éditions Québec-Amérique, 1989.

35 *Déclaration finale de la Conférence-Consensus nationale sur les aspects de la césarienne*, Niagara, Ontario, février 1986 et Société des gynécologues-obstétriciens du Canada. *Directives cliniques: Accouchement vaginal après césarienne*, 1997.

36 Ministère de la Santé et des Services Sociaux. *Fichier Med-Écho*, Direction de l'évaluation, Québec, 1998-1999.

# Chapitre 14

# L'arrivée du bébé

# Les derniers moments avant la naissance

Quand le sommet de la tête du bébé commence à apparaître avec les poussées, ce n'est encore qu'une tache sombre à quelque distance encore dans le vagin. Mais c'est bien lui! Enfin, le bébé s'en vient! Chaque poussée laisse voir un peu plus le dessus de sa tête humide, noire de cheveux ou ombrée d'un duvet, avec des replis comme une noix de Grenoble. Chaque moment de repos le laisse retourner là d'où il vient. Chaque contraction le ramène un peu plus proche. Ce mouvement de va-et-vient peut durer quelques minutes... ou deux heures, et convient parfaitement au travail d'adaptation que vivent la mère et le bébé: une pression continue ne laisserait que peu de chance aux tissus de s'adapter graduellement et serait plus difficile à supporter pour le bébé.

Chaque contraction agit comme une grande vague sur le corps du bébé, comme un massage qui vient l'éveiller d'un long et doux sommeil. Comme une dernière caresse pour célébrer neuf mois d'intimité et inaugurer une vie. Peut-être qu'on passe sa vie à essayer de reproduire l'intimité puissante de cette caresse, l'étroit mariage du petit passager et de son vaisseau-mère. Une autre contraction commence. Déjà familière pour le bébé, la sensation de pression vers la sortie de l'utérus s'accompagne maintenant d'une nouvelle impression, celle de l'air frais sur le sommet de sa tête. La vulve est étirée comme jamais on ne l'aurait cru possible. Il n'y a plus de retour. La naissance est imminente!

Une contraction encore et, tout doucement, le bébé relève sa tête. Le périnée de sa mère découvre graduellement, en quelques secondes, son front, ses yeux, son nez, sa bouche, son menton. Aussitôt sortie, sa tête pivote légèrement pour se remettre en ligne avec ses épaules demeurées, elles, obliques. Elle pivote encore (d'un quart de tour en tout) quand les épaules tournent aussi, à l'intérieur, pour se présenter dans l'axe de la vulve. Nul besoin de tirer, tourner ou déplacer la tête, le mouvement se fait tout seul, calculé à la perfection. Voici que la tête de votre bébé est là, visible, tangible. Quel moment incroyable! Suspendu entre deux mondes! Vous pouvez enfin le voir, le toucher. Parfois, les bébés grimacent un peu, ouvrent les yeux, ou encore ils restent là, attentifs, tranquilles, attendant le mouvement final de la naissance pour commencer à découvrir ce qui les entoure.

La prochaine contraction fera naître les épaules, l'une après l'autre, et vous pourrez enfin tendre les bras et venir l'accueillir! Le reste de son corps glissera dans un mouvement extraordinaire qui mérite certainement l'ancien nom de «délivrance».

Chez certaines femmes, dont ce n'est généralement pas le premier bébé, la progression est très rapide. Les tissus offrent si peu de résistance que le passage se fait en quelques poussées seulement, sans retour. Le corps naît dans le même élan que la tête, sans attendre la contraction suivante. Si elles en ressentent le besoin, elles peuvent ralentir légèrement la naissance en ne poussant pas avec leurs muscles abdominaux, la poussée de l'utérus étant suffisante. Une respiration légère, superficielle, haletante les aidera à ne pas ajouter à la force des contractions. Toute position qui ne se sert pas de la gravité, comme couchée sur le côté, aura le même effet. La personne qui l'aide à accoucher pourra, de ses mains, exercer une certaine pression sur le périnée pour ralentir son étirement et le protéger d'une déchirure. Et aussi, pour adoucir l'arrivée du bébé parfois un peu bousculé d'aller aussi rapidement!

Si c'est un premier bébé, sa progression peut être beaucoup plus lente, presque imperceptible d'une contraction à l'autre, comme s'il se creusait un chemin. Il semble qu'on n'en finit jamais d'apercevoir la même petite surface humide et sombre. Entre l'un et l'autre de ces extrêmes, toutes les vitesses de croisière sont possibles! Pendant la poussée, les os du crâne du bébé se chevauchent pour s'accommoder à la configuration du bassin. C'est pour faire ce travail d'adaptation qu'ils ne sont pas encore soudés. C'est aussi pour pouvoir s'ajuster à la croissance extrêmement rapide de son cerveau lors des premiers mois de sa vie. Les bébés qui ont dû faire un effort particulier d'adaptation garderont pour quelques heures la forme allongée qu'ils ont dû prendre pour passer. C'est ce qu'on appelle le moulage. La tête commence à reprendre sa forme immédiatement après la naissance et le moulage disparaît progressivement dans les deux ou trois jours suivants.

## Le passage

Comment se sent l'enfant pendant ce passage, ces quelques derniers instants en communion avec sa mère? Et pendant les premières minutes de sa vie? Il y a 30 ans, les «experts» avaient répondu rapidement que les nouveau-nés n'avaient pas de conscience, donc pas de sensations. Nos mères, dont plusieurs n'avaient pratiquement pas le choix d'accoucher autrement qu'assommées par des calmants ou anesthésiées, ne pouvaient les contredire. Le commun des mortels s'est incliné devant cette opinion, bien qu'elle ne soit absolument pas scientifique. Et l'idée est restée!

Mais un jour, un homme est venu défier cette idée, en utilisant des images saisissantes pour démontrer ce que bien des mères savaient avant lui: l'enfant est sensible et conscient pendant sa naissance! Les cris des nouveau-nés, leur visage grimaçant pendant qu'on les tenait suspendus entre ciel et terre, entre corps et mère, recevant la traditionnelle tape aux fesses, n'étaient que d'immenses cris de protestation à l'aveuglement, à la surdité, à l'insensibilité des gens qui les manipulaient. La voix de Frédéric Leboyer[1], obstétricien français, nous a tous touchés, de près ou de loin. D'abord, elle a été

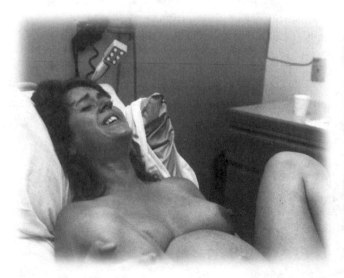

perçue comme farfelue par ses collègues qui refusaient de répondre à son invitation d'essayer, tout simplement, de transformer leur accueil des bébés. Elle a toutefois rapidement convaincu un très grand nombre de parents qui savaient déjà cela, intuitivement. Elle a trouvé écho un peu plus tard dans les travaux de chercheurs qui ont mis en lumière les incroyables capacités de perception des nouveau-nés et le phénomène d'attachement entre la mère et son enfant dans les premières heures de vie[2].

Curieusement, cette voix qui démontrait l'immense besoin de calme, de douceur et d'empathie ressenti par le nouveau-né, nous a aussi parlé de cruauté. Dans son livre *Pour une naissance sans violence*, Leboyer décrit la mère, l'utérus, les contractions avec des mots très durs. Il parle de prison, d'enfer, de terreur, de haine, de mort et de martyre. De sa première respiration, il parle du «feu, morsure intolérable, [...] blessure que fait l'air en entrant dans ses poumons». J'avais gardé de cette lecture un étrange goût amer. Quoi? Après avoir perfectionné l'acte de création, après avoir veillé, dans l'immensité de l'infiniment petit, sur la rencontre presque improbable d'un spermatozoïde et d'une ovule, après avoir imaginé le développement miraculeux,

en neuf mois, d'un être humain complet, la nature aurait soudainement abandonné le dernier passage à des forces brutales et désordonnées, susceptibles de blesser? Je n'arrivais pas à y croire! Mon ventre me criait que ce n'était pas vrai, que les gestes amoureux d'accueillir, de porter et de nourrir un enfant ne culminaient pas dans un geste cruel.

Dans le livre, ces termes dramatiques font bientôt place aux mots tendres qui décrivent une autre façon d'accueillir le bébé. L'impression demeure pourtant, sournoise et puissante. Les contractions font-elles mal aux bébés? Les mères blessent-elles leur bébé? C'est une impression d'autant plus puissante qu'elle est très évocatrice, même si on en a oublié la provenance: la majorité des gens à qui je parle de ces extraits de Leboyer ne s'en souviennent pas... mais plusieurs me questionnent sur l'effet nocif possible des «grosses» contractions sur leur bébé.

Les premiers à évoquer l'idée d'un traumatisme de la naissance parlaient des gens de quarante ans et plus, nés de mères trop souvent droguées tout au long du travail, seules, anesthésiées au moment même de la naissance, séparées de leur bébé dès les premiers moments, et autorisées à le voir seulement à travers la vitre de la pouponnière. Imaginez

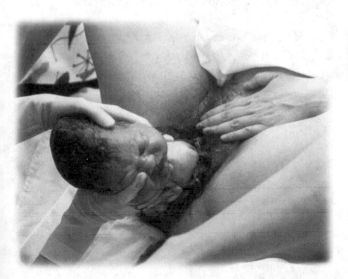

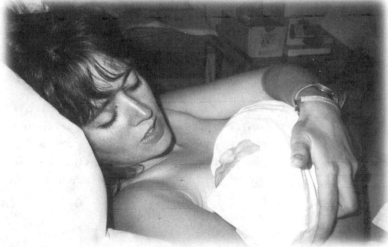

la solitude, la peur panique des bébés soumis à la force incroyable de la naissance, sans la conscience et l'action de leur mère, sans le calme et la chaleur nécessaires pour se réconforter ensemble d'un passage qui aurait été un peu difficile! Comme scénario de traumatisme, c'était réussi! Mais les bébés qui naissent de mères conscientes et actives, soutenues, respectées, naissent-ils heureux?

Comme sage-femme, j'ai assisté, muette d'émerveillement, à la naissance de plusieurs centaines de bébés. Et je suis certaine de ne pas avoir assisté à autant de traumatismes! J'ai été frappée par la présence, le regard, la sérénité de la grande majorité des bébés. Pour affirmer que les nouveau-nés sont aveugles et sourds, il fallait être soi-même aveugle et sourd!

# Le stress normal de la naissance

Le travail normal déclenche chez le fœtus une production extraordinaire d'hormones de stress. Ce mot, qu'on a mille fois entendu comme synonyme de tension nerveuse, fatigue et autres malaises, résonne péjorativement à nos oreilles. En fait, le stress est un élément vital, indispensable et inévitable d'ailleurs de la vie. C'est de l'excès de stress dont on parle quand on imagine une personne débordée, crispée, exaspérée. Elle est alors en état de «dé-tresse», ce qui est bien autre chose! Chez l'être humain, la circulation de ces hormones met en branle une série de réactions d'adaptation qui le préparent à «fuir ou à se battre», autrement dit, à sauver sa peau.

Chez le fœtus, la montée des hormones de stress (connues sous le nom de catécholamines) le prépare plutôt à vivre dans son nouveau milieu, c'est-à-dire à l'extérieur de l'utérus. Les hormones dégagent ses poumons en transformant certaines de leurs caractéristiques pour favoriser la respiration aérienne normale, assurent une circulation abondante de sang vers le cerveau et le cœur, et pourraient même encourager l'attachement avec sa mère. Dans des conditions exceptionnelles de réduction de l'apport d'oxygène, une décharge supplémentaire d'hormones lui permet de survivre et de protéger ses organes vitaux, même si la diminution s'avérait prolongée! Il est d'ailleurs parfaitement équipé pour supporter un manque d'oxygène dont un adulte souffrirait beaucoup plus tôt.

Ces hormones fournissent donc au fœtus un système de protection extrêmement efficace. La force des contractions et la compression subies par le bébé sont responsables pour une large part de l'augmentation de la production de catécholamines pendant le travail. Des recherches portant sur les bébés nés par césarienne élective (c'est-à-dire décidée d'avance et pratiquée avant le début des contractions) montrent qu'ils ont un niveau très bas d'hormones, ce qui leur occasionne plus de difficultés à commencer leur vie autonome[3], alors que ceux nés par césarienne, mais après plusieurs heures de travail, ont un niveau d'hormones comparable aux bébés nés vaginalement.

Le stress du travail sert donc à préparer le bébé au grand saut, à la transition entre le monde intra-utérin et la vie à l'extérieur. Sans ce stress, les bébés se trouvent propulsés dehors sans avertissement, et sont donc moins bien équipés pour faire face à la musique! Peut-être que je vous embête avec toutes ces explications sur les hormones et le stress des bébés, mais je ne peux m'empêcher de vous faire partager mon émerveillement devant l'ingéniosité, sinon le génie de la nature! Quel luxe de détails minutieusement agencés les uns aux autres! Quel miracle! Même sans comprendre les transformations complexes qui affectent les bébés à leur naissance, toute personne de bonne volonté peut facilement observer une chose: la plupart des nouveau-nés à la naissance sont alertes, éveillés et enjoués! Pas du tout malheureux!

Bien sûr, à l'occasion, le voyage du bébé vers sa naissance peut être difficile, et il a pu avoir peur de ne jamais y arriver. Les mains venues l'aider doivent parfois se servir d'une force pas toujours rassurante ni caressante. Quelquefois, une séparation d'avec sa mère aura été inévitable, afin que chacun d'eux reçoive des soins essentiels. Oui, la naissance peut laisser des traces, des serrements dans la gorge, mais cela demeure l'exception, pas la règle!

Peu importe la difficulté des circonstances, le meilleur moyen d'adoucir l'arrivée d'un bébé est d'abord de soutenir sa mère, de l'aider, elle et son compagnon, à ne jamais lâcher leur petit, à l'assurer de leur présence en pensée, si ce n'est pas possible autrement. Vous souvenez-vous d'avoir eu très peur un jour, et de l'effet d'une voix connue et aimée: «N'aie pas peur, on est là, on s'en vient t'aider tout de suite!» et l'étreinte apaisante qui suit, qui calme doucement le cœur qui

débat. Sentez-vous la différence entre cela et avoir peur tout seul?

La plupart des femmes en travail sont entièrement envahies par... le travail, justement. C'est trop demander que de s'attendre à ce que toutes les femmes accouchent en contact direct et constant avec leur bébé: ce qu'elles vivent est tellement exigeant! Leur défi, c'est de donner naissance. Celui du bébé est de se frayer un chemin intérieur, secret, inconnu. Souvent, pendant le travail, la pensée du bébé qui va naître redonne du courage, de l'inspiration. Juste au moment où il s'en vient vraiment, au moment où la mère peut le voir, le toucher, sa présence s'impose maintenant à elle avec une autre force et, malgré l'intensité, elle est généralement capable de se préparer à le recevoir.

*Le travail de Mélissa avait été rapide et intense. Quand la poussée s'est imposée, comme une grande force irrésistible venue de très loin, elle a eu peur. Tellement de sensations se bousculaient dans son corps et son cœur tout à la fois! Je me suis penchée vers*

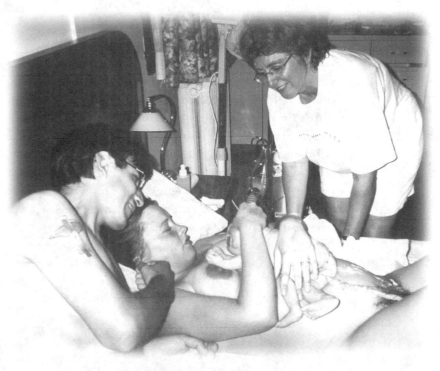

*elle et lui ai chuchoté: «Mélissa! Je sais combien c'est fort, ce que tu vis, presque violent. Je sais que ça pousse et que ça brûle! Dans les minutes qui viennent, ton bébé va naître. Goûtes-y! Profites-en, prends-y plaisir!» J'ai vu passer dans ses yeux un éclair. Comme si toute la saveur de cet instant précis lui montait soudainement à la bouche. C'est dans un état d'excitation heureuse qu'elle a accueilli sa fille dans les minutes qui ont suivi!*

La femme qui accouche a parfois besoin qu'on lui chuchote à l'oreille que son bébé est presque né, qu'il sera là dans quelques instants! Qu'elle le regarde dans le miroir ou qu'elle touche sa tête à la vulve, son énergie, toute centrée vers l'intérieur, peut maintenant s'élargir pour lui faire place.

Les naissances où le passage se fait ensemble, celui de la mère qui accouche et de l'enfant qui naît, les naissances où des bras accueillants attendent les bébés et les rassurent amoureusement ne sont pas des traumatismes. Ce sont des miracles de la vie!

## Les émotions de l'accueil

Il est là, votre bébé. Peut-être s'est-il déjà fait entendre, d'un beau cri de vie pour célébrer son saut dans ce monde. Peut-être est-il encore silencieux, tout occupé à atterrir, à chercher son souffle. Ou calmement arrivé, déjà confortable avec ce mouvement du diaphragme qu'il pratique depuis plusieurs semaines à l'intérieur de vous. Sentez-le se déplier doucement, s'ouvrir à la vie, ouvrir ses poumons à l'air qui le soutiendra toute sa vie. Aidez-le de votre propre respiration. Écoutez ses pleurs, son chantonnement, son vagissement, ce mot merveilleux pour désigner le cri d'un nouveau-né fraîchement émergé du vagin. Écoutez le doux bruit de sa respiration débutante. Écoutez ce qu'il a à dire. Recevez-le pleinement. Quelquefois, les bébés ont besoin de pleurer de longues minutes avant d'avoir vidé leur sac d'émotions. Ce n'est pas nécessairement un chagrin qui a besoin d'être consolé: ils veulent plutôt raconter leur histoire, dire comment ils se sont sentis, exprimer combien il fait bon d'être enfin arrivés après un tel voyage! Parfois, ils ne sont pas sitôt arrivés qu'ils sont déjà occupés à observer, à sentir, à regarder. Ne cherchez pas immédiatement à interpréter son langage, mais laissez-vous plutôt envahir. Laissez-vous pénétrer par lui, par son état, par son émotion. Il se fera comprendre!

Les contractions et le passage dans votre corps lui ont fait vivre une stimulation sensorielle incroyable. C'est ce qui l'a éveillé à la vie. Votre toucher servira de continuité à cette expérience. Touchez-le! Sentez sa peau sur la vôtre, son poids, désormais *sur* votre ventre plutôt que dedans, sa chaleur, la texture de sa peau mouillée et peut-être couverte de cette crème extraordinaire, le vernix, destinée à le protéger pendant son séjour aquatique. Touchez-le du bout des doigts ou à pleines paumes. Sentez son toucher à lui: reconnaissez-vous ses mouvements?

L'odeur des bébés naissants est unique au monde: ils sentent l'utérus, ils sentent l'intérieur. Plusieurs heures après une naissance, je cherche encore cette odeur sur mes doigts, tellement elle est enivrante. Flairezle. Reconnaissez-le avec votre nez, comme le font toutes les femelles du monde pour s'assurer de ne pas laisser entrer un petit étranger dans leur portée: son odeur le trahirait! D'ailleurs, lui aussi vous sent et il reconnaîtra l'odeur de sa mère entre toutes!

Préparez-vous à rencontrer son regard. Il va tranquillement (si ce n'est déjà fait) ouvrir les yeux et chercher votre regard. Une lumière douce et indirecte l'aidera à le faire sans effort. Le regard d'un nouveau-né est sans fond, sans arrière-pensée, sans jugement. Complètement abandonné dans vos yeux, il se donne tout entier!

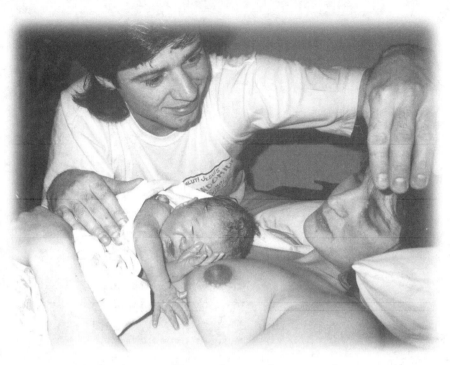

Gardez-le au chaud. C'est essentiel pour le bon fonctionnement de tout son métabolisme et ce, d'autant plus s'il est petit. Encore mouillé, l'évaporation le refroidirait vite à moins d'être couvert rapidement, ne serait-ce que... de vos mains: quatre mains sur un nouveau-né le couvrent assez efficacement! Cela inclut sa tête, sa plus grande surface. Ne mettez pas de couvertures entre vous et lui, mettez-les par-dessus! Le contact de votre peau vous sera à tous les deux beaucoup plus agréable que celui du tissu. Les premières couvertures deviendront rapidement humides, il faudra les changer. Elles seront encore plus confortables si on a pensé à les réchauffer à l'avance.

Sensible et conscient, votre bébé est attentif à tout, y compris aux sons qui lui arrivent maintenant sans être assourdis par l'eau. Les bruits peuvent gêner la mère et le bébé, surtout les commentaires à haute voix, les paroles qui ne leur sont pas des-tinées, les questions qui pourraient attendre. Par contre, j'ai aussi vu des bébés accueillis par des manifestations très bruyantes de joie et d'émotions... se reposer sur leur mère dans le calme le plus total. Peut-être qu'ils sentent à quel point cette émotion est vraie et appropriée.

Si la première respiration de votre bébé est difficile ou plus lente, l'infirmière, le médecin ou la sage-femme veillera aux soins qui s'imposent, aspiration, stimulation, etc. Ces gestes techniques sont importants, mais il a aussi besoin de vous: appelez-le, tout haut ou tout bas, nommez-le s'il a déjà un nom. Invitez-le. Si c'est possible, caressez-le douce-ment, sensiblement, fermement, stimulez-lui la plante des pieds, la paume des mains, le long du dos. Vous lui transmettez l'influx nerveux, énergétique, vital dont il a besoin. Si des mesures de réanimation sont en marche, ne lâchez pas ce que vous faites. Plus que jamais votre présence est essentielle. Si les circonstances sont telles que vous ne pouvez ni le voir ni le toucher, continuez de lui parler, de l'appeler, de lui dire que tout ce monde est là pour l'aider. En même temps, cela vous aidera à être plus calme, présente et centrée.

# Les multiples réactions normales

Toutes les réactions sont possibles et normales. Y compris... ne pas sembler en avoir! Pleurer, rire, crier, se sentir soulagée de ne plus avoir de contractions, avoir envie de dormir, se sentir engourdie, être épuisée, embrasser son partenaire, être surprise ou même repoussée par le bébé, le trouver merveilleusement beau, avoir peur qu'il meure, s'émerveiller de le voir vivre, tout cela à la fois et bien d'autres émotions encore!

La réaction peut-être la plus courante dans les tout premiers moments après la naissance, c'est le choc. Le mot est peut-être lui-même trop fort, mais si je disais étonnement,

ce ne serait pas cela non plus! C'est comme si l'inimaginable de la naissance, combiné avec la fin abrupte des contractions, laissaient les femmes momentanément sans voix, quelquefois sans réaction. «Je n'arrivais pas à y croire», disent plusieurs femmes. «C'est fou, mais on dirait que je viens de me rendre compte que, tout ce temps-là, je portais un vrai bébé!» C'est vrai que la naissance est miraculeuse, quasiment impossible à imaginer ou à expliquer. Pensez-y un peu: un être humain entier qui sort de votre corps!

Émouvante, la naissance est aussi un événement renversant, ahurissant, stupéfiant, impressionnant, imposant! Il y a une sorte d'incrédulité, pendant quelques instants: est-ce que ce bébé vient vraiment de sortir de moi? Surtout qu'une fois sorti, il paraît à la fois si petit et si gros! Ces quelques instants ont besoin de se vivre dans le respect le plus total. Il faut au cœur et à l'intelligence un certain temps pour assimiler que cela s'est bel et bien produit, que cet enfant est bien le nôtre. Surtout que les moments qui l'ont précédé ont souvent réclamé de la mère une telle énergie

qu'il n'en reste probablement pas beaucoup pour comprendre complètement ce qui se passe. «J'en ai manqué des bouts», disent encore de nombreuses femmes: dans le feu de l'action, la mémoire n'avait pas de tiroirs prêts pour emmagasiner tous les faits et toutes les sensations. C'était du «ici et maintenant» à l'état pur!

Quand le bébé émerge du corps de sa mère, la tête à l'extérieur et le reste à l'intérieur, c'est purement un moment d'éternité: le bébé, encore rattaché à sa mère par le cordon, n'est déjà plus un fœtus, mais n'est pas encore tout à fait un être indépendant. Cette transition subtile, mais extraordinairement puissante, a besoin de quelques minutes pour pénétrer les sens. Précipiter un bébé dans les bras de sa mère, lui annoncer le sexe en primeur, c'est lui dérober quelques instants de son éternité à elle.

J'adore ces naissances où la position de la mère (à genoux ou accroupie, par exemple) fait que le bébé arrive devant elle sur le lit, plutôt que d'être soulevé et déposé sur son ventre par quelqu'un d'autre. Les femmes prennent rarement leur bébé tout de suite. Elles restent un instant immobiles, puis, doucement, le touchent du bout des doigts, puis de toute la main et, souvent, plusieurs minutes s'écoulent avant qu'elles ne le prennent dans leurs bras. On sent vraiment que c'est une rencontre. Le bébé, de ses mouvements et parfois de ses vagissements, appelle sa mère. Elle se penche vers lui jusqu'à le «reprendre», sur elle maintenant, plutôt qu'en elle. Lentement, à leur rythme à tous deux. Ou à tous trois. Le bébé arrive et c'est aux parents de le découvrir.

*Bien assise dans son lit, Mélanie a pris son bébé de quelques minutes, l'a assis sur ses genoux, en le soutenant. Face à face tous les*

*deux. C'est comme cela qu'elle voulait faire connaissance avec ce petit qui partagerait sa vie pour de nombreuses années. «Salut bébé! Alors c'est vraiment toi? Moi je suis Mélanie, ta mère.» Et son petit, grave et attentif, la regardait droit dans les yeux!*

*«Oh! mon amour! Oh! mon amour!» répétait France tout en riant et en pleurant. Comme elle embrassait alternativement son compagnon et son bébé. On comprenait qu'elle s'adressait aux deux!*

*Anne-Marie avait demandé à son médecin de ne pas lui dire le sexe de son bébé. «Je veux le découvrir moi-même», lui a-t-elle expliqué. À la naissance, le médecin lui tend son bébé, jambes ouvertes, à deux pouces de son nez: «Alors, lui dit-il, qu'est-ce que c'est?» Pourquoi les médecins s'imaginent-ils que c'est d'un intérêt crucial pour tous les parents, à la première seconde de vie? Pourtant, laissés à eux-mêmes, la plupart des parents laissent passer plusieurs minutes, parfois jusqu'à une demi-heure avant de se poser la question: «Mais au fait, c'est un garçon ou une fille?» Pour ma part, je n'annonce jamais le sexe d'un bébé. C'est un secret qui appartient entièrement aux parents, autant que le moment de le révéler. C'est si profondément ancré dans notre imagerie de l'accouchement, que je dois souvent rappeler cette discrétion aux amis présents, avant la naissance, sinon, quelqu'un d'autre se chargera de l'annoncer!*

*Catherine, une jeune femme blonde aux yeux bleu clair, avait un compagnon très noir de cheveu et de barbe. Quand on a commencé à voir la petite tête de son bébé, extraordinairement chevelue et noire, Catherine, à qui on avait tendu un miroir pour lui montrer l'excitante apparition, a eu un choc: c'est comme si ce bébé, si noir, ne pouvait pas être le sien, comme si sa couleur de cheveu accentuait le sentiment d'étrangeté entre elle et son bébé. Il lui a fallu un long moment, après la naissance, pour se remettre de cette première réaction et probablement quelque temps encore pour s'apprivoiser au fait d'avoir une petite fille si différente d'elle!*

*Marie-Hélène a eu un travail tellement intense et exigeant, que la naissance l'a laissée tremblante et fragile pour au moins une heure. Son corps s'est occupé d'expulser le placenta, de contracter l'utérus efficacement, mais elle ne pouvait pas «ramasser ses esprits». Ce n'est qu'au bout d'une heure qu'elle s'est intéressée à son bébé, que son compagnon, ravi, avait tenu jusque-là dans ses bras.*

Beaucoup de femmes, ayant mille fois imaginé la naissance de leur bébé, sont étonnées de ne pas avoir la réaction émotive, les larmes de joie et d'amour auxquelles elles s'attendaient. L'annonce d'une joyeuse nouvelle provoque généralement une réaction immédiate de surprise heureuse. La naissance d'un bébé, quant à elle, suscite des réactions si profondes, si variées, à la fois physiques, émotives, spirituelles... qu'il ne faut pas s'étonner que l'onde de choc s'étale sur plusieurs jours. De fait, plusieurs femmes, inondées des mêmes hormones que le bébé, en ont pour quelques jours à flotter littéralement, à ne pas pouvoir dormir tellement elles sont excitées. Plusieurs pères connaissent la même réaction. En fait, même si leur organisme ne connaît pas la même décharge d'hormones que celui de la mère, on sent que «les hormones flottent dans la pièce» et inondent volontiers tout autre personne présente qui se laisse toucher par la beauté de la naissance.

L'accouchement vient bousculer un réseau extrêmement complexe de relations humaines et d'émotions. C'est tout à fait normal et sain d'absorber lentement l'extraordinaire onde de choc engendrée. Ne vous jugez pas dans vos réactions. Elles sont ce qu'elles sont! Acceptez de rencontrer votre bébé à travers les émotions qui seront les vôtres à ce moment-là. Elles sont votre manière à vous de vous ajuster à ce grand bouleversement dans votre vie.

# L'expulsion du placenta

Dans les minutes qui suivent la naissance, l'utérus continue à se contracter rythmiquement pour décoller et expulser le placenta. Occupée à regarder son bébé et à absorber l'émotion intense de la naissance, la mère ne remarque probablement pas ces contractions qui sont nettement moins fortes que celles qu'elle a vécues dans les dernières heures.

Un saignement modéré, un allongement de la partie visible du cordon et un changement dans la forme de l'utérus annoncent que le placenta est décollé et qu'il ne reste plus à l'utérus qu'à l'expulser. Habituellement, cela se fait spontanément dans les vingt minutes qui suivent la naissance, mais il peut arriver qu'il faille attendre jusqu'à une heure.

C'est surtout pendant l'heure qui suit la naissance que la mère peut être sujette à une hémorragie. Aussi, cette période est-elle surveillée de très près. Pendant ce temps, et même lorsque la mère continue à bien se porter, il semble raisonnable de stimuler l'expulsion en suggérant des changements de position, en massant l'utérus de façon modérée et en exerçant une traction douce sur le cordon pour le guider vers l'extérieur. Faire téter le bébé provoque des contractions de l'utérus qui favorisent le décollement et l'expulsion. La position accroupie peut faire descendre le placenta sur le col, ce qui stimule une contraction et pousse sur le col pour l'ouvrir. Uriner peut aussi être utile, si le placenta tarde à venir, parce qu'une vessie pleine peut empêcher l'utérus de se contracter efficacement.

Chaque médecin et chaque sage-femme a sa façon de veiller à la délivrance du placenta et une limite de temps pendant laquelle il ou elle se sent confortable d'attendre, quand la mère va bien. La vigilance et la patience combinées sont probablement les meilleures conseillères. Évidemment, s'il y a une hémorragie, la conduite à tenir est bien différente et peut inclure, selon la cause du saignement, l'expulsion immédiate du placenta complet, un massage vigoureux de l'utérus pour le forcer à se contracter, l'injection d'ocytocine pour aider la con-

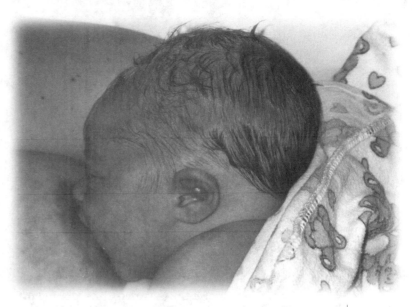

traction utérine et l'installation d'une intraveineuse. On parle généralement de rétention placentaire quand le délai dépasse une heure mais, en l'absence de tout autre symptôme, il pourrait être raisonnable de continuer d'en stimuler l'expulsion avant de recourir à des moyens plus drastiques comme la délivrance artificielle, où l'on doit retirer manuellement le placenta, avec une anesthésie ou analgésie quelconque.

Après l'expulsion du placenta, le médecin ou la sage-femme examine attentivement le périnée, les lèvres et le vagin et voit à faire une suture s'il y a eu déchirure ou épisiotomie. On utilise une anesthésie locale, mais certaines femmes trouvent la suture inconfortable quand même et ont besoin qu'on les soutienne (leur endurance est souvent à bout!) et qu'on s'occupe de leur bébé pour le temps qu'elle dure. Les déchirures mineures ne demandent souvent pas de suture et guériront par elles-mêmes dans les premiers jours.

Au cours des premières heures qui suivent l'accouchement, la sage-femme ou l'infirmière s'assure que l'utérus est bien contracté. Pour ce faire, elle place doucement sa main sur l'utérus pour évaluer s'il est contracté et masse plus fermement s'il ne l'est pas assez. Il n'y a aucune raison de brutaliser systématiquement l'utérus. Occasionnellement, des caillots de sang se sont formés dans l'utérus et doivent être expulsés pour que l'utérus puisse se contracter efficacement et garder le saignement au minimum. Habituellement, la perte de sang varie entre presque rien et 500 millilitres, c'est-à-dire à peu près deux tasses. L'organisme de la femme enceinte, avec l'augmentation de son volume sanguin, est particulièrement bien équipé pour faire face à cette perte normale.

# La première tétée

Votre bébé est entre vos bras depuis un moment. Voilà qu'il commence à tourner son visage vers vous et à chercher avec sa bouche. C'est le réflexe de «fouissement», qui l'aidera à trouver votre sein. Quand la naissance a été spontanée, l'état d'éveil aigu de la mère et du bébé les guide l'un vers l'autre. Leurs gestes et leurs postures ont cette espèce de confiance qui fait que, même un peu maladroits, ils vont se rejoindre!

Toutes les fonctions sensorielles de votre bébé seront en œuvre pour amorcer cette première tétée: l'odorat, la vue, le toucher. Le toucher, surtout, et pour lequel il a besoin d'avoir les mains libres. Vous serez beaucoup plus à l'aise pour offrir le sein si vous êtes bien verticale, avec le corps du bébé tourné vers vous et sa bouche à la hauteur de votre mamelon, ou sur le côté, avec votre bébé couché face à vous, directement sur le lit, si la position assise vous est difficile ou impossible. La position la plus malaisée est sans doute semi-assise parce que la forme du sein rend parfois la prise du mamelon par le bébé plus difficile.

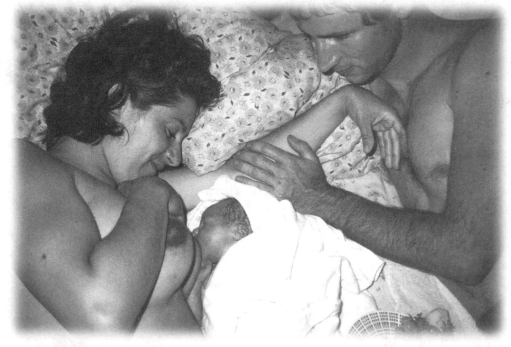

Cette première tétée est une rencontre bien plus qu'un repas! En ce moment, votre bébé et vous avez besoin d'intimité, de temps, de patience. Avant que le bébé n'arrive à expérimenter confortablement le fait de se tourner la tête, de sentir le bout de votre mamelon et de l'attraper entre ses lèvres, avant qu'il ait fini de sentir le sein, de le lécher... il peut se passer de longues minutes. La plupart des bébés prennent cinq à dix minutes avant d'y arriver et quelquefois plus. Entre temps, ils ont juste besoin qu'on les tienne près du sein et d'un peu de patience. Peut-être n'est-il pas prêt? Les bébés ont vraiment besoin d'atterrir avant de téter! Le bébé qui pleure a rarement besoin de téter à ce moment-là. Il a plutôt besoin d'être

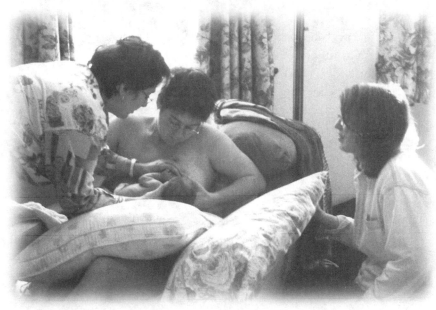

entouré, calmé, réchauffé. Après, on lui présente délicatement le sein: on lui touche la joue ou les lèvres avec le mamelon. Il se tournera et le prendra, mais peut-être pas du premier coup. Soyez invitante, ferme et sensible! Si cela vous est difficile, ajustez votre position, changez de sein, demandez de l'aide à quelqu'un d'expérimenté et, surtout, ne soyez pas impatiente envers vous-même!

Trop de mères se découragent, pensant qu'elles ne savent pas comment, ou que le bébé n'est pas intéressé. Elles se laissent intimider par une infirmière qui décrète que ce sera cinq minutes par sein seulement. Au bout de ces cinq pauvres minutes, le bébé vient tout juste de finir sa petite reconnaissance du bout des lèvres et hop! on l'en enlève... c'est à recommencer! Parfois, la mère pense que c'est elle qui ne sait pas s'y prendre, qu'elle est maladroite, puisque la succion est un réflexe de la part de l'enfant. C'est exactement le genre de jugement sur soi-même qui nous rend plus

nerveuse, ce qui n'arrange pas les choses. Quand les balbutiements presque inévitables des premières tétées sont perçus comme des signes de maladresse, c'est toute notre expérience qui en est changée. Il ne faudrait pas que l'allaitement devienne une performance de plus à réussir! C'est toute une expérience que de se laisser couler l'un dans l'autre, de nouer un lien physique infiniment intime, en continuité avec la grossesse!

Le début de l'allaitement est un moment extraordinaire, une transition délicate. «Attention! Fragile!» voudrait-on dire aux gens qui entourent la mère dans ses premières tentatives. Si on veut favoriser l'allaitement heureux, on doit la soutenir, l'encourager, l'apprécier et protéger son intimité et son rythme. Cette première tétée sera suivie de plusieurs autres! Essayez de vous entourer de cette atmosphère d'intimité, de faire respecter votre espace. Donnez-vous le plus de contacts physiques possibles avec votre bébé. L'allaitement s'insérera entre vous, comme le véhicule naturel de votre nouvelle relation. C'est un chemin éminemment personnel que celui que décrivent deux personnes en marche l'une vers l'autre. De la même manière, les premières tétées se dérouleront idéalement à votre rythme, sans pression vers la performance, sans jugement face à vos talents de mère qui allaite. C'est un espace de découverte mutuelle. Comme une danse d'amour entre vous deux!

**Notes**   [1] Frédéric LEBOYER. *Pour une naissance sans violence*, Paris, Éditions du Seuil, 1974.
[2] KLAUS et KENNELL. *Maternal-Infant Bonding*, Saint-Louis (Missouri), Mosby Publishing, 1976. (Plusieurs fois réédité)
[3] KLAUS, KENNELL et KLAUS. *Bonding*, Boston, Addison-Wesley, 1995.

# Chapitre 15

# L'attachement entre les parents et leur bébé

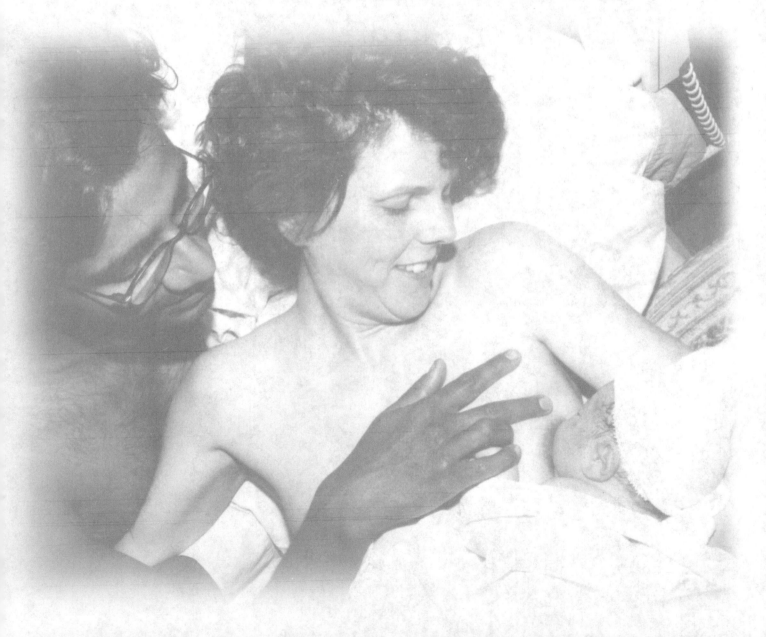

# Le processus de l'attachement

Dans les minutes et les heures qui suivent la naissance, un bébé découvre le monde et rencontre ses parents pour la première fois (de ce côté-ci de l'utérus, si je peux dire!). Ceux-ci découvrent leur enfant, l'être humain qui partagera désormais leur vie et qu'ils auront la tâche et le bonheur de protéger, de nourrir et d'aimer. Il n'est pas difficile de comprendre l'importance de ce moment charnière. Après tout, on n'a pas deux fois la chance de faire une première impression! C'est si important que, même physiquement, les conditions favorables à une telle rencontre font partie du déroulement de l'accouchement: toutes les hormones, libérées dans l'organisme du bébé et dans celui de sa mère par le travail, contribuent à créer une sensibilité exceptionnelle qui les rend encore plus réceptifs l'un à l'autre. Quand le père s'est laissé toucher émotionnellement dans l'expérience de l'accouchement, il ressent aussi ce bouillonnement intérieur qui le prépare à rencontrer son bébé.

Dès qu'il a fini d'apprivoiser son premier contact avec l'air, par sa respiration, le bébé commence à explorer cet univers qui est désormais le sien! Il est alors dans cet état particulier aux nouveau-nés: calme, alerte, attentif. Il ne bouge à peu près pas, tout occupé qu'il est à voir, à écouter, à sentir, toucher et goûter. Les parents, chacun à leur manière, eux aussi, explorent, regardent, parlent, écoutent, touchent.

C'est le moment où j'aime m'effacer le plus possible. Le bruit, la lumière crue, les paroles dérangent. Sur la pointe des pieds, j'éteins ou je détourne la source de lumière, je me tais et fais signe aux autres de faire de même. J'apporte la couverture chaude qui réconforte, détend et permet, dessous, le contact peau à peau qui recrée une continuité avec la vie intra-utérine. Au besoin, j'aide la mère à trouver la position dans laquelle elle sera confortable et qui lui permettra d'avoir son bébé bien en face d'elle, pour être là lorsqu'il ouvrira les yeux. Le père trouve, lui aussi, la place qui lui permet de bien voir le bébé pendant qu'il est en face de sa mère. Personne ne devrait entrer bruyamment dans cette chambre, jusqu'à ce que les parents, d'eux-mêmes, émergent doucement de la bulle qui s'y est créée.

Le nouveau-né arrive tout prêt pour cette rencontre: calme, actif et conscient, il réagit aux stimulations et envoie des signaux par des petits sons, ses mouvements, ses regards. Son sens le plus en éveil est celui du toucher et la première région de son corps avec laquelle il établira une communication est sa bouche, en cherchant le sein et en tétant. Il entend mieux les sons aigus que les sons graves, ce qui est encore plus fascinant quand on constate que, dans les minutes qui suivent la naissance, les mères parlent spontanément à leur bébé avec une voix nettement plus aiguë qu'à l'ordinaire. Il voit clairement, mais seulement à 20 ou 30 centimètres de ses yeux, c'est-à-dire la distance à laquelle son visage se trouve du vôtre quand il est dans vos bras (le reste de l'univers n'a encore que peu d'intérêt pour lui). Ce qui l'intéresse le plus, c'est de trouver un visage humain et de le regarder attentivement! Le regard clair et ouvert d'un nouveau-né de

déplaise!), chaque espèce a développé sa propre manière d'assurer que la mère reconnaisse son petit parmi les autres, et vice-versa, et qu'un lien mutuel invisible les unisse, garantissant au petit protection, chaleur et nourriture. On a observé ces comportements d'attachement chez les singes, les chats, les moutons, les chèvres, etc. Chez les animaux, c'est à la naissance surtout que se construit cette reconnaissance mutuelle. Par exemple, quand la chèvre accouche de son petit, elle se tourne immédiatement vers lui et se met à le lécher, à la fois pour l'assécher et pour le stimuler. Puis le chevreau, déjà debout, cherche à téter sa mère qui se place pour lui faciliter la tâche. Si on sépare la chèvre de son petit avant qu'elle ne le lèche, et qu'on le lui rapporte une heure plus tard, elle ne le reconnaîtra pas et refusera absolument de l'allaiter. Par contre, si on la laisse avec son petit ne serait-ce que cinq minutes après la naissance, elle le reconnaîtra même trois heures plus tard et l'acceptera comme sien.

Chez les humains, où la relation entre les parents et leur petit sera beaucoup plus longue et complexe, la nature, généreuse et prévoyante, a cru bon d'allonger sérieusement la période pendant laquelle cet attachement est possible. Les auteurs de *Bonding*, ont demandé à une centaine de femmes à quel moment elles s'étaient vraiment senties «en amour» avec leur bébé[2]. Près de la moitié ont répondu pendant la grossesse, près du quart, à la naissance, un autre quart dans la première semaine, et quelques-unes après la première semaine. C'est aussi ce que j'ai observé. Quand je vois les femmes pendant leur grossesse, il vient un moment où

quelques minutes, de quelques secondes parfois, ferait fondre un cœur de pierre! Pas étonnant qu'il fasse fondre le cœur de ceux qui l'attendaient déjà avec amour.

Les chercheurs parmi les premiers à s'intéresser aux nouveau-nés dans leurs premières heures de vie ont découvert en eux des êtres humains complets, capables de réactions, d'émotions et d'apprentissage[1]. Ils se sont intéressés aux heures qui suivent la naissance et ont donné le nom d'«attachement» (*bonding*) au processus qui y prend place. Au début, ils n'ont étudié que les interactions avec la mère pour se rendre compte, un peu plus tard, que le même processus agissait aussi sur le père! D'ailleurs, leur premier livre s'appelait *Maternal-infant bonding*, alors que l'édition révisée quelques années plus tard portait le titre *Parent-infant bonding*, la version la plus récente s'appelant *Bonding* tout court!

Ce lien avec des adultes prêts à s'occuper de lui est un moyen de survie pour le nouveau-né. C'est si important que, chez les mammifères (dont nous sommes, ne nous en

ce qu'elles portent en elles est plus qu'une promesse, un projet, une idée d'enfant, c'est une personne. Le changement se fait graduellement pour certaines, alors que c'est une révélation soudaine pour d'autres.

*La première fois que Danielle a entendu battre le cœur de son bébé, elle riait et pleurait à la fois, émue et tremblante de cette rencontre. Comble du hasard, on pouvait très facilement sentir la tête de son bébé, petite rondeur de cinq à six centimètres de diamètre, juste là, sous la peau de son ventre. Elle la saisit délicatement entre ses doigts et la balança doucement de gauche à droite, comme pour la bercer tendrement. Ce petit bébé venait d'émerger du nuage où il se cachait encore: c'était maintenant une personne!*

*Pour Caroline, c'est la naissance qui a été ce moment révélateur: elle avait longtemps hésité au début de cette grossesse non désirée, dans laquelle elle se retrouvait seule. Mais le temps passait sans qu'elle ne puisse se résoudre à se faire avorter! La grossesse s'est donc déroulée un peu à contrecœur et pleine d'ambivalence face à cet enfant qui venait partager sa vie. Quatre amies entouraient Caroline pendant son accouchement. Quand Amielle est née, on aurait pu entendre le silence, si ce n'était des petits sons qu'elle faisait pour saluer sa mère. Leur rencontre à toutes deux nous a laissées muettes d'émotion. «Allô, mon bébé», disait Caroline, et la petite, les yeux grands ouverts, répondait avec de petits bruits. Longuement, elle l'a caressée partout, comme si elle avait voulu, du bout des doigts, établir une carte de son corps dans tous ses recoins et rondeurs. Ensemble, elles se sont cherchées au moment de la première tétée. Les gestes venaient, comme par instinct, même si parfois les mains étaient un peu malhabiles. Caroline n'a pas pu dormir les deux nuits suivantes: trop excitée, elle passait ses nuits à regarder Amielle à ses côtés! Au troisième jour, elles ont sombré ensemble dans un sommeil paisible et réparateur.*

L'attachement à nos bébés est un processus continu, invisible et lent. Il comporte des points forts, comme l'annonce de la grossesse, les premiers mouvements et n'importe quel autre moment de la grossesse qui rend ce bébé à venir un peu plus réel et cher à nos yeux. À plus forte raison son arrivée! D'où l'importance de ne rien négliger pour protéger les heures magiques qui suivent la naissance!

## «Tomber en amour» dans un hôpital

Quand j'ai accouché de ma fille, au Québec en 1974, on l'a immédiatement emportée sur une table, un peu plus loin dans la salle d'accouchement. C'était le silence. «Elle ne pleure pas, elle ne pleure pas!» m'inquiétais-je, moi qui ne la voyais pas. Quand elle s'est mise à faire quelques sons, j'ai crié: «Consolez-la, consolez-la!» C'était tellement douloureux d'en être séparée et de devoir me fier à des gens que je ne connaissais pas pour s'en occuper, surtout qu'on n'avait pas l'air d'avoir les mêmes idées quant à la façon d'entourer un nouveau-né d'amour! En quelques minutes, et sans qu'elle ne passe par mes bras, elle était en route pour la pouponnière, bien que sa naissance et le début de sa respiration aient été absolument normaux. Je ne devais la voir que plusieurs heures plus tard, pour quelques courtes minutes, endormie et complètement enroulée dans des couvertures! Soupçonneuse, j'ai d'abord vérifié son bracelet d'identification. «Vous êtes bien certains que c'est mon bébé?» Le sentiment d'étrangeté que beaucoup de femmes ressentent en voyant leur bébé pour la première fois était mille fois multiplié. Bien sûr, je l'ai aimée, mais nous avions manqué inutilement la magie des tout premiers moments ensemble alors que l'une et

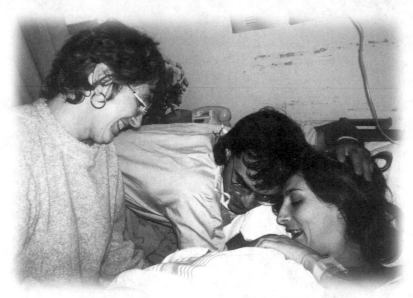

l'autre étions tellement disponibles et impatientes de nous rencontrer!

Cette séparation routinière des mères et des bébés a longtemps été la norme à l'hôpital. Celles qui n'allaitaient pas ne prenaient leur bébé dans leurs bras qu'à la sortie de l'hôpital! Les autres, pour vingt minutes seulement, aux quatre heures précises, ou tout autre variante aussi «efficace», selon les services et les époques. Tant pis si le bébé dormait tout au long des vingt minutes! Le rationnement, quoi! «Reposez-vous», nous disait-on. «Vous avez toute la vie pour le voir!» Pourtant, cette rupture, à un moment aussi crucial que celui-là, a laissé des marques profondes dans beaucoup de relations mère-enfant.

Ce temps est révolu dans la plupart des hôpitaux du Québec. Les demandes répétées des parents, appuyées par les recherches comme celles de Klaus et Kennell et plusieurs autres depuis, sont venues à bout de convaincre le personnel hospitalier de modifier la routine des accouchements. On «donne» maintenant le bébé à sa mère dès la naissance, à moins de problèmes de santé de l'un ou de l'autre. Par contre, le caractère sacré de ce moment n'est pas toujours respecté. Presque partout, on donne la priorité aux routines hospitalières plutôt qu'à la rencontre du bébé avec sa mère, son père et sa famille, en toute intimité, avec le strict minimum d'interférence. On reste attaché à des procédures, parfois non fondées ou, en tout cas, non essentielles à ce moment-là, qui altèrent sérieusement cette première rencontre.

On dépose le bébé sur sa mère, mais sur une couverture plutôt que directement sur sa peau. On l'enlève rapidement pour l'assécher et l'enrouler dans des couvertures de telle sorte que seul son visage dépasse, alors que déposé directement sur le corps chaud de sa mère puis essuyé et recouvert, sa perte de chaleur serait négligeable. On l'éloigne pour le peser ou l'examiner, souvent hors de la vue de ses parents, alors que cela pourrait facilement attendre quelques heures ou se passer tout à côté d'eux. Puis, on le met sous la lampe pour le réchauffer puisqu'il s'est refroidi en restant tout nu pendant plusieurs minutes, lors de l'examen. La pose du bracelet d'identification, la prise des empreintes du pied, tout est prétexte à déranger. Gentiment, bien sûr, mais déranger tout de même!

Puis, on dit aux parents quoi faire. On annonce que c'est le temps de l'allaiter (ah oui? le temps pour qui?) ou de le changer de côté, ou de le donner au père. Sans malice, bien sûr, mais c'est une autre façon subtile de s'ingérer! Qui dira combien une telle attitude intimide les parents, les gêne dans leur spontanéité et entame leur confiance en eux?

L'attachement est un processus fragile, qu'il faut protéger. Je vous raconte tout cela pour vous encourager à exiger des conditions optimales pour vivre cette rencontre, sans intrusions ni distractions inutiles. Certains hôpitaux ont adapté leurs routines pour respecter ce moment-là, et il faut les en féliciter. Les gens qui sont autour, les amis, la sage-femme, l'infirmière, le médecin, doivent être absolument respectueux de ce moment. Disponibles, mais absolument discrets. Prêts à répondre, si la mère lève la tête et cherche des yeux quelqu'un qui pourrait l'aider, mais sans intervenir d'emblée. Comme c'est difficile d'assister patiemment aux essais parfois timides, parfois maladroits! Comme il est tentant d'expliquer comment s'y prendre, de se substituer aux parents dans leur découverte. C'est le rôle des professionnels qui vous entourent lors de la naissance de mettre tout en œuvre pour protéger ce moment et le laisser se déployer pour vous, absolument unique! «Les gens qui travaillent en obstétrique ont une responsabilité dans la transmission de la capacité d'aimer.» (Michel Odent)

À la maternité de Pithiviers, en France, que dirigeait justement Michel Odent, les consignes qu'on donne aux nouveaux parents se résument à ceci: passez le plus de temps possible avec votre bébé et méfiez-vous des conseils de ceux qui «savent comment»! Cette confiance dans la capacité des parents à trouver leur façon d'aimer est en continuité directe avec la confiance que les gens de cette maternité manifestent à l'égard des femmes qui viennent y accoucher. Le processus est là, inscrit dans le corps et le cœur des femmes et de leur compagnon. Il faut apprendre à ne pas se mettre dans son chemin.

La plus grande partie de ce que «parenter» signifie n'est pas intuitif, mais appris. Les femmes ont besoin de leur bébé pour devenir mère, et les bébés on réciproquement besoin de leur mère et de leur père, pour amorcer une relation d'amour qui les aidera à devenir des êtres humains épanouis. Toutes nos relations prennent leur source dans cette première histoire d'amour. Il faut en prendre grand soin. C'est long, une vie!

# Quand la rencontre n'est pas facile

La vie n'est pas un long fleuve tranquille! Il peut arriver que les premières heures après la naissance ne se vivent pas du tout comme vous l'auriez voulu. Heureusement, l'attachement n'est pas un rendez-vous d'un soir qu'on manque une fois pour toutes. Plus d'un parent a dû s'ajuster aux circonstances particulières de la naissance et remettre à un peu plus tard les premiers moments de véritable intimité. Que ce soit parce que les circonstances ne permettent pas une disponibilité des uns et des autres, si l'un ou l'autre a besoin d'attention médicale, par exemple, ou parce que la complexité des émotions a voilé momentanément l'envie qu'on avait de se rencontrer.

Je considère que c'est une partie importante du travail d'une sage-femme que de tout faire pour protéger et encourager des conditions optimales pour la rencontre du bébé avec ses parents. Plus les circonstances ou les émotions sont difficiles, plus les parents ont besoin d'attention pour faciliter tout doucement un rapprochement, tout en respectant ce qu'ils vivent. L'attachement peut prendre plus de temps. Et c'est tout à fait bien comme cela.

Que ce soit parce qu'elle est fatiguée ou déçue, une femme peut sembler momentanément indifférente face à son bébé. Comme si l'amour qu'elle avait en réserve était refoulé par une immense vague de fatigue ou de chagrin. Quelqu'un, très doucement, avec beaucoup de respect pour ce qu'elle ressent, pourrait l'aider à mettre son bébé tout contre elle, pour lui donner une chance de creuser son chemin jusqu'à elle. Quelquefois, le bébé trouve le sein, le lèche, le prend et, soudain, c'est l'instinct qui resurgit, c'est la vague d'hormones que la succion du bébé déclenche dans tout l'organisme de sa mère. Tout d'un coup, ce petit l'intéresse. Il l'éveille, l'excite et vient résolument la conquérir! «Regarde comme il veut téter et comme il ouvre ses yeux et te cherche!» Quelquefois le miracle se produit, et toute l'énergie que l'accouchement semblait avoir drainé hors de la mère revient comme un ressac. Ce contact actif et physique entre mère et bébé et la succion provoquent une bouffée d'énergie, de vie entre les deux. Parfois, des bébés un peu bleuâtres encore deviennent soudainement roses, leur respiration se stabilise, la mère elle-même reprend des couleurs et se met à sourire!

*Un jour, j'accompagnais une femme à l'hôpital. Son médecin s'absente pour aller assister un accouchement dans la chambre voisine. Au retour, elle s'exclame: «Comme c'est dommage! Cette femme vient d'avoir son troisième garçon, et ils sont tellement déçus, elle et son mari, que ni l'un ni l'autre n'a voulu voir le bébé.» «Et qu'avez-vous fait?» ai-je demandé? «Eh bien! On a respecté le choix des parents, on l'a emmené à la pouponnière.»*

*Quel dommage en effet! C'était la première rencontre entre des parents et leur nouveau-né, qu'ils auraient sans doute voulu accueillir avec amour! La déception, temporairement à l'avant-plan, leur a fait rater ce moment où il y avait, réunies, des conditions optimales pour traverser cette déception: l'extrême vulnérabilité d'un nouveau-né de quelques instants, la culmination d'un travail intense, la décharge d'hormones, la réalisation que cet enfant, sans défense, malencontreusement du «mauvais» sexe, n'a quand même que ses parents pour l'aimer! Il fallait leur permettre de vivre leur déception, sans la nier cependant, en leur permettant de la vivre vraiment, avec le soutien du personnel qui les accompagne à ce moment-là, et en ayant aussi à l'esprit qu'ils devront partager leur vie avec ce bébé.*

Il y a une très fine démarcation entre imposer un choix ou une manière de faire à des parents dans une situation émotive difficile, et répondre au premier degré à leur réaction du moment. Devrions-nous obéir ou nous incliner lorsqu'une femme, momentanément submergée par la douleur, crie: «Faites n'importe quoi, tuez-moi!» Nous devrions plutôt répondre à ce qu'elle veut probablement dire: «Aidez-moi!»

Tout cela ne se traite pas en pièces détachées. Si l'instinct et l'intuition de la mère ne sont pas valorisés pendant la grossesse, si l'accouchement lui dénie sa capacité de trouver elle-même le rythme et les positions qui lui conviennent, si on lui fait attendre la «permission» de pousser pour ensuite la soumettre à une méthode artificielle de poussée, cela prend presque un miracle pour que soudain, à la naissance de l'enfant, l'instinct reprenne sa place, sa force et s'exprime pleinement lors de cette première rencontre. Mais telle est la force qui attire la mère vers l'enfant et l'enfant vers sa mère... que le miracle se produit le plus souvent tout de même!

## Les émotions prennent le dessus

Toutes sortes de raisons peuvent expliquer un apparent manque d'intérêt envers le bébé à sa naissance. Parfois, c'est simplement que l'accouchement a été tellement long, difficile ou épuisant qu'on n'a plus d'énergie pour la joie, pour l'accueil, pour la rencontre.

*Suzanne était tellement fatiguée que, pour une heure ou deux, elle ne voulait que dormir, satisfaite de savoir son bébé sain et sauf, mais pas encore intéressée à le voir.*

*Le travail actif de Chantal n'avait duré que trois quarts d'heure... mais quel trois quarts d'heure! Elle s'est levée du sofa où la naissance l'avait surprise, s'est rendue jusqu'à son lit, son bébé encore relié à l'intérieur de son corps par le cordon et s'y est couchée en boule, cachée sous les couvertures, le temps de reprendre son souffle. Silencieux, nous avons respecté son besoin d'accalmie. Ce n'est que bien plus tard, une fois remise du choc, qu'elle s'est tournée vers son bébé pour l'accueillir.*

Combien de fois j'ai vu des parents absolument décontenancés par l'arrivée d'un bébé qui pleure sans arrêt pendant une heure. Les premières minutes de pleurs soulagent un peu: il respire! Puis, les pleurs font sourire affectueusement: «Mais non, mais non, ça va bien!» Au bout d'une demi-heure, quand les parents ont essayé tous les moyens auxquels ils ont pu penser, quand ils ont bercé, chanté, consolé et que rien n'y fait, ils commencent parfois à ressentir les pleurs comme des reproches personnels: «Il a besoin de quelque chose et je ne suis capable ni de comprendre quoi, ni de le lui donner!» Souvent, je crois, le bébé a besoin de «dire» son expérience, de donner sa version personnelle des heures qu'il vient de vivre: c'était dur, il a eu peur parfois, il s'est demandé si cela finirait jamais. Quand on tend l'oreille à ce qu'il essaie de raconter, à sa manière, après un moment, on le voit se calmer, satisfait d'avoir été entendu, et s'ouvrir peu à peu au moment présent. Faisons-lui le cadeau de notre entière attention!

Quand on est déçue du déroulement de l'accouchement, la peine peut être telle qu'elle occupe toute la place, ne laissant plus d'espace pour les autres émotions. C'est si complexe, les émotions qui nous assaillent!

*Claire avait préparé un accouchement naturel tout au long d'une grossesse merveilleuse et attendait avec impatience de savourer le bonheur de la naissance. L'histoire s'est déroulée autrement: détresse fœtale, transfert à la salle d'accouchement, forceps, énorme épisiotomie! «J'ai tout eu», disait Claire, profondément blessée et amère de ce qu'elle ressentait comme un échec, comme une sorte d'injustice du destin! Dans tout ce chagrin, l'arrivée du bébé est passée au second plan. Dans le brouhaha des émotions, sa déception englobait tous ceux qui avaient participé à l'accouchement: elle en voulait à son bébé d'avoir «causé» tout cela et à son compagnon de n'avoir pas su la protéger efficacement. Rien de rationnel, bien sûr, mais le cœur se moque bien de la logique, on le sait! Peu à peu, elle a accepté que son accouchement avait été moins que parfait et la douloureuse ambivalence qu'elle vivait à l'égard de son bébé a tranquillement fait place à la tendresse.*

*Sylvie avait passé les quatre premiers jours après l'accouchement à pleurer, sans savoir pourquoi. Jusqu'à ce que je lui demande, très doucement, si elle n'était pas déçue d'avoir un deuxième petit garçon. Bien sûr, elle avait passé sa grossesse à dire «Ça m'est égal», par peur de se créer des attentes et d'être désappointée, mais au fond, cela ne lui était pas égal du tout. Quand elle s'est permis de dire «Oui, je suis déçue», de se rendre compte qu'elle n'était pas une mauvaise mère pour autant, quand elle s'est pardonnée sa déception et ses larmes, d'autres larmes, celles qui soulagent, ont coulé... puis se sont calmées. Elle a regardé David dans ses bras et, maintenant débarrassée de sa culpabilité, de la contrainte de «l'aimer quand même», elle s'est laissée aller à l'aimer!*

Des situations comme celles-là demandent le soutien attentif, discret et respectueux de personnes qui ont le temps de laisser les premières réactions s'exprimer, de toute leur force, en aidant les parents à garder à l'esprit que cet enfant est bien leur bébé. Il leur faut parfois encourager, souvent par de très petits gestes, un certain rapprochement entre eux, un attendrissement, une ouverture indispensables pour bâtir la relation qui les reliera pour la vie entière. Quelquefois, la magie ne se produit pas tout de suite! Mais il faut au moins s'assurer d'avoir mis tous les éléments en présence pour qu'elle ait une chance de se produire!

Ce sont, parfois, les circonstances elles-mêmes qui retardent la rencontre. Lorsqu'il y a une césarienne, par exemple. Les procédures qui s'appliquent au bébé après une naissance par césarienne peuvent varier d'un hôpital à l'autre. En certains endroits, quelques minutes après la césarienne, le bébé est conduit à la pouponnière, tandis que sa mère ira en salle «de réveil» (c'est-à-dire de surveillance postopératoire) pour une heure ou deux, avant d'être reconduite à sa chambre. Pendant ce temps-là, le père, lui, a tout le loisir d'aller à la rencontre de son bébé. Ailleurs, il pourra passer quelques instants avec sa mère, dès la fin de l'opération.

*J'avais accompagné Dina dans sa césarienne sous péridurale. Le fait d'être consciente à la naissance de son bébé lui était d'autant plus précieux qu'elle ne partageait pas ce moment-là avec le père. Ses mouvements étaient sérieusement réduits, puisqu'elle était couchée sur le dos, obligatoirement immobile, les bras attachés. Après quelques longues minutes durant lesquelles on a examiné le bébé loin de la vue de sa mère (ce qui pourrait facilement se passer autrement), j'ai enfin eu le privilège de tenir sa petite Gabriella dans mes bras. Leur contact était physiquement limité, mais j'ai réussi, au travers des tubes, à maintenir le bébé près d'elle, à l'approcher tout contre sa joue, à bien lui montrer son visage, à lui décrire constamment ses moindres mimiques, ses efforts pour s'ouvrir les yeux. Je ne sais pas si toute cette interaction a séduit le personnel, mais Dina a eu droit à une session prolongée, une fois l'opération finie, pour regarder Gabriella, la toucher, l'allaiter. Un bel accueil!*

Lors de certaines naissances, des problèmes reliés au bébé retardent le moment de la rencontre alors que les soins à lui donner ont la priorité. Quand le bébé va plutôt bien mais que sa transition est un peu ardue, certains des gestes nécessaires peuvent parfois être posés dans les bras mêmes de sa mère, comme lui donner un peu d'oxygène au masque pour l'aider à bien se colorer, ou aspirer des sécrétions qui le dérangent dans ses premières respirations. Parfois, le bébé devra être emmené à la pouponnière, soit pour y être observé de plus près, ou pour y recevoir un soutien technique qui l'aidera à traverser ce moment délicat. Le plus souvent, le père pourra l'y suivre... en n'oubliant pas de rapporter régulièrement des nouvelles à la mère, qui doit d'abord expulser son placenta et prendre quelques instants de repos avant de pouvoir elle aussi se rapprocher de son bébé. Si vous devez être séparés, ne sous-estimez pas le pouvoir de votre pensée, des mots d'amour et d'encouragement que vous lui enverrez, même à distance. Ils vous garderont plus calme et centrée. Et ils se rendent jusqu'au bébé et font vraiment une différence, je vous le jure!

# Pour guérir un attachement difficile

Peut-être lisez-vous ces lignes en regrettant que les choses ne se soient pas passées comme vous l'auriez voulu lors d'un accouchement précédent. Mais quand on s'inquiète d'un lien... c'est qu'il existe déjà et qu'il est assez fort pour susciter l'inquiétude qu'il ne soit blessé. Il suffit, le plus souvent, de laisser le temps et l'intimité resserrer ce qui aurait pu se perdre. Si la première rencontre avec votre bébé est dérangée ou simplement moins disponible et amoureuse que vous ne l'auriez souhaité, voici quelques suggestions pour enrichir votre lien avec lui ou elle:

Si la rencontre est retardée, essayez de garder votre excitation intacte pour le moment où vous verrez votre bébé pour la première fois. Un peu comme lorsqu'on attend le retour de voyage d'un être cher, mais qu'on doit encore attendre qu'il passe les douanes!

Ne vous en voulez pas si la douleur, la peine ou tout autre raison vous fait refuser de voir votre bébé au moment où ce serait possible de le voir. Mais dès que vous sentez la moindre énergie, profitez-en. Bien sûr, vous pouvez être très fatiguée. Vous avez le droit absolu d'être tout à fait déçue, tout à fait épuisée et de manquer totalement d'intérêt... mais en même temps, ne prenez pas cela trop au sérieux. Acceptez d'être là, avec lui ou elle, exactement dans l'état où vous êtes. Donnez une chance à la vie de trouver un chemin entre vous et votre bébé. Tout est possible lorsqu'on reste ouvert!

Donnez-vous beaucoup de temps d'intimité tranquille, de préférence peau à peau tous les deux et même tous les trois. Cette suggestion est tout aussi valable si la naissance a eu lieu plusieurs jours ou semaines avant. Cela prendra peut-être un peu plus de temps, mais cela vaut vraiment la peine.

*«La première chose que j'ai faite quand ils m'ont emmené mon bébé, le lendemain de la césarienne, me disait Debbie, ç'a été de le déshabiller complètement, de le regarder partout, de le caresser et de le coller sur ma peau pendant de longs moments. Benoît surveillait à la porte pour ne pas qu'on nous dérange... ou nous surprenne!»*

Permettez-vous de dormir ensemble. C'est tellement extraordinaire! Ce sont des heures et des heures d'intimité physique qui s'additionnent là. Ne vous laissez pas intimider par l'inquiétude (la vôtre ou celle des autres) de rouler sur votre bébé pendant la nuit et de l'étouffer. C'est une inquiétude non fondée. Après tout, vous savez très bien où se situe le bord de votre lit et vous ne tombez pas!

Prenez de longs bains ensemble à deux... ou à trois!

Limitez la présence des visiteurs tant que vous ne sentirez pas que vous vous êtes vraiment rassasiés l'un de l'autre. Obligatoirement, quand les amis et les parents les mieux intentionnés sont là, on leur parle plus qu'au bébé, on est intimidé si nos gestes sont un peu malhabiles. Découvrez-vous à deux et à trois avant d'intégrer le reste de votre famille et de vos amis.

Permettez-vous de laisser aller tous vos sentiments, même ceux qui vous semblent négatifs. Quand ils auront eu la place qui leur revient, ils cesseront de vous hanter et de gruger votre énergie affective. Choisissez de ne pas vous juger. Reconnaissez les moindres gestes ou mouvements d'amour que vous avez à l'égard de votre bébé. Peu à peu, ils prendront le dessus.

Le fait d'avoir la complète responsabilité des soins du bébé aide énormément à s'en rapprocher. C'est à travers les tout petits gestes quotidiens, dans l'immense vulnérabilité où vous vous trouverez tous les deux, tous les trois, que le lien se tissera. Vous sentirez qu'il a besoin de vous, vous découvrirez les sons qui le calment, les mouvements qu'il aime et les endroits où il aime se faire caresser. L'attendrissement viendra au moment où vous ne l'attendrez pas, entre deux couches, entre deux pleurs!

Si les circonstances ne vous permettent absolument pas d'être avec votre bébé, vous pouvez tout de même rester en contact avec lui, même s'il est à l'étage au-dessus ou transféré dans un autre hôpital. Il n'en existe pas encore de preuve scientifique, mais plusieurs sages-femmes, infirmières et médecins ont observé que si les mères et les pères, même de loin, parlent constamment à leur bébé en difficulté, s'il est clair pour eux que leurs pensées vers lui se rendent et lui font du bien, les bébés, les parents et surtout leur relation se portent mieux. Si la mère ne peut pas le faire, le père le peut, ou la grand-maman ou toute personne qui se soucie assez du bien-être de ce bébé pour lui dire: «Ne t'en fais pas petit, tout ceci n'est que temporaire, ta mère et ton père t'aiment. Nous nous soucions de toi». Prenez la peine de lui expliquer pourquoi les choses doivent se passer de cette manière pour lui. Françoise Dolto, une psychanalyste française qui a beaucoup travaillé auprès des enfants, croit beaucoup au pouvoir des mots qu'on adresse aux tout-petits et à leur capacité de comprendre ce qu'on leur dit[3]. Je l'ai si souvent observé que, moi aussi, j'y crois!

## La chambre vide

Quand on ouvre son cœur et sa vie à la venue d'un enfant, on l'ouvre aussi à son départ possible. Il y a des mots pour désigner ceux qui perdent un parent et ceux qui perdent un conjoint. Il n'y en a pas pour nommer ceux qui perdent un enfant. Comme si la langue ne s'était pas résignée à inventer un mot pour quelque chose qui ne devrait pas arriver. Cela arrive pourtant. Au Québec, un peu moins d'un bébé sur cent mourra autour de sa naissance[4]. Un sur cent, c'est bien peu, heureusement. Mais c'est douloureusement énorme quand cela arrive à notre bébé!

Tout le monde y pense au moins une fois: «Et s'il devait...» On n'ose même pas prononcer le mot, de peur qu'il ne porte malchance. Si on en parle, on se fait dire: «Ne parle pas de ça... tu es enceinte!» Comme si de ne pas y penser pouvait conjurer le sort, empêcher la mort d'atteindre ceux qu'on aime. Ce n'est pas facile, alors qu'on porte en soi la vie, d'envisager qu'il pourrait en être autrement. Celles qui ont perdu leur bébé n'étaient pas différentes de vous et elles l'attendaient probablement comme vous attendez le vôtre. C'est bien ce qui fait peur! Si vous êtes enceinte en ce moment, je veux reconnaître votre courage de lire ces lignes, de ne pas sauter directement au chapitre suivant. Ce que vous pourriez aussi choisir de faire, pour l'instant.

Je parle parfois de la mort dans mes rencontres prénatales. Après avoir raconté des histoires d'accouchement, expliqué, discuté, questionné, ri, le fait de parler de la mort crée tout d'un coup une atmosphère grave, recueillie, fragile. Les larmes ne sont jamais très loin. Dans un sens, c'est un soulagement de parler de l'indicible, de se rendre compte que cette crainte a aussi effleuré les autres parents. Nous avons besoin d'exprimer l'inquiétude, parfois même la panique qu'elle engendre, d'en parler, puis de s'en dégager. Pour s'approcher du cœur de la vie, on doit accepter d'envisager la mort, sa compagne. Une fois qu'on s'est ouvert le cœur, on pousse un grand soupir et on laisse la vie qui nous habite prendre le dessus, un peu plus conscients qu'elle est un immense cadeau.

La perte d'un bébé, c'est aussi la perte d'un rêve, des espoirs qu'on avait pour ce bébé, d'une vie, d'une maison où on l'imaginait rire, courir, pleurer, grandir. Rien ne peut effacer cette douleur-là. Même si on ne rencontre autour de soi que sympathie, attention, compassion, la douleur demeure. On en vient même parfois à souhaiter qu'elle soit mortelle. Autrefois, parce qu'elle était beaucoup plus fréquente, tout le monde connaissait des femmes et des hommes qui avaient eu à traverser pareille épreuve. À travers leur expérience à eux, on en connaissait la douleur, mais aussi la guérison lente. Comme disaient les gens: «Ça fait partie de la vie!» Parce que la mort d'un bébé est maintenant (et heureusement) un événement rare, les parents qui la vivent n'en sont que plus isolés. Le silence qui entoure la mort des bébés emmure parfois les parents qui doivent la vivre.

*«C'est normal qu'un bébé ne bouge pas les derniers jours, n'est-ce pas?» m'avait demandé Sara, espérant entendre un «oui» rassurant. Penchée au-dessus de son gros ventre de neuf mois, le cœur serré, je cherchais le petit bruit qui m'aurait fait sourire et acquiescer. Il n'y avait que le plus profond silence. Je ne pouvais rien affirmer tout de suite! Peut-être était-il mal placé (et il est vrai que cela arrive). Peut-être entendais-je mal! Peut-être! Déjà l'idée commençait à faire son chemin comme un grand coup de couteau dans le cœur de Sara et Philippe.*

*Dans ces moments, les gestes routiniers nous assomment avec leur absurdité. Un bébé vient de mourir, et il faut mettre son manteau, partir pour l'hôpital, conduire dans le trafic, traverser des corridors, regarder des visages indifférents, attendre la technicienne d'échographie. Jusqu'à l'évidence: le petit Justin est mort. Tout le rêve bascule.*

Déjà, la naissance nous submerge d'émotions. La naissance et la mort combinées nous bousculent le cœur avec une rare violence. La première réaction, c'est souvent le choc, qui peut laisser sans voix, sans réaction, sans émotion apparente. Comme si, incapables d'absorber cette tragédie d'un coup, le cœur et l'esprit se ménageaient un espace-tampon pour pouvoir l'assimiler par petites doses. Puis, les autres émotions font leur apparition: la culpabilité, ce monstre tenace qui dévore de l'intérieur, la colère. On cherche un responsable de ce drame! Certains parents en veulent atrocement aux médecins et au personnel médical qui auraient pu, leur semble-t-il, éviter cette mort. D'autres tournent vers eux-mêmes l'amertume de leurs reproches: «J'aurais dû... ou j'aurais pu... jamais je ne me pardonnerai de...!» Par vagues viennent l'angoisse, la détresse infinie, le repli sur soi qui confine à une plus grande solitude, le refus de croire que c'est vraiment arrivé. Au moment où les choses semblent se tasser, un mot, une image, une pensée replongent les parents dans un chagrin qui leur paraît sans fond.

*Après la mort de Thomas, Julie disait: «C'est comme pendant l'accouchement, il faut que je m'ouvre et que je le laisse passer. Mais ça fait tellement mal!»*

C'est vrai: comme dans un accouchement, la meilleure façon de passer à travers cette douleur est encore d'y entrer, de laisser libre cours à tous nos sentiments, même à ceux qu'on trouverait absurdes ou déplacés si on les regardait sous un angle rationnel.

Il pourrait aussi arriver que l'annonce de cette mort précède l'accouchement. La décision d'attendre l'accouchement, de le provoquer ou de faire une césarienne n'est jamais facile. Des facteurs physiques (qui peuvent ou non avoir à faire avec ce qui a causé la mort du bébé) aussi bien que psychologiques doivent être tenus en compte, et la meilleure solution sera obligatoirement différente d'une personne à l'autre. Ne vivez pas une telle naissance dans la solitude. Ne comptez pas seulement sur le soutien de votre compagnon qui vit lui aussi cette perte: allez chercher les gens, les ressources qui sauront vous entourer.

> *La première réaction de Gisèle et de Jean-Luc, encore sous l'effet du choc, a été d'espérer une césarienne immédiate, pour en finir! À leur immense surprise, le médecin leur a annoncé que la procédure habituelle était plutôt d'attendre que le processus se déclenche de lui-même, avec, d'ici là, une surveillance accrue. L'idée leur a d'abord semblé cruelle, mais déjà, quelques jours plus tard, elle apparaissait beaucoup plus sage. Gisèle reconnaissait combien il lui aurait été difficile de perdre à la fois son bébé et le rêve d'un accouchement normal; le choc d'une opération jumelé à celui de la mort de leur bébé aurait été sans doute trop à vivre d'un coup.*

> *Gisèle a finalement accouché huit jours après avoir appris la nouvelle. Elle approchait du moment où l'attente, supportable jusque-là, serait devenue intolérable. L'accouchement lui-même s'est très bien déroulé, en sept heures, et elle en retire une très grande satisfaction: «Je sais au moins une chose, c'est que mon corps accouche bien! Lors d'une prochaine grossesse, je m'inquiéterai sans doute de la santé de mon bébé, mais je n'aurai pas à me demander en plus si je saurai affronter les contractions.»*

De plus en plus, le milieu hospitalier s'est sensibilisé à la réalité des parents qui viennent de perdre un bébé et offrent une présence et des services aidants. Mais la mort d'un bébé touche tout le monde et on ne s'y habitue jamais. C'est pourquoi, malgré sa bonne volonté, le personnel hospitalier ne donne pas toujours les soins et l'attention dont les parents auraient grandement besoin. Dans une sorte d'effort pour se protéger, le personnel réagit parfois en s'esquivant pour laisser les parents à eux-mêmes ou, encore, en minimisant la portée de ce qui vient de leur arriver. Les conseils du genre: «Vous êtes jeunes, vous en aurez d'autres... c'est mieux comme ça... ou pensez à votre mari» ne consolent pas, mais camouflent plutôt leur malaise à aborder le sujet avec vous. Pire encore, en encourageant une fuite de la réalité, ils peuvent rallonger inutilement le processus de deuil des parents.

Souvent, l'entourage des parents subit un choc très semblable. Les proches sont probablement très touchés, mais ont peur de rajouter à la peine des parents par leur maladresse. Le silence peut être particulièrement blessant, comme s'il niait complètement ce qui s'est passé pour vous. Faites-leur savoir votre besoin d'en parler, dites-leur comment vous vous sentez. On a tellement besoin de quelqu'un qui peut recevoir notre douleur, sans tension, sans mots inutiles!

## Le deuil

Un événement aussi important que la mort d'un bébé nous marque pour la vie. Le deuil peut durer des mois et même des années. C'est une expérience intime, personnelle, qui cache des possibilités infinies de grandir, d'acquérir une compassion, une sagesse, une sensibilité qui sont un peu les cadeaux que ce bébé nous aura laissés. Toutefois, avant d'en arriver là, le processus peut être long et douloureux. Il ne peut être ni artificiellement accéléré, ni escamoté, sinon il réapparaîtrait des années plus tard avec une force décuplée et déplacée. Finalement, on ne peut qu'aller avec la force de la vie, qui cherche toujours à guérir ce qui est blessé, dans le corps comme dans le cœur. Souvenez-vous: guérir n'est pas trahir. Réapprendre à vivre, à rire, à faire l'amour, à rêver d'un autre enfant n'enlèvera jamais l'amour que vous aviez pour cet enfant qui vous a quitté et le chagrin que vous avez de ne pas avoir eu le privilège de partager sa vie bien longtemps.

*À la mort de leur bébé, Anne et Michel se sont souvenus de nos conversations sur le sujet: «Ç'a été tellement précieux d'avoir un jour envisagé que cela pouvait arriver. Nous savions que nous voulions le voir, le tenir dans nos bras et prendre le temps de lui dire adieu, malgré le fait que, sur le coup, c'était infiniment douloureux.»*

Je sais que tout ceci peut sembler lointain et improbable, voire inutile, mais ces quelques suggestions ont été élaborées par des gens qui ont l'expérience d'accompagner des parents dans la mort de leur bébé et qui, avec eux, ont appris ce qui aidait[5].

Prenez votre temps. Parfois, les parents se sentent obligés, par le personnel hospitalier, de prendre des décisions immédiatement. Cette hâte masque, la plupart du temps, leur propre anxiété. Rappelez-vous: ceci est un temps très important de votre vie et vous contrôlez le moment où vous prenez les décisions. Rien ne presse.

Voyez votre bébé. La vue d'un bébé mort n'est pas terrifiante. Ce bébé était une partie importante de vous-même. Demandez à

le voir, à le prendre et à le toucher. Les parents qui ont pu dire adieu en personne à leur bébé semblent avoir eu, par la suite, un deuil plus facile à vivre. Même si votre bébé avait des malformations, mieux vaut les voir que les imaginer. Si vous avez des craintes, demandez à ce qu'il soit complètement enveloppé dans une petite couverture et ne découvrez que les parties que vous êtes prêts à voir, ses petits pieds, peut-être, ses mains...

*À dix-huit semaines de grossesse, Françoise savait que son bébé était mort à cause de malformations, et elle craignait, à juste titre, d'être effrayée par sa vue. Je lui ai proposé de l'emmailloter «comme un vrai bébé», à l'écart, et de lui donner son bébé complètement couvert. Elle pourrait alors le tenir, sentir son petit poids dans ses bras, avant qu'il ne parte pour de bon. Si elle le désirait, elle pourrait graduellement lui découvrir un peu ses petits pieds et choisir, petit à petit, ce qu'elle était prête à voir. Cette façon de faire lui a permis d'aller plus loin avec son tout-petit que si on l'avait fait choisir entre «le voir ou pas».*

Visitez-le à la pouponnière. Si votre bébé est aux soins intensifs et n'a que quelques heures ou jours à vivre, vous pouvez penser qu'il sera probablement plus facile de l'oublier si vous ne l'avez pas vu. En fait, le contraire est vrai: aimer son bébé, pendant qu'il ou elle est encore en vie, facilite les adieux quand le temps sera venu.

Donnez-lui un nom. Il vous sera plus facile de partager votre peine et d'en parler comme d'une personne réelle s'il a un nom.

Prenez des photos. Les photos constituent des souvenirs précieux de votre bébé et rappellent qu'il a été bien réel et sa mort aussi. La plupart des hôpitaux prennent maintenant des photos de tous les bébés qui meurent et les gardent à la disposition des parents. Presque toutes ces photos sont finalement réclamées par les parents, quelquefois plusieurs mois plus tard.

Réclamez autant de souvenirs que vous le pouvez. En plus des photos: la petite couverture qui l'a enveloppé, une mèche de cheveux (que vous pouvez couper vous-même ou demander qu'on le fasse pour vous), l'empreinte de son pied ou de sa main, son baptistère (s'il a été baptisé), son bracelet d'hôpital, les noms des gens qui ont pris soin de vous et d'elle ou de lui, au cas où vous voudriez leur parler ou les remercier plus tard. Tout ce qui peut contribuer à vous rappeler sa courte existence.

Organisez des funérailles. Une cérémonie très simple vous permettra de vivre ce moment avec votre famille et vos amis les plus chers. C'est tout à fait correct et normal d'appeler différents salons funéraires et de vous renseigner sur leurs politiques à ce sujet et sur leurs prix (pour un nouveau-né, les coûts sont moindres). Prenez le temps de mettre dans sa tombe un petit jouet que vous lui réserviez, d'écrire une lettre ou tout autre geste qui a un sens pour vous.

Organisez une cérémonie. Pour commémorer la naissance et la mort de votre bébé, même si vous l'avez perdu très tôt, par une fausse couche. Vous pouvez planter un rosier ou un arbre, porter un bijou ou une épinglette spéciale, vous faire faire une bague avec sa pierre de naissance, contribuer à un organisme de charité pour enfants, encadrer un bouquet de fleurs séchées avec son nom.

Contactez un groupe d'entraide. Dans presque toutes les régions, il existe des groupes d'entraide pour les parents qui ont perdu un enfant. Renseignez-vous auprès des établissements de santé. D'autres parents, comme vous, travaillent à guérir leur peine et à réapprendre à être heureux. Vous n'êtes pas seuls!

En tout temps, vous avez le droit de poser des questions. Aucune question n'est stupide et les seules qu'on regrette sont celles qu'on n'a pas posées. Vous avez le droit de demander à votre médecin pourquoi votre bébé est mort et le droit d'obtenir une réponse honnête. La vérité a des vertus de guérison. Ne vous laissez pas intimider si vous sentez le personnel inconfortable avec vos demandes. Elles sont importantes. C'est votre bébé et vous n'avez pas à protéger leurs émotions! C'est important d'enlever le voile de gêne et de secret qui entoure la mort d'un bébé et de l'emmener au grand jour, pour en partager les émotions, de la façon qui vous semblera la plus appropriée.

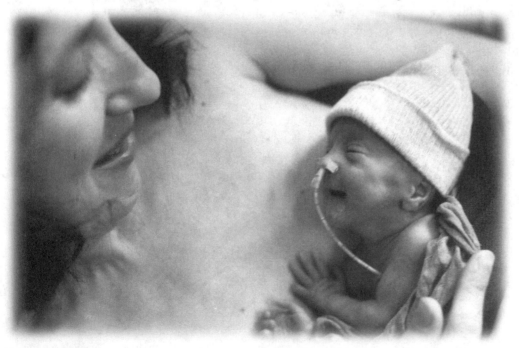

## Les bébés très malades ou handicapés

«D'abord que mon bébé est en santé», disent tous les parents du monde. Dans la réalité, environ 1% des nouveau-nés présentent une anomalie congénitale ou génétique grave, 7,3% des bébés naissent prématurément et 6% pèsent moins de 2500 grammes à la naissance, une condition souvent reliée à des problèmes de santé graves[6]. Dans la vie de ces enfants et de leurs familles, les hospitalisations prolongées, les opérations chirurgicales, les diètes spéciales et les médicaments feront partie du quotidien, certains pour un temps seulement, d'autres pour des années.

La naissance d'un bébé très prématuré, très malade ou handicapé suscite chez ses parents une réaction de choc et de peine qui ressemble beaucoup à celle des parents qui ont perdu leur bébé. Ils ont perdu, eux, le bébé en santé dont ils rêvaient. Ils devront vivre ce deuil, dans toutes ses étapes, tout en continuant de prendre soin d'un bébé qui vit, qui a besoin de soins intensifs, parfois très loin, dans un hôpital spécialisé... et qui a aussi besoin d'être aimé.

Il n'y a pas si longtemps encore, on séparait rapidement les parents de leur nouveau-né malformé, pour leur épargner le chagrin d'y être confrontés. Mais on ne peut pas effacer l'existence d'un bébé qui a été porté et attendu pendant de longs mois. De plus en plus, le personnel des pouponnières pour bébés très malades reconnaît ce besoin et encourage les parents à visiter leur bébé et à prendre une part active aux soins qu'il réclame.

Ces parents ont énormément besoin du soutien de leur entourage et de communications ouvertes avec chacun des professionnels avec qui ils seront en contact. Des groupes d'entraide existent aussi, formés de parents qui vivent des situations semblables à la leur.

Encore une fois, les parents ont besoin de voir leur bébé, de le toucher, de le caresser, de le reconnaître comme l'être humain entier qu'il est, plutôt que de n'avoir connaissance que du problème qu'il présente. Nul ne devrait les forcer cependant: c'est un cheminement difficile qui demande à être entouré du plus profond respect et de la plus grande compassion. Ils pourront ainsi traverser leurs premières réactions de négation, de colère, de dépression, pour finalement accepter leur bébé tel qu'il est et trouver ensemble les solutions aux problèmes que pourra présenter la vie quotidienne avec lui.

**Notes**

[1] KLAUS, KENNELL et KLAUS. *Bonding*, Boston, Addison-Wesley, 1995.

[2] *Idem.*

[3] Voir notamment Françoise DOLTO: *La Cause des enfants*, Paris, Éditions Presse Pocket, 1995; *Lorsque l'enfant paraît*, Paris, Éditions du Seuil, 1990.

[4] Les statistiques québécoises se situent autour de 8/1000 bébés entre la 20e semaine de grossesse et 7 jours de vie. C'est ce qu'on appelle la mortalité périnatale. Ministère de la Santé et des Services sociaux. *Fichier Med-Écho*. Direction de l'évaluation, Québec, 1998-1999.

[5] La plupart des hôpitaux offrent aux parents qui ont perdu leur bébé un guide d'accompagnement ainsi que des services professionnels appropriés (psychologue, travailleur social, etc.).

[6] Ministère de la Santé et des Services sociaux. *Fichier Med-Écho*. Direction de l'évaluation, Québec, 1998-1999.

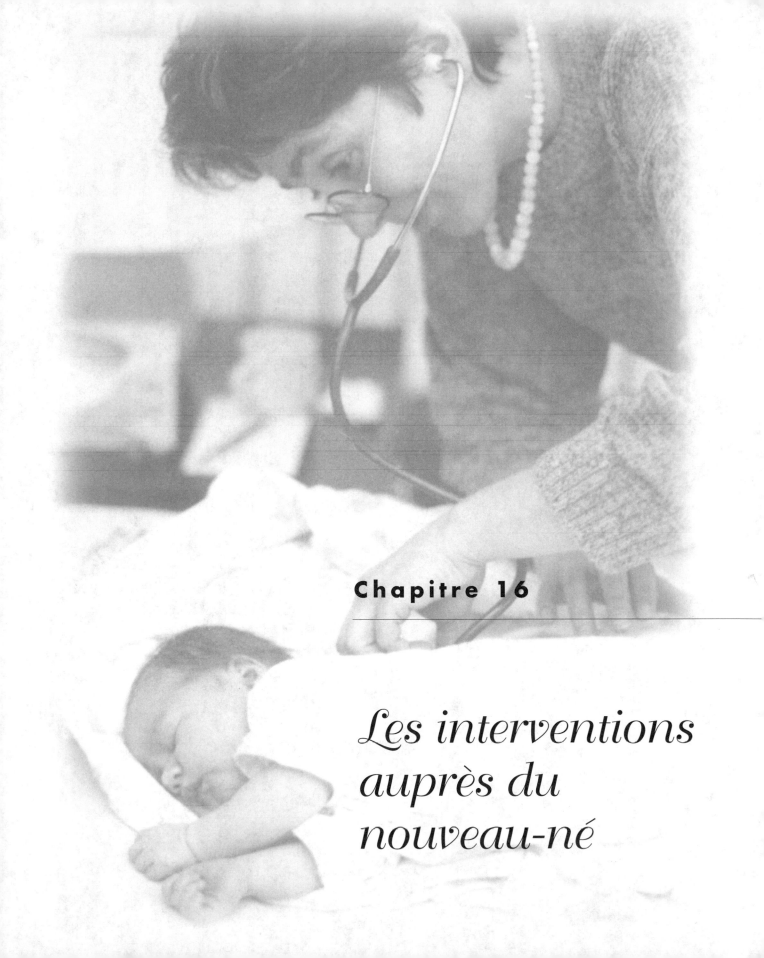

Chapitre 16

*Les interventions auprès du nouveau-né*

# Les interventions

La continuité de la race humaine est assurée, depuis toujours, par des mécanismes précis et précieux inscrits dans chaque bébé. Ils ont tous les réflexes nécessaires pour commencer leur vie autonome à l'extérieur de l'utérus maternel. Ils savent dégager leurs voies respiratoires en éternuant ou en toussant. Ils commencent à respirer spontanément en transformant complètement la trajectoire de leur circulation sanguine qui passera désormais par les poumons pour s'oxygéner plutôt que par le placenta. Ils savent téter, rediriger les reflux qui pourraient venir de l'estomac et, si le sein leur bouchait accidentellement le nez, ils le lâcheraient immédiatement pour respirer par la bouche (priorité oblige!).

Mais, il faut l'avouer, ils sont extrêmement dépendants de la chaleur et du lait de leur mère, ainsi que des soins qui les accompagneront jusqu'à ce qu'ils puissent s'occuper entièrement d'eux-mêmes... ce qui prendra plusieurs années. Aussi, c'est avec tout le pouvoir de leur charme qu'ils s'emploient à séduire les adultes qui les entourent au moment de leur naissance, afin de confirmer et consolider le lien qui les unit. Ils auront tellement besoin d'eux, de leur attention, de leurs gestes.

Dans les premières minutes de vie de votre bébé, vous pourrez observer le déploiement de ses facultés exceptionnelles d'adaptation. Comme un vigoureux massage, les contractions que vous venez de vivre l'auront préparé à cette transition de l'univers intra-utérin au monde extérieur. Imprégné des hormones de stress nécessaires, il a tout ce qu'il faut pour s'ajuster à sa nouvelle réalité. Cette mutation extraordinaire est parfois plus difficile, plus exigeante. Même pour un nouveau-né en santé, certains gestes peuvent devenir nécessaires pour lui faciliter le passage. Comme dans les interventions qui vous concernent, le respect du processus naturel et l'usage judicieux des interventions devraient être la règle.

La première respiration du bébé est soit immédiate (ce beau cri de vie qu'on les entend parfois lancer au moment même de la naissance), soit plus graduelle (dans les premières quinze secondes environ). Au moment où la tête de votre bébé émerge de votre corps, la compression exercée sur son thorax par le vagin expulse le liquide amniotique et le mucus de ses voies respiratoires. Ce qui reste dans ses poumons sera réabsorbé dans les heures qui viennent par les capillaires et le système lymphatique. Chez les bébés nés par césarienne, il n'y a pas eu de compression ni d'effet hormonal, et cette réabsorption prendra quelques jours. Pour ce qui reste dans sa bouche ou sa gorge, il a déjà tous les réflexes dont il a besoin pour s'en débarrasser. Il peut éternuer et tousser, ce qu'il fera probablement avec vigueur à quelques reprises dans les minutes et les heures qui viennent. C'est bon signe: il sait s'occuper de lui-même! Parfois, tout ce dont le bébé a besoin, c'est qu'on le place de manière à ce que sa tête soit vers le bas, pour l'aider à se débarrasser de ses petites «bulles», comme lorsqu'il est couché à plat ventre sur sa mère!

## *L'aspiration des sécrétions*

Si le bébé semble éprouver quelque difficulté à commencer à respirer, on lui facilite d'abord la tâche en débarrassant ses voies respiratoires des sécrétions qui pourraient les obstruer, même partiellement. On aspire ces sécrétions à l'aide d'une petite poire de caoutchouc dont on introduit l'extrémité dans la bouche puis le nez. Les hôpitaux sont équipés d'appareils électriques à aspiration qui utilisent plutôt un cathéter, c'est-à-dire un tube transparent qui peut servir à nettoyer la bouche et le nez, mais aussi à vider l'estomac de son contenu. Encore une fois, l'usage hospitalier a glissé, sans nécessité réelle, vers un usage systématique et intrusif. Aucune recherche scientifique n'a démontré le bénéfice de l'aspiration de routine, alors qu'elle comporte cependant des risques connus comme l'arythmie cardiaque et le déclenchement d'un spasme du larynx, en plus d'être irritante pour les muqueuses déli-

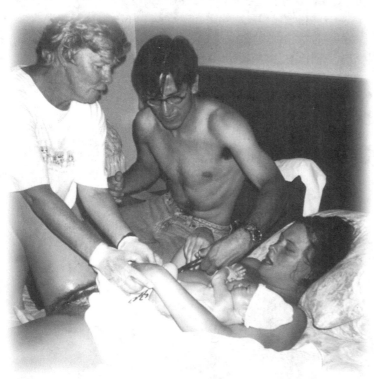

cates des bébés. On minimise ces risques en utilisant la modération... ou la poire (plus courte) plutôt que le cathéter. Vider l'estomac des sécrétions qu'il contient peut aussi déclencher un ralentissement du rythme cardiaque du bébé et déranger le processus qui le mènera à sa première tétée. Cela peut parfois être indiqué dans les heures qui suivent la naissance, quand la présence exceptionnellement abondante de sécrétions se trouve à gêner le réflexe de succion et l'allaitement. Mais son usage routinier dans les premières minutes de vie est injustifié.

Occasionnellement, le bébé a laissé aller une certaine quantité de méconium dans le liquide amniotique, alors qu'il y séjournait encore. Cette première selle, stérile et sans odeur, est néanmoins extrêmement collante et irritante. Si elle venait à pénétrer dans ses poumons, elle en enduirait les parois, ce qui gênerait très sérieusement l'échange d'oxygène et pourrait causer ce qu'on appelle une pneumonie d'aspiration. Aussi, s'il y a présence de méconium dans le liquide amniotique, on aspire minutieusement la bouche et le nez du bébé dès que sa tête est sortie pour diminuer le risque qu'il en aspire avec sa première bouffée d'air. Une bien mauvaise façon d'inaugurer des petits poumons neufs!

## *Couper le cordon*

Au moment où le bébé prend sa première respiration, cet apport d'oxygène enclenche une série de réactions dans son corps, dont la fermeture de la valve qui laissait passer le sang d'un ventricule à l'autre dans son cœur (un mouvement particulier à la circulation fœtale), maintenant que le sang doit d'abord passer par les poumons. Dans les minutes qui viennent, les vaisseaux sanguins du cordon maintenant exposé à l'air vont se contracter et se fermer, interrompant ainsi la circulation entre le bébé et le placenta. D'ailleurs, le placenta n'aura bientôt plus de contact avec les parois de l'utérus nourricier, puisque les contractions d'après la naissance l'en détachent. Tout cela se fait sans aide, dans les minutes qui suivent la naissance alors que mère, bébé et père sont absorbés par leur découverte mutuelle.

Il faudra bien couper le cordon, maintenant qu'il a terminé avec succès sa mission d'acheminer à votre bébé tout ce dont il avait besoin pour grandir, et de retourner vers votre système tout ce dont il n'avait plus besoin afin de l'éliminer. On commence par le clamper à deux endroits, c'est-à-dire le pincer pour arrêter le flot de sang, avant de le couper entre les deux. N'ayez crainte, il n'y a pas de nerf, donc pas de sensations dans le cordon!

Dans environ un accouchement sur trois, il y a un tour de cordon autour du cou du bébé ou d'une autre partie de son corps (l'épaule, le torse, les jambes). La plupart du temps, votre sage-femme ou votre médecin n'aura qu'à le passer par-dessus sa tête ou à aider le bébé à passer au travers. Vous n'en aurez peut-être même pas connaissance, tellement c'est un geste facile et rapide. Quelques rares fois, le cordon sera assez serré pour qu'il soit nécessaire de le clamper et le couper après la naissance de la tête, mais avant celle de son corps. Parfois aussi, le cordon est si court qu'on doit alors le couper promptement, sinon on n'arriverait pas à déposer le bébé sur le ventre de sa mère.

Au travers des âges, les humains ont développé différents rituels autour de la coupure du cordon ombilical, un geste qui illustre puissamment la séparation physique du bébé et de sa mère. Encore aujourd'hui, les opinions divergent quant au temps qui devrait s'écouler entre la naissance du bébé et le moment où on clampe et coupe le cordon. À partir du moment où il n'y a plus de pulsations efficaces dans le cordon, ce qui prend trois à quatre minutes, il est absolument inerte et ne dérange que s'il entrave les mouvements, ce qui est d'ailleurs la principale raison pour le couper! Un certain volume de sang contenu dans le placenta retourne vers le bébé lorsqu'on attend plus d'une minute pour clamper le cordon, ce qui contribue à augmenter le nombre de globules rouges dans le sang du bébé. Cela désavantage ceux dont le sang en contenait déjà beaucoup, presque trop, mais avantage ceux qui, plus proches de l'anémie, en manquaient un peu. Certains craignent que le bébé ne reçoivent «trop» de sang du placenta (oubliant sans doute que le sang du placenta est le sien) et que ce «surplus» de sang n'aggrave la jaunisse que connaissent plusieurs nouveau-nés, dans leurs premiers jours de vie. Pour ma part, je n'ai jamais rien pu observer de tel, même s'il s'écoule généralement de cinq à quinze minutes entre la naissance et la section du cordon dans les accouchements auxquels j'assiste.

À l'hôpital, il est d'usage de couper le cordon sitôt le bébé sorti. Certains médecins réussissent à le clamper moins de deux secondes après sa naissance. Un record, sûrement! Rien ne justifie une telle hâte. En fait, le médecin ne coupe pas le cordon, il le clampe, c'est-à-dire qu'il interrompt la circulation en le pinçant avec un instrument qui ressemble à des ciseaux. La pince reste en place jusqu'à ce qu'on offre au père de couper le cordon, comme cela se fait souvent... mais la circulation du sang a déjà été interrompue par le geste du médecin.

Plusieurs parents sentent que couper le cordon immédiatement à la naissance, avant même que la respiration ne se soit bien établie, prive inutilement le bébé d'un certain apport d'oxygène et l'oblige un peu brutalement à se débrouiller tout seul! Comme si le cordon, porteur de vie pendant de si longs mois, pouvait subitement devenir dangereux pour lui! Le fait d'attendre un peu pour le couper leur semble assurer une transition plus douce, plus naturelle. Même quand le sang de la mère est Rhésus négatif, il est sans doute préférable de laisser le cordon à lui-même.

## La lampe chauffante et l'incubateur

Votre bébé a besoin de la chaleur de sa mère. Il devrait faire chaud dans la pièce qui le verra naître et on devrait être prêt à le coller tout contre le corps chaud de sa mère, à le couvrir rapidement, à assécher particulièrement sa tête et à renouveler les couvertures chaudes quand elles deviennent humides. Pour le bébé, l'effort de maintenir sa température corporelle dans un environnement trop frais occasionnerait une dépense d'énergie et un enchaînement de conséquences néfastes qui se répercuteraient sur tout son système. Le meilleur endroit pour assurer cet accueil chaleureux est peau à peau, sur le corps de sa mère. Si, pour une raison ou une autre, la mère ne peut pas prendre son bébé immédiatement, la table chauffante ou l'incubateur peuvent temporairement la remplacer. Le père pourrait aussi être mis à contribution: il est bien capable de générer la chaleur nécessaire.

Même les bébés qui ont besoin d'oxygène au masque pendant quelques minutes, pour les aider à bien ouvrir leurs poumons et à bien se colorer, peuvent le recevoir dans les bras de leur mère ou de leur père, sous l'œil vigilant de la sage-femme ou de l'infirmière.

Les bébés qui ont connu une naissance particulièrement difficile ou qui arrivent prématurément peuvent avoir besoin de la chaleur contrôlée et de l'atmosphère enrichie d'oxygène d'un incubateur. Pour tous les autres, leur place est à la chaleur, dans les bras amoureux de leur mère. Trop souvent, les bébés naissent dans une salle d'accouchement ou une chambre de naissance climatisée et fraîche, dont la température n'est pas contrôlable. On le laisse nu pour le peser, prendre une empreinte de pied, le mesurer (toutes choses qui pourraient attendre!), puis on le place sous une lampe chauffante pour ramener sa température à

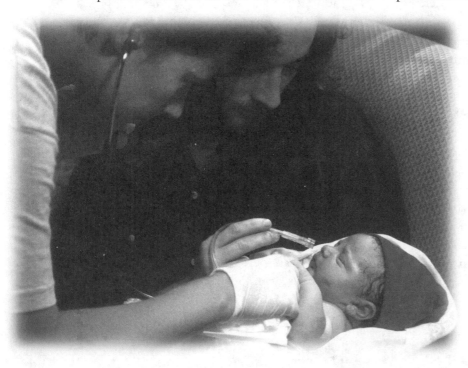

la normale! Si votre bébé a besoin de passer quelques moments sous la lampe chauffante pour recevoir des soins, rien au monde ne devrait empêcher le personnel de le rapprocher de votre lit, pour que vous puissiez le voir et le toucher confortablement.

## Le soin des yeux

Le passage du bébé dans le vagin pourrait le mettre en contact avec la gonorrhée ou la chlamydia, deux maladies transmissibles sexuellement qui peuvent être présentes sans symptôme. C'est pourquoi l'usage d'un onguent antibiotique dans les yeux des nouveau-nés fait l'objet d'une loi dans plusieurs pays.

Il n'y a aucun effet secondaire connu à cet onguent, sinon qu'il brouille momentanément la vue des nouveau-nés, à cause de sa texture graisseuse. Comme il doit être administré dans les deux heures après la naissance, vous pourrez demander qu'on attende un peu, pour jouir pleinement du regard clair de votre bébé. La plupart du temps, passé ces deux heures, les bébés dorment et il est facile de leur ouvrir doucement les paupières pour leur administrer l'onguent, sans les réveiller. Cependant, aucune recherche scientifique n'a à ce jour démontré que l'usage préventif d'antibiotiques était supérieur à une surveillance du bébé et un traitement adéquat de la conjonctivite qui pourrait se déclarer[1].

Pour ceux que l'histoire intéresse, dès 1881, on connaissait les ravages causés par la gonorrhée dans les yeux des bébés. En l'absence d'un traitement efficace, une conjonctivite causée par ces bactéries pouvait laisser le bébé aveugle, une conséquence grave qu'il fallait certainement prévenir. Les antibiotiques n'étant pas encore inventés, on instillait du nitrate d'argent dans les yeux pour tuer les bactéries, un produit extrêmement irritant. C'était tout de même mieux que rien! Le temps a passé et, pour des raisons qu'on ignore, le milieu médical s'est acharné jusque dans les années 80 à utiliser ce produit plutôt que d'autres, plus efficaces et moins irritants pour les yeux des nouveau-nés. Après des années d'insistance de la part de parents et de professionnels et l'accumulation de preuves scientifiques irréfutables, le milieu médical a progressivement délaissé le nitrate d'argent pour le remplacer par un onguent antibiotique qui a la supériorité d'être également efficace contre la chlamydia, et ce, sans irriter les yeux des nouveau-nés! Merci à ceux qui, à force de pression, ont obtenu ce changement de pratique!

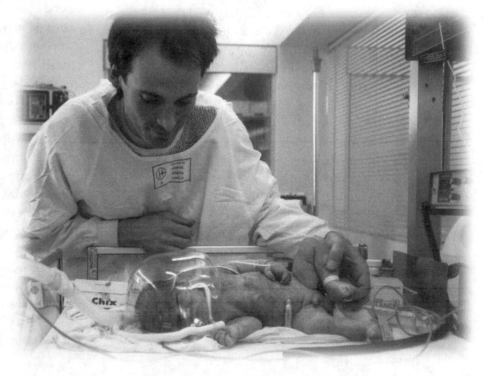

## La vitamine K

La vitamine K est habituellement synthétisée à l'intérieur de l'organisme, plus précisément dans les intestins, par l'action de la flore intestinale. Elle a un rôle important à jouer dans la coagulation du sang. La maladie hémorragique du nouveau-né, causée par un trop bas niveau de vitamine K et des facteurs de coagulation qui en dépendent, n'affecte qu'un très petit nombre de bébés (entre quatre et sept pour 100 000), mais ses conséquences peuvent être désastreuses. Elle cause des saignements spontanés chez le bébé qui ne peut pas les contrôler, puisque ses mécanismes de coagulation sont déficients. Elle produit parfois des ecchymoses importantes, mais plus souvent une hémorragie du système digestif ou une hémorragie intra-crânienne, sa forme la plus grave. Elle se présente dans les premières 24 heures, la première semaine ou tardivement, quand le bébé a de trois à huit semaines. Les bébés allaités semblent plus à risques, mais ces données découlent d'études datant de l'époque où l'on séparait systématiquement les bébés de leur mère, les privant ainsi du précieux colostrum qui, lui, est riche en vitamine K.

Depuis plusieurs décennies, on donne à tous les nouveau-nés une dose de vitamine K par injection intramusculaire dans les heures qui suivent leur naissance, pour prévenir cette maladie. Sans l'éliminer complètement, ce traitement prophylactique en a réduit l'incidence à environ 0,25 bébé par 100 000. Plusieurs recherches ont été faites dans le but de remplacer l'injection intramusculaire par une solution orale. Mais la vitamine K sous sa forme orale ne semble pas protéger aussi bien les bébés, et il n'existe en ce moment aucune présentation orale approuvée au Canada. De plus, on doit alors en donner à trois reprises au bébé, soit à la naissance, entre deux et quatre semaines, et encore une fois entre six et huit semaines. Une étude publiée il y a plusieurs années avait vivement inquiété les parents et pour cause: elle reliait l'injection de vitamine K à une augmentation du risque de cancer dans la petite enfance. De nombreuses recherches faites par la suite ont démenti cette association.

Dans le milieu hospitalier, la vitamine K est le plus souvent donnée d'emblée, sans le consentement des parents et donc sans explications appropriées. Quand ils sont informés, certains parents hésitent à soumettre leur tout-petit à la douleur d'une injection. C'est bien compréhensible: la douleur est immédiate et les bénéfices semblent abstraits. Voilà une occasion, déjà, où les parents devront décider de «ce qui est le mieux» pour leur bébé. La Société canadienne de pédiatrie reconnaît d'ailleurs qu'on ignore les effets psychologiques de cette injection sur les bébés et sur les parents, mais recommande tout de même qu'on donne la vitamine K par injection dans les premières six heures de vie, vu les risques qu'on connaît et l'impossibilité de prédire quel bébé en souffrira[2].

Si votre bébé va recevoir l'injection de vitamine K, restez près de lui pour le réconforter, expliquez-lui pourquoi vous choisissez de le protéger de cette éventualité, et ce qu'il ressentira. Dans mon expérience, les pleurs ne durent que quelques courts instants et sont rapidement consolés par des paroles tendres.

Si vous décidiez de refuser la vitamine K, consultez rapidement si vous observez l'apparition d'ecchymoses ou de saignements chez votre bébé et rappelez-vous de le mentionner si jamais, dans les premiers mois de vie, vous deviez vous présenter à l'hôpital avec votre bébé qui ne va pas bien. C'est le conseil de Sophie qui avait refusé la vitamine K pour son bébé, qui a éventuellement souffert de la maladie hémorragique à quatre semaines.

*«Les médecins ne comprenaient pas ce dont souffrait Simone, dont l'état se détériorait. Puisque tous les bébés reçoivent de la vitamine K à la naissance, ils n'ont pensé à cette possibilité que plusieurs heures plus tard, avant qu'elle ne subisse des dommages permanents, heureusement. C'était certainement le moment le plus éprouvant de ma vie.»*

## La pesée et les mesures

Le poids du bébé! Voilà une information qui vaut son pesant d'or. C'est généralement, après le traditionnel «C'est un garçon ou une fille?» la première question qu'on pose aux nouveaux parents. Question d'un intérêt fort limité pour le bébé lui-même, dans les minutes qui suivent son arrivée! Le poids du bébé va changer assez rapidement (nous parlons de quelques dizaines de grammes, pas de kilos!) dès les premières heures et les premiers jours: il va uriner, faire plusieurs de ces premières selles si collantes et si abondantes, le méconium, perdre une certaine quantité d'eau emmagasinée dans son organisme et il va téter. D'où l'intérêt de le peser dans les premières heures, mais pas nécessairement dans les premières minutes! Pour ce qui est de ses mesures, il ne grandira pas de façon sensible avant de longs jours, ce n'est donc pas urgent! Permettez-vous de demander qu'on pèse, mesure et prenne les empreintes de pied, à un moment qui vous convienne ainsi qu'à votre bébé, plutôt que d'accommoder la routine de l'hôpital. Trop souvent, des bébés sont rapidement arrachés des bras paisibles de leur mère pour subir une série de manipulations inoffensives mais qui bousculent. D'ailleurs, leurs cris sont d'habitude très clairs: «Ramenez-moi dans les bras de ma mère (ou dans les bras de quelqu'un qui m'aime)!»

## L'apgar

L'APGAR est une observation systématique de l'état du bébé dans ses premières minutes de vie. Ce n'est donc pas un test qu'on lui fait passer! Il a été inventé par le Dr Virginia Apgar, qui lui a donné son nom.

Il sert à qualifier sommairement l'état général d'un bébé, mais ne constitue pas en soi la base sur laquelle les décisions de traitements et d'interventions seraient prises, justement parce qu'il est trop sommaire. C'est un «instantané» de l'état du bébé. On l'évalue à une minute de vie, puis à cinq et dix minutes, par un système tout simple de points: on donne 0, 1 ou 2 points au bébé pour chacun des cinq items observés. L'évaluation se fait généralement sans manipuler le bébé.

Quand un bébé va manifestement bien, il n'est pas nécessaire d'aller écouter son cœur: il ne pourrait pas être rose et pleurer si son cœur battait plus lentement que 100/minute. Un bébé avec un bon tonus a les bras et les jambes fléchis et résiste si on lui tire le pied ou la main doucement. Les nouveau-nés sont normalement hypertoniques. Les bébés très calmes peuvent avoir les membres très détendus, mais dès qu'ils sont stimulés, ils sont très toniques. Si tout le reste est beau, il n'est pas nécessaire de les déranger pour vérifier! On observe leur réaction à la stimulation surtout au moment où on les assèche et lorsqu'on aspire ceux qui tardent à respirer: le bébé mal en point ne réagit pas du tout,

celui qui aurait 1, réagit un peu, alors que le bébé qui proteste énergiquement aura 2! Quand on ne l'aspire pas, sa réaction aux stimuli, comme le toucher et les déplacements, nous renseignera.

L'APGAR à une minute n'a *aucune* valeur prédictive sur sa santé dans l'avenir puisque le bébé est encore dans sa période d'adaptation. L'APGAR à cinq et dix minutes est généralement plus élevé qu'à une minute, parce que le temps a permis au bébé de s'ajuster à sa nouvelle situation. Un peu d'aide de l'extérieur, comme l'aspiration ou la stimulation du bébé, contribue parfois à cette remontée. Aucun diagnostic (manque d'oxygène ou autre) n'est fait sur la base de l'APGAR. Il faut nécessairement utiliser des examens beaucoup plus poussés avant de conclure quoi que ce soit.

Les bébés en santé ont de 7 à 10 d'APGAR à une minute et 9 ou 10 à cinq minutes. Les bébés qui ont 4 à 6 d'APGAR à une minute ont besoin de stimulation et de soins. Les bébés qui ont de 0 à 3 d'APGAR à une minute ont clairement besoin qu'on les aide immédiatement par des manœuvres de réanimation.

|  | 0 point | 1 point | 2 points |
|---|---|---|---|
| **Rythme cardiaque** | aucun | plus lent que 100/minute | plus rapide que 100/minute |
| **Efforts respiratoires** | aucun | respiration irrégulière ou pas encore bien établie | respire bien ou pleure |
| **Tonus musculaire** | aucun | tonus moyen | bon tonus |
| **Couleur** | bleu, gris ou blanc | rose avec extrémités bleues | rose partout! |
| **Réaction à la stimulation** | aucune | grimace et réagit un peu | tousse, éternue, réagit bien |

## L'examen du nouveau-né

L'infirmière, la sage-femme ou le médecin sait reconnaître à sa naissance un nouveau-né en santé, par son comportement et son apparence générale. L'examen approfondi peut être effectué plusieurs heures après sa naissance et consiste principalement à l'observer attentivement. Un nouveau-né a des caractéristiques physiques particulières, qui changent graduellement dans les jours et semaines qui suivent sa naissance. Voici un aperçu de ce que l'on observe chez un nouveau-né en santé:

### • Coup d'œil général

On regarde son allure, sa rondeur, l'harmonie des proportions entre son tronc, ses membres et sa tête.

### • Posture

Un bébé en santé et bien éveillé a les membres fléchis, indiquant ainsi qu'il a un bon tonus.

### • Peau

Les bébés sont parfois couverts d'une sorte de crème blanche qu'on appelle vernix. Plus il est arrivé tôt, plus il en a. Les enfants nés après leur terme n'en ont souvent que très peu, la plupart du temps dans les replis de l'aine et des aisselles. On peut le laisser sur son corps ou le masser doucement pour le faire pénétrer dans la peau. Aucun besoin de le laver ou de l'enlever.

Le bébé peut avoir des poils fins sur les épaules, dans le dos et parfois sur les joues. C'est le lanugo et il tombera bientôt.

Le bébé devrait être d'un beau rose. Les mains et les pieds peuvent être légèrement bleutés pour quelques jours. La présence de jaunisse à la naissance n'est pas normale, contrairement à la jaunisse qui peut se développer les jours suivants.

La plupart des bébés pèlent dans les premiers jours, en particulier aux pieds et aux mains, surtout ceux qui sont nés après leur terme. Plusieurs bébés font des éruptions de petits boutons rouges dans les premiers jours. Aucun traitement n'est nécessaire, ils disparaissent tout seuls.

### • Tête

Elle est très grosse par rapport au corps, à peu près le quart de sa longueur. Le crâne peut avoir, pour l'instant, une forme un peu bizarre, résultat du chevauchement des os pour s'accommoder au passage dans le bassin, qui se replacera en quelques jours. On peut suivre très facilement les lignes de démarcation entre les os du crâne. Juste en haut du front, on peut sentir la grande fontanelle, qui mesure deux à quatre centimètres de large. Elle est en forme de losange et se fermera vers dix-huit mois. La fontanelle arrière, plus difficile à trouver, se

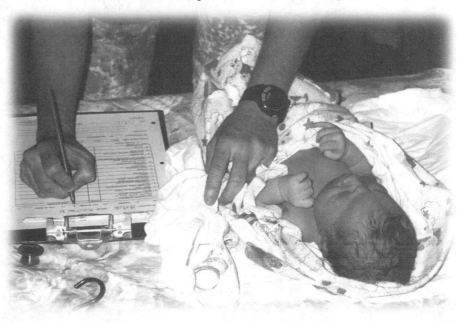

situe juste sous le sommet du crâne. Elle a la forme d'un triangle et se refermera au bout de douze semaines environ.

Quelquefois, le bébé a une bosse sur la tête, appelée bosse sérosanguine. Elle est formée de liquide qui s'est accumulé dans les tissus, à la suite de la pression subie pendant l'accouchement. Apparente dès la naissance, elle disparaîtra dans les deux ou trois jours suivants. Parfois, du sang s'accumule sous le cuir chevelu, la bosse s'appelle alors céphalhématome. Elle prend généralement deux ou trois jours avant d'être visible et plusieurs semaines pour disparaître. L'une et l'autre sont sans danger.

• **Visage**

Le visage est symétrique, quelquefois un peu enflé, à cause de la friction causée par le passage dans le vagin. La plupart des bébés ont le menton légèrement reculé, ce qui leur fait un drôle de profil! Cette particularité leur facilite la succion. En grandissant, et dès les premiers mois, le menton prendra sa forme définitive.

On voit souvent, sur la peau du visage, des petits points blancs: c'est du milia, qui disparaît aussi après quelques jours ou semaines.

Certains bébés ont des pétéchies, c'est-à-dire des petites taches rouges causées par l'éclatement de capillaires à l'effort. Elles disparaissent en quelques jours sans que cela ne pose problème.

• **Yeux**

Des taches rouges, sur les paupières ou à la nuque, sont assez communes. En anglais, on les appelle des «morsures de cigogne». Elles résultent d'une dilatation bénigne des vaisseaux sanguins et s'estompent peu à peu dans les premiers deux ans jusqu'à disparaître tout à fait.

Les paupières sont souvent enflées pour un jour ou deux. On peut même, parfois, voir une tache rouge dans le blanc des yeux. C'est un petit vaisseau qui s'est rompu à l'effort. Elle disparaîtra aussi!

Les nouveau-nés ont souvent «les yeux croches»: c'est qu'ils n'ont pas encore la coordination musculaire nécessaire pour faire leur mise au point! Avec le temps, tout redeviendra normal.

Ils ont des cils, mais pas encore de larmes. Il leur faudra de deux à quatre semaines avant d'en avoir. La plupart des bébés ont les yeux gris-bleu foncés. Leur couleur définitive peut n'apparaître qu'après plusieurs semaines ou mois.

• **Nez**

Le nouveau-né respire par le nez plutôt que par la bouche, mais il a le réflexe d'ouvrir la bouche si son nez est bouché! Il sait déjà éternuer. Le nez peut être temporairement aplati à la suite de l'accouchement.

• **Bouche**

On aperçoit parfois sur les gencives des petites boules blanchâtres; ce sont des «perles d'Epstein», qui disparaissent en quelques mois. On vérifie le palais en introduisant doucement un doigt très propre dans la bouche du bébé (s'il est éveillé, il tentera probablement de le téter). Un palais normal est ferme, entier et en forme de dôme. Dans les prochains jours, il arrive qu'on remarque une sorte de petite ampoule au milieu de la lèvre supérieure: c'est une petite «cloche de succion», causée par la tétée.

• **Oreilles**

Elles peuvent parfois être froissées ou aplaties. Bien que de texture ferme (à moins que le bébé ne soit prématuré), elles sont encore assez malléables et reprendront bientôt leur forme.

### • Thorax, abdomen

L'abdomen est plus large que le thorax et les muscles abdominaux sont complètement relâchés. Les seins des garçons, tout comme ceux des filles, peuvent être gonflés par une petite montée de lait causée par les hormones de la mère présentes dans leur organisme. On ne doit pas essayer d'y remédier, les manipulations pourraient entraîner des problèmes.

Le thorax bouge librement et sans effort, en synchronisme avec la respiration du bébé. On compte 40 à 60 respirations à la minute, le plus souvent irrégulières. L'abdomen est souple, on peut y palper doucement le rebord du foie et s'assurer de l'absence de masses anormales.

### • Cordon

Il est d'un blanc bleuté, humide et mou. En un jour ou deux, il sèche pour devenir brun foncé et dur. Il se détache et tombe de lui-même entre quatre et quinze jours après la naissance. Oui, on peut immerger un bébé dans son bain avant que le cordon ne soit tombé! Aucune recherche n'a démontré que cela augmentait les risques d'infection... et les bébés aiment tellement mieux ça! Il faut néanmoins s'assurer, après avoir essuyé le bébé, de bien assécher la base du cordon avec un coton-tige.

### • Organes génitaux

Filles: la vulve est gonflée, les lèvres entrouvertes, laissant voir l'ouverture du vagin. Du mucus blanc laiteux s'en écoule souvent. Le clitoris paraît gros. La vulve reprendra une apparence habituelle dans les semaines qui viennent.

Garçons: le scrotum est gros et rouge, mais reprendra dans quelques semaines un volume normal. Les deux testicules devraient être à leur place dans le scrotum (on peut les sentir par une palpation très douce). Il arrive qu'ils n'y soient pas tout à fait encore, ce qui sera suivi lors des visites médicales des premiers mois. Le prépuce ne peut généralement pas laisser voir le gland au complet et ne devrait pas être forcé, ni pour l'examen ni pour la toilette. Il se dilatera de lui-même avec le temps.

### • Anus

Prendre la température rectale confirme la perméabilité de l'anus. La température rectale normale est de 36° à 37° C. Après la première selle, normalement dans les 24 heures, on est assurés que tous les «tuyaux» communiquent!

### • Colonne vertébrale

Droite et plate quand le bébé est sur le ventre, elle ne doit comporter aucune ouverture sur toute sa longueur.

### • Membres

On s'assure qu'ils soient d'apparence normale et bougent librement. Les mains et pieds sont examinés pour vérifier leur bonne conformation et l'absence de doigts ou orteils surnuméraires.

### • Ongles

Ils sont longs, surtout quand le bébé a un peu dépassé son terme, assez pour les couper... quand il dort. La peau des orteils déborde parfois sur les ongles, cela se replacera dès que les ongles durciront.

Après l'observation, quelques gestes sont posés: prendre sa pulsation, écouter ses poumons au stéthoscope, le peser, le mesurer, etc.

### • Pouls

Il varie de 120 à 160 battements/minute, mais peut ralentir ou accélérer selon qu'il dort ou qu'il pleure vigoureusement. On vérifie qu'il n'a pas de souffle au cœur.

### • Respiration

Le bébé respire de 40 à 60 fois/minute mais de façon complètement anarchique, en alternant les respirations saccadées avec des pauses allant facilement jusqu'à dix à quinze secondes. Les mouvements de son thorax et de son abdomen sont symétriques et sans effort.

### • Hanches

Pour vérifier que les fémurs sont normalement insérés dans le bassin, le médecin ou la sage-femme lui maintient les jambes pliées et lui ouvre largement les cuisses (en «grenouille»).

### • Poids

À terme, les bébés en santé pèsent généralement de 2700 à 4300 grammes. Ils peuvent perdre jusqu'à 10% de ce poids dans les premiers jours, par évaporation, à cause de la diminution normale de la proportion d'eau dans leurs tissus, ainsi que par l'évacuation du méconium. Ils regagnent et dépassent leur poids de naissance avant la 10ᵉ journée, parfois un peu plus lentement.

### • Longueur et circonférence de la tête

Les bébés mesurent généralement de 48 à 53 centimètres, proportionnellement à leur poids. La circonférence de la tête varie de 33 à 38 centimètres.

## Les réflexes neurologiques

Le nouveau-né a des réflexes qu'on appelle archaïques et qui lui sont particuliers. Vérifier la présence et le bon fonctionnement de ces réflexes permet de confirmer son intégrité neurologique. Voici les plus importants:

### • Moro

C'est le mouvement brusque où le bébé déploie ses bras en réaction à un bruit ou à un autre stimulus. Il disparaît entre un et quatre mois. Quoique surprenant pour les parents, il n'est pas un signe de «nervosité» du bébé, mais bien une de ses caractéristiques normales.

### • Babinski

Le bébé ouvre ses orteils en éventail quand on glisse un doigt le long d'un côté de son pied.

### • Préhension

En plaçant son doigt dans la paume de la main, le bébé replie ses doigts et le serre. Même chose si on place le doigt sous les orteils.

### • Succion et points cardinaux

Si on touche légèrement sa joue ou ses lèvres, le bébé se tourne vers le côté stimulé et cherche à téter. En plaçant un doigt dans sa bouche, on déclenche le réflexe de succion.

### • Marche

Tenu en position verticale, le bébé amorce un mouvement de marche quand ses pieds touchent une surface ferme.

## Le séjour à la pouponnière

La place des bébés est auprès de leur mère, tout au long de leur séjour à l'hôpital, à moins d'un problème de santé évident de l'un ou de l'autre. Plusieurs hôpitaux ont complètement éliminé le séjour à la pouponnière pour les nouveau-nés en bonne santé, et cette nouvelle pratique leur apparaît comme sécuritaire et normale. Tout ce qui doit être fait aux bébés (peser, mesurer, examiner, etc.) est fait tout à côté de la mère ou lors d'une brève visite à la pouponnière, en présence du père. Certains hôpitaux ont même des chambres uniques, c'est-à-dire que la mère y vit son travail, son accouchement ainsi que son séjour à l'hôpital, suivie par la même équipe d'infirmières. Même sans cette particularité d'organisation des lieux, plusieurs ont adopté cette intégration des soins qui fait que la même infirmière s'occupe à la fois de la mère et du bébé (pouvez-vous croire que ce n'est pas le cas partout? Quelle absurdité!). Cela permet beaucoup plus de cohérence dans l'accompagnement des mères.

Je crois fermement que les bébés devraient passer leurs premières heures de vie auprès de leur mère. Ce n'est même pas un sacrifice pour les mères: c'est bon pour elles aussi. Si la pouponnière pour les bébés en santé est une pure invention médicale, c'est vraiment à vous, selon vos sentiments et vos convictions, de négocier le genre d'arrangements qui vous convient. Tout n'est pas noir et blanc. Il n'y a pas de dommages irréparables causés à un bébé par un séjour de 24 heures dans une pouponnière, mais le plaisir de le découvrir pendant ces heures ne se remplace pas!

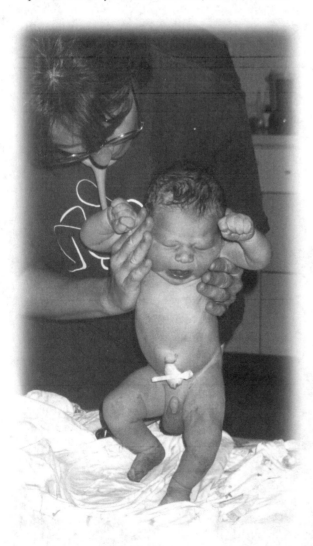

*Les femmes qui ont accouché à la maison et qui n'ont pas été séparées de leur bébé me font souvent le commentaire suivant: «Mon bébé n'a qu'un jour (ou deux, ou trois...) et je ne peux croire tout ce que j'ai appris sur lui déjà! C'est inconcevable de penser qu'il aurait pu passer ces premiers instants dans un endroit anonyme comme une pouponnière, alors que ses premiers mouvements, ses pleurs, son cycle de sommeil auraient été observés par des personnes pour qui ces informations n'ont pas vraiment d'importance alors que, pour nous, c'est le début d'un long et précieux apprentissage!»*

La première nuit avec un bébé est la plupart du temps assez paisible: il dort et ne se réveille que pour téter ou pour se rapprocher de sa mère. Bien que très peu de parents passent cette première nuit debout avec un bébé qui pleure et exige leur attention pendant des heures, être à l'hôpital devrait justement donner le privilège d'avoir quelqu'un sous la main pour prendre la relève, quand la veille de nuit est trop exigeante et que le besoin de repos devient impérieux.

Le choix revient bien sûr à chacune, mais je suis résolument contre l'organisation systématique de la séparation mère-bébé après la naissance. Le raisonnement derrière cette pratique paraît logique: les bébés auraient besoin d'être observés parce qu'ils pourraient s'étouffer avec leurs sécrétions ou avoir des problèmes respiratoires importants. C'était vrai quand les mères étaient droguées tout au long de leur travail avec des barbituriques et autres médicaments qui avaient clairement comme effet de déprimer le système respiratoire du bébé pour plusieurs jours après sa naissance. La presque disparition de ces médicaments de la pratique obstétricale courante explique à elle seule la diminution de nombreux problèmes respiratoires des nouveau-nés dans les dernières années. C'est ce qu'on appelle une complication iatrogénique, c'est-à-dire causée par le traitement lui-même. L'immense majorité des bébés ont tout ce qu'il faut pour se débrouiller avec leur respiration et ceci peut être facilement vérifié, dans les heures qui suivent la naissance, par un professionnel à l'œil exercé, sans pour autant retirer le bébé des bras de sa mère.

La pouponnière devrait être réservée pour les bébés de mères vivant une complication médicale, ou sur demande spéciale. Tout devrait être fait pour maximiser les contacts mère-enfant dans les premiers jours de vie. Le risque d'infection pour le bébé est plus grand dans une pouponnière où il sera manipulé par plus de personnes, qui auront elles-mêmes touché plusieurs autres bébés, et ce, malgré le lavage de mains et autres précautions.

En fait, il y a un autre message derrière cette pratique d'envoyer systématiquement les bébés à la pouponnière: les mères et les pères ne peuvent pas s'occuper adéquatement de leur nouveau-né, c'est le travail de professionnels! Heureusement, de plus en plus de gens questionnent cette opinion unilatérale! Qui est plus compétent pour s'occuper de votre bébé en santé? Les experts? La santé de votre bébé leur tiendrait-elle plus à cœur qu'à vous? Allons donc! D'ailleurs, plusieurs mères, passant devant une pouponnière, se rendent bien compte que les nouveau-nés y dorment en rangée (quand ils dorment), soumis à la lumière constante des néons. Les infirmières sont occupées et ne peuvent s'occuper que d'un bébé à la

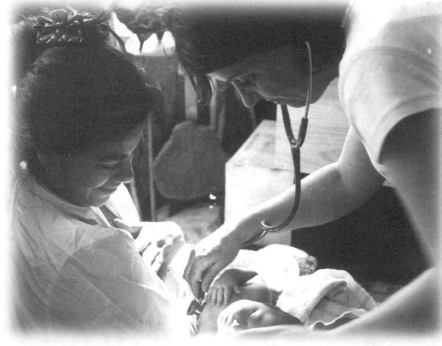

fois, jusqu'à l'heure du prochain boire ou du prochain bain. Qu'y a-t-il là-dedans qu'une mère ne pourrait faire avec infiniment plus d'attention et de douceur? Sans nier leur compétence et leur dévouement auprès des bébés qui ont besoin de soins spéciaux, qui, d'une infirmière parmi d'autres ou d'une mère, a le plus d'intérêt à observer chaque petit détail, chaque soubresaut de sommeil, chaque particularité d'un bébé en santé?

Dans les faits, les mères sont souvent les premières à reconnaître les signes encore minuscules d'un problème qui se dessine alors que le médecin ou l'infirmière ne l'avait pas remarqué! L'inverse est aussi vrai et il est bénéfique pour la santé des bébés qu'un professionnel l'observe régulièrement pendant ses premiers jours de vie, mais il devrait se déplacer jusqu'au bébé près de sa mère, plutôt que le contraire.

Ce qui est normal et naturel pour un nouveau-né, c'est de passer ses premières heures de vie bien au chaud, tout contre le corps de sa mère, à dormir paisiblement.

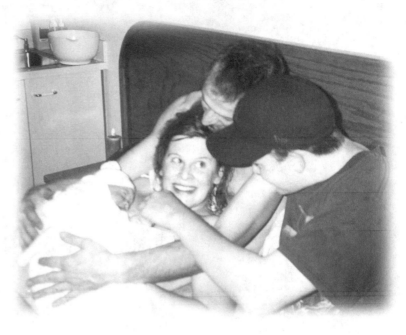

Les bébés ne sont pas affamés dans les premières 24 heures: ils se réveillent de temps à autre, veulent téter un peu, veulent se faire prendre et bercer, histoire de se rassurer que le monde est bien l'endroit confortable et aimant qu'ils espéraient. C'est tout!

**Notes**   [1] ENKIN, KEIRSE, RENFREW, NEILSON, CROWTHER, DULEY, HODNETT & HOFMEYR. *op. cit.*, page 420.

[2] SOCIÉTÉ CANADIENNE DE PÉDIATRIE. «L'administration systématique de vitamine K aux nouveau-nés, Document de principe», *Pediatrics & Child Health*, 1997, vol. 2, n° 6, p. 432-434.

# Chapitre 17

## *Les lendemains de la naissance*

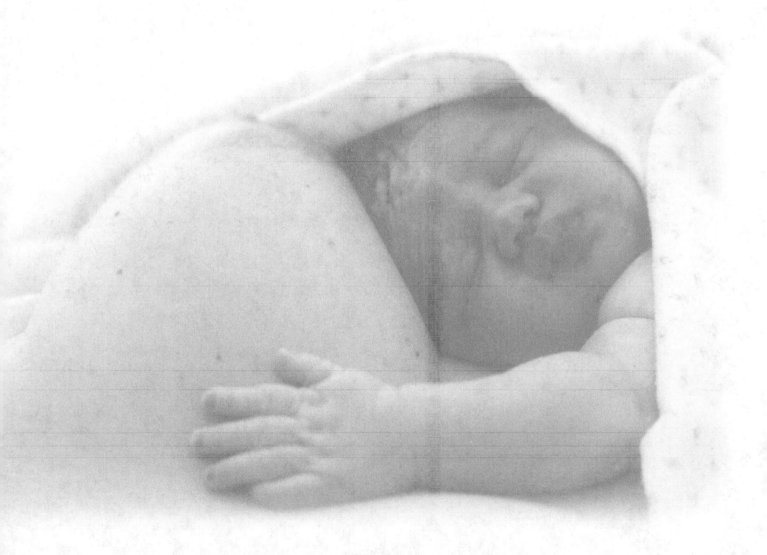

# La vie bousculée

«Si j'avais su!» Ces paroles, vous les entendrez ou vous les prononcerez vous-même! On a peine à s'imaginer, enceinte, le temps et l'énergie que nous prendra ce bébé une fois arrivé. On a beau essayer d'évaluer en additionnant le nombre de tétées avec le nombre de couches à changer, on n'y arrive pas du tout. Beaucoup de parents se préparent avec ferveur à l'accouchement et ne considèrent que très vaguement la période qui suivra, alors que c'est de loin la plus longue!

*Comme disait Noémie: «Je sais que tu nous avais parlé de la fatigue, de l'adaptation au bébé et de tout ça dans les rencontres prénatales, mais c'est comme si ce n'était pas pour nous!»*

Pour les femmes, les tout premiers jours après l'accouchement se passent souvent dans une espèce de béatitude ouatée, vaguement hors du temps. Elles sont envahies par les manifestations physiques: le ventre vide, les pertes de sang, la vulve encore sensible, les seins qui gonflent, les mamelons qui s'habituent à leur nouvelle fonction! Au propre comme au figuré, elles sont encore toutes ouvertes, vulnérables, peut-être pas encore vraiment revenues de l'état second qui caractérise la plupart des accouchements. Dans les jours qui viennent, la réalité de leur nouvelle vie les imprègne peu à peu.

Les semaines qui suivent la naissance sont passionnantes et exigeantes, un mélange unique d'extase et de désespoir! C'est la grande bousculade entre l'envie frénétique de tout faire ce qu'il faut pour le bébé, comme il le faut, et les émotions passionnées et quelquefois contradictoires qui nous assaillent, le tout sur fond de nuits interrompues et de pleurs apparemment inexplicables. Aborder ce temps sans préparation et sans soutien, c'est ouvrir la porte aux nombreux cercles vicieux qui ne demandent qu'à s'y installer: la désorganisation qui engendre la fatigue, la fatigue qui submerge et ralentit les transformations nécessaires à l'adaptation et à l'organisation... Ou l'anxiété exagérée, suivie des multiples conseils souvent contradictoires qui nous mêlent encore plus et nous empêchent de reconnaître les signaux que le bébé nous envoie, ce qui nous rend encore plus anxieuses... Évidemment, vous aurez peut-être l'un de ces bébés qui s'intègrent en douceur dans la vie quotidienne. Mais vous ne pouvez pas laisser votre bien-être au hasard de son tempérament! Et l'expérience de la vie avec un bébé va beaucoup plus loin que ses humeurs: il y a aussi le poids des nouvelles responsabilités, la mobilité temporairement réduite, le sens de la vie à deux qui change... maintenant qu'on est trois, ou plus.

## L'apprentissage

Dans notre monde moderne et civilisé, cette expérience précieuse ne fait pas nécessairement partie de notre bagage! Au contraire, la majorité des femmes en âge d'accoucher n'ont pas pris un nouveau-né dans leurs bras dernièrement et n'ont jamais côtoyé régulièrement un bébé. Elles devront non seulement traverser l'inconnu de l'accouchement, mais les premières semaines de vie avec leur bébé pourraient être une initiation éprouvante!

*Mireille a passé sa vie entourée de jeunes bébés: ses sœurs, ses belles-sœurs et amies proches ont une ribambelle de jeunes enfants qu'elle a vu pleurer, rire, téter, dormir et quelquefois hurler. Il y en a eu des faciles à contenter, des jamais satisfaits, des «dormeux», toujours partis dans quelque sieste, et des petits curieux insatiables, éveillés dès les petites heures et jusqu'à tard le soir. Elle a vu toutes ces femmes devenir mères non sans heurts, non sans angoisses parfois, mais dans l'ensemble, chacune y a trouvé son compte et la vie poursuit son cours tranquille. Bien sûr, cela ne lui dit pas comment le sien sera ni quelle sorte de mère elle fera, mais puisque tout le monde s'en est tiré avec bonheur, pourquoi pas elle?*

Il est tellement important d'échanger avec d'autres femmes enceintes, des mères de jeunes enfants, d'autres parents. Les préoccupations quotidiennes des jeunes mères et pères sont universelles. Les partager permet de les relativiser, de dédramatiser, de briser le cercle de solitude qui enferme trop souvent les nouveaux parents. Ils doivent maintenant trouver autour d'eux des partenaires, des alliés qui les aideront à aborder leur nouveau rôle avec confiance, même si ce ne sont pas de grands amis. Les premières semaines sont faites d'un apprentissage inouï, du tissage de mille observations, de mille petits gestes et d'autant de décisions quotidiennes. C'est la découverte d'une nouvelle personne et, pour les parents, une découverte d'eux-mêmes dans leur relation avec leur bébé. Aucun livre de recettes ne peut présider à cette rencontre unique. Du partage de l'expérience de chacune et de chacun découle une sagesse qui nous guide dans cette rencontre et peut nous éviter de douloureux écueils.

Quand on questionne les femmes sur ce qui leur reste des premiers temps après la naissance, que ce soit quelques mois ou des années plus tard, il est étonnant de sentir la tristesse qu'elles expriment souvent. Le sentiment de solitude. Le désarroi. Une excellente caricature de Claire Brétécher, intitulée «Le postnatal», illustre bien cette réalité: on y voit, de dos, une grappe de gens penchés au-dessus de ce qui doit être un berceau (qu'on ne voit pas, tellement il y a du monde) et à côté, assise toute droite et seule dans son lit d'hôpital, la mère! On rit, mais on éprouve un serrement au cœur! Qui apporte un cadeau à la mère pendant son séjour à l'hôpital, au lieu ou en plus des inévitables petits vêtements de bébé qu'ils porteront dans un an? Qui lui demande «Comment ça va?» en étant vraiment intéressé à sa réponse? Trop peu de gens!

## Le soutien et la solidarité

La période qui suit la naissance combine, de façon unique, la fatigue, l'isolement, la transformation des habitudes de vie et des horaires, une vulnérabilité à fleur de peau... et une histoire d'amour! Non pas qu'on n'ait jamais vécu de moments difficiles avant ceux-là: la fatigue et tout le reste, on connaît... mais cela pèse tellement lourd sur ce nouvel amour! Et si c'était à refaire, comme on voudrait recommencer cette relation d'amour dans un contexte différent! La coupure entre la prise en charge complète au moment de l'accouchement et l'abandon presque aussi complet quand on quitte l'hôpital, cette absurdité, ce sont les mères, les pères et les bébés qui en font les frais. La solitude, l'angoisse, la dépression, les ruptures de couples qui ne survivent pas aux tensions, sont des situations tristement banales dans les mois qui suivent l'arrivée du bébé, alors qu'il était question de fêter la vie!

Saviez-vous qu'il n'en est pas de même partout? Aux Pays-Bas, par exemple, une «aide-de-couches» vient quotidiennement, pour six à huit heures, pendant huit jours après la naissance. «Ses tâches sont extrêmement variées, allant des travaux scolaires des autres enfants jusqu'aux courses ménagères, en passant par l'entretien de la maison, sans oublier l'accueil aux visiteurs et visiteuses... En fait, l'aide-de-couches remplace les parents dans leurs tâches domestiques et facilite l'intégration du nouveau-né dans la famille par ses conseils, sa présence rassurante et son soutien technique[1].» Malheureusement, rien de tel n'existe au Québec pour assister les parents dans le début de leur vie avec leur bébé. On n'a pas encore mesuré les bénéfices à long terme d'une vraie politique de soutien concret! Il est inacceptable de ne s'occuper que de la sécurité de la naissance d'un bébé et de négliger la mise en place des conditions les plus favorables à son intégration harmonieuse dans sa famille. Les parents

doivent donc s'organiser pour se créer leur propre réseau de soutien. Ce qui ne devrait pas les empêcher de réclamer du système de santé des services postnatals accessibles à tous et adaptés à la réalité des familles.

Au Québec, les CLSC offrent des services appréciables pour les nouveaux parents, qui vont de l'appel téléphonique, à la visite à la maison d'une infirmière, à des rencontres individuelles ou de groupe sur différents thèmes, à des groupes d'entraide pour l'allaitement, par exemple. Ces services sont amenés à se développer maintenant que la tendance est à raccourcir le séjour à l'hôpital après l'accouchement, celui-ci étant, à bien des endroits, de 24 à 36 heures. Prenez la peine de vous informer de ce qui est disponible dans votre région ou votre quartier. Vous y trouverez des femmes avec qui partager vos questionnements, vos

Photo: Pierre Crépô

trouvailles, vos grandes angoisses et vos petits bonheurs (ou le contraire!). Le suivi d'une sage-femme, quant à lui, comprend plusieurs visites à la maison pour veiller au bien-être de chacun, en général trois dans la première semaine, ainsi qu'une disponibilité au téléphone de 24 heures par jour pour répondre aux questions, dissiper les doutes, les inquiétudes. En cas de difficultés particulières, des visites additionnelles se rajoutent, selon le besoin. Pour beaucoup de femmes, ce contact précieux les a délicatement guidées dans leurs premiers pas, a rapidement corrigé un petit ennui avant qu'il ne devienne un problème, a donné accès à une mine de solutions possibles, d'alternatives quand l'ajustement n'était pas évident! Mais une sage-femme ou une infirmière ne remplacent pas la solidarité qui se tisse en partageant des petits morceaux de vie avec d'autres parents. La période après la naissance doit-elle toujours être difficile? Peut-on bien vivre cette étape délicate? Comment peut-on s'y préparer pour mettre toutes les chances de son côté?

*Au moment où j'écris ces pages, je vais visiter Suzanne qui vient d'accoucher il y a dix jours. Elle est radieuse depuis le premier jour, même si son accouchement ne s'est pas passé tel qu'elle l'aurait souhaité. Elle est entourée de son homme, plus amoureux et heureux que jamais, de sa mère venue l'aider, d'amis émus de son bonheur. La petite continue d'atterrir en douceur, facile à contenter, facile à comprendre dans ses besoins. Les veilles de nuit se récupèrent le jour. La vie est belle et bonne comme un fruit mûr qui coule sur le menton quand on y croque!*

# Les premiers jours

Plusieurs transformations physiques prennent place dans les premiers jours après la naissance. La mère quitte son état de grossesse, passe à l'étape de l'allaitement et commence son très lent retour à la fertilité. Ces transformations mettent en œuvre un intense processus d'involution, de guérison, de rebalancement hormonal et exigent de longues périodes de repos pour permettre une vraie récupération. Le bébé, quant à lui, vit cette courte phase de nouveau-né (trop courte aux dires de bien des mères!) pendant laquelle il quitte définitivement sa vie fœtale, alors que ses différents systèmes s'accommodent à leurs nouvelles fonctions. Il passera naturellement une bonne partie de son temps à dormir et la mère pourra synchroniser ses périodes de repos avec les siennes pour en profiter pleinement. En fait, les premiers jours devraient être entièrement consacrés à votre récupération, à vos soins personnels et aux soins de votre bébé. Tout autre activité (ménage, préparation de repas, etc.) devrait être confiée à quelqu'un d'autre.

## Les étapes pour la mère

La plupart des femmes sont envahies par une bonne fatigue, mais elles ne sont pas épuisées, à moins que le travail et le manque de sommeil n'aient été particulièrement longs. D'autres sont tellement surexcitées, même physiquement, qu'elles éprouvent de la difficulté à dormir pour plusieurs jours.

*C'était le cas d'Hélène, qui, heureuse de son accouchement et de son bébé, a commencé à voir ce bonheur fondre de façon alarmante quand elle s'est rendue jusqu'à sa cinquième nuit pratiquement sans dormir. Un long massage, offert par une massothérapeute venue à la maison, l'a finalement délivrée de ce cercle sans fin. Les lents mouvements, doux et fermes à la fois, l'ont profondément remise en contact avec son corps et l'ont laissée enfin fatiguée, physiquement, prête à dormir de longues heures et à récupérer.*

Vous aurez évidemment perdu du poids, mais peut-être pas autant que vous pensiez: environ huit kilos en moyenne. Souvent, les kilos qui restent sont distribués autrement qu'à l'habitude! Ne vous impatientez pas, vous retrouverez votre poids normal dans les semaines et mois qui viennent. Vous garderez sans doute quelques kilos en plus tout le temps que vous allaiterez, une réserve qui vous quittera au sevrage. Ce n'est qu'après cette période-là que les femmes qui ont l'embonpoint facile devront peut-être faire un effort conscient pour retrouver leur poids-santé en éliminant de leur alimentation les calories vides, les pâtisseries et les nourritures riches, et en faisant plus d'exercice physique.

Votre ventre, même si le bébé ne s'y trouve plus, ne reprendra pas sa forme avant plusieurs semaines. Les muscles, qui se sont étirés pour lui faire de la place, devront réabsorber cet excédent de fibres et retrouver leur élasticité. C'est un processus spontané que vous pourrez assister en y ajoutant votre propre programme d'exercices postnatals[2]. Même si vous «n'avez pas le temps», un exercice tout simple, de resserrement des muscles abdominaux, par exemple, aidera à les retonifier graduellement.

Vous pourrez prendre des douches et, après quelques jours, des bains, à votre choix. Vous pourrez même baigner votre bébé en même temps que vous dans le grand bain: c'est une belle occasion de caresses, peau à peau. Pour le père aussi, d'ailleurs, qui pourrait aussi profiter de ce contact magnifique avec son bébé!

## LE REPOS

Votre programme de repos devrait compter, la première semaine, deux siestes par jour, c'est-à-dire deux heures consécutives au lit, les rideaux fermés, que vous dormiez ou non, puis une sieste par jour la deuxième semaine. En fait, si vous conservez cette habitude tout le temps que vous allaiterez la nuit, elle vous permettra de récupérer à mesure le sommeil perdu. N'attendez pas qu'une période de deux heures se libère pour vous: dès que votre bébé a fini une tétée, dormez avec lui! Il est beaucoup plus facile de faire quelques téléphones ou de se préparer une petite salade avec un bébé réveillé... que d'essayer de dormir pendant qu'il vous réclame!

Méfiez-vous des grandes bouffées d'énergie: elle sont parfois suivies de brusques descentes! Faites-vous des réserves, cela ne peut pas nuire! Si vous abusez de vos forces, vous pourriez vous retrouver épuisée dans quelques semaines, alors que l'aide à la maison sera peut-être moins disponible. Mieux vaut ce congé temporaire que de longs mois à se sentir sans énergie parce qu'on n'a jamais vraiment pris le temps de se remettre!

Peut-être voudrez-vous limiter le nombre de visiteurs dans les premiers temps. Dans leur enthousiasme et leur empressement à venir porter les cadeaux de bienvenue, beaucoup de gens bien intentionnés prennent trop de place, vous empêchent sans le vouloir de faire une sieste ou partent plus tard que prévu. Ils drainent votre énergie et celle de votre conjoint qui devra offrir le café, les biscuits et ramasser la vaisselle après leur départ! Prétextez votre grande fatigue (ou n'importe quoi) pour réclamer gentiment de courtes visites, et encore, des proches seulement. Les autres viendront plus tard... et pourquoi pas, en emportant un souper tout prêt!

*Nadine et Alain ont fait savoir à leur entourage qu'il fallait les appeler avant de venir et ont organisé les «heures de visite» pour passer au moins une journée sur deux tous seuls, complètement libres de passer la journée en pyjama, de se coucher très tôt ou de se promener les seins à l'air! Le bonheur, quoi!*

## L'ALIMENTATION

Mangez bien et abondamment, dès les premiers jours. Ne laissez pas l'encombrement de tout ce qu'il y a à faire déborder sur l'heure des repas ou sur l'énergie qui reste pour préparer quelque chose de bon et de réconfortant à manger. La récupération et la lactation exigent des protéines, vitamines et calories en quantité et d'excellente qualité. Ce n'est certainement pas le temps de grignoter ou de commencer un régime!

## L'ÉLIMINATION

Votre corps, qui avait retenu de l'eau pendant la grossesse pour augmenter le volume sanguin, devra maintenant éliminer ce surplus par la peau et le système urinaire: vous pourriez transpirer beaucoup, même la nuit. Vous devrez quand même boire beaucoup, au moins un grand verre à chaque tétée: de l'eau, des tisanes, des jus, au choix.

L'élimination intestinale devrait reprendre de façon régulière, dès la deuxième ou troisième journée, sans inconfort particulier sinon une certaine paresse: les intestins flottent maintenant dans l'abdomen sans la pression à laquelle ils s'étaient habitués les derniers temps. Buvez beaucoup et incluez dans votre menu des fruits et des légumes crus, et des aliments riches en fibres, comme le son. Évitez les médicaments ou tisanes laxatives qui auraient le désavantage d'être aussi efficaces pour votre bébé!

Beaucoup de femmes ont peur d'avoir mal ou que leurs points de suture ne se défassent, avec leur première selle. À elle seule, cette peur peut retarder le retour de la fonction intestinale, ce qui ne la rendra pas plus facile! En fait, c'est rarement douloureux, même si l'on vous a fait une épisiotomie importante, toute proche des sphincters anaux. Demandez à en être clairement informée: même dans ce cas, la solution est encore d'y aller le plus tôt possible. Une préparation à base de fibres solubles, disponible en pharmacie, pourrait vous y aider en douceur.

Si les hémorroïdes ont obscurci les dernières semaines de votre grossesse ou si elles sont apparues à la suite de l'accouchement, vous en ressentirez probablement plus d'inconfort maintenant. Il n'y a malheureusement pas de recettes miracles, mais parmi les mesures qui soulagent, essayez les suivantes: de la glace en application locale, des bains de siège à l'eau froide ou des compresses d'hamamélis (disponibles en pharmacie, sous une appellation commerciale), pour réduire l'enflure. Plusieurs femmes ont obtenu des résultats remarquables et rapides avec un onguent de plantain (une herbe avec des affinités particulières pour les muqueuses) auquel on rajoute, à chaque application, une ou deux gouttes

d'huile essentielle de cyprès. Finalement, des suppositoires pour amollir les selles ou des produits spécialement conçus pour les hémorroïdes pourraient vous aider. Prenez patience, avec le temps elles disparaîtront!

### L'UTÉRUS

Le lendemain de l'accouchement, votre utérus devrait être ferme et indolore au toucher (peut-être sensible un peu, mais sans plus). Son sommet se situe à peu près à une largeur de doigt sous le nombril et baissera régulièrement chaque jour, pour finalement disparaître derrière l'os du pubis entre la 10$^e$ et la 14$^e$ journée. Vous sentirez probablement des contractions, surtout pendant que votre bébé tète. Leur fonction est justement de ramener l'utérus à son volume d'avant la grossesse. Ces contractions peuvent parfois être douloureuses, surtout après les deuxièmes et troisièmes bébés. Les mêmes respirations profondes, qui vous ont aidée à l'accouchement, vous aideront encore. Pour en réduire l'inconfort, avant d'allaiter, videz complètement votre vessie qui pourrait, en étant pleine, déplacer votre utérus vers le haut et le faire contracter encore plus fort. Si la douleur est assez importante pour vous empêcher de dormir ou de vous détendre pendant la tétée, une teinture d'herbe (comme la cataire), certains remèdes homéopathiques ou un analgésique simple (pas d'aspirine cependant) peuvent vous soulager grandement. Votre bébé ne boit encore que de toutes petites quantités de colostrum et n'en sera pas incommodé. De toutes façons, ces contractions cessent d'être douloureuses et même perceptibles après deux ou trois jours.

### LES PERTES (OU LOCHIES)

Pendant les premiers quatre ou cinq jours, vos pertes de sang ne devraient pas excéder celles d'une très grosse première journée de menstruation et diminueront progressivement. L'odeur est assez semblable à celle de vos menstruations. Les premiers jours, vous pourriez perdre des caillots de sang (parfois gros comme un œuf), surtout le matin, ou après avoir allaité ou uriné. Il faudra avertir votre sage-femme ou votre infirmière sans délai si vous en perdez beaucoup ou si vous imbibez deux serviettes sanitaires consécutives en moins d'une demi-heure.

Ces pertes diminueront sensiblement et changeront progressivement de couleur et de texture pour devenir plus pâles, jaunâtres ou rosâtres, après les premiers six à dix jours environ. Elles sont alors formées d'un mélange de sang, de sérum, de globules blancs, de mucus cervical et de débris de cicatrisation, dont la proportion varie pendant toute leur durée. Les pertes se poursuivent de trois à six semaines. Occasionnellement, on voit réapparaître des pertes sanguines alors qu'elles avaient disparu depuis quelques jours. C'est normal et cela dénote souvent un retour à des activités physiques plus vigoureuses. Un peu de repos devrait ramener les choses dans l'ordre. Avisez votre sage-femme ou votre médecin si le saignement persiste ou s'il a mauvaise odeur.

### LA VULVE ET LE PÉRINÉE

Même s'il n'y a pas eu de déchirure, la vulve et le vagin ont pu être «éraflés» à la naissance et donc être encore sensibles dans les jours qui suivent. Comme ils sont la porte d'entrée vers l'utérus qui cicatrise l'emplacement du placenta, il est très important d'observer une hygiène personnelle impeccable afin d'éviter la multiplication de bactéries indésirables. Changez souvent de serviette sanitaire, lavez souvent cette région, soit par des bains de siège ou en passant doucement le jet tiède d'une douche manuelle. À l'occasion, la vulve peut être particulièrement enflée. Dans les premières heures, un sac de glace pourrait aider les tissus à se replacer. Par la suite, des bains à l'eau chaude soulagent et favorisent la cicatrisation, surtout s'il y a eu des points de suture. Vous pouvez utiliser un bain de siège prévu à cet effet, ou vous asseoir dans un bain peu profond (et très propre!). Si possible, laissez à l'air libre au moins une heure par jour, alors que vous vous reposez. Des onguents à base d'herbes (en particulier la consoude) peuvent aussi accélérer la guérison. Si l'urine provoque une sensation de brûlure, probablement causée par de petites éraflures superficielles, versez de l'eau tiède directement sur la vulve en même temps que vous urinez. Cela devrait diminuer et disparaître en deux ou trois jours.

La naissance a soumis votre vagin à un étirement pour lequel il était conçu, mais dont il doit néanmoins se remettre. Plusieurs fois par jour, resserrez les muscles de votre vagin, pour les aider à reprendre leur forme, en tenant la contraction quelques secondes. On appelle aussi ces contractions volontaires du vagin, des *Kegel*, du nom du médecin qui en a parlé le premier. Vous aurez peut-être l'impression, au début, qu'il ne se passe rien! Raison de plus pour les faire assidûment! Commencez même si l'on vous a fait des points de suture dans les muscles même du périnée, cela favorise la circulation et donc la cicatrisation. Des recherches ont clairement démontré que, un an après l'accouchement, la qualité du tonus musculaire vaginal ne découlait pas du fait qu'il y avait eu déchirure, épisiotomie, ou ni l'un ni l'autre, mais bien du fait que les femmes avaient exercé ces muscles régulièrement. En fait, ces exercices devraient faire partie de l'hygiène quotidienne de chacune, qu'elle ait eu ou non des enfants, histoire de prévenir l'incontinence urinaire (beaucoup trop fréquente chez les femmes). Alors, à vos marques...!

## Les étapes normales pour le bébé

Les nouveau-nés passent le plus clair de leur temps à dormir. Enfin, la plupart d'entre eux! Certains petits malins aiment à rester éveillés de longs moments, à vouloir qu'on les prenne pour les aider à faire la transition du ventre chaud à la solitude d'un petit lit. Dans les premières heures, il se pourrait que votre bébé ait encore à se débarrasser de mucus en provenance de la gorge ou de l'estomac et, puisqu'il a tous les réflexes nécessaires, il s'en acquittera de lui-même. Vous l'aiderez en ne le laissant pas seul sur le dos. Couchez-le plutôt sur le côté, avec un tissu roulé dans son dos pour bien maintenir sa position, il pourra ainsi plus facilement se dégager de ce mucus encombrant. Passé les premiers jours, vous le coucherez plutôt sur le dos, bien à plat, parce que c'est la meilleure position pour diminuer les risques de mort subite du nourrisson[3].

### LA TEMPÉRATURE

Les nouveau-nés ne sont pas équipés pour s'adapter aisément à la température ambiante. Il faut donc les maintenir au chaud, un concept qui, bien sûr, varie d'un parent à l'autre, sans compter les grands-mères qui passent derrière et s'inquiètent:

«Es-tu certaine qu'il a assez chaud?» Une bonne règle de départ est de toujours couvrir le bébé avec une épaisseur de plus que ce qui est confortable pour vous. Vous êtes bien en maillot? Mettez-lui une petite camisole et un pyjama ou une robe de nuit. Vous êtes confortable avec un bon chandail? Rajoutez-lui une couverture légère et un petit bonnet. Surtout s'il est petit, couvrez sa tête les premiers jours: les bébés perdent beaucoup de chaleur par cette extrémité. S'il a trop chaud, vous le saurez en passant un doigt à sa nuque: elle sera moite. Il est normal que ses mains et ses pieds soient frais. Passé ces quelques premiers jours, la température ambiante devrait être d'environ 20° C, il devrait porter un pyjama chaud et, pour dormir, une légère couverture seulement[4].

### LA PEAU

Votre bébé sera d'un beau rose et même rougeaud, surtout quand il pleure. Ne vous inquiétez pas si ses pieds et ses mains restent légèrement bleutés: c'est tout à fait normal les premiers temps. Si son teint accuse un hâle inattendu (il semble bronzé), c'est probablement qu'une légère coloration jaune, causée par la jaunisse, s'est ajoutée au rose. La plupart du temps, c'est sans conséquence, mais une personne compétente devrait examiner votre bébé et surveiller sa jaunisse. Votre bébé peut aussi avoir des éruptions de petits boutons sur son visage ou son corps. Ils sont inoffensifs et disparaîtront d'eux-mêmes avec le temps.

### L'ÉLIMINATION

La plupart des bébés urinent dans les premières 24 heures, démontrant ainsi le bon fonctionnement de leur appareil urinaire. Si ce n'est pas le cas, un médecin

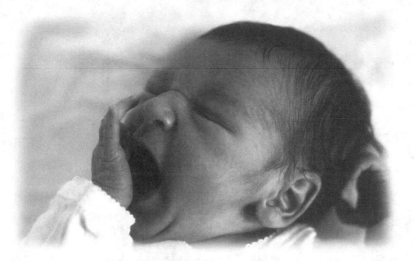

mélange de méconium et de selles d'allaitement. Après le cinquième jour, les selles d'un bébé allaité sont jaune moutarde, molles, assez liquides, avec des grumeaux parfois, d'une odeur plutôt douce s'apparentant au yogourt. La fréquence des selles peut varier de une à sept ou huit fois par jour. Contrairement aux enfants plus vieux, les selles liquides ne sont pas l'indice d'une diarrhée. Les bébés alimentés à la préparation lactée ont des selles jaune paille, plus solides.

## LE CORDON OMBILICAL

Il commencera à sécher dès les premières 24 heures, pour devenir bientôt brun foncé et dur. Gardez-le toujours propre et sec. Quand vous remarquez des sécrétions à sa base, produites par le processus de cicatrisation, enlevez-les avec un coton-tige mouillé, puis asséchez-le bien avec un coton-tige sec. Les hôpitaux continuent à recommander l'usage d'alcool qui n'est pas nocif mais peut être irritant pour le bébé sans vraiment être utile. Le cordon tombera entre le quatrième et le dixième jour environ. Ceux qui prennent du temps à tomber ont souvent, vers la fin, une odeur plutôt désagréable, mais cela ne dénote pas un problème. Avertissez votre sage-femme ou votre médecin si le tour du cordon devient rouge et gonflé, ce qui pourrait être un signe d'infection, d'ailleurs très rare. Vous pouvez, sans crainte, lui donner un bain complet avant que le cordon ne soit tombé, cela ne risque pas de l'infecter. Il suffira de bien l'assécher après, avec un coton-tige. Une étude observant deux groupes de nouveaux-nés au moment du bain, les uns immergés dans l'eau, les autres lavés de façon à ne pas mouiller le cordon, n'a noté aucune différence, sinon que les bébés du deuxième groupe pleuraient plus que les autres.

devrait être avisé pour en investiguer la raison. Attention, il peut être difficile de distinguer l'urine dans une couche de papier «ultra absorbante». En effet, un produit chimique au fond de la couche transforme l'urine en gel à son contact, l'empêchant ainsi de remonter à la surface et de donner une impression de «mouillé». Observez bien la couleur et déchirez la couche si vous n'êtes pas sûrs. Vous pourriez trouver occasionnellement des petites taches rosées sur la couche vers le troisième jour: ce sont des cristaux d'urate. Les petites filles peuvent aussi perdre quelques gouttes de sang: ce sont des pseudo menstruations qui se produisent quand les hormones maternelles, présentes dans leur organisme à la naissance, les quittent peu à peu. Les deux sont sans importance. Une fois l'allaitement bien établi, après trois ou quatre jours, un bébé bien hydraté urine au moins six à huit fois par 24 heures.

Les premières selles sont noires verdâtres, extrêmement épaisses et collantes, comme du goudron! Elles commencent à passer dans les premières heures et continuent de s'éliminer pendant trois jours environ. Puis, ce sont les selles de transition, jaunes brunâtres, un

## LA JAUNISSE

Environ un bébé sur deux développe une jaunisse dans les premiers jours de sa vie (plus chez les prématurés). Même si c'est courant, la plupart des parents ne savent pas bien ce que cela représente pour leur bébé et par le fait même, s'en inquiètent, alors que dans la plupart des cas, la jaunisse se règle d'elle-même en quelques jours. Que signifie donc la jaunisse chez un nouveau-né à terme et en santé?

### • La jaunisse physiologique

La jaunisse est une coloration jaune de la peau et du blanc des yeux causée par la présence de bilirubine dans le sang. Chaque jour, le foie détruit un certain nombre de globules rouges qui seront remplacés par des nouveaux. Or, la bilirubine est une composante de l'hémoglobine des globules rouges. À cause d'une immaturité bien normale du foie, beaucoup de nouveau-nés ont besoin de quelques jours avant de pouvoir compléter adéquatement cette opération. Dans l'intervalle, une certaine quantité de bilirubine se trouve donc à circuler librement, plutôt que d'être décomposée ou excrétée, tel que prévu, par les intestins. La bilirubine étant un pigment jaune, sa couleur transparaît à travers la peau fine du nouveau-né et lui donne sa belle couleur «dorée»! Cette jaunisse simple se déclare vers la deuxième ou troisième journée après la naissance et disparaît sans autre traitement dans les jours qui suivent. Certains médicaments utilisés pendant la grossesse ou le travail peuvent interférer avec la fonction du foie et ralentir le métabolisme de la bilirubine.

### • La jaunisse d'allaitement

Environ un bébé sur 200 fait une «jaunisse d'allaitement». Il se pourrait qu'une des composantes du lait maternel affecte le métabolisme de la bilirubine chez ces bébés. Une façon simple de la différencier des autres jaunisses, est qu'elle ne commence jamais avant le troisième jour et que le bébé continue de réagir très normalement. Certains médecins demandent d'interrompre l'allaitement pendant 24 heures (ou plus), pour confirmer que c'est bien de cette jaunisse qu'il s'agit (le taux de bilirubine diminue alors rapidement). Contactez une personne qui s'y connaît bien en allaitement pour savoir comment maintenir votre lactation et reprendre immédiatement après. Il n'est pas nécessaire d'interrompre l'allaitement de façon permanente. Cette jaunisse se réglera d'elle-même avec le temps et le lait ne cause pas de tort au bébé. Interrompre l'allaitement n'est d'aucune utilité pour le traitement de la jaunisse physiologique.

### • La jaunisse pathologique

Dans certains cas, beaucoup plus rares, la jaunisse est pathologique. Il faut alors la surveiller de très près et la traiter. C'est que le type de bilirubine en circulation dans la jaunisse pathologique aime à se fixer dans des tissus à haute teneur en matières grasses... comme le cerveau, par exemple. Or la bilirubine est toxique et peut causer des dommages irréversibles.

Quand la jaunisse commence et augmente rapidement, qu'elle présente des caractéristiques pathologiques ou que le bébé devient léthargique, il peut s'avérer nécessaire de la traiter. Le traitement le plus courant est la photothérapie: on expose le bébé à une puissante lumière ultraviolette, dont les rayons ont la propriété de décomposer la bilirubine à la surface de la peau. Pour ce traitement, le bébé doit être nu et porter un petit bandeau sur les yeux pour éviter d'être ébloui. Le traitement exclut habituellement la cohabitation, mais non pas l'allaitement. La photothérapie a toutefois des effets secondaires comme la diarrhée, la déshydratation et des éruptions cutanées, sans compter qu'on n'a jamais étudié de près l'effet de l'isolement et de la privation sensorielle pendant plusieurs jours chez un nouveau-né. Aussi, il doit être réservé aux bébés qui en ont vraiment besoin! On emploie parfois, plutôt qu'une lampe au-dessus du bébé, une source de rayons ultraviolets insérée dans une couverture. Le bébé peut donc être enveloppé dans cette couverture, dans les bras de ses parents, minimisant ainsi plusieurs des effets secondaires indésirables d'isolement et d'interférence avec l'allaitement.

## Si votre bébé fait une jaunisse

Lorsqu'on sait que la jaunisse est physiologique, il est rarement nécessaire de traiter un bébé à terme qui tète bien. La plupart des bébés se débrouillent tout seuls avec leur jaunisse, sans aucun problème. L'exposer à la lumière du jour peut l'aider à diminuer la bilirubine en circulation dans son organisme, mais ce n'est pas essentiel. Assurez-vous que la pièce est bien chaude avant de le déshabiller. Si le médecin veut traiter votre bébé en photothérapie conventionnelle, faites-vous expliquer pourquoi. S'il s'inquiète de son taux de bilirubine et qu'il vous demande de rester à l'hôpital pour le surveiller, vous pouvez offrir de revenir quotidiennement pour un prélèvement de contrôle, jusqu'à ce que son taux ait commencé à redescendre. Cela vous permettra de vous retrouver chez vous quelques jours plus tôt et de jouir de toute l'intimité dont vous avez besoin.

Si votre bébé doit vraiment passer quelque temps «sous la lampe», accompagnez-le le plus possible, caressez-le, touchez-le, laissez-lui savoir que vous êtes là et que tout ceci n'est que temporaire. Il a besoin de votre voix et de vos caresses, et vous avez tous les deux besoin de passer ce temps ensemble! Pour contrer la déshydratation, votre bébé aura besoin de fluides en bonne quantité. Assurez-vous que le liquide qu'on lui donne en surplus n'interfère pas avec l'allaitement: on peut, par exemple, le lui donner à la tasse, plutôt qu'avec un biberon.

---

**Quand s'inquiéter de la jaunisse du nouveau-né?**

- Lorsqu'elle se présente dans les premières 24 heures (ce qui pourrait indiquer une origine pathologique);
- Lorsque l'augmentation du taux de bilirubine est très rapide, parce qu'il risque d'atteindre des niveaux toxiques avant que le bébé ne commence à l'éliminer efficacement;
- Lorsqu'elle affecte un bébé prématuré, le niveau de bilirubine en circulation étant plus rapidement dangereux;
- Lorsqu'on soupçonne la présence d'anticorps à cause d'une incompatibilité sanguine entre la mère et son bébé;
- Lorsqu'on soupçonne une maladie ou une condition héréditaire qui affecte le fonctionnement du foie (rare).

Dans les cas exceptionnels et graves où le taux de bilirubine doit baisser très rapidement ou en présence d'anticorps, on a recours à une transfusion sanguine complète, qui se fait par les vaisseaux sanguins du nombril.

Ne vous inquiétez pas si la jaunisse commence après 24 heures chez un bébé en santé, à terme, qui continue de bien se porter et de bien téter.

# L'allaitement

L'allaitement est en continuité avec l'expérience physique et émotive de la grossesse et de l'accouchement. À sa naissance, le bébé cherche instinctivement le sein de sa mère et, dans les jours qui suivent, le lait arrive en quantité, pour répondre à sa demande. Une fois passée la période d'ajustement des premiers jours, l'allaitement est simple et facile: en tout temps et en tout lieu, le lait est prêt pour le bébé, toujours à la bonne température, réconfortant et abondant. Le lait maternel est non seulement l'aliment par excellence, adapté aux besoins et aux capacités d'assimilation du bébé, mais il le protège en lui fournissant des anticorps essentiels et une myriade de substances qui ont chacune un rôle à jouer dans le développement de son cerveau.

Contrairement à l'accouchement, qui se déroule de son propre chef, l'allaitement comporte des gestes volontaires qui demandent mille petites décisions quotidiennes. Aussi, il est important de bien connaître les principes de base de l'allaitement, de s'entourer d'un soutien concret et de s'assurer d'avoir accès à des conseils expérimentés.

L'être humain est le seul mammifère qui ait imaginé un autre moyen de nourrir ses petits. C'est un progrès important, pour les rares occasions où l'allaitement est impossible. Mais, il y a quelques décennies, et pour la première fois dans l'histoire de l'humanité, on a réussi à convaincre la majorité des mères que leur lait était moins bon pour leurs bébés que le lait industriel. La riche connaissance orale, transmise de mère en fille, de tante en voisine, en sœur, s'est perdue dans cette triste page de l'histoire. Pourtant, l'allaitement doit demeurer la principale façon d'alimenter les bébés, parce qu'il fait intimement partie de ce qui fait de nous des êtres humains.

La décision d'allaiter demeure un choix pour la femme d'aujourd'hui, cela ne se conteste pas, mais les pratiques et discours médicaux d'une certaine époque ont éloigné les mères de cette continuité spontanée avec l'accouchement.

## Le soutien pendant l'allaitement

L'allaitement n'est pas compliqué, mais il a ses principes de base en tant que fonction physique. Nos bébés ont leurs besoins, tout comme nous avons nos réactions et nos limites. La conjugaison de tout cela peut parfois s'avérer délicate. Le soutien de femmes qui ont allaité avec bonheur est absolument indispensable. Référez-vous à un groupe d'entraide d'allaitement, à une infirmière en périnatalité, à votre sage-femme, à des organisations comme Nourri-Source ou la Ligue La Leche qui travaillent dans ce domaine depuis des années et ont amassé une expertise absolument inégalée[5]. Ce soutien est une clé du succès de votre allaitement, un allaitement qui vous satisfera tous les deux (et même tous les trois) et que vous quitterez sans heurts, progressivement, au moment que *vous* aurez choisi. Consultez des livres sur l'allaitement, des organisations de soutien à l'allaitement ou des expertes en allaitement si des problèmes particuliers nécessitent une attention spéciale.

La rupture dans la transmission de l'art d'allaiter a fait que les problèmes d'allaitement sont maintenant mieux connus que leurs solutions. «Je manquais de lait donc j'ai arrêté d'allaiter», entend-on souvent. «J'avais des gerçures/des engorgements, donc j'ai arrêté.» Il semble n'y avoir qu'une seule solution possible aux problèmes d'allaitement: ne pas allaiter. Pourtant, la connaissance des solutions pratiques n'a pas disparu, au contraire, elle s'est développée et enrichie. Nous devons la retrouver patiemment par nos lectures, nos contacts avec des femmes qui ont allaité avec succès, avec des femmes qui en ont fait le sujet de leur expertise ainsi que par nos propres expériences.

### LE SOUTIEN DU CONJOINT

Lorsqu'on allaite, on donne beaucoup. On a donc besoin d'être soi-même bien nourrie, de nourriture saine et abondante mais aussi de tendresse, d'encouragement et de valorisation. Rien n'est plus difficile que d'allaiter quand notre entourage remet en question la valeur de notre lait. «Es-tu certaine qu'il ne pleure pas parce qu'il a faim?» demande la grand-mère à chaque fois que le bébé pleure un peu. «Es-tu certaine qu'il n'a pas soif? Il me semble que des céréales lui feraient du bien», renchérit l'autre grand-mère. Vous aurez particulièrement besoin du soutien et de la complicité de votre conjoint. Sa participation ne se calcule pas en divisant le nombre de boires ou de couches en deux. C'est plutôt la qualité de son soutien et de sa confiance en vous qui en feront un partenaire d'allaitement précieux. C'est en nourrissant sa femme de tendresse qu'il participe en ligne directe à la nourriture que reçoit son bébé. Bien sûr, un coup de main à l'organisation pratique ne nuira pas: faire faire les rots, promener le bébé pour l'endormir, etc.

## Le début de l'allaitement

Allaiter, c'est un peu comme aller à bicyclette: c'est un plaisir simple, oui, mais qu'il a quand même fallu apprendre, au prix de quelques écorchures, parfois! L'allaitement des premiers jours constitue pour le bébé, mais aussi pour vous, une période d'intense apprentissage. Certains s'y débrouilleront comme des pros, d'autres auront besoin d'être guidés pas à pas. Patience et confiance: les uns comme les autres s'y retrouveront éventuellement!

Dès sa naissance, votre bébé tète le colostrum que vos seins produisent depuis déjà plusieurs semaines ou mois. Beaucoup de femmes s'inquiètent «que le bébé n'ait rien à téter». Même si vous ne pouvez pas le voir ni en extraire manuellement, votre bébé ira chercher par sa succion exactement ce dont il a besoin. Le colostrum lui fournit protéines et anticorps, en plus d'être une source d'énergie remarquable. Légèrement laxatif pour l'aider à éliminer ses sécrétions, il prépare graduellement son système digestif à l'arrivée de plus grandes quantités de lait.

### LA MONTÉE DE LAIT

La montée de lait proprement dite se produit généralement vers la troisième journée. La plupart des femmes sentent leurs seins gonflés et durs, avec parfois même des bosses près des aisselles. Ce n'est pas tant le lait qui gonfle les seins, que l'augmentation exceptionnelle de la circulation sanguine causée par la mise en place du processus de lactation et la réaction de congestion dans les tissus eux-mêmes. Les mères qui ont déjà allaité le ressentent plus faiblement. Cette sensation très particulière dure habituellement de 24 à 48 heures. Donnez à téter à

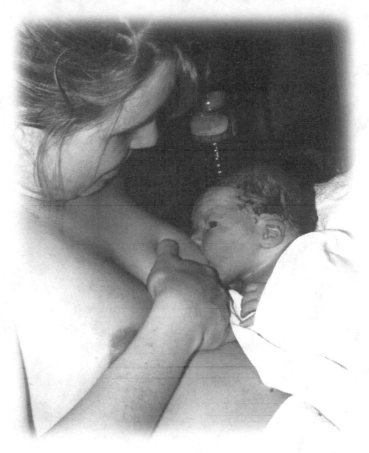

votre bébé à la demande, même la nuit, et n'hésitez pas à le réveiller si vos seins réclament qu'on les soulage: votre bébé vous doit bien ce petit service! Ne pas ressentir cette congestion ne veut pas dire que vous n'avez pas de lait, mais probablement que vos tissus n'y ont pas réagi aussi fortement. En observant votre bébé qui avale quand il tète ou qui termine la tétée avec un petit filet de lait au coin de la bouche, vous saurez que vous en avez amplement! Si l'engorgement devait être important et vous causer beaucoup d'inconfort, massez doucement vos seins sous une douche chaude, pour les encourager à laisser couler le surplus de lait ou, encore, utilisez cette vieille recette de grand-mère qui réduit l'enflure: les compresses de feuilles de chou. Ébouillantez-les juste le temps de les attendrir, asséchez-les et appliquez-en une ou deux sur chaque sein, dans votre soutien-gorge. Vous pouvez les changer régulièrement ou les porter toute la nuit.

## LES MAMELONS SENSIBLES

Dans la première semaine, la plupart des femmes éprouvent une certaine sensibilité aux mamelons. Elle résulte de leur adaptation graduelle à la stimulation intense produite par la succion de votre bébé. Elle est donc tout à fait normale et se résorbe tranquillement d'elle-même. Si la douleur persiste après le début de la tétée, la position de la bouche du bébé sur le mamelon est sans doute fautive, et vous devriez obtenir de l'aide de votre sage-femme, d'une infirmière ou d'une personne d'expérience en allaitement pour vous aider à enseigner à votre bébé comment prendre le sein correctement. Car c'est bien lui qui doit apprendre à téter, pas vous! Aucune crème ne parviendra à soulager vos mamelons tant que sa prise du mamelon ne sera pas corrigée. Toutes sortes de recettes sont conseillées pour soulager les mamelons ou les aider à guérir: l'application de vitamine E, de lanoline, de crèmes commerciales, notamment aux herbes, de lécithine, de blancs d'œuf en neige (vous vous voyez avec de la meringue sur les mamelons?), etc. Le moyen le plus efficace est simplement d'appliquer quelques gouttes de lait maternel sur les mamelons après la tétée, de les laisser sécher et de les maintenir à l'air libre le plus souvent possible. Voyez ce qui fonctionne le mieux pour vous. Il n'est pas nécessaire non plus de vous «désinfecter» les seins avant chaque tétée. Si vous appliquez un onguent ou tout autre produit sur vos mamelons, vérifiez s'il est compatible avec l'allaitement.

Il ne sert à rien de limiter le temps de tétée à chaque sein, par exemple, cinq minutes d'un côté, cinq minutes de l'autre. Les femmes qui laissent téter le bébé autant qu'il veut n'ont pas plus de douleur aux mamelons que les autres. D'ailleurs, la tétée est beaucoup plus décontractée quand on n'a pas besoin de garder les yeux sur l'horloge! Alors suivez votre envie et celle de votre bébé! N'utilisez pas de téterelles, à moins d'être guidées par une professionnelle qui sait quand et comment s'en servir en réponse à un problème d'allaitement tout à fait particulier. Autrement, elles prolongent la difficulté plutôt qu'aider à la régler et provoquent souvent, à la longue, l'abandon pur et simple de l'allaitement.

Allaiter transformera profondément le rythme de vos journées, tout comme le fait d'avoir un enfant! Comme les contractions que vous avez prises une à la fois, vous devrez prendre vos journées une à la fois. La patience, sans attente de performance (endormir le bébé à telle heure, réussir à terminer telle tâche que vous vous êtes donnée), vous aidera à bien vivre l'allaitement. Attentive à l'instant présent, vous en serez remplie. En laissant monter, au besoin, les émotions qui viennent avec le lait.

L'alimentation d'un bébé étant son activité majeure au début de sa vie, les questions que vous vous posez sur votre maternage chevauchent souvent celles qui concernent l'allaitement. Une mère qui se demande si elle a assez de lait pour son bébé se demande peut-être en fait si elle lui donne assez d'amour et d'attention. Lorsqu'on a mal aux seins, on a souvent mal à notre amour pour notre bébé. La question pratique du biberon occasionnel révèle le besoin de la mère de répondre à ses propres besoins

sans négliger ceux de son bébé. Comme pendant l'accouchement, rester attentive aux besoins du cœur autant qu'à ceux du corps permettra de s'assurer qu'on résout bien le «bon» problème.

## Quand l'allaitement est difficile

Plusieurs facteurs peuvent contribuer à l'apparition de véritables problèmes de douleurs, gerçures ou crevasses des mamelons, ou encore de «manque de lait». À l'origine, il y a presque toujours un défaut d'adaptation... du bébé. Malheureusement, trop de femmes abandonnent l'allaitement après des jours sinon des semaines qu'elles qualifient d'«enfer». Pourtant, les solutions existent et elles n'impliquent *pas* que la mère ait à souffrir pendant tout ce temps pour le bien de son bébé. Ces situations demandent l'attention d'une personne expérimentée en allaitement, consultante en lactation, sage-femme ou médecin expérimenté en allaitement. Si vous ou votre bébé deviez connaître des problèmes d'allaitement, allez chercher les connaissances et l'appui dont vous avez besoin.

*Jessica, après avoir allaité ses deux enfants avec bonheur, s'est proposée comme bénévole auprès de jeunes mères qui commencent leur allaitement, à travers un groupe d'entraide. «Les femmes m'appellent avec de petits problèmes d'allaitement pas très graves, faciles à corriger, excepté que leur médecin leur a justement donné un conseil contraire. Que vaut ma parole à moi, qui n'est 'que' mère, qui n'a comme bagage que mes connaissances acquises sur le terrain, contre la parole d'un médecin? Je raccroche parfois en sachant très bien qu'avec de tels conseils médicaux, l'allaitement va se terminer dans les jours qui viennent. Contre le gré de cette femme! Je me sens tellement impuissante!»*

Les médecins qui pourront vous aider sont cependant assez peu nombreux. L'allaitement ne constitue qu'une infime partie de leur formation en obstétrique, soit quelques pages principalement consacrées aux problèmes médicaux, comme les abcès et les mastites. Ce sont des conditions exceptionnelles qui sont en fait des complications de problèmes souvent mineurs au départ et comportant alors des solutions simples. Si vous avez besoin de soins médicaux concernant l'allaitement, assurez-vous de consulter un médecin qui s'y connaît bien (au besoin, informez-vous auprès des groupes que j'ai nommés plus haut).

Il est très rare que l'allaitement présente des complications insurmontables qui ne puissent être résolues à la suite de consultations auprès d'experts en ce domaine. La raison la plus courante pour ne pas allaiter est que la mère, d'elle-même, ne le désire pas. C'est tout à fait légitime: il s'agit de son corps et de sa vie, et l'allaitement au biberon n'exclut ni l'amour, ni l'attachement. La montée de lait se produira probablement quand même, quoique amoindrie, et l'absence de succion du bébé convaincra finalement les seins de cesser de produire du lait. Les hôpitaux fournissent généralement aux parents les informations nécessaires pour comprendre l'utilisation des préparations lactées. L'alimentation du nouveau-né n'en est pas pour autant entièrement réglée: lui aussi aura ses poussées de croissance, ses dégoûts temporaires, ses problèmes de digestion et son besoin d'attention à l'heure des repas!

Rappelez-vous: l'allaitement est un lien d'amour et un cadeau de vie inestimable que vous faites à votre bébé. Mais ce n'est pas

une religion! Passé les quelques premières semaines, où le début de la lactation et l'apprentissage de la succion obéissent à certaines grandes règles, laissez-vous glisser dans le bonheur et la simplicité de l'allaitement, ou permettez-vous d'inventer votre manière à vous, celle qui vous convient. Si l'allaitement vous fait peur parce qu'il vous rend trop «indispensable», prenez la liberté d'introduire un biberon occasionnel ou systématique, selon votre besoin. Trois tétées par jour de votre lait irremplaçable, complétées par des biberons de préparation lactée, valent mieux que pas d'allaitement du tout. Attention, je ne dis pas que l'allaitement complet et l'allaitement mixte, c'est du pareil au même. Seulement, des règles trop rigides que vous percevez des autres ou dans vos lectures, ou que vous vous imposez vous-même, peuvent faire de l'allaitement un «devoir» plutôt qu'un plaisir partagé. Il n'y a pas de tout ou rien! Mieux vaut inventer une façon de faire qui nous convienne que d'abandonner totalement. Qui sait, le plaisir pourrait se montrer au moment où l'on se détourne des contraintes inflexibles et de l'allaitement idéalisé!

Beaucoup de femmes ont adoré allaiter et s'ennuient, une fois l'allaitement terminé, de cette proximité magique avec leur tout petit. L'allaitement, c'est notre amour qui coule directement dans la bouche de notre bébé. Cet amour et cette façon de l'exprimer vont obligatoirement se transformer au cours des mois et des années. L'histoire de notre allaitement est aussi celle de cette transformation. L'introduction des premiers aliments est le début de la fin d'une exclusivité. Les contraintes extérieures peuvent obliger certaines mères à cesser d'allaiter avant qu'elles et leur bébé n'y soient prêts, avant que cela ne devienne une évidence pour les deux. Ce peut être vécu comme un deuil, avec le chagrin et le bouleversement qui l'accompagnent, mais l'échange d'amour trouvera peu à peu une autre forme.

Pour allaiter avec plaisir, c'est tout simple: vous devez être bien entourée, mettre votre compagnon dans le coup, vous reposer et bien manger, avoir sous la main un bon livre sur l'allaitement (et même un bon roman, pour les bébés qui aiment prendre leur temps) et prendre contact avec des femmes et des personnes-ressources qui pourront vous encourager et vous aider en cas de difficultés. Ces mêmes recommandations s'appliquent, en fait, pour toute mère qui vit ses débuts avec son bébé! Surtout, profitez-en, cette période est si courte!

# Devenir parent

## La naissance d'une mère

La première étape de la vie avec un nouveau-né est essentiellement un temps de déséquilibre, de désorganisation. Les habitudes de vie, les horaires, le quotidien... tout ce qui constituait «l'avant» se défait pour s'adapter aux besoins du bébé et peu à peu devenir «l'après». Souvent, les parents se sont préparés aux grandes émotions de l'accouchement, mais ont peu imaginé, et c'est bien compréhensible, combien ce petit être prendrait toute la place dans la maisonnée, dès son arrivée. Quand on côtoie régulièrement des mères et des pères dans cette période si sensible de leur vie, on apprécie à sa juste valeur la force des transformations qui s'y produisent.

Il peut être difficile pour plusieurs femmes d'accepter d'être désorganisées pour un temps et de dépendre de l'horaire imprévisible de quelqu'un d'autre. C'est un défi d'autant plus grand que le mot à la mode qui dirige une bonne partie de nos vies, au travail du moins, c'est «gestion»: gestion de son temps, de ses tâches, de sa santé, de son stress... mais on ne gère pas un jeune bébé! Pour trouver avec lui un rythme, une harmonie de la vie au quotidien, il faut plutôt apprendre à danser avec lui, à suivre son petit orchestre qui se permet des variantes, des improvisations, qui

alterne les douces valses avec des moments de sarabandes folles. Un bébé suit bien rarement une musique militaire aux cadences prévisibles! Cela demande une souplesse, une capacité d'adaptation, une écoute de l'autre exceptionnelles. Et cela pose aussi le défi de préserver, à travers ces transformations, un espace intérieur, une identité de femme et de couple amoureux. Car nous ne sommes pas que les heureux parents de ce bébé, nous sommes deux personnes faisant partie d'un couple d'amants. Il faut prendre soin de sa relation amoureuse autant, que dis-je, plus qu'à n'importe quel autre moment de la vie.

Bien au-delà des horaires bousculés, prendre soin d'un bébé et être totalement responsable de son bien-être représente l'un des grands passages de la vie adulte. J'aime beaucoup ce qu'en dit mon amie Kerstin Martin, mère de quatre enfants et sage-femme elle aussi:

«L'arrivée d'un enfant suscite un bouleversement fondamental dont nous sommes la plupart du temps inconscientes. Le fait de devoir répondre aux besoins d'un être sans autre recours ou ressource que notre présence réactive en nous tous les désirs et besoins qui n'ont jamais obtenu réponse ou solution, du temps que nous étions nous-mêmes un petit bébé sans défense. Quelque chose à l'intérieur de chaque nouvelle mère dit: «Aimez-moi, prenez soin de moi, répondez à tous mes besoins», de la même façon qu'elle a à aimer et prendre soin de son nouveau-né. D'une certaine façon, tout le monde voudrait bien que ses propres besoins soient immédiatement comblés sans avoir même à les articuler. Avec un nouveau-né, c'est exactement ce que la mère doit (et veut) fournir constamment, une réponse immédiate et adéquate à ses besoins. Ce qui lui rappelle que plus jamais personne ne fera de même pour elle et que personne n'y est jamais parvenu parfaitement non plus. Avec les meilleures des intentions, nos mères nous ont parfois laissées nous endormir au bout de nos larmes ou n'ont pas compris ce dont nous avions besoin. Une immense tristesse est rattachée au souvenir de ces manques. La résolution vient tout simplement de l'acceptation de cette réalité: nous sommes adultes maintenant et c'est par un processus adulte et responsable que nous devons désormais veiller nous-mêmes à combler nos besoins.»

Voilà, en fait, des constats que tout adulte a pu faire à d'autres moments de sa vie. Mais au lendemain d'un accouchement, c'est presque une reconstitution des circonstances premières qu'il nous est donné de vivre, cette fois-ci dans le rôle de «pourvoyeuse» de tous les biens. Toutes les conditions sont réunies pour nous mettre en contact avec les émotions de cette étape à franchir. Nous sommes encore toutes ouvertes de l'accouchement et les limites mêmes de notre corps restent floues pour quelque temps. Le col est encore entrouvert, le vagin aussi, le ventre est mou et les frontières habituellement bien délimitées entre le monde et nous semblent avoir fondu. La fatigue et le rebalancement hormonal diminuent notre résistance envers des sentiments profonds habituellement tenus sous contrôle. Répondre aux demandes de notre bébé réactive nos toutes premières expériences d'expression et de satisfaction de nos besoins. Ce n'est pas étonnant que la clé d'un postnatal heureux soit de demander et d'obtenir de l'aide et du soutien d'une «mère», que ce soit notre propre mère ou toute personne maternelle qui a ce don de générosité et d'attention dont nous avons alors tant besoin. Même l'arrivée d'un deuxième bébé peut susciter ce travail de résolution: le fait de devoir répondre à deux petites personnes accentue parfois cette impression de devoir donner plus qu'on n'a jamais reçu!

Parallèlement à l'adaptation au bébé, à ses horaires et à ses besoins, on vit aussi la perte de la grossesse, une perte vécue plus ou moins intensément par chacune d'entre nous. Même si la grossesse a comporté des moments difficiles à vivre (les nausées du début de grossesse, les brûlures d'estomac ou le manque de sommeil en dernier...), même si on est contente d'avoir accouché, on y perd quelque chose! On perd une sensation de plénitude physique sensuelle, cette magnifique sensation de «fruit mûr», la rondeur qui a toutes les excuses, on y perd une reconnaissance sociale, on ne fait plus partie de cette «minorité visible» que sont les femmes enceintes. On a le ventre vide, finis les petits coups de pieds, les mouvements comme des vagues, les hoquets, la complicité

absolument unique avec le bébé de nos rêves. On perd un peu l'intérêt de notre entourage dont les yeux sont maintenant tournés vers le bébé.

Beaucoup de mères souffrent de ne pas rencontrer en elles la mère instinctive, sûre d'elle, qu'elles croyaient être ou devenir. L'apprentissage sera désormais une façon de vivre, parce qu'avec des enfants, il faut toujours apprendre. «Même avec les derniers», me disent les femmes qui en ont plusieurs. L'apprentissage continu n'est ni un échec ni une démonstration de notre incompétence. Toutes les mères ont été maladroites, hésitantes avec leurs premiers bébés, complètement absorbées par des détails, inquiètes pour des riens, protectrices comme des lionnes, jalouses des sourires aux autres... avant d'acquérir un peu de sagesse. Elles ont appris, changé, mûri et vous ferez de même. Quand «l'inspecteur» passe, votre propre inspecteur intérieur, et qu'il veut juger vos actes, vos pensées, vos rêves et les comparer à ceux de la mère idéale (si elle existe), mettez-le dehors. À moins d'en rire un bon coup, ce qui demeure la meilleure façon de dédramatiser la situation!

Plusieurs femmes se sentent ambivalentes envers leur bébé. Elles l'adorent... mais ont peut-être envie qu'il retourne là d'où il vient, parfois dans la même heure! L'ambivalence est probablement la plus inconfortable des émotions. Elle nous tire dans deux directions et nous déchire. Beaucoup de femmes s'en sentent coupables et honteuses. Elles seront peut-être soulagées d'apprendre que la majorité des mères vivent un certain degré d'ambivalence tout à fait normale. Exprimer les sentiments contradictoires qu'elle nous inspire est probablement la manière la plus simple de la résoudre. Quitte à en parler directement à notre bébé! Il pourrait être plus compréhensif qu'on ne le pense.

Devenir mère ou accueillir un nouvel enfant dans sa vie implique une mutation profonde à laquelle nous ne sommes pas toujours préparées. La philosophie chinoise considère la transformation continuelle comme l'état normal des choses et des êtres, et en a patiemment étudié les lois naturelles. Une seconde après le moment le plus noir de la nuit, disent les vieux textes chinois, la clarté du jour commence tout doucement à faire son ascension, d'abord imperceptible mais non moins réelle. De la même manière, l'impression d'avoir perdu tout contrôle est souvent le premier signe de l'avènement d'un

ordre nouveau, fait de souplesse, qui prendra sa place imperceptiblement d'abord, puis beaucoup plus clairement. Les vieux sages chinois conseillent d'attendre et de faire confiance. J'ajouterais: et d'aimer nos bébés, nos conjoints et de nous aimer nous-même.

## La naissance d'un père

Pour plusieurs hommes, c'est l'arrivée du bébé qui marque véritablement le début de la paternité. Même s'ils ont été de tendres compagnons pendant la grossesse, attentifs et attentionnés, c'est souvent le contact physique avec le bébé qui amorce l'expérience concrète de «père». Eux aussi devront apprivoiser les gestes, accepter de se sentir impuissants et maladroits, le temps d'apprendre à décoder le langage du tout-petit qui réclame de l'attention et des soins... mais sans préciser lesquels! Le père qui choisit de s'ouvrir à cette cohabitation parfois inconfortable, plutôt que de s'en remettre totalement à sa compagne, aura la chance de découvrir qu'il peut calmer son bébé, l'endormir et, dans ses moments d'éveil, l'intéresser et le stimuler.

Pourquoi n'éprouverait-il pas, lui aussi, à un moindre degré peut-être, cette transformation extraordinaire que vit sa compagne? Ce passage à l'âge adulte, à la génération suivante qui prend soin des enfants plutôt que d'en être. Qui sait si le fait d'ignorer ce qui se joue pour les pères à cette étape de leur vie, ou de le réduire à un rôle concret, mesurable en couches changées et en rots passés, n'est pas pour quelque chose dans le détachement qu'on observe chez certains. La délicate négociation de l'espace de chacun avec le bébé ne se fait pas toujours sans heurts. Or, le «nouveau père», celui qui s'implique dans les soins aux enfants, est justement d'un

en plus d'hommes, fort heureusement, découvrent en eux le plaisir d'être père et le lègueront à leurs fils.

Plusieurs pères se sentent d'abord exclus de l'alimentation du bébé et souhaiteraient en partager la responsabilité et le plaisir en donnant des biberons. Mais pour cela, il faudrait priver le bébé de lait maternel, ou augmenter le travail de la mère en l'obligeant à se tirer du lait pour accommoder son compagnon, l'un et l'autre m'apparaissant un peu compliqués! Dès les premières semaines, votre bébé développera son intérêt pour le monde, pour les contacts visuels et les interrelations personnelles. Plus souvent qu'autrement, le père est le premier partenaire de ces jeux d'imitation, des premiers sourires, puisque le bébé passe avec lui une bonne partie de son temps d'éveil, alors qu'avec sa mère... il tète. Soyez un peu patient, restez disponible pour ces moments magiques qui s'en viennent. Ayez confiance: le rapport qu'un père attentif développe avec son bébé est beaucoup plus qu'une pâle imitation de la relation qu'il a avec sa mère: il est unique, particulier, riche en échanges et en émotions, différent. C'est pour ça que les bébés aiment avoir une mère *et* un père!

type nouveau, en développement et, comme le bébé, sans mode d'emploi inclus! Les pères ont souvent moins de modèles, il y a moins d'acquis collectifs à cet égard. La multiplication assez récente des pères-à-la-poussette a quand même créé un intéressant bassin d'exemples, mais cela ne remplace pas tout à fait l'expérience d'avoir eu un tel père. De plus

# Quand c'est plus difficile

La période après la naissance est riche en apprentissages. Les questions, les bouleversements, le découragement temporaire, le sentiment d'être seule, les *blues*, tout cela fait partie, à un moment ou à un autre, de ce processus d'adaptation à l'arrivée du bébé. Il existe cependant, tout comme dans la grossesse et l'accouchement, des situations qui comportent des éléments majeurs de crise et justifient une demande d'aide auprès de professionnels. Sans entrer dans les détails de ces situations, j'en identifierai quatre, qui se rencontrent occasionnellement dans les premiers mois de vie avec un bébé.

## La dépression postnatale

Presque toutes les nouvelles mères traversent de courtes périodes de déprime. Avec la fatigue, elles font partie de l'ajustement à la vie avec un bébé. Elles durent quelques heures, quelques jours, parfois quelques semaines. Communiquer avec d'autres jeunes parents, prendre congé pour quelques heures et sortir, obtenir temporairement un surcroît d'aide de la part de ses proches est habituellement suffisant pour passer à une autre étape. Si ces périodes perdurent, ou si la solitude, le désintérêt pour le bébé, les crises de larmes incontrôlables, le silence, la perte d'appétit, l'insomnie et les troubles de comportement s'installent et s'éternisent, consultez un médecin ou un psychologue. De tels symptômes persistants ne font pas partie du déroulement normal de l'adaptation et exigent une attention particulière.

## Les problèmes majeurs d'allaitement

L'incapacité du bébé à prendre du poids de façon adéquate après plusieurs semaines, des mastites à répétition, des gerçures qui résistent aux mesures habituelles, une lactation sérieusement diminuée, toute condition de santé de la mère ou du bébé qui interfère avec l'allaitement, comme l'hospitalisation de l'un des deux, la prématurité, une malformation ou un trouble du métabolisme chez le bébé, sont des exemples de situations qui demandent plus que le soutien de mères qui ont allaité. Les consultantes en allaitement sont spécialisées dans les problèmes et les situations spéciales. Les groupes d'entraide à l'allaitement de votre région pourront vous mettre en communication avec l'une d'elles.

## Les bébés hypersensibles

Certains bébés ont des besoins accrus par rapport aux autres (qui en ont déjà beaucoup). Vivre avec l'un de ces bébés demande une patience et une endurance exceptionnelles ainsi qu'une compréhension de la part de l'entourage, qui n'est pas toujours facile à obtenir. On croit souvent que c'est une attitude fautive des parents qui crée le comportement du bébé. Il n'en est rien. Bien que tous les parents doivent s'ajuster dans leur façon de répondre aux besoins d'un bébé, les parents d'un bébé à besoins accrus (*high-need babies*) souffrent du manque de compréhension de ce qu'ils vivent. Plusieurs de ces bébés hypersensibles ont des coliques importantes et répétitives. Les solutions simplistes ne fonctionnent tout simplement pas avec eux. Les laisser pleurer, ne pas «les gâter» et autres conseils bien intentionnés ne servent qu'à renforcer le sentiment d'isolement et d'inaptitude des parents qui luttent tous les jours pour trouver une façon juste et viable de répondre aux besoins de leur bébé.

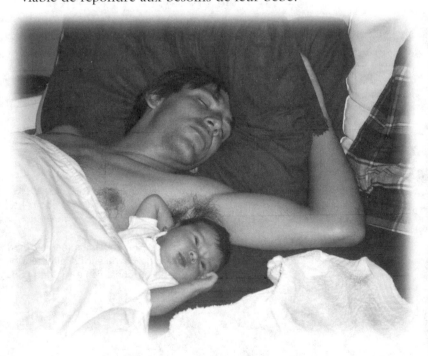

Certains parents ont trouvé un soulagement à l'hypersensibilité de leur bébé en ayant recours à l'homéopathie, l'ostéopathie ou la chiropratique. De bons livres existent au sujet des bébés à besoins accrus, et le seul fait de savoir qu'ils ne sont pas seuls aide plusieurs parents à traverser les périodes critiques, confiants qu'à la longue leur bébé «difficile» deviendra un enfant et un adolescent éveillé, curieux, sensible et attachant.

## Les crises dans le couple

Les ajustements à la vie avec un bébé peuvent être sérieusement compliqués par une situation difficile dans le couple lui-même. Le nombre de séparations qui surviennent dans les premiers mois après la naissance et le fait que les femmes victimes de violence conjugale connaissent très souvent les premiers épisodes violents pendant la grossesse, par exemple, témoignent du défi que représente l'adaptation d'un couple en difficulté à cette période délicate. Il n'y a pas de solution simple à ces problèmes. Dans chaque cas, cependant, l'intervention d'un professionnel pourrait aider le couple à évoluer vers la résolution la plus avantageuse... ou, en tout cas, la moins dommageable. Si la séparation est la solution retenue par le couple, le fait d'en négocier les conditions avec une personne expérimentée, dans une atmosphère calme, raisonnablement dépouillée de la tension et des conflits qui en sont à l'origine, favorisera l'avènement d'une organisation nouvelle, respectueuse de chacun et bénéfique pour l'enfant.

Le passage d'une génération à une autre fait partie de la vie, comme tous les autres passages, de l'enfance à l'adolescence, de l'adolescence à l'âge adulte, jusqu'à l'ultime passage de la mort. Aucun ne se produit sans les inévitables crises de croissance. Pour accéder à une nouvelle maturité, on doit laisser tomber des privilèges, ceux de l'enfance, de l'inconscience, de l'immaturité. On laisse aller... et on gagne. C'est ainsi qu'on peut grandir. Cela se manifeste très différemment d'une famille à l'autre, dans les semaines qui suivent l'accouchement. Une chose est certaine: quand je revois les mères, les pères et leur bébé, quelques semaines après la naissance, ils ont tous changé!

**Notes**

[1] Hélène VALENTINI. *Caractéristiques du système de soins de maternité néerlandais,* Québec, Conseil des affaires sociales, 1990.

[2] Voyez les exercices suggérés par Bernadette DE GASQUET. *op. cit.*

[3] Ces recommandations ont été émises d'abord par la Société canadienne de pédiatrie en 1992, puis ont ensuite été endossées par toutes les organisations préoccupées par la protection de la santé des enfants.

[4] *Idem.*

[5] La Ligue La Leche est une organisation internationale qui fait la promotion de l'allaitement maternel. L'expertise de la Ligue La Leche sur l'allaitement en fait une source précieuse d'information pour les mères qui allaitent. D'autres groupes, comme Nourri-Source, donnent aussi des services précieux de soutien et d'information.

# Chapitre 18

# Accoucher à la maison

J'ai l'immense privilège d'assister des accouchements à la maison depuis plusieurs années. Il est difficile d'en décrire l'atmosphère à quelqu'un qui n'en a jamais assisté. Le confort, la présence rassurante des objets familiers, la liberté de changer de pièce quand on veut, de retourner pour la troisième fois dans le bain, de passer quelques instants sur le balcon à prendre l'air, d'ouvrir le réfrigérateur et de choisir ce qu'on veut manger, l'extraordinaire force des contractions qui côtoie l'odeur du café qu'on prépare, cet indicible mélange d'intensité et d'ordinaire, tout cela contribue à donner à chaque accouchement une saveur unique qui ressemble aux gens qui habitent la maison.

Tout ce qui a déjà été dit au sujet du soutien pendant le travail, de la nécessité de bouger, de faire des sons, tout cela se vit simplement dans l'intimité de l'endroit habité par ce couple. Les autres personnes sont tous des invités, y compris la sage-femme ou le médecin. Ils sont sur le territoire de ce couple-là, plutôt que le contraire, et cela donne une perspective particulière à leur présence. Hormis une vigilance discrète, aucun règlement, aucune consigne ne vient troubler le déroulement spontané du travail.

Certaines femmes vivront tout leur travail dans le creux de leur chambre à coucher, d'autres utilisent tout l'espace de la maison. Le choix est là. Il est parfois curieux de voir où le bébé naîtra finalement, même quand le lit et la chambre étaient déjà tout préparés à le recevoir. Spontanément, c'est parfois dans la salle de bains ou dans un coin particulièrement confortable du salon. Plusieurs mères ont aimé aller vivre quelques heures de contractions dans la chambre préparée pour le bébé, pour se rappeler le sens du travail qu'elles accomplissaient.

La maison offre la possibilité pour le père et les autres personnes présentes d'aller se reposer dans une pièce retirée quand le travail est plus long, de manger la nourriture qu'ils aiment (celle qui soutient vraiment quand on travaille fort), de prendre une douche quand c'est le temps de rafraîchir les énergies. Tout cela peut être reproduit dans un autre endroit, mais le climat particulier de la maison est unique. Toute tentative d'humaniser la naissance à l'hôpital ne peut qu'essayer de reproduire les conditions idéales de l'accouchement à la maison... sans jamais vraiment y parvenir puisque, par définition, l'hôpital n'est pas la maison!

# Un choix raisonnable

Plus je réfléchis à mon expérience d'accouchements à la maison, en Maison de naissance et à l'hôpital, plus il m'apparaît évident que l'endroit tout naturel pour mettre un enfant au monde, quand on est en santé, c'est chez soi! C'est si simple! Les femmes y accouchent entourées de ceux qu'elles aiment, dans leur intimité, à leur rythme. Leur compagnon est à l'aise, dans un environnement qu'il connaît. Ceux qui sont venus aider sont leurs invités. Le bébé passe tout doucement du lit qui l'a vu naître à son berceau, sans coupure.

La naissance à la maison, c'est la continuité avec la vie dont elle est issue. C'est le geste réfléchi de gens préoccupés par le bien-être indissociable de l'enfant à naître et de sa

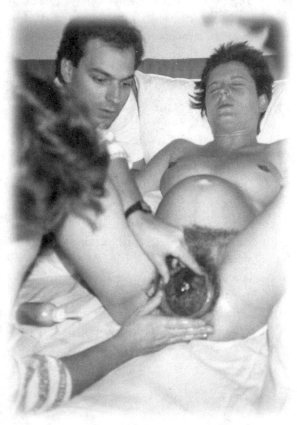

Photos: Louis et Christiane Brunelle

mère et qui choisissent de s'en porter responsables. L'hôpital et le système médical se sont emparés non seulement de l'aspect médical de l'accouchement, ils en ont aussi évacué le sens qu'il prend pour chaque personne. C'est ce sens-là qu'on peut retrouver, exprimer, célébrer, en ayant un bébé à la maison. Mais cela ne se fait jamais au prix de la santé ou de la vie de la mère ou du bébé, contrairement à ce que ses détracteurs voudraient faire croire.

Rahima Baldwin dit de l'accouchement à la maison: «La force motrice derrière le nouveau courant d'accouchement à la maison, c'est la prise de conscience que, pour être pleinement en vie, nous devons participer pleinement à tout ce que nous faisons, y apporter toute notre conscience, nos émotions, notre sens des responsabilités, notre capacité de prendre des décisions dans chacune des actions de nos vies, et à plus forte raison lors d'un événement aussi spécial que la naissance[1].»

L'accouchement à la maison a plusieurs avantages: l'intimité, la liberté de mouvement, la sécurité et une qualité d'accueil exceptionnelle pour le bébé. Les raisons que les gens invoquent pour accoucher à la maison sont à peu près toutes regroupées sous trois grandes catégories: la sécurité, la reconnaissance des besoins affectifs et l'autonomie. On peut les examiner une à une mais, en fait, elles sont intimement reliées.

## La sécurité

La sécurité est la préoccupation majeure de celles qui veulent accoucher à la maison. Plusieurs parents pensent que l'hôpital n'est pas sécuritaire, parce qu'on y fait beaucoup trop d'interventions inutiles et souvent nuisibles. À la maison, ils auront droit à un soin personnel et continu de la part de la sage-femme qui les connaît, qui a suivi attentivement la grossesse, dépisté les problèmes qui pourraient survenir et qui restera à leurs côtés pendant tout le travail. Nulle intervention n'aura lieu si le couple ne la juge pas raisonnable et nécessaire. Dans sa propre maison, la liberté de mouvement est toute naturelle et contribue au bon déroulement du travail. Ce dépistage précoce tout au long de la grossesse et du travail est la clé d'une sélection minutieuse et continue des femmes qui peuvent accoucher à la maison. Ceux qui travaillent en centre hospitalier, à quelques mètres d'une salle d'opération, n'ont jamais eu besoin de développer cette expertise particulière qui consiste à déceler, avant qu'elles ne deviennent des complications, des déviations du normal qui annoncent la possibilité d'une augmentation des risques pour la mère ou pour son bébé. Elle exige de la professionnelle qui l'exerce une présence alerte... et non pas alarmée. En aucun cas cette vigilance ne devrait être une source indue de stress pour celle qui accouche.

## Les besoins affectifs de la mère

La reconnaissance des besoins affectifs de la mère est la base du confort et de la confiance nécessaires pour que les hormones de l'accouchement puissent accomplir leur travail au mieux. L'intimité est l'une des conditions primordiales de succès. L'atmosphère chaleureuse et familière, loin d'être un luxe, compte pour une large part dans le fait que l'accouchement se déroule spontanément, sans obstacle, donc sans dommage à la mère ou au bébé.

L'accueil du bébé à la maison est plus doux et, surtout, plus personnel. Personne ne peut accueillir un bébé comme ses parents.

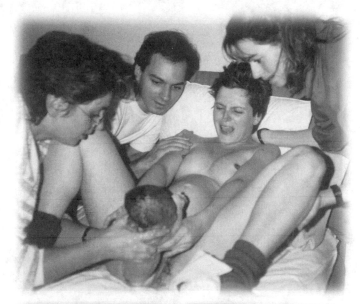

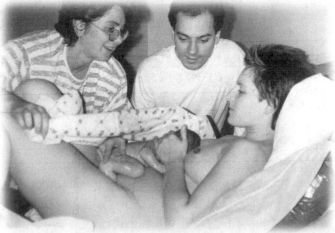

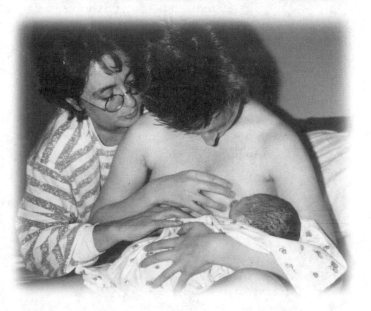

Dès le départ, il est traité comme l'individu unique qu'il est, par des gens qui auront une relation durable avec lui ou elle. Quand la mère et le bébé sont tous les deux prêts, elle peut l'allaiter aussi longtemps qu'ils le désirent et le bébé ne quittera ses bras que pour dormir tout près d'elle ou de son père, là où elle peut constamment le voir, le toucher et le prendre. La famille est ensemble, dans son propre milieu, à partager une expérience extraordinaire, de celles qui marquent l'existence et qui tissent des liens pour toujours.

## L'autonomie

L'autonomie, enfin, est un besoin adulte, primordial. La naissance appartient aux familles et non pas aux institutions. Les parents veulent donc se sentir les maîtres d'œuvre de cet événement si important de leur vie. Les femmes qui accouchent à la maison en prennent la responsabilité et refusent d'être des patientes qui se conforment aux règles. Elles sont des femmes adultes qui, appuyées par leur compagnon, entreprennent de mettre leur enfant au monde dans le nid qu'elles ont préparé pour elles-mêmes et pour lui.

Les parents qui font le choix de l'accouchement à la maison ne refusent pas la technologie. Ils en redéfinissent l'à-propos, ce qui est bien différent! Ils pensent que la technologie n'est efficace qu'à sa place, dans les cas exceptionnels! Ils sont prêts à aller à l'hôpital si un problème se présente. C'est d'ailleurs pour s'occuper des problèmes que les hôpitaux existent.

Accoucher comme nous le voulons, où et avec qui nous le voulons, est un droit fondamental. Je parle ici d'un accouchement normal, évidemment, ceux qui présentent des problèmes ayant tout à fait leur place dans un lieu prévu pour répondre aux pathologies (*voir Les contre-indications, page 416*). L'absence de contraintes institutionnelles d'un accouchement à la maison a permis à des femmes et à des hommes de retrouver pour eux-mêmes le sens de cet acte et d'en définir le contexte à leur façon. L'accouchement a, par eux, retrouvé l'espace qui lui revient. Des femmes en bonne santé se permettent d'accoucher chez elles et des parents osent prendre soin de leurs petits en suivant leur cœur, affectueusement accompagnés par des professionnelles qui les laissent déterminer ce dont ils ont besoin.

L'accouchement à la maison est une option parmi d'autres, que seul un conditionnement soigneusement entretenu nous a amenés à prendre pour une folie! La possibilité de choisir le lieu de la naissance est extrêmement importante parce qu'elle oblige chaque lieu à offrir des conditions de sécurité et de soutien comparables aux autres. Si le droit d'accoucher à la maison devait disparaître, ce sont toutes les femmes qui en souffriraient. Cette disparition trancherait avec la longue chaîne ininterrompue de femmes qui ont mis leurs enfants au monde et qui continuent aujourd'hui encore de montrer que l'accouchement est un acte naturel qui fait partie de la vie quotidienne.

## Pourquoi l'accouchement à la maison est essentiel...

L'accouchement à la maison sera probablement toujours le choix d'une minorité de femmes et de leurs conjoints. À cause de cela, la lutte pour qu'il soit offert comme option dans le système de santé peut paraître aux yeux de plusieurs comme un peu secondaire...

d'autant plus que les Maisons de naissance existent! Mais cette bataille signifie beaucoup plus pour toutes les femmes.

Le principe qui doit demeurer la base de l'accessibilité aux différents lieux de naissance est *le choix des femmes* (je signale que dans cette discussion du choix de lieu de naissance, le mot «femme» comprend aussi son conjoint). C'est le seul principe qui reconnaît que la naissance appartient aux femmes, à leur famille. *Tous* les soins en périnatalité doivent découler de ce fait. Sinon les institutions tendront à reprendre les rênes (lentement mais sûrement), à dicter des façons de faire (subtilement ou non), à s'approprier de l'événement de la naissance de nos enfants et à détourner le sens même de son déroulement, selon leurs intérêts. Parce que c'est dans la nature même des institutions d'être plus imposantes que les individus, même celles qui tentent d'être chaleureuses et près des femmes qui les fréquentent. Quand vous venez accoucher à l'hôpital ou à la Maison de naissance, ce sont les professionnels qui sont sur leur territoire, pas vous. Cela finit par compter.

On voit ici apparaître l'autre raison pour laquelle l'accouchement à la maison est indispensable dans le paysage de la périnatalité. Au Québec, les Maisons de naissance ont été conçues par des sages-femmes qui avaient une longue expérience de l'accouchement à la maison. Nous y avons transposé, le plus fidèlement possible, notre pratique. Pourquoi? Parce que c'est celle qui vient directement des femmes et de leurs conjoints. Je ne sais plus combien de fois je me suis fait demander, dans mes années de pratique à la maison, par des intervenants du système médical: «Comment places-tu les femmes pour la poussée?» Les femmes qui choisissent d'accoucher chez elles éclateraient de rire à cette question! Elles accouchent chez elles *justement* pour faire les choses à leur manière! Ce sont nous, les sages-femmes, qui sommes sur leur territoire. Comment pourrions-nous interdire à quelqu'un de manger dans sa propre cuisine? Ou lui dire qui inviter chez elle, et à quelle heure? Dans la chambre même où le bébé a été conçu, les sons, les odeurs, les objets familiers rappellent à chaque instant à cette femme qui cherche une position, un souffle, un appui sur son compagnon, que cet accouchement fait partie de sa vie à elle. Elle ne se déplacera pas, ni pendant le travail ni quelques heures après, avec un petit bébé tout neuf: ce sont les sages-femmes qui viendront la retrouver dans le nid qu'elle s'est fait pour accoucher.

Accoucher chez soi n'est pas qu'une question de confort: c'est aussi et surtout une vision différente de la responsabilité et de la sécurité. Aucune institution n'est là pour créer l'illusion qu'une entité extérieure «s'occupe de tout». La responsabilité est celle des parents, d'abord et avant tout. Je suis toujours surprise d'entendre des parents me dire qu'ils sont contents d'accoucher à la Maison de naissance parce qu'ils ne se seraient jamais sentis en sécurité chez eux. Je leur signale alors que la seule pièce d'équipement que je ne transporterais pas dans ma valise... c'est la lampe chauffante, trop encombrante (on trouve habituellement une solution alternative, plus légère). Tout le reste fait partie de l'équipement qu'on apporte à la maison. Mais le fait qu'on puisse voir des armoires rangées, de l'équipement, qu'on se déplace dans un lieu appelé Maison de naissance, quelque chose crée pour certains un sentiment que *là*, ce n'est pas pareil. Mais il n'en est rien: nous sommes toujours en dehors d'un hôpital, et il faut prévoir un transfert si une complication s'annonce... dans les deux cas. Ce qui fait que l'accouchement sera sécuritaire dépend d'un ensemble de facteurs autres que les quatre murs d'une Maison de naissance.

Si nous voulons que la naissance de nos enfants demeure cet événement extraordinaire qui nous appartient, il est vital que l'accouchement à la maison soit *le* modèle pour les professionnels. Que la façon d'être présents à un accouchement (normal, il va de soi), l'équipement à y apporter, l'organisation des services, que tout cela prenne modèle sur l'accouchement à la maison. Attention: je ne veux pas dire que celles qui accouchent chez elles sont dans une classe au-dessus des autres, ou que ces accouchements-là sont nécessairement les plus beaux. Mais dans leur diversité, dans leur simplicité, dans leur concordance parfaite avec les parents eux-mêmes, ils doivent être la source d'inspiration de la pratique des sages-femmes et de l'organisation des Maisons de naissance. Sinon, celles-ci deviendraient rapidement des versions améliorées de l'hôpital, donc à l'envers de la démarche logique: c'est l'hôpital qui doit tendre à imiter la maison, pas le contraire[2]!

C'est pour cela que les femmes (et les hommes qui les aiment) doivent se battre pour l'accouchement à la maison... même si elles ne comptent pas y accoucher elles-mêmes.

## Pourquoi accoucher à l'hôpital?

Dans le monde, 80% des bébés naissent à la maison. La question «Pourquoi accoucher à la maison?» devrait être précédée par une autre, non moins importante: «Pourquoi accoucher à l'hôpital?» Aucune étude n'a jamais démontré que l'hospitalisation ait amélioré la condition des femmes en bonne santé ou de leurs bébés. Par contre, il existe une certitude dans le domaine de la santé publique: partout dans le monde, on a vu s'améliorer la santé des mères et des bébés en améliorant l'alimentation, l'accessibilité aux méthodes contraceptives, la qualité et l'accessibilité des installations de santé, les conditions de vie en général et, plus globalement, le statut des femmes. Ce sont des conditions dont bénéficient aussi les parents informés qui choisissent aujourd'hui un accouchement à la maison.

Dès les années 50, un vaste mouvement vers l'hospitalisation s'est dessiné en Amérique du Nord, dans tous les domaines de la santé. La naissance n'y a pas échappé, puisque le monde médical prétend qu'un accouchement n'est jamais sécuritaire qu'en rétrospective! Le contrôle de la médecine sur la naissance s'appuie sur le désir des parents de faire pour le mieux pour leurs enfants et sur une ignorance soigneusement maintenue par ceux qui ont intérêt à demeurer

les «experts» auxquels on doit obéir. Jusque-là inégalé, ce contrôle de la médecine sur l'accouchement n'a été possible que parce qu'il prenait racine dans une peur aussi vieille que l'humanité, la peur de la naissance, toute proche de la peur universelle et éternelle de la mort.

Cette mainmise sur la maternité n'aurait pu avoir lieu si elle ne s'était appuyée largement sur cette peur et sur l'illusion d'un possible et définitif contrôle sur la nature. On a brandi le spectre des microbes à la maison, bien que ce soit à l'hôpital qu'on en retrouve la plus grande proportion au mètre cube. On a abondamment souligné les risques imprévisibles, tout comme on a garanti les bébés parfaits: «Ne vous inquiétez pas madame, on s'en occupe!» L'idée d'accoucher à l'hôpital, là où «on» s'occupe de tout, donnait aux femmes l'illusion de les délivrer du poids de la responsabilité. Avec comme résultat, une multiplication excessive des interventions inutiles et des poursuites légales par des parents désemparés cherchant des coupable pour l'imperfection qu'ils avaient eue à vivre.

Il est étonnant qu'on s'interroge sur la sécurité des accouchements à la maison sans jamais avoir fait de même pour les accouchements à l'hôpital! Pourtant, ces risques existent et sont multiples. L'hôpital est une source importante d'infections que ne connaissent pas les bébés nés à la maison. Les infections à staphylocoques, par exemple, sont pratiquement inexistantes à la maison, tandis qu'elles prolifèrent dans les hôpitaux où l'on réussit difficilement à s'en débarrasser

complètement. Une telle infection pourrait, à l'occasion, avoir de sérieuses conséquences pour un bébé. Les effets pervers de la technologie sont nombreux. Une intervention non justifiée en entraîne fréquemment plusieurs autres, chacune ayant des effets négatifs et potentiellement dangereux pour la santé de la mère et de son bébé (*voir le chapitre 13*). Le personnel place parfois une confiance exagérée dans l'appareillage spécialisé... qui n'est pas toujours capable d'évaluation et ne peut prendre de décisions seul! De précieux renseignements sont inévitablement perdus, entre les observations faites par l'infirmière de jour, celle du soir, de la nuit, l'étudiant en médecine, les résidents et le médecin qui n'arrive qu'à la fin. Le morcellement des tâches, les inévitables problèmes de hiérarchie, de relations de travail et de personnalité compliquent l'exploit de communication nécessaire pour rendre compte effectivement de ce qui se passe avec «la patiente du 5».

Le développement récent du système hospitalier québécois (et d'ailleurs) a favorisé la fermeture des petits centres au profit des

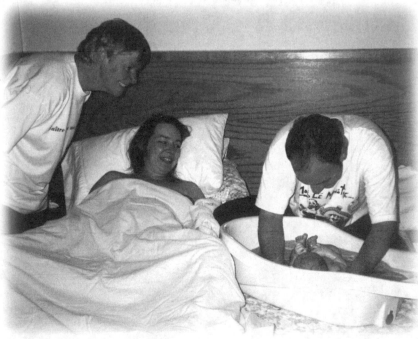

grands (pour ne pas dire géants, plusieurs assumant de 3000 à 5000 accouchements par année). «L'amélioration du rendement des ressources humaines et matérielles», comme on dit dans le jargon administratif, est quelquefois plus beau sur papier qu'en réalité: la multiplicité des intervenants et la rigidité des règles et routines inévitables dans quelque institution que ce soit, à plus forte raison dans les grosses, jouent en défaveur de l'attention personnalisée et continue, base de tout soin optimal.

En fait, l'hôpital n'est vraiment qu'une tentative expérimentale du XX$^e$ siècle et il est grandement temps d'évaluer les résultats individuels et collectifs de ce projet-pilote!

---

### L'accouchement à la maison et la loi au Québec

Au Québec, les parents détiennent depuis toujours le droit d'accoucher à la maison; ils ont cependant la responsabilité de s'entourer de soins raisonnables et de se faire accompagner par une personne expérimentée. On n'a d'ailleurs jamais imposé de contrainte quant au lieu où les médecins peuvent «pratiquer un accouchement». Mais leur formation exclusivement hospitalière ne les prépare guère au suivi particulier et à l'accompagnement d'un accouchement à la maison. De plus, bien peu d'entre eux sont disposés à les assister, sachant que cette pratique est décriée et même condamnée par leurs confrères et par leur ordre professionnel!

Dans les faits, ce sont les sages-femmes qui, très majoritairement, accompagnent les parents dans ce choix. Ceux et celles qui se sont longtemps battus pour obtenir que l'accouchement à la maison sorte de l'ombre, qu'il soit assisté par des professionnelles et que les mères et les bébés aient accès à tous les services du système de santé qui pourraient s'avérer nécessaires, ont enfin de quoi se réjouir. En effet, le processus d'adoption du règlement définissant la pratique de l'accouchement à la maison de l'Ordre des sages-femmes du Québec a enfin abouti. Les familles du Québec qui choisissent de donner naissance à la maison peuvent désormais le faire avec toute l'assistance nécessaire et la collaboration des services de santé et du corps médical.

La Loi sur les sages-femmes, qui reconnaît la profession de sage-femme depuis septembre 1999, permet que l'accouchement à la maison soit offert comme option aux familles. L'Ordre des sages-femmes du Québec a d'abord dû en définir le cadre, puis le Règlement sur les normes de pratique et les conditions d'exercice lors d'accouchements à domicile a été formellement adopté par le gouvernement du Québec en juin 2004. L'Ordre des sages-femmes du Québec ayant conclu depuis avril 2005 une entente sur l'assurance responsabilité, celles-ci peuvent enfin pratiquer des accouchements à domicile.

Ainsi, depuis avril 2005, les femmes peuvent accoucher à la maison... si elles sont suivies par une sage-femme qui travaille dans une Maison de naissance. Or, le Québec ne dispose à l'heure actuelle que de huit Maisons de naissance, et plusieurs projets attendent le feu vert du gouvernement, qui ne cesse d'effectuer des coupures dans le réseau de la santé. Donc, même si la loi prévoit que les femmes puissent se prévaloir de ce droit, en réalité, bien peu d'entre elles ont accès à ce service. On estime que seulement 1 à 2% des femmes accouchent avec une sage-femme, alors qu'environ 13% des femmes souhaiteraient le faire.

# Les risques de l'accouchement à la maison

Il y a des risques à accoucher à la maison, comme il y en a à l'hôpital. Ni l'un ni l'autre n'est cependant risqué en soi. Les parents devraient connaître les caractéristiques des deux endroits pour choisir en toute connaissance celui qui leur convient et sentir qu'ils pourront vivre avec les conséquences de leur choix, quel qu'il soit.

Les recherches faites pour comparer la sécurité des accouchements à l'hôpital et à la maison arrivent toutes à des conclusions semblables: pour des accouchements dont les conditions sont comparables, les taux de mortalité et de morbidité sont égaux ou légèrement inférieurs à la maison. L'une des études les plus connues, celle de Lewis Mehl, un médecin de Californie, comparait l'accouchement de 1146 femmes, regroupées par leur âge, leur l'état de santé, leur statut socio-économique et leur parité[3]. L'étude de Holliday Tyson analysait les résultats de 1001 accouchements à la maison, assistés par des sages-femmes, entre 1983 et 1988 à Toronto[4]. Plus récemment, la revue *Birth* publiait les résultats d'une méta-analyse sur l'accouchement à la maison qui confirme ce qu'on savait déjà[5]. Partout, les chiffres sont très clairs: un accouchement à la maison, assisté par un professionnel, ne présente pas plus de risques qu'un accouchement à l'hôpital pour une femme en bonne santé.

L'un des facteurs importants de sécurité à la maison réside dans l'attention soutenue au déroulement du travail par une professionnelle qui vous connaît bien et qui sait comment et quand il faut réagir. Plusieurs petits détails s'accumulent pendant la grossesse et pendant le travail, quelquefois sans lien apparent entre eux, comme des petites taches de couleur qui à la longue se rejoignent, remplissent la feuille et forment une image, celle de votre accouchement. La sage-femme est attentive à tout cela et peut déceler à l'avance ce qui pourrait devenir... une tache sombre. Si le temps ou les actions entreprises pour corriger les déviations ne donnent pas l'effet voulu, un transfert à l'hôpital peut généralement être fait avant que le problème ne se transforme en crise.

Les vraies urgences pendant un accouchement, celles qui se présentent sans avertissement, existent, mais elles sont rares. Toute sage-femme ou tout médecin qui assiste des accouchements à la maison doit être en mesure de répondre à des urgences comme une détresse respiratoire du bébé ou une hémorragie maternelle. Cela suppose d'avoir à la fois l'équipement requis (oxygène, ballon de réanimation, ocytocine injectable, etc.) et la formation pour s'en servir à bon escient. Lorsqu'on doit transférer la mère ou le bébé à l'hôpital, leur condition doit d'abord être stabilisée par les gestes appropriés. C'est aussi ce qu'on fait à l'hôpital, lorsque le spécialiste n'est pas sur place et qu'il faut l'attendre, ou quand il faut transférer la mère ou le bébé vers un centre spécialisé.

Il peut arriver qu'une complication grave se présente à la maison et porte à des conséquences sérieuses pour la vie ou la santé de la mère ou de son bébé. Ces conséquences auraient peut-être pu être évitées à l'hôpital. Par contre, l'inverse peut aussi se produire. C'est la façon la plus logique d'expliquer que les taux de mortalité périnatale soient équivalents entre la maison et l'hôpital,

## Les contre-indications à l'accouchement à la maison

L'accouchement à la maison peut être envisagé uniquement si la mère est en bonne santé et que le déroulement de sa grossesse laisse présager un dénouement normal. Certaines des contre-indications sont connues dès la première visite, d'autres se développent pendant la grossesse. Voici une liste non exhaustive de conditions de santé qui excluent la possibilité d'un accouchement à la maison:

- l'hypertension chronique ou induite par la grossesse;
- des problèmes cardiaques, rénaux ou pulmonaires, des problèmes neurologiques ou psychiatriques sérieux et tout autre condition pathologique sérieuse;
- un vrai diabète;
- la prééclampsie;
- un retard de croissance intra-utérine;
- la présence de jumeaux*;

- une présentation par le siège*;
- un travail avant terme (c'est-à-dire avant 37 semaines) ou post-terme (après 42 semaines);
- une lésion active d'herpès dans la région génitale au moment de l'accouchement;
- un *placenta praevia* (c'est-à-dire placé sur ou tout près du col);
- une anémie sévère;
- une chirurgie utérine antérieure.

D'autres conditions peuvent se développer pendant le travail lui-même:
- des signes de détresse fœtale;
- des signes de décollement prématuré du placenta;
- une procidence du cordon (c'est-à-dire, la présentation du cordon avant le bébé: le cordon risque alors d'être compressé et de diminuer gravement l'alimentation du bébé en oxygène);
- l'arrêt de travail ou l'absence de progrès.

*Les naissances de jumeaux et de bébés qui se présentent par le siège ne sont pas des pathologies. Cependant, elles comportent plus de risques pour les mères et leurs bébés. C'est pourquoi elles doivent avoir lieu à l'hôpital, en présence de professionnels prêts à réagir aux situations délicates qui pourraient se présenter.*

## Une question délicate: l'AVAC à la maison

De plus en plus de femmes qui ont eu une césarienne se sentent frustrées d'être exclues de l'accouchement à la maison pour cette raison. À la lumière des dernières recherches, il est considéré comme tout à fait raisonnable et sécuritaire d'avoir un AVAC dans un hôpital équipé pour répondre aux autres genres d'urgences obstétricales. Puisque l'éventualité d'une situation d'urgence n'exclut pas l'accouchement à la maison, pourquoi en serait-il autrement pour une complication liée à l'AVAC, se demandent alors certains parents.

Les différentes associations nord-américaines de sages-femmes sont partagées entre le désir de répondre aux demandes clairement exprimées par leurs clientes et le besoin de s'assurer que cela ne va pas à l'encontre de la sécurité des mères et des bébés. Une revue de littérature médicale actuelle semble suggérer que l'accouchement à la maison pourrait être un choix raisonnable pour les parents qui le désirent, même si le risque de véritables urgences obstétricales, habituellement chiffré autour de 2,7%, est, dans leur cas, légèrement augmenté. Il est essentiel que les parents qui font ce choix soient très bien informés des risques particuliers qu'il comporte et encouragés à prendre une décision qui leur soit appropriée.

c'est-à-dire que le niveau de risques est semblable, mais la nature de ces risques est probablement différente d'un endroit à l'autre. Même le choix d'accoucher dans un petit hôpital plutôt que dans un hôpital universitaire suppose une compréhension des différences que cela crée dans la disponibilité immédiate de certains soins très spécialisés, parfois nécessaires dans des situations graves. Les parents doivent bien le comprendre et connaître les complications majeures qui peuvent survenir n'importe où, avec les ressources et les limites de chaque endroit.

Aux Pays-Bas, près de 40% des accouchements ont lieu à la maison. Or, les taux de mortalité et de morbidité périnatales y sont comparables aux nôtres. On ne peut que conclure que le dépistage des complications possibles effectué par les sages-femmes pendant la grossesse et le travail est efficace et que les accouchements à risques sont transférés à temps là où les femmes et les bébés peuvent recevoir les soins que leur condition exige. Plus près de nous, à la Maternité de Puvirnituq, dans le Nouveau-Québec, les

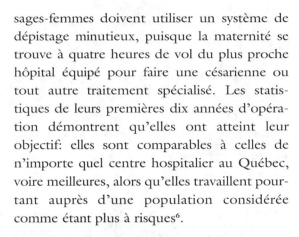

sages-femmes doivent utiliser un système de dépistage minutieux, puisque la maternité se trouve à quatre heures de vol du plus proche hôpital équipé pour faire une césarienne ou tout autre traitement spécialisé. Les statistiques de leurs premières dix années d'opération démontrent qu'elles ont atteint leur objectif: elles sont comparables à celles de n'importe quel centre hospitalier au Québec, voire meilleures, alors qu'elles travaillent pourtant auprès d'une population considérée comme étant plus à risques[6].

### PRENDRE UNE DÉCISION ÉCLAIRÉE ET RESPONSABLE

Choisir d'accoucher à la maison est une décision extrêmement «responsabilisante». Ce ne sont pas les autres qui décideront pour vous, mais vous-même! Pour prendre une décision qui soit appropriée, vous devrez d'abord vous informer auprès de l'hôpital, pour connaître leurs procédures et leurs statistiques, auprès de sages-femmes et de médecins qui assistent des accouchements à la maison et auprès de groupes qui respectent et soutiennent les choix des parents.

Rencontrez des parents qui ont vécu un accouchement à la maison et, si vous le pouvez, suivez des cours prénatals qui en parlent. Lisez, lisez revues et livres, tout ce que vous pouvez trouver. C'est en étant bien informée que vous saurez poser les bonnes questions.

L'accouchement à la maison sous-entend une telle responsabilité qu'il doit nécessairement être le fait d'une décision partagée. Par contre, il est courant de voir une femme très intéressée par ce choix... et un conjoint plus réticent.

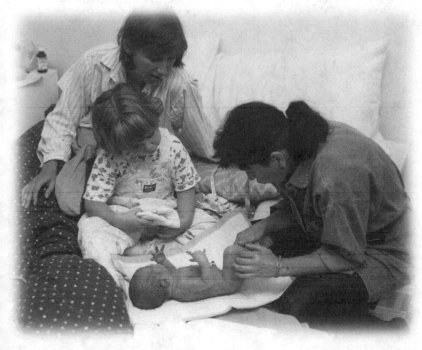

Par leur méfiance, les hommes manifestent vigoureusement leur rôle de protection envers leur conjointe et leur bébé à naître. Une sorte d'instinct paternel, en quelque sorte. Au fond, c'est une très bonne chose, tant qu'il y a, de part et d'autre, de la curiosité et une volonté d'en arriver à une décision confortable et sereine pour les deux. Le rôle de la sage-femme sera de répondre aux questions, de faciliter une communication ouverte entre les deux, en rappelant au couple que, même si c'est la femme qui doit être confortable pour accoucher, cela lui sera pratiquement impossible si son conjoint est mort d'inquiétude!

La plupart des sages-femmes et des médecins souhaitent que la décision d'accoucher à la maison soit claire plusieurs semaines avant la date prévue. Ce délai permet aux parents de préparer matériellement l'accouchement, mais surtout de vivre quelque temps avec leur décision pour s'assurer qu'elle demeure la bonne pour eux. Cela vous laissera le temps de discuter avec le professionnel choisi de ses limites personnelles, en plus des critères standards de contre-indications à l'accouchement à la maison. Vous apprécierez l'honnêteté de quelqu'un qui a l'humilité de les reconnaître et de ne pas promettre plus qu'il ne peut livrer. Plusieurs auront des exigences pratiques spécifiques, comme la distance maximale d'un hôpital ou le fait d'avoir suivi une préparation particulière.

Doit-on parler de cette décision à l'entourage? C'est une question que les gens se posent souvent. Cela dépend, évidemment, de ce que vous prévoyez être leur réaction. Il est probablement inutile de susciter des débats passionnés qui ne serviront qu'à bouleverser tout le monde de part et d'autre: c'est épuisant et cela ne donne pas des résultats très positifs. Par contre, si vous sentez une ouverture chez quelqu'un qui se sent inquiet, prenez la peine d'expliquer longuement ce que vous avez envisagé comme possibilités d'action si quelque chose de difficile devait se présenter et offrez-lui quelques bons livres à consulter.

Sheila Kitzinger avait raison quand elle écrivait dans *Birth at home*: «Si un marin passait son temps à lire des histoires de naufrages et de désastres, il ne serait peut-être jamais capable d'amasser assez de courage pour aller en mer! Mais nous sommes d'accord qu'il serait bien imprudent de partir sans connaître l'art de la navigation et les tumultes dont la mer est capable![7]»

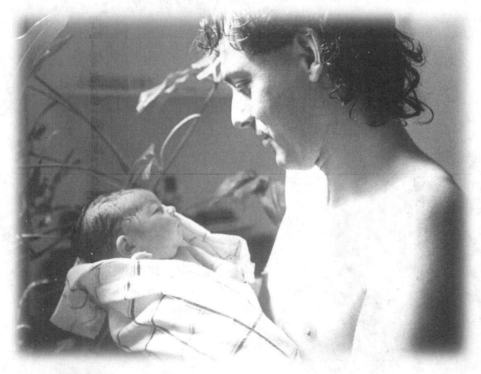

# Préparer l'accouchement à la maison

## Le partage des rôles

L'organisation pratique devrait être claire pour vous et vous devriez vous sentir à l'aise, en paix et prêts à ce que le bébé arrive quand son temps sera venu.

Au Québec, la norme est qu'il y ait toujours deux sages-femmes lors d'un accouchement[8]. La deuxième sage-femme arrive généralement assez tard dans le travail, quand la naissance est imminente... à une ou deux heures près. Son rôle le plus important ne se manifeste qu'en cas de complication: elle devient alors une précieuse assistante dans les gestes professionnels à poser et dans l'organisation d'un transfert efficace et sécuritaire. Quand tout va bien, elle assiste la sage-femme principale en s'occupant des aspects plus techniques ou pratiques: aller chercher de l'eau fraîche, ouvrir la bonbonne d'oxygène, prendre les notes, etc. Elle peut aussi la relayer quand se fait sentir le besoin d'une énergie nouvelle.

Pendant les dernières semaines de la grossesse, vous aurez le temps de discuter avec votre sage-femme des rôles et tâches de chacun pendant votre accouchement.

- Quand devez-vous l'appeler? Quand vient-elle?
- Connaissez-vous bien son assistante?
- Devez-vous préparer le lit, et le matériel avant son arrivée?
- Comment voit-elle son rôle pendant l'accouchement? Qu'attend-elle de vous?
- Comment se prennent les décisions en cours de travail?
- Avez-vous discuté des indications de transfert vers l'hôpital et de leur organisation pratique?
- Combien de temps reste-t-elle avec vous après l'accouchement?
- Si elle doit parcourir un long trajet avant d'arriver chez vous, savez-vous quoi faire en attendant, quoi observer?
- Si vous avez invité des proches, voulez-vous qu'ils la rencontrent?

## Le matériel nécessaire

Les parents ne doivent rassembler que peu de matériel pour accoucher à la maison... mais le bon! Votre sage-femme apportera sa propre trousse (*voir La trousse de la sage-femme, page 421*), mais s'attend probablement à ce que vous ayez préparé certaines choses. Réunissez ce qui est nécessaire au moins trois semaines à l'avance, puisque dès cette date votre accouchement peut se déclencher et se dérouler à la maison. Vous ne voudriez pas passer vos premières heures de travail à essayer de trouver quelle pharmacie est encore ouverte à trois heures du matin! Vérifiez avec votre sage-femme que cette liste concorde avec ce qu'elle attend de vous: chacune a ses façons de faire! La plupart de ces objets sont déjà chez vous et vous vous procurerez les autres aisément.

Faites votre lit avec un drap-contour propre. Couvrez-le avec un drap-contour de plastique ou tout autre tissu plastique (un rideau de douche bon marché, du plastique vendu au mètre). Par-dessus le plastique, mettez un autre drap-contour propre. Fixez le tout avec quelques épingles de sûreté pour

## Le matériel pour un accouchement à la maison

**Numéros de téléphone et trajet pour l'hôpital**
La liste doit être visible, près du téléphone, et comporter les numéros de téléphone suivants: sage-femme ou médecin, taxis, gardiennes, ambulance et hôpital. Le plan du trajet pour aller à l'hôpital doit être précis pour qu'on s'y retrouve facilement et rapidement.

**Chaleur**
La pièce où naîtra le bébé doit pouvoir être réchauffée rapidement, au besoin. Un appareil électrique portatif pourrait être utile à cet effet.

**Éclairage**
On doit pouvoir disposer d'une bonne source de lumière mobile, comme une lampe d'étude, ainsi que d'une lampe de poche.

**Nourriture et breuvages**
Prévoyez des aliments variés pour vous et pour les gens qui vous assisteront pendant le travail, faciles à digérer pour vous et faciles à préparer pour les personnes présentes. Pensez à du café pour ceux qui vous accompagnent jusqu'aux petites heures de la nuit. Cuisinez d'avance quelques plats pour les premiers jours.

**Drap de flanelle et couvertures de bébé**
Un grand drap et plusieurs petits qu'on peut réchauffer au four (à 100° C), à la sécheuse à linge ou au micro-ondes. Les petits draps serviront à assécher et couvrir le bébé à sa naissance, le plus grand vous réchauffera tous les deux.

**Compresses**
Prévoyez au moins cinq ou six linges pour faire des compresses chaudes, éponger le visage, etc.

**Bols**
Au moins trois bols de dimension ordinaire, en verre, plastique ou métal, pour avoir de l'eau chaude ou fraîche sous la main et pour recevoir le placenta.

**Miroir**
Pour voir la naissance. Pas trop grand, afin qu'il soit plus maniable (pas beaucoup plus que 30 X 30 cm).

**Huile d'amande douce**
Pour les massages, dont celui du périnée.

**Savon**
Une petite bouteille de savon antiseptique pour se laver les mains, etc.

**Serviettes sanitaires**
Quelques serviettes format maternité, pour les premiers jours, à moins d'utiliser des couches jetables (très efficaces). Des serviettes sanitaires ordinaires peuvent être utilisées par la suite. Évitez les doublures plastifiées qui ont tendance à irriter lors d'un port prolongé.

**Piqués à jeter après usage**
Une vingtaine de piqués, pour que le lit soit toujours propre et sec pendant le travail.

**Gazes stériles**
Environ 24 compresses de gaze stérile (4 X 4 cm), enveloppées individuellement, qui serviront aux soins particuliers exigeant la stérilité, autant pour la mère que pour le bébé.

**Poire de caoutchouc**
Une poire sans embout de plastique, généralement vendue sous le nom de «poire à oreilles», pour aspirer les sécrétions du bébé à la naissance, si nécessaire.

**Pince à cordon ou petits lacets de coton blancs**
Pour attacher le cordon, des petits lacets de coton blancs neufs peuvent être lavés, enveloppés dans un linge spécialement marqué. Ils sont plus doux et moins encombrants que la pince à cordon en plastique, qui fait cependant très bien l'affaire!

**Savon de trempage**
Un produit pour faire tremper et laver le linge taché de sang (généralement à base d'«enzymes»). Disponible dans les grandes épiceries, au rayon des savons à lessive.

**Poubelle**
Un grand contenant (genre panier à linge) dans lequel on met un sac de plastique.

**Bouillotte**
Pour le confort de la mère et pour réchauffer les effets du bébé en vue de sa naissance.

que rien ne bouge. Ayez des oreillers et des coussins en quantité. Recouvrez-en au moins deux avec un sac de plastique avant de mettre la taie d'oreiller, pour vous en servir sans crainte de les tacher.

Mettez le drap de flanelle et les petits draps de bébé dans le four à 100° C, enveloppés dans un sac de papier brun épais ou faites-les chauffer au four à micro-ondes ou à la sécheuse juste avant la naissance.

## L'ORGANISATION PRATIQUE EN VUE D'UN TRANSFERT ÉVENTUEL

Comme avec les accouchements en Maison de naissance, les ententes de transfert avec un centre hospitalier ainsi que leurs modalités sont organisées préalablement. Elles devraient être révisées régulièrement et améliorées pour en assurer l'efficacité et le respect des intervenants impliqués, incluant les parents.

Dans la grande majorité des cas, le voyage vers l'hôpital est tout à fait adéquat en auto. Ayez un véhicule disponible, en bon état de marche et gardez le réservoir d'essence plein. Emportez avec vous des coussins, quelques serviettes ou des piqués pour protéger le siège, ainsi qu'une couverture. L'ambulance ne s'avère nécessaire que les très rares fois où il s'agit d'une urgence ou lorsque la mère devrait rester à l'horizontale, comme après une perte de sang importante.

---

### La trousse de la sage-femme

La sage-femme apporte elle-même l'équipement qui lui est nécessaire. Vous pouvez obtenir une liste de l'équipement standard qu'elle doit contenir auprès de l'organisation professionnelle dont fait partie votre sage-femme. La trousse comprend habituellement:

- des ciseaux stériles;
- des pinces hémostatiques (pour clamper le cordon);
- un fœtoscope et possiblement un Doppler (un appareil à ultrasons pour entendre le cœur du bébé);
- un appareil à pression et un stéthoscope;
- des gants stériles;
- une poire et des cathéters à succion;
- une balance;

- un onguent antibiotique pour les yeux du bébé;
- une préparation injectable de vitamine K pour le bébé;
- un perce-membrane;
- le matériel nécessaire pour faire des prises de sang ainsi que des tubes pour le sang du cordon (pour les mères qui sont Rh-);
- du matériel de suture, incluant un anesthésiant local;
- du savon ou un produit antiseptique.

### Le matériel d'urgence comprend entre autres:

- de l'oxygène et des masques grandeur adulte et nouveau-né;
- un ballon de réanimation;
- un médicament pour contrôler l'hémorragie ainsi que des solutions intraveineuses et le matériel nécessaire pour les administrer;

- Les médicaments à utiliser dans certaines situations d'urgence;
- au Québec, on considère que le laryngoscope (pour intuber le bébé) fait partie de l'équipement d'une sage-femme, alors qu'ailleurs son usage est réservé aux spécialistes seulement.

# Les invités

Accoucher à la maison donne le privilège d'y inviter ses proches ou de choisir la plus stricte intimité. Certains parents choisissent de partager ce moment précieux avec quelques-uns de leurs proches. D'autres préfèrent former un petit noyau avec leur sage-femme et son assistante, chacun occupé à faciliter l'arrivée d'un être nouveau sur la terre. Quel que soit le choix, après quelques heures ensemble, les gestes viendront aisément, les paroles se feront rares, les mains se joindront dans une même caresse, le silence se fera complice.

J'ai vu des accouchements avec un seul invité et d'autres avec plusieurs. Ce n'est pas le nombre qui détermine la qualité de l'atmosphère, mais l'attention, la conscience que chacun y met. Parfois, l'ambiance est très intime malgré les nombreuses personnes présentes, et parfois une seule personne suffit à déranger le flot d'énergie.

Aujourd'hui, la très grande majorité des adultes n'ont jamais assisté à une naissance (sinon celles de leurs propres enfants). Vers la fin de la grossesse, vous recevrez peut-être plusieurs demandes de la part d'amis qui se sentent attirés par la magie de la naissance. Mais cela prend plus que cet attrait pour leur ouvrir votre porte.

Invitez des gens qui viennent pour donner d'eux-mêmes: vous offrir un soutien émotif, prendre soin de vos enfants, cuisiner pour tout le monde, vous faire des massages, etc. Les gens qui ne sont qu'observateurs à un accouchement finissent par trouver le temps long et par devenir eux-mêmes une présence encombrante.

Si quelqu'un pense que les accouchements devraient toujours se passer à l'hôpital et s'il a peur, sa peur va remplir la chambre et déranger le processus. L'énergie des parents est probablement tellement concentrée sur le travail qu'ils risquent de ne pas s'en rendre compte sur le moment. Si quelqu'un dans la maison devient inquiet, il devrait discrètement en parler à la sage-femme: ses explications devraient le rassurer. Elle pourra l'aider à trouver comment se rendre utile, et le seul fait d'être occupé devrait calmer son anxiété. Sinon, il pourrait choisir de quitter les lieux pour ne pas en déranger la sérénité.

Ne vous donnez pas une mission à remplir, surtout si c'est votre premier accouchement! N'invitez pas quelqu'un qui vient pour régler ses peurs ou ses mauvais souvenirs! Que vos invités viennent pour vous aider d'abord. Leur présence aura peut-être l'effet secondaire de guérir leurs craintes ou leurs peines, mais cela ne devrait pas en être le but premier.

Au début du travail, la femme apprend à s'abandonner à ses contractions et traverse des transformations très profondes qui la rendent extrêmement vulnérable. Le regard des autres, même si ce sont des amis, peuvent la maintenir dans un état de conscience d'elle-même qui nuit à son abandon. Une chambre remplie de gens qui «attendent» peut sérieusement ralentir ce travail. Il en est de même d'un photographe dont la lentille suit de trop près le déroulement de l'événement. C'est peut-être alors une bonne idée de demander à tout le monde de quitter pour une heure ou deux et d'attendre qu'on les rappelle. Quand le travail sera bien enclenché et la mère plus à son aise, ils pourront revenir sans problème.

---

### Pour inviter un proche à votre accouchement

Voici quelques questions que vous pourriez vous poser au sujet des gens que vous pensez inviter à votre accouchement:

- Pourquoi veulent-ils être à votre accouchement? Pour eux? Pour vous et l'enfant? Quelle est la part de curiosité et d'intérêt véritable?
- Quelle est leur expérience préalable des accouchements? Était-ce satisfaisant? Comment se sont-ils sentis? Comment feront-ils pour que cette expérience soit positive cette fois-ci?
- Que comptent-ils faire avant l'accouchement? Pendant? Après? S'il y a transfert à l'hôpital?
- Qu'attendez-vous d'eux exactement, en pratique et dans leur attitude?
- Vous sentez-vous à l'aise de vous laisser aller avec eux? D'être nue? De vivre les émotions qui pourraient vous submerger?
- Quelle sorte d'engagement veulent-ils prendre face à vous et à l'enfant? Seront-ils présents dans les premières semaines, quand vous aurez besoin d'aide?

---

Plusieurs parents organisent une rencontre entre ceux qui sont susceptibles d'être présents à l'accouchement. C'est une excellente idée. Cela permet de clarifier les attentes de chacun, la sage-femme peut répondre aux questions sur ses gestes ou sur le rôle de chacun, les parents peuvent exprimer ce qu'ils voudraient créer comme atmosphère et comme rituel d'accueil.

Si vous avez l'intention d'inviter votre mère ou celle de votre compagnon, soyez consciente que leurs expériences d'accouchements ont sans doute été très différentes de ce que sera la vôtre. Leurs attentes étaient probablement toutes autres, également. Assurez-vous de bien clarifier avec elles comment vous voyez l'accouchement ainsi que ce que vous attendrez d'elles pendant le travail. La grossesse vient remuer à plusieurs égards la relation que nous avons avec notre mère, au présent comme au passé. Certaines femmes se sentent menacées de laisser leur propre fille devenir mère à son tour. J'ai vu à quelques reprises des femmes modifier complètement leur façon de vivre

leurs contractions dès que leur mère est entrée dans la chambre en s'exclamant: «Oh, ma pauvre petite fille!» Tout d'un coup, la femme qui accouchait avait disparu, remplacée par une petite fille... et les petites filles ne peuvent pas accoucher! Si vous sentez encore ce lien «maman-petite fille» entre vous et votre mère, vous devriez peut-être accoucher dans les bras de votre conjoint et apprivoiser avec lui la personne en vous qui devient une femme. Dans d'autres accouchements, la présence de la mère a été une merveilleuse occasion de rapprochement et de transmission de la capacité à donner la vie.

C'est une sage précaution d'avertir vos invités que vous pourriez changer d'avis à la dernière minute. Si vous n'en avez plus envie, ne vous obligez pas à inviter quelqu'un à qui vous l'aviez promis, par peur de le décevoir! Si votre travail commence par des contractions rapprochées et des vomissements, vous ne voudrez peut-être voir personne! Quelle que soit la raison, donnez-vous l'espace pour décider de ce qui vous conviendra lorsque votre travail débutera. Sans être présent pour l'accouchement, cet ami pourrait arriver dans les minutes qui suivent, lorsque le bébé est encore sur vous, tout éveillé, tout frais de sa naissance. Avertissez-le d'arriver sur la pointe des pieds! L'atmosphère d'une maison où vient de naître un bébé est tellement vibrante!

# L'accompagnement et la vigilance

Chaque accouchement se déroule selon sa propre trajectoire. Peu à peu, la mère apprend à s'abandonner à cette énergie qui se manifeste en elle. De la même façon, la sage-femme qui l'assiste apprend à reconnaître les forces en jeu et leur interaction dans cet accouchement particulier. Elle observe humblement les voies que la nature emprunte pour pouvoir au besoin la seconder.

La sage-femme prend le temps d'être avec la femme dans ses contractions. Elle l'aide à trouver les positions, les mouvements, les sons, les respirations qui favorisent la plus grande détente possible. Elle aide son conjoint à trouver la place qui lui est confortable. Tout ce qui s'est dit déjà du soutien prend place ici, doucement, au rythme de l'accouchement, dans un mélange de discrétion et de disponibilité.

Les femmes qui accouchent ont besoin d'intimité, d'obscurité, d'être dans un endroit familier. Quand on sait cela, on devine aisément comment les examens et procédures médicales doivent s'insérer en douceur dans l'événement qui, lui, se passe entièrement dans le corps, le cœur et l'esprit de cette femme qui accouche. Tout ce qui se vit dans la maison est au rythme, au service de la naissance qui y prend place.

La sage-femme doit veiller au bien-être de la mère, à celui du bébé et à la progression du travail. Les uns et les autres sont intimement liés: si le travail ne progresse pas, tôt ou tard, la mère et le bébé en souffriront! Si la mère est épuisée ou en détresse, son bébé la suivra bientôt! C'est en exerçant une grande vigilance qu'elle pourra veiller à ce que ce passage se fasse sans encombres.

Ce que la surveillance du travail a de particulier, à la maison, c'est l'attention avec laquelle elle s'exerce et le fait qu'elle soit faite par les mêmes personnes du début à la fin. Il n'y a pas que les données objectives, comme le rythme du cœur du bébé, qui soient prises en considération, mais aussi les observations subjectives, comme l'énergie dans la pièce, la fatigue de la mère, etc. Peu à peu, ces informations s'organisent et finissent par donner une image précise du déroulement de l'accouchement et par montrer s'il y a lieu d'intervenir pour en faciliter l'issue.

Chaque sage-femme a sa façon personnelle d'exercer cette surveillance du travail, basée sur sa formation et son expérience. Mais, dans les grandes lignes, voici en quoi cela pourrait consister: pendant le travail actif, on écoute le cœur du bébé aux demi-heures environ, ce qui donne une bonne idée de son état de santé. À quelques reprises, on pourra l'écouter pendant et immédiatement après une bonne contraction, pour savoir comment il se comporte. Pendant la poussée, on l'écoute encore plus souvent, aux cinq à dix minutes environ, et parfois même entre chaque contraction. On fait un minimum d'examens vaginaux, surtout si les membranes sont rompues, et seulement s'ils sont nécessaires pour s'assurer que le travail progresse bien. Parfois, le seul fait d'observer la mère, les positions qu'elle prend et les sons qu'elle émet est suffisant pour renseigner sur sa dilatation!

La sage-femme tient toujours un dossier du déroulement de l'accouchement. Comme dans la surveillance de n'importe quel travail, on note les éléments suivants, avec une indication de l'heure:

• le pouls de la mère et sa tension artérielle;
• la fréquence des battements de cœur du bébé;
• le résultat des examens vaginaux, incluant la dilatation du col, sa texture, son degré d'effacement, sa position;
• la station du bébé (une indication de sa descente dans le bassin) ainsi que la position de sa tête;
• la fréquence, la durée et l'intensité des contractions ainsi que la qualité du relâchement entre les contractions;
• la rupture des membranes;
• la quantité et la couleur du liquide amniotique.

Dans la phase active du travail, on note aussi votre activité («Elle marche, elle se repose sur le côté, elle dort un peu entre les contractions»), votre position, votre état d'esprit et votre niveau d'énergie («Détendue, prend bien ses contractions, fatiguée»), ainsi que les nausées ou vomissements s'il y en a, les sensations de pression, les envies de pousser, etc. Ces observations sont précieuses pour évaluer la situation, si nécessaire. Elles constituent aussi une sorte de journal de bord de l'accouchement. Vous aimerez le parcourir un peu plus tard et compléter ainsi les souvenirs qui vous sont restés.

## Le transfert éventuel à l'hôpital

Certains signes de complications pendant le travail sont sans équivoque et indiquent clairement la nécessité d'aller à l'hôpital. Ils constituent les contre-indications à la poursuite de l'accouchement à la maison ou à la Maison de naissance, d'ailleurs, puisque ce sont les mêmes (*voir Les contre-indications, page 416*). Toutefois, des signes mineurs de déviation du normal peuvent se présenter sans être, à eux seuls, une indication immédiate de transfert. Cependant, ils réclament une vigilance redoublée et une action conjointe de la mère et de la sage-femme pour redémarrer les contractions, activer le progrès, assister la descente du bébé, pour corriger, somme toute, ce qui ne tourne pas rond. Si la situation ne se corrige pas, viendra un moment où il faudra discuter de la pertinence d'aller à l'hôpital pour avoir accès aux interventions appropriées. La décision relève alors de l'analyse qu'en fait la sage-femme et d'une discussion ouverte avec les parents sur les alternatives possibles, le délai raisonnable d'attente, les risques potentiels ainsi que les moyens médicaux qui seront offerts à l'hôpital. On pourrait au besoin choisir de consulter aussi un autre professionnel. D'autre part, à n'importe quel moment du travail, une femme pourrait souhaiter aller à l'hôpital. C'est son droit le plus strict, évidemment, et elle n'a aucune raison «objective» à fournir. Si elle n'est plus confortable à la maison, ou si elle ne se sent plus en sécurité, tout le travail s'en ressentirait. Et la mère a accès à une intuition très intime qu'elle est la seule à détenir. Il faut l'écouter!

Avant de partir, la sage-femme téléphone à l'hôpital pour avertir le personnel du transfert, en expliquer les raisons médicales et leur donner le délai probable d'arrivée. Elle apportera avec elle une copie du dossier de la grossesse pour faciliter la transmission des informations. À l'occasion, la sage-femme peut être appelée à poser certains gestes pour stabiliser la condition physique de la mère ou du bébé qui doit être transféré, comme poser un soluté contenant des médicaments, par exemple. Loin de retarder indûment le transport à l'hôpital, ces gestes sont essentiels à la sécurité du transfert. Les transferts urgents constituent l'exception. Ils impliqueront une prise de décision rapide et probablement une discussion minimale.

C'est toujours une décision délicate que celle de se transporter à l'hôpital. Surtout pendant un long travail, où les parents sont fatigués, déçus de devoir abandonner leur projet initial et peut-être même inquiets. Si vous devez vous rendre à l'hôpital pendant le travail, restez calmes et centrés. Rappelez-vous votre intention première dans cet accouchement, mis à part «Que ça aille bien et que le bébé soit en santé». Vous vouliez être proches l'un de l'autre? Rester en contact avec votre bébé? Aller au bout de vous-même? Emportez avec vous vos désirs d'harmonie, de paix et d'amour pour cette naissance! Restez branchée sur votre bébé qui vit ce changement de projet avec vous. Prenez quelques minutes avant de partir pour vous recentrer avec votre compagnon, vous sentir ensemble, laisser venir vos émotions alors que les circonstances de la vie bousculent votre scénario idéal.

L'arrivée à l'hôpital est souvent un changement difficile à vivre pour la mère. Elle a encore plus besoin de soutien constant pendant ses contractions, d'amour et de confiance. Les gens auprès d'elle devraient s'efforcer de rester calmes, centrés et souples dans leurs rapports avec le personnel de l'hôpital. Cela facilitera la tâche des intervenants qui doivent aussi vivre une situation stressante: travailler rapidement avec une femme ou un bébé qu'ils ne connaissent pas et qui a besoin de soins immédiats. Si l'accueil n'est pas très chaleureux dans un premier temps, appréciez tout de même la préoccupation sincère des gens envers votre santé et offrez toute votre coopération.

# Les premières heures après la naissance

Après l'expulsion du placenta, la sage-femme vérifiera que votre utérus est bien contracté et que vous et votre bébé êtes confortables. Puis elle vous laissera sans doute un moment tous les trois ensemble, dans l'intimité si nécessaire pour vous découvrir mutuellement. Vous aimerez peut-être y inclure les proches qui étaient présents à la naissance, mais réservez-vous un moment à trois pendant qu'ils apprécient le café qu'on partage à la cuisine, à rappeler les moments forts de l'accouchement et à s'émerveiller du miracle renouvelé! Périodiquement, la sage-femme viendra vérifier que votre bébé va bien, que votre utérus est bien contracté, et elle restera disponible, à portée de voix!

Vous pouvez vous déplacer comme bon vous semble, mais la première fois que vous vous levez, assurez-vous d'avoir un appui solide. Assoyez-vous d'abord sur le bord du lit et prenez quelques instants pour éprouver vos forces. L'effort fourni à l'accouchement et les transformations métaboliques causées par la perte de liquide font parfois que les jambes sont moins solides, sans pour autant que ce ne soit alarmant. Si vous vous sentez étourdie, recouchez-vous. Avec un peu d'astuce, on peut complètement changer votre lit sans vous en sortir et vous donner un bain-éponge. Videz votre vessie le plus tôt possible, ce qui favorise une contraction efficace de l'utérus. Si vous avez des petites éraflures à la vulve, versez-y de l'eau tiède (du robinet) en même temps que vous urinez, pour éviter la sensation de brûlure.

Quand vous serez prête, vous pourrez aller prendre une douche ou un bain. Si vous optez pour la douche, n'y allez pas seule. Votre conjoint pourra vous y accompagner et vous en sortirez tous les deux rafraîchis. Si vous choisissez le bain, pourquoi ne pas y emmener votre bébé avec vous: ces premiers moments de contact dans l'eau sont absolument merveilleux.

Passé les premiers moments de découverte, la première tétée, quand vous y serez prêts tous les trois, votre sage-femme examinera votre bébé, de la tête aux pieds. Cet examen systématique se fait sur votre lit, en votre présence, et vous permettra d'observer les caractéristiques si fascinantes d'un nouveau-né, de votre nou-veau-né. Elle répondra à toutes vos questions concernant son apparence, sa santé, ainsi que les soins et les gestes tout simples des premiers jours.

Elle examinera soigneusement votre périnée pour voir s'il y a une déchirure et si elle nécessite une suture. La suture sert essentiellement à rapprocher les tissus qui doivent se cicatriser ensemble. Quand la déchirure est peu importante et que les tissus sont bien rapprochés, la suture n'est pas essentielle à la guérison. À vous de choisir, après avoir bien regardé au miroir et discuté avec votre sage-femme. Si la déchirure est plus profonde et surtout si des muscles sont touchés, la suture sera sans doute nécessaire.

La sage-femme reste environ trois heures après l'accouchement, le temps de veiller à ce que la mère et le bébé se portent bien, que chacun ait reçu les soins nécessaires, ait bien mangé, bien bu, que la chambre et le lit soient propres et que tout le monde soit en amour. Plusieurs parents ont une sorte de papillon dans l'estomac en pensant au moment où ils se retrouveront seuls,

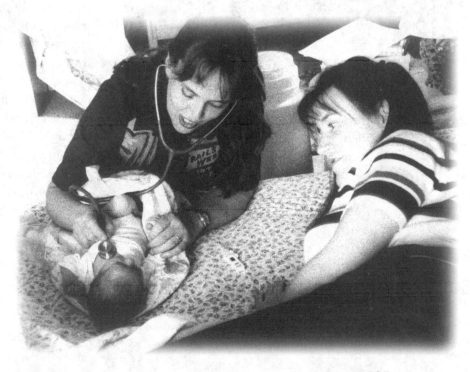

très éveillés, puis s'endorment paisiblement, souvent pour plusieurs heures d'affilée. Ne vous inquiétez pas: eux aussi doivent récupérer de tant d'émotions! Certains bébés peuvent être un peu incommodés par un surplus de sécrétions qui remontent de leur estomac et dont ils se débarrassent généralement tout seuls, en toussant et en éternuant. Pour cette raison, c'est une bonne idée de garder les bébés couchés sur le côté, avec un tissu roulé dans leur dos pour les empêcher de se retourner. Ainsi, ils pourront éternuer ou cracher leurs sécrétions plus facilement. Par la suite, vous le coucherez directement sur le dos. Un bébé qui se porte bien à la naissance et dans les heures qui suivent ne devrait pas éprouver de difficultés pendant sa première nuit de vie.

Dans les jours qui viennent, votre sage-femme reviendra vous visiter à quelques reprises, au moins trois fois la première semaine, pour vérifier que vous allez bien et suivre l'évolution normale des premiers jours. Le rythme de ces rencontres varie selon les régions et les distances à parcourir, mais il vous sera déjà connu, ainsi que les autres ressources que vous pourriez consulter au besoin. Elle effectuera aussi le test de dépistage de maladies métaboliques héréditaires (PKU) fait à tous les bébés du Québec dans leur première semaine de vie. Elle sera disponible par téléphone pour répondre à vos questions à n'importe quelle heure du jour et de la nuit. Elle vous remettra les papiers officiels de «déclaration de naissance» qui vous permettront d'enregistrer votre bébé auprès du Registre de l'État civil du Québec.

Vous voilà chez vous, dans votre lit et votre bébé est arrivé! La vie éclate à nouveau

quelques heures après la naissance, avec un nouveau-né dans les bras! Ce trac bien légitime est aussi ressenti par tous les parents d'un premier bébé quand ils sortent de l'hôpital après la naissance. Le nombre de jours ne fait pas de différence: l'attention que vous devrez porter à votre bébé est la même!

Les soins à donner au bébé, pendant les premières heures de vie, sont très simples: il a besoin de téter, d'être pris dans des bras affectueux et d'être changé de couche quelquefois. C'est tout! La plupart des bébés passent les premières deux ou trois heures

et la vie continue! Et c'est si simple! L'accouchement terminé, on réchauffe un petit plat sorti du congélateur ou on se fait un petit déjeuner et peut-être des crêpes comme le dimanche matin. Les autres enfants se réveillent ou vont se coucher ou reviennent de l'école. Comme disait Michel après l'accouchement de Lucie: «Un accouchement dans tout ce que ça a d'extraordinaire... et d'ordinaire.»

**Notes**

[1] Rahima BALDWIN. *Special Delivery*, Berkeley (California), Celestial Arts, 1979. Traduction de l'auteure.

[2] C'est pour cela que L'Ordre des Sages-femmes du Québec impose que toutes les sages-femmes assistent régulièrement des accouchements hors hôpital, pour assurer qu'elles n'oublient jamais l'essence de leur profession.

[3] MEHL & WHITT. «Outcomes of Home Births: A Series of 1,146 Cases», *Journal of Reproductive Medicine*, vol. 19, n° 5, 1977.

[4] Holliday TYSON. *A Retrospective Descriptive Study of 1001 Homebirths Attended by Midwives in Toronto Between 1983 and 1988*, Hamilton (Ontario), McMaster University, 1989.

[5] Ole OLSSON. «Meta-analysis of safety of home birth», *Birth*, vol. 24, mars 1997.

[6] Ministère de la Santé et des Services Sociaux. *Fichier Med-Écho Grand Nord*, Direction de l'évaluation, Québec, 1998-1999.

[7] Sheila KITZINGER. *Birth at Home*, New York, Oxford University Press, 1980. Traduction de l'auteure.

[8] Cette norme n'est pas internationale: que ce soit aux Pays-Bas ou en Grande-Bretagne, une seule sage-femme est présente lors des accouchements à la maison. Dans des circonstances particulières justifiées, une personne qualifiée autre qu'une sage-femme peut être appelée à remplacer cette deuxième sage-femme. Pour assurer la sécurité des mères et des bébés, les ordres professionnels de chaque province ont établi des normes à ce sujet.

# Suggestions de lecture et index

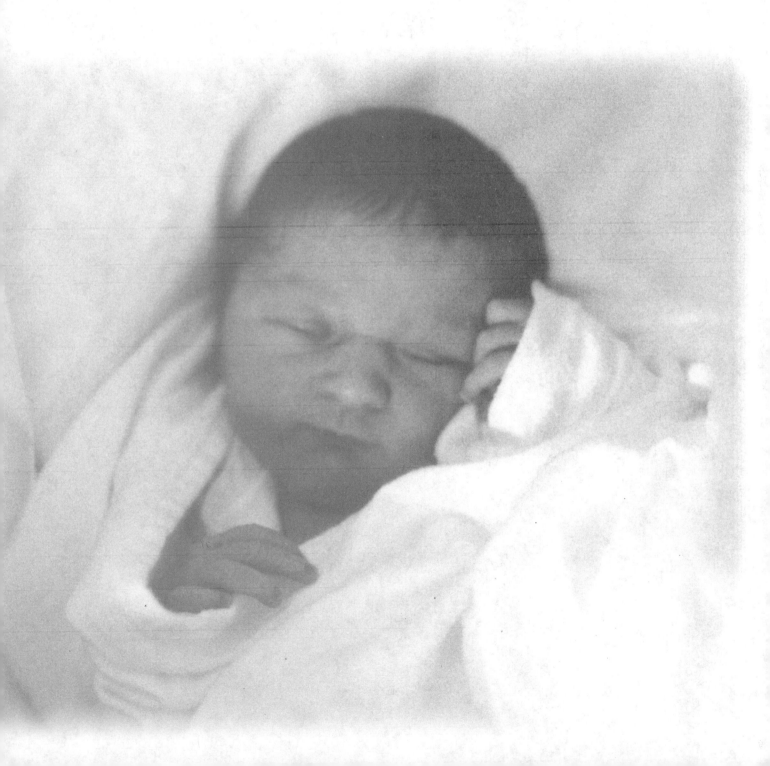

# Suggestions de lecture

Association des usagers de Pithiviers. *Histoires de naissance. Les usagers de Pithiviers parlent*, Paris, Épi, 1985.

BALDWIN Rahima. *Pregnant Feelings*, Berkeley (Californie) Celestial Arts, 1986.

BALDWIN Rahima. *Special Delivery*, Berkeley (Californie) Celestial Arts, 1986.

BRAZELTON, T. Berry et Bertrand CRAMER. *Les Premiers liens*, Paris, Calmann-Lévy, 1991.

BRAZELTON, T. Berry. *La Naissance d'une famille*, Paris, Stock, 1983.

BRAZELTON, T. Berry. *Points forts*, Paris, Stock Laurence Pernoud, 1992

BRAZELTON, T. Berry. *Trois bébés dans leur famille*, Paris, Stock, 1986.

COHEN, Nancy et Loïs J. ESTNER. *Silent Knife : Cesarean Prevention and Vaginal Birth after Cesarean*, South Hadley (Massachussetts), Bergin & Garvey, 1983.

Collectif de Boston pour la santé des femmes. *Nos enfants, nous-mêmes*, Paris, Albin Michel, 1980.

DAVIS, Elizabeth. *Heart and Hands. A Guide to Midwifery*, Berkeley (California), Celestial Arts, 1987.

EHRENREICH, Barbara et Deirdre ENGLISH. *Sorcières, sages-femmes et infirmières*, Montréal, Éditions du Remue-ménage, 1976.

ENKIN, KEIRSE, NEILSON, CROWTHER, DULEY, HODNETT & HOFMEYR. *A Guide to Effective Care in Pregnancy and Childbirth*, 3ᵉ édition, New York, Oxford University Press, 2000.

GOTSCH, Gwen. *L'Allaitement tout simplement*, édité par La Leche League International, 1997.

KATZ ROTHMAN, Barbara. *The Tentative Pregnancy. Prenatal Diagnostic and the Future of Motherhood*, New York, Penguin Books, 1986.

KITZINGER, Sheila. *Breastfeeding Your Baby*, Londres, Dorling Kindersley, 1989.

KITZINGER, Sheila. *L'Expérience sexuelle des femmes*, Paris, Seuil, 1983.

KITZINGER, Sheila. *Tu vas naître*, Paris, Seuil, 1986.

KLAUS, Marshall K. et John H. KENNELL. *Bonding*, Boston, Addison-Wesley, 1995.

KLAUS, Marshall K. et Phyllis KLAUS. *L'Étonnant nouveau-né*, Montréal, Éditions de l'Homme, 1990.

La Leche League International. *L'Art de l'allaitement maternel*, Montréal, Éditions de l'Homme, 1995.

LAFORCE, Hélène. *Histoire de la sage-femme dans la région de Québec*, Québec, IQRC, 1985.

LAMARCHE, Constance. *L'Enfant inattendu. Comment accueillir un enfant handicapé et favoriser son intégration à la vie familiale et communautaire*, Montréal, Éditions du Boréal, 1987.

LAMBERT-LAGACÉ, Louise. *Comment nourrir son enfant. Du lait maternel au repas complet*, Montréal, Éditions de l'Homme, 1996.

LAURENDEAU, Hélène et Brigitte COUTU. *L'Alimentation durant la grossesse*, Montréal, Éditions de l'Homme, 1999.

*Le Petit Nourri-Source, l'ABC de l'allaitement maternel*, 3ᵉ édition, Nourri-Source, 1996.

ODENT, Michel. *Bien naître*, Paris, Seuil, 1980.

ODENT, Michel. *Votre bébé est le plus beau des mammifères*, Paris, Albin Michel, 1990.

THIRION, Marie. *L'Allaitement*, Paris, Albin Michel, 1994.

THIRION, Marie. *Les Compétences du nouveau-né*, Paris, Albin Michel, 1994.

THIRION, Marie. *Mon enfant dort mal*, Paris, Éditions Presse-Pocket, 1993.

VADEBONCŒUR, Hélène. *Une autre césarienne? Non merci! L'accouchement vaginal après césarienne*, Montréal, Québec-Amérique, 1989.

WEED, Susun S. *Wise Woman Herbal for the Childbearing Year*, Woodstock (New York), Ash Tree Publishing, 1986.

WHALLEY, Janet, Penny SIMKIN et Ann KEPLER. *Bientôt maman. La grossesse, la naissance et le nouveau-né*, Montréal, Éditions de l'homme, 1987.

# Index

# Merci!

Je remercie de tout cœur tous ceux et celles qui ont généreusement accepté de figurer dans *Une naissance heureuse*, ainsi que les sages-femmes qui les accompagnent. Je les nomme ici par ordre alphabétique :

## Les mamans et les papas

Diane Beaudry et Dominic Massi
Hélène Beaudry
Mercedes Becerra-Rodriguez et David Martel
Nathalie Béland et Hugues Deltil
Julie Bergeron et Roger Chrétien
Thérèse Bibeau et Guy St-Pierre
Michelle Bombardier
Martine Bouffard
Luce Bourdages et Beaudoin Wart
Mélodie Bujold et Simon Durocher
Hélène Champagne et Louis Brunelle
Mélanie Charest et Nicolas Lévesque
Claudine Charpentier et Stéphane Besson
Julie Cloutier
Marjolaine Côté et Jean-Christophe Stéfanovitch
Céline Cyr et Erhart
Marie-Véronique Décary et Jean-François Larocque
Suzanne Desserres
Francine Dubreuil
Stéphanie Filion
Élyse Filteau
Lorraine Fontaine et Dan O'Connell
Lise Fortin
Sylvie Fortin
Danielle Fournier
Lucie Fournier
Anne-Marie Fréchette
Lucie Fréchette et François Pellerin
Paule Gilbert
Alix Glorieux
Marthe Godin et Sourèche Rangaya
Pascale Graham et Éric Longsworth
Catherine Harel et Mathieu Lavoie
Hélène Iezzi
Josée Jacques
Anjuna Langevin
Nancy Lapointe
Mélanie Laroche et David Poulin-Latulippe
Karina Larsen
Liette Lemaire et Louis-Charles Gauthier

Mireille Lessard et Richard Landry
Louise Leroux
Dirce Morelli
Marie-Andrée Morisset
Julie Noël et Oscar Acevedo Gutierrez
Julie Parent et Sébastien Ferron
Christelle Pasquet et Yves Côté
Danielle Petitpas
Martine Potier
Isabelle Queval et Jean-Marc Miller
Magalie Queval et Christian Allaire
Lyne Richer
Hélène St-Aubin
Francine Tougas et Pierre St-Jacques
Stéphanie Traver
Julie Venne

## Les enfants

Zakarie, Anouchka, Loukia, Ariana, Adda, Philippe, William, Émile, Gaelle, Marie-Isabelle, Florent, Mathilde, Nathalie, Aiden et Gabriel, Caspar, Vidjay, Julien, Miguël, Nataël, Aurélie, Lorélie, Guillaume, Francis, Élise, Marie-Mousse, Alice, Hugo, Raphaël, Marius, Thomas, Gaïa, Raphaëlle, Éloïse, Sarah-Ève, Elliot, Ariane, Téo, Rébecca

## Les sages-femmes

Marleen Dehertog
Françoise Dufresne
Lucie Hamelin
Lucie Jeanne
Jeen Kirwen
Charlotte Landry
Micheline Leduc
Martine Lemay
Christiane Léonard
Kerstin Martin
Dominique Porret
Christine Roy
Jennifer Stonier
ainsi que Madeleine Décary, aide-natale
et Sophie Martin, étudiante sage-femme

MEMBRE DU GROUPE SCABRINI

Québec, Canada
2006